Telle mère, telle fille

Victoria Secunda

Telle mère, telle fille

Comment réussir la relation la plus complexe de votre vie

Traduit de l'américain par Sophie Voillot

Collection *Harmonie nouvelle*
LES EDITIONS MERLIN

Telle mère, telle fille

Une division de l'Agence littéraire d'Amérique
4329, rue Oxford
Montréal (Québec), Canada H4A 2Y7
Tél.: (514) 489-3614
Fax.: (514) 489-5109

Conception de la page couverture:
Pierre Thibodeau

Composition et montage:
Publinnovation enr.

Correction d'épreuves:
Odile et Patrick Walter

Distribution exclusive:
Les Messageries ADP
955, rue Amherst
Montréal (Québec) H2L 3K4

Dépôt légal: 2e trimestre de 1991

ISBN 2-9802-0893-0

A ma grand-mère

Préface

J'ai fait la paix avec ma mère, ma grande douleur. Et c'est beaucoup grâce à ce livre. Je comprends désormais d'où vient cette grande douleur et j'accepte de la vivre. Moi qui croyais toutes ces années chercher mon père... pour enfin me rendre compte que c'était ma mère que je cherchais ! Cette mère dont je réclame encore l'approbation et l'amour. Cette mère de qui j'ai l'impression de ne pas avoir eu d'amour "grand comme le ciel", "gros comme la maison". Cette mère à qui j'ai envie de dire "Maman, tu m'aimes gros comment ?".

Désormais, je ne lui fais plus de reproches. Je l'aime. Je lui ressemble et cela ne me fâche plus. Au contraire, cette ressemblance me réjouit ; j'ai hérité de sa force, de son courage et de son humour.

Victoria Secunda, avec *Telle mère, telle fille*, un ouvrage plein de lucidité et de compassion, m'a permis de sortir de mes carcans, de faire éclater les frontières qui me confinaient trop souvent au silence ou à la peur.

Je peux enfin lâcher prise. Je peux m'abandonner au risque de tout perdre. Je peux aussi vaincre ma peur de ne pas être aimée.

Je peux lui parler et lui demander, à elle, ma mère, de me libérer de son emprise. De me libérer de la culpabilité qui me hante depuis toujours. Pour être enfin libre.

Pour être enfin et surtout, sa fille et son amie pour les quelques années qui nous restent. Pour partager ce qu'elle a vraiment vécu. Pour connaître cette femme qui se cache derrière le personnage de la mère.

Et c'est seulement en créant ce lien d'authenticité et de complicité que je pourrai, à mon tour, briser le cycle et, être la mère et l'amie de mon fils.

A vous toutes, j'offre donc ce livre inestimable pour mieux vivre cette relation mère-fille qui tisse notre présent et notre avenir.

Bonne lecture !

Louise Latraverse

Louise Latraverse

Plus on idéalise le passé, [...] plus on refuse d'admettre les blessures de l'enfance, plus on risque de les transmettre inconsciemment à la génération suivante.

Alice Miller, psychologue.

Remerciements

Bien des auteurs disent que l'écriture est un métier solitaire. Mais d'après mon expérience, c'est tout sauf ça. Ce livre n'aurait jamais vu le jour sans la collaboration et la participation intellectuelle, professionnelle et personnelle de beaucoup de gens.

Sur le plan intellectuel, je dois énormément aux recherchistes, aux sociologues et aux thérapeutes qui ont étudié comment et pourquoi les gens se comportent comme ils le font. Parmi ces autorités, citons :

Alexander Thomas, M.D., et Stella Chess, M.D., professeurs de psychiatrie à l'université de New York;

Virginia Satir, une pionnière en thérapie familiale;

Sharon Wegscheider, auteure du livre essentiel *Another Chance : Hope and Health for the Alcoholic Family*;

Lucy Rose Fischer, Ph.D., auteure du livre *Linked Lives : Adult Daughters and Their Mothers*;

Tessa Albert Warschaw, Ph.D., auteure du livre *Winning by Negotiation.*

Inspirée par leur travail et nourrie de ma propre expérience de journaliste, j'ai découvert des constellations de comportement chez la centaine de femmes que j'ai rencontrées pour la préparation de ce livre. J'ai trouvé ces femmes de deux manières différentes : premièrement, grâce à des amies enthousiastes qui m'ont gracieusement donné des douzaines de noms. Deuxièmement, par l'entremise d'une petite annonce que j'ai fait paraître dans le *Pennysaver*, une publication de petites annonces distribuée dans la plupart des foyers des comtés Winchester et Putnam de l'Etat de New York.

L'annonce était rédigée ainsi : «Auteure cherche femmes voulant témoigner d'une relation mère-fille difficile». J'ai reçu plus de cent-cinquante réponses, dont beaucoup venaient de femmes d'autres Etats auxquelles les amies ou la famille avaient envoyé l'annonce. Je n'ai pas manqué de femmes à interviewer : en fait, longtemps après la fin de mes recherches, je recevais encore des appels de femmes désireuses de témoigner de leurs relations avec leur mère ou avec leurs enfants adultes.

En puisant dans ces deux sources, j'ai pu sélectionner un groupe de femmes âgées de vingt-deux à soixante-dix-sept ans et venant de toutes les couches socio-économiques de la société. Il m'est impossible de les remercier suffisamment ni d'exprimer à quel point elles m'ont émue. Leur incroyable sincérité m'a parfois transpercé le cœur. La confiance dont elles ont fait preuve pour une auteure qu'elles n'avaient jamais rencontrée était extraordinaire, et je leur en serai éternellement reconnaissante. Pour protéger leur identité, j'ai changé leurs noms et les détails permettant de les identifier.

Je suis également reconnaissante envers toutes les spécialistes qui ont généreusement et patiemment partagé avec moi leur expertise au cours d'entrevues, et envers les amies qui m'ont encouragée et soutenue tout au long de ma longue hibernation et qui m'ont parfois apporté de précieuses suggestions.

Cependant, il y a sept personnes qui m'ont été d'une aide particulièrement importante et à qui je dois le plus. Il s'agit de Donna Jackson, éditrice, de Janet Gardner, rédactrice, de Bob Miller, éditeur, d'Elaine Markson, mon agente, et son associée Geri Thoma, de ma fille, Jeniffer Heller, qui m'a aidée à enfin grandir, et de mon mari, Shel Secunda, qui est la personne la plus gentille que j'aie jamais rencontrée. Sans lui, je n'écrirais pas aujourd'hui.

Victoria Secunda

Introduction

Il y a dans les relations mère-fille douloureuses quelque chose qui, pour beaucoup de filles adultes, risque de persister avec une cruelle ténacité. Ce sont souvent des femmes intelligentes, sensibles, compétentes, des femmes qui tentent vaillamment de réussir malgré leurs débuts difficiles — mais ces débuts les hantent comme si elles avaient raté l'examen de passage de l'enfance.

Ces femmes éprouvées par une relation orageuse ou glaciale avec leur mère, qui survivent tant bien que mal au manque d'amour, si fortes pourtant dans les autres domaines de leur vie, se sentent soudain les jambes en coton, étranglées de tristesse ou tremblantes de rage lorsqu'elles évoquent leur enfance. Leur mère est peut-être morte depuis longtemps, à moins qu'elle ne soit devenue une infirme aux cheveux blancs; mais elle a toujours une emprise profonde sur sa fille, qui parle encore d'elle comme si elle risquait de se faire envoyer dans sa chambre à tout moment.

Comment ce règne de la terreur des petites vieilles dames est-il possible ? C'est que, quand ces femmes adultes parlent de leur mère, elles redeviennent des enfants grondées, et la mère une jeune adulte, qui a le pouvoir de briser le cœur d'une enfant d'un seul regard. Le souvenir dissout les années et efface les rides, comme si l'album de famille finissait abruptement il y a des dizaines d'années et qu'il ne contenait aucune photo récente. Bien sûr, le temps a passé, mais pas les émotions ni les peurs de l'enfance, figées dans l'émulsion de la mémoire de la fille adulte.

Mais lutter contre une image dépassée (et peut-être même déformée) de notre mère ressemble à se battre avec quelqu'un qui nous maintiendrait constamment à une distance suffisante pour que nous ne puissions jamais l'atteindre. La mère que l'on craint, que l'on méprise, n'existe plus; il ne reste plus d'elle qu'une pâle copie vieillissante : on se bat contre un fantôme.

Cependant, le combat continue souvent avec une ardeur de cauchemar. Pourquoi ? Et que peut-on y faire ?

Ce livre se propose de traiter de l'odyssée que constitue la guérison des relations mère-fille douloureuses et apparemment sans espoir. Il a été écrit pour les femmes qui ont eu avec leur mère une relation tellement douloureuse qu'elle sabote leur vie adulte de diverses manières, dont elles ne se rendent parfois même pas compte. Ces filles adultes ignorent souvent qu'il est possible, non seulement de réparer une relation mère-fille malheureuse, mais également de comprendre leur mère et même d'éprouver pour elle de l'empathie.

Mais pour réussir cette cicatrisation, la fille doit avoir le courage d'examiner la relation avec le désir de vraiment comprendre et de guérir, plutôt que de continuer à réagir avec une force démesurée, que ce soit par la rage ou les supplications. Elle a besoin de voir en sa mère, non plus toutes les façons dont elle s'éloigne de l'archétype de la mère parfaite, mais ce qui fait d'elle une femme de proportions humaines, qui est le produit de son époque et des circonstances de sa vie.

Car une relation mère-fille non résolue possède le potentiel de saboter et même de détruire complètement tous nos autres liens: avec nos amies, nos partenaires, nos conjoints, nos collègues, nos enfants, nos petits-enfants.

En l'absence d'une résolution, nous restons ligotées à notre mère, ou à une image d'elle, comme une baleine désorientée qui, plutôt que de se laisser guider vers le large, s'obstine à revenir à la rive où elle risque de s'échouer. Toutes nos perceptions en sont déformées : nous faisons confiance à n'importe qui, ou alors à personne; notre instinct est muselé.

Par exemple : *Nous devenons peut-être amies avec des gens qui possèdent certains des traits les plus destructeurs de notre mère.* Une femme m'a dit : «Je suis tout le temps attirée par des femmes fortes, volontaires, qui cherchent à prendre le contrôle, et je finis toujours par me sentir intimidée. C'est comme si j'essayais de dompter une espèce de tigre : comme elles me font penser à ma mère, si j'arrivais à me faire aimer d'elles, que ce soit en écoutant toujours leurs conseils ou en ne les contredisant jamais, ce serait comme si je me faisais enfin aimer de ma mère.»

Par exemple : *Nous rejetons peut-être impulsivement et injustement les gens qui ressemblent à notre mère.* «Il m'arrive parfois de voir ma mère là où elle n'est pas, raconte une autre femme. Quand une amie me corrige sur ma grammaire, par exemple, je réagis très violemment, parce que c'est exactement comme si elle essayait de m'humilier comme ma mère l'a toujours fait. J'apprends à me dire : "Du calme ! Cette personne *ressemble* à Maman, mais ce *n'est pas* Maman. Pas de panique."»

Par exemple : *Nous épousons peut-être des gens qui ressemblent beaucoup à notre mère.* Comme le raconte une troisième femme : «J'ai épousé le jumeau psychologique de ma mère, un homme qui a besoin que je le materne constamment et que je prenne toutes les décisions à sa place. Heureusement, je me suis rendu compte de ce que j'avais fait, j'ai entamé une thérapie et j'ai fini par m'en sortir.»

Par exemple : *Nous tentons peut-être de faire de nos filles la mère aimante que nous n'avons jamais eue, plutôt que d'être pour elles une source de force et d'amour maternel.* Une quatrième femme raconte : «Ma fille était ma "copine". Pendant les dix premières années de sa vie, elle a été le centre de la mienne; cela a failli détruire mon mariage. J'étais décidée à m'amuser avec elle comme je ne m'étais jamais amusée avec ma mère. Je lui racontais tous mes problèmes. Le résultat, c'est que maintenant elle n'a pas d'amis; elle a peur d'aller à l'école parce qu'elle ne sait pas comment communiquer avec les enfants de son âge.»

Par exemple : *Nous sommes peut-être incapables d'être fermes avec notre mère et de mettre des limites, ce qui nous expose à répétition, nous et nos enfants, à un comportement inacceptable.* «Ma mère peut devenir très laide et incroyablement méchante, raconte une cinquième femme, mais je n'arrive pas à m'empêcher de me faire du souci pour elle. Récemment, elle avait un rhume et je suis allée la voir avec mon fils de cinq ans. Il a renversé son verre de lait sans le faire exprès; elle s'est mise dans une colère noire et nous a jetés dehors de chez elle. Eh bien, je me sens encore obligée de lui téléphoner tout le temps.»

Pour les femmes de ces exemples, le plus grand défi consiste à se séparer de leur mère pour acquérir une perspective saine, non seulement sur leur mère, mais aussi sur elles-mêmes, leurs relations et les choix qu'elles font dans la vie.

Se séparer ne veut pas dire mettre sa mère à la porte de la famille (bien que dans certains cas extrêmes, comme nous allons le voir, cela puisse impliquer de ne pas la voir pendant un certain temps, ou même d'effectuer une rupture permanente). Cela signifie plutôt que notre estime de nous-même ne *dépend* plus de son approbation, mais que l'on apprend à s'approuver et à se comprendre soi-même.

Le but de ce livre est d'aider sa lectrice à effectuer cette séparation pour qu'elle puisse avoir avec sa mère une relation amicale, ou, à tout le moins, admettre et accepter que sa mère a fait ce qu'elle pouvait — même si ce n'était pas assez — et d'arrêter de la blâmer.

Voici quelques-uns des sujets traités :

• Comprendre comment la relation d'une fille avec sa mère — plus que celle avec son père — colore toutes ses autres relations; analyser pourquoi il est plus difficile pour les filles que pour les fils de se séparer de la mère, et pourquoi les filles sont plus vulnérables que les fils à la manipulation de leur mère.

• Savoir reconnaître si la relation mère-fille est saine ou destructrice, et définir clairement la "mauvaise Maman" pour aider la lectrice qui trouve difficile d'admettre ses drames d'enfant à entamer une prise de conscience.

• Analyser ce que j'appelle le "tabou de la Mauvaise Mère": pourquoi notre culture préfère de beaucoup protéger l'institution de la maternité que les filles émotivement maltraitées.

• Décrire l'évolution de la mère "impossible à satisfaire" (selon toute probabilité, elle a été privée d'amour maternel pendant son enfance) et reconnaître l'enjeu énorme et souvent tragique qui la pousse à maintenir sa fille adulte dans un état de dépendance et d'insécurité.

• Illustrer les comportements manipulateurs qui en résultent, comportements qui sont parfois masqués par la fragilité ou les bonnes intentions et qui suivent certains scénarios comme :

la Victime;
la Critique;
la Mère poule;
la Tortionnaire;
l'Absente.

• Comprendre pourquoi la fille est poussée, par un enjeu similaire, soit à devenir l'esclave de sa mère, soit à la détester — l'un ou l'autre des deux côtés de la médaille de sa dépendance et de son immaturité.

• Illustrer les comportements de réaction — ou mécanismes de défense — des filles, qui sont en partie déterminés par des facteurs comme l'ordre de naissance, l'histoire de la famille et le tempérament, et qui suivent également des scénarios comme :

l'Ange;
la Championne;
l'Invisible;
la Terreur;
l'Exilée.

• Montrer comment on peut redéfinir la relation mère-fille pour que chacune apprenne à voir et à accepter l'autre comme elle est aujourd'hui, à apprécier les qualités de l'autre et à ne pas rester prisonnière du passé.

• Enfin, démontrer qu'une relation redéfinie avec sa mère, d'adulte à adulte, libère du passé, que cette redéfinition ait pour résultat final une réelle amitié, une trêve affectueuse ou le divorce.

Apprendre à accepter sa mère — et donc soi-même — nécessite l'adoption de deux mots d'ordre : générosité et instinct de conservation, qui sont aussi difficiles à réussir l'un que l'autre lorsque l'on n'a pas encore découvert son identité distincte.

J'ai discuté avec une centaine de femmes âgées de vingt-deux à soixante-dix-neuf ans, qui ont ou qui ont eu une relation difficile avec leur mère et qui sont à des étapes diverses de la résolution de leur enfance malheureuse. Elles se situent toutes quelque part entre les impératifs jumeaux de la nostalgie d'une relation idéale avec leur mère, d'une part, et de la réconciliation avec ce qui est *possible*, d'autre part; entre le fantasme infantile et un point de vue d'adulte raisonnable.

Beaucoup de ces femmes luttent pour être des mères acceptables avec leurs propres enfants et tentent avec anxiété de ne pas répéter les erreurs de leur mère. Mais elles mènent aussi une lutte parallèle qui consiste à apprendre à se percevoir elles-mêmes comme des filles acceptables, à dépasser la peur d'être blâmée.

Ces relations mère-fille passent par toute la gamme des attentes et des résolutions, de la rage meurtrière au respect mutuel et affectueux de ce qui nous différencie. J'ai vu une mère de quatre-vingt-trois ans vivre avec sa fille de soixante-deux ans, chacune des deux ayant installé un cadenas sur la porte de sa chambre pour empêcher l'autre d'entrer et de lui voler quelque chose.

En contraste avec ce féroce attachement, il y a la femme de trente-huit ans qui dit de sa mère : «Je n'ai jamais douté de son amour un seul instant. Mais en même temps, elle me surestime : elle me croit capable d'accomplir des choses extraordinaires. Je n'ai jamais réussi à combler ses attentes.»

Voici encore une femme de quarante-et-un ans qui ne voit sa mère qu'aux mariages et aux enterrements. «Elle me déteste parce que j'ai depuis toujours avec mon père une relation plus profonde qu'avec elle. Il ne m'appelle que quand elle n'est pas à la maison: si elle est là et qu'elle s'aperçoit que c'est avec moi qu'il parle, elle le force à raccrocher. Je comprends pourquoi elle est comme ça : son père est mort quand elle était toute petite. Mais je ne lui pardonnerai jamais de m'exclure de cette façon.»

Et il y a cette femme de vingt-neuf ans qui dit de sa mère extrêmment critique qu'elle «n'a jamais tenté de me faire mal dans le but me détruire, mais dans le but de se protéger elle-même. Quand j'ai compris cela, elle a perdu le pouvoir de me blesser.» Cette femme et sa mère ont résolu leurs différends et réussi à tisser une amitié qui, dans un sens, est plus solide que la majorité à cause même de ses débuts houleux. (*Note* : des mères de ce genre réparent souvent leurs erreurs de parents en devenant de merveilleuses grand-mères.)

Admettre que l'on fait partie des filles "inacceptables" décrites dans ce livre (si l'on en est vraiment une), c'est se sentir, jusqu'au plus profond de l'âme, abandonnée par la seule personne au monde qui soit censée nous aimer, *quoi qu'il advienne.* On ne s'en remet jamais complètement. Mais on peut arriver à en comprendre la portée et à "mesurer l'étendue du désastre", selon l'expression de Marie Cardinal, pour que puisse commencer la guérison.

Voici l'un des dégâts les plus répandus chez ces filles : bien que, dans l'enfance, elles aient rêvé d'être aimées, elles deviennent souvent des adultes qui se sabotent inconsciemment, ne se laissant pas aimer et ignorant comment aimer. L'enfant qui essayait constamment de plaire à sa mère impossible à satisfaire peut devenir une adulte qui ne sait pas reconnaître un amour sain et qui n'a pas confiance quand il se manifeste dans sa vie, parce qu'elle ne sait pas ce que c'est. Elle ne reconnaît l'amour que s'il ressemble à "l'amour" qu'elle a reçu étant petite. Le partenaire qui l'aime vraiment sera donc perçu comme faible et facile à manipuler, tout comme elle était "faible et facile à manipuler" par sa mère. *Elle ne sait rien faire d'autre que de le traiter comme elle a été traitée.* "L'amour" devient alors sa propre caricature.

Ce qui complique tout, c'est le tabou de la Mauvaise Mère, c'est-à-dire l'obligation culturelle de faire bonne figure au sujet de son enfance et de ne jamais exposer ses blessures, de camoufler sa peine et sa colère et de ne jamais dire : «Ma mère ne m'a jamais montré d'amour.» Il y a pourtant des femmes pour qui c'est la vérité; mais elles ne peuvent l'exprimer qu'à leurs risques et périls. Elles apprennent donc plutôt à se détester elles-mêmes et, plus tard, peut-être aussi leurs enfants.

Le tabou de la Mauvaise Mère peut prendre plusieurs formes, y compris une certaine censure qui voit en *toute* critique contre une mère un crime de "lèse-maternité". Ce genre d'attitude semble percevoir une entreprise de dévaluation des femmes dans le fait de raconter qu'une mère était impossible à satisfaire, par exemple. Le vrai problème, selon les tenantes de cette opinion, vient de ce que nous ne tenons pas le père assez responsable, lui dont le rôle parental est souvent réduit au minimum (comparé à celui de la mère), mais qui est en dernière analyse aussi responsable qu'elle de l'adulte que deviendra son enfant.

Selon ces critiques, non seulement les femmes n'ont pas accès à une position égale à celle des hommes, que ce soit dans la famille ou dans la société, mais elles sont en plus injustement tenues responsables quand elles reportent sur leurs enfants la frustration qui découle de leur situation.

Il est vrai que bien des mères élevées dans les années 20 et 30 ont subi des frustrations incalculables de par leur rôle d'uniques et humbles arbitres de l'âme et du corps de leurs enfants, pendant que leurs maris récoltaient tout le pouvoir et la gloire de leur culture. Mais cette division tacite des tâches et de la valeur sociale selon le sexe ne justifie pas le fait que certaines de ces mères (pas *toutes* les mères) se sont vengées de ces inégalités en exerçant sur leurs enfants sans défense un pouvoir indu et hors de proportion.

De toute évidence, il peut arriver qu'une fille tourne mal sans que sa mère en soit en rien responsable : certains facteurs comme la maladie mentale ou physique sont au-delà du contrôle d'une mère. Il arrive également qu'une mère tente de se racheter une fois sa fille parvenue à l'âge adulte, mais que la fille refuse de grandir et de pardonner.

Mais lorsqu'une mère est poussée par un besoin malsain de dominer ses enfants (besoin qu'elle exprime en les intimidant, en les terrorisant, en les négligeant, en les étouffant, en leur passant tous leurs caprices, en les humiliant, en les couvant ou en les maltraitant), ces enfants doivent d'abord reconnaître qu'elles n'ont pas été bien traitées par leur mère pour pouvoir entamer le long processus de guérison qui mène à la compréhension de l'autre.

En même temps, les filles devenues adultes doivent aussi faire l'effort de vraiment *faire connaissance* avec leur mère (ce que bien des filles ne font pas) pour en venir à comprendre les forces qui en ont fait la mère qu'elle a été. Ces filles doivent découvrir la somme de tourments qui ont présidé aux choix qu'a pu faire leur mère, et voir en elle une combinaison unique de qualités et de défauts plutôt qu'une sainte ou une marâtre.

On oublie pour survivre à son enfance, période au cours de laquelle on dépendait entièrement de la bonne volonté de ses parents. Mais pour guérir de ce type d'enfance, on doit commencer par se souvenir... du meilleur comme du pire.

La première étape sur la voie de la guérison est donc le souvenir — ce qui est assez complexe, comme nous le verrons au chapitre Trois. Pour ne pas prendre de risques émotifs inutiles, on a souvent besoin de l'assistance d'une thérapeute experte et douée d'empathie.

La deuxième étape consiste à laisser les émotions douloureuses faire surface, plutôt que de les canaliser inconsciemment vers d'autres relations ou elles feraient irruption mal à propos. Lorsqu'on arrive à accepter que l'on n'est pas responsable pour les épreuves subies dans l'enfance, lorsqu'on se permet d'*éprouver* de la colère (sans la traduire en actes : la prise de conscience ne justifie pas le meurtre !) alors on devient capable de *se libérer de sa colère* et de ne plus être son esclave.

Il devient alors possible de se mettre à renoncer à des attentes infantiles qui persistent, chez l'adulte, dans le besoin soit de continuer à tenter d'obtenir l'approbation de sa mère, soit de continuer à la détester. La plupart du temps, il faut pour cela effectuer en soi-même des changements menant à l'émergence d'une relation *plus ou moins* saine avec sa mère.

Mais dans de rares cas extrêmes, il faut faire tout le travail en l'absence temporaire ou définitive de la mère. Pour certaines filles — pour leur santé mentale, leur équilibre et l'espoir qui leur reste d'avoir un jour de l'amour dans leur vie — il vaut parfois mieux ne jamais la revoir.

Mais ces filles doivent elles aussi, même si ce n'est que dans leurs douloureux souvenirs, apprendre à accepter leur mère incapable de faire face à ses propres démons pour ne pas rester toute leur vie prisonnières d'émotions très intenses qui vont de la rage à une soumission sans condition. Alors seulement pourront-elles obtenir la réponse aux questions qui les hantent : Suis-je une handicapée émotive ? Vais-je faire subir à mes enfants les souffrances que j'ai vécues ? Suis-je indigne d'amour ?

Pour guérir, il faut parvenir à voir sa mère comme *différente* de soi; à admettre qu'elle a été formée par l'attitude de sa mère *à elle*; à reconnaître à quel point ses options étaient plus limitées que les nôtres; à réaliser que ce genre de mère mérite surtout de la pitié; et à se libérer de ce que la psychanaliste Alice Miller appelle la "prison de l'enfance".

Avec ce genre d'effort, il devient possible de comprendre et même de devenir amie avec sa mère. Car en résolvant ses émotions envers sa mère, on peut apprendre à l'accepter et, par le fait même, à mieux se comprendre et à s'accepter soi-même.

Mais le gain le plus important, c'est de devenir enfin adulte et de cesser de perpétuer les exigences que des générations de mères impossibles à satisfaire transmettent à leurs filles, toutes trop blessées pour donner ou recevoir de l'amour. Le "remède" consiste à devenir, pour soi-même comme pour ses enfants, une mère aimante, malgré les failles du seul modèle dont nous puissions nous inspirer. La victoire réside dans le choix que chaque femme peut faire de ne pas rester victime du passé, mais plutôt de *briser le cycle des relations mère-fille douloureuses* qui se répercutent dans toutes nos relations.

Si on ne peut pas refaire l'histoire, on peut au moins prendre en main son avenir en ne devenant pas à son tour une mère (amie, amante, collègue) incapable d'aimer. On peut apprendre à percevoir sa mère comme une personne humaine, tout simplement. Ensemble, nous pouvons devenir une génération de transition, celle qui aura transmuté l'héritage du rejet maternel pour qu'il disparaisse avec elle.

Aucune fille ne souhaite sentir qu'elle n'est pas aimée de sa mère; aucune jeune femme ne souhaite vivre dans la peur de ne jamais pouvoir être une bonne mère; aucune mère ne souhaite se dire qu'elle a échoué dans son rôle de mère. Lorsque la mère et la fille devenue adulte arrivent à dépasser leur méfiance, leur liste de reproches, de chagrins, d'hésitations, de blessures — lorsqu'elles arrivent à dépasser la *culpabilité* — elles ont accès à un énorme potentiel de guérison.

«Rien, jamais, n'abolit notre enfance», a écrit Simone de Beauvoir. Avec sympathie pour les deux côtés du fossé des générations, *Telle mère, telle fille* explore la relation mère-fille douloureuse en montrant à quel point il est important de résoudre la plus intime, la plus complexe et la première relation de la vie d'une femme.

Première partie

Les fantômes de l'enfance

1

Alliées naturelles, ennemies naturelles

«J'ai toujours essayé d'être tout ce que ma mère voulait que je sois: toujours une dame, toujours polie, pleine de considération pour les autres. Je dirige mon commerce comme ma mère mène sa maison, dans les moindres détails. D'une certaine façon, je suis ma mère : pleine de vie quand je suis heureuse, très froide quand je suis en colère. Les gens disent que je suis son portrait tout craché.

Je vais vous dire un secret : chaque fois que je passe devant un miroir, j'en ai le souffle coupé.

Je crois bien que la ressemblance va plus loin que l'aspect physique.»

Catherine, trente-neuf ans.

Il existe peu de remarques qui aient autant le pouvoir de semer la terreur dans le cœur d'une femme, ou d'amener au point d'ébullition une prise de bec entre amants, que la petite phrase : «Tu ressembles de plus en plus à ta mère».

Même si l'on aime sa mère, même si éprouve pour elle une sincère *affection*, chaque fille éprouve le besoin de se différencier d'elle, d'innover par rapport au vieux modèle, de représenter un mélange unique de ses propres qualités et de ne le devoir qu'à elle-même. La relation mère-fille comporte une tension inévitable, inextricablement liée au fait d'être l'enfant de quelqu'un.

C'est pourquoi la simple suggestion que nous puissions être la copie conforme de notre mère sabre jusqu'au cœur notre sentiment d'indépendance; non seulement elle suggère que l'on est toujours une enfant incapable de s'assumer seule, mais, comble de l'horreur, que l'on est peut-être un mélange de tous ses défauts, *défauts qui nous sont tous connus dans leurs moindres détails.*

En même temps, les lois de la génétique font de nos efforts

pour nous modeler une identité distincte un véritable traquenard, puisque cette identité est inséparable de celle de notre mère.

Pour une fille, s'éloigner complètement de sa mère revient à rejeter son principal modèle, son mentor, son gabarit psychologique; la relation amour-haine est dans l'ordre des choses : on peut bien se séparer d'elle, mais seulement jusqu'à un certain point.

En fait, il y a une limite au degré de différence qu'une fille peut mettre entre sa mère et elle, car, avouons-le, sous bien des aspects, on est tout simplement *comme elle*, et l'on n'y peut rien — d'ailleurs, en l'absence de conflit majeur, lorsqu'on arrive à la percevoir comme une personne à part entière, on ne voudrait pas qu'il en soit autrement. De toute façon, y a-t-il quelqu'un qui nous connaisse depuis plus longtemps qu'elle ?

En vérité, dans les moments de crise ou les attaques de doute, au milieu des larmes, on a grand besoin d'elle; d'une certaine manière, on voudrait croire qu'elle a le pouvoir magique de tout arranger : «allons, allons, ne pleure plus...» C'est pourquoi on ne veut pas la vexer, pourquoi on ne voudrait pour rien au monde risquer d'encourir sa réprobation. A un certain niveau, rejeter Maman équivaut à se saboter soi-même.

Et pourtant, elle a le pouvoir de nous mettre hors de nous.

Je sirote un café dans la cuisine ensoleillée de Marthe, avec qui je suis amie depuis l'université. Pendant qu'elle est momentanément sortie de la pièce, Dorothée, sa fille de vingt-cinq ans, entre à pas feutrés pour se faire à déjeuner. Elle attrape une tasse dans l'armoire et se verse un café en soupirant d'un air lugubre :

Je ne sais pas ce qu'a Maman aujourd'hui. Chaque fois que je lui demande ce qui se passe, elle me répond : "Rien du tout". J'ai passé toute la matinée à me demander si elle a quelque chose contre moi. Mon frère est bien plus malin que moi. Dès qu'il la voit de mauvaise humeur, il se demande : "Est-ce que c'est de ma faute ?", conclut qu'il n'en est rien, lui fait une grosse bise et continue ce qu'il était en train de faire.

Pourquoi est-ce que je ne suis pas comme lui ? J'ai beau savoir que je ne lui ai rien fait, je me sens quand même coupable.

On a toujours besoin de savoir que Maman nous aime, au point que notre humeur et même notre bien-être en dépendent. On se surprend donc souvent à se demander ce que l'on a fait de mal, même si l'on sait pertinemment que *l'on n'a rien fait.* A tel point qu'elle peut nous gâcher la journée avec quelques mots : «Mais non, je n'ai rien.» Et cela n'a rien à voir avec le fait qu'elle soit une sainte ou un monstre.

Telle mère, telle fille

Selon les mots de la journaliste américaine Liz Smith, les mères et les filles sont «des alliées naturelles [et] des ennemies naturelles». Aimer notre mère nous réserve les pires et les meilleurs moments.

Je me souviens de la fois où j'ai fait remarquer à ma mère, quand j'étais à l'école primaire, qu'une amie de la famille me faisait penser à Sido, le personnage de Colette.

— C'est très bien observé, me répondit-elle.

Oublions, si vous le voulez bien, le fait que si j'avais été chercher mon analogie dans un livre que j'avais lu, c'est parce que cela ne me semblait pas trop mal trouvé, à moi aussi. Le fait est que je n'ai jamais oublié son compliment : je peux même faire remonter à ce moment précis mon désir d'écrire.

Mais je n'ai jamais oublié non plus le jour où, âgée de seize ans et, n'en doutons pas, en pleine crise de vanité adolescente, j'ai exprimé devant ses invités mon désaccord avec quelque chose qu'elle venait de dire. Comme si je l'avais frappée, ma mère s'est retournée d'une seule pièce et m'a dit d'un ton glacial : «On ne parle pas comme ça aux grandes personnes». Même après plusieurs dizaines d'années, la rebuffade brûle encore comme un coup de soleil à vif.

Il n'existe pas de relation plus chargée que celle entre une mère et sa fille, ni plus remplie d'attentes de toutes sortes qui, comme des bombes enfouies, risquent d'exploser à chaque pas, à chaque mot de travers qui blesse ou qui fâche sans prévenir. Mais il n'existe aucune relation qui contienne autant de promesses d'affection et de compréhension.

Qu'y a t-il donc dans cet attachement particulier qui lui donne tant de *pouvoir* ? En quoi est-il si différent de la relation mère-fils, par exemple, ou même la relation père-fils ?

Pour commencer, aucun autre être humain n'est littéralement aussi semblable à nous : en fait, du bagage génétique aux caractéristiques sexuelles, mère et fille sont l'une pour l'autre des miroirs. On peut même lui ressembler physiquement. Comme Maman, on a des seins, on peut porter un enfant, et malgré les acquis du féminisme, on est souvent le soutien émotif d'une famille ou d'un partenaire amoureux. Et comme elle, on n'est à l'abri ni du sexisme, ni du viol.

Il n'existe pas non plus de relation qui comporte autant de compétition : comme Maman, nous revendiquons l'attention de papa. Conditionnées toutes les deux à la vanité féminine, nous sommes encouragées à nous préoccuper de notre image et à obtenir un verdict favorable du pèse-personne de la salle de bain et du miroir sur le mur... Nous tentons de rester au moins à sa hauteur (espérant la dépasser), dans notre carrière comme dans nos choix amoureux.

Elle est le critère ultime selon lequel nous nous évaluons : avons-nous "réussi" (dans nos études, notre carrière, notre vie sexuelle, notre mariage, notre minceur, notre popularité, notre élégance, notre maternité, notre foyer) aussi bien qu'elle ? Mieux? Autrement ?

C'est lorsque nous avons "réussi" à la fois mieux qu'elle *et* autrement qu'elle, que nous nous estimons capable de nous passer d'elle. Nous avons réussi le test.

Mais il y a un hic dans le processus de la séparation mère-fille: on veut se passer d'elle, mais pas complètement. On veut se détacher, mais pas se couper d'elle. Car, qu'on le veuille ou non, on est toujours très attachée à Maman.

Que notre relation soit facile ou tendue, hostile ou amicale, on a besoin d'elle, ne serait-ce qu'en souvenir ou en imagination, pour être témoin de notre histoire, pour donner de la validité à notre féminité, pour guider nos pas dans la vie; on a besoin de savoir qu'elle sera là pour nous relever si nous trébuchons, pour nous aimer *envers et contre tout*, pour nourrir l'enfant qui vit toujours en nous sans pour cela nous infantiliser. Ce besoin, même dans les meilleures relations mère-fille, ne disparaît jamais, et dans les pires, laisse dans notre cœur un intolérable trou béant.

C'est la mère qui donne le ton pour toute la vie de sa fille, qui lui donne sa carte du monde et son modèle de femme, qui continue à donner l'exemple tout au long de la maturité et de la vieillesse, particulièrement dans les aspects génétiques et émotifs de la vie. Alors on l'inonde de questions : Quel âge avait-elle à ses premières règles ? Au début de sa ménopause ? Comment ressent-elle et vit-elle sa vie amoureuse ? Ses amitiés ? Son travail ? Le désir sexuel ? La solitude ?

Mais si la mère et la fille n'ont plus aucun contact, il devient impossible de poser ces questions à la seule personne dont la psyché et le corps ont formé les nôtres. C'est pourquoi la fille privée de relation avec sa mère subit une perte inestimable, car elle doit alors se frayer un chemin seule dans la vie au lieu de suivre l'exemple de sa mère et d'en tirer des leçons. Une fille dans cette situation doit se découvrir toute seule.

«Les femmes se définissent peut-être [...] en fonction de leur travail, mais la pulsion opposée, qui les pousse à revenir au paradis de la fusion symbiotique avec la mère, est plus forte que jamais, écrit Jane B. Abramson dans son livre *Mothermania*. Ce besoin est inhérent à la nature humaine.»

Ce besoin de fusion se manifeste tout autant d'une manière parfaitement consciente que dans des instants tout à fait inattendus et surprenants.

Johanne est indéniablement une femme indépendante qui réussit dans la vie. Directrice d'une agence de publicité, elle fait la fierté de son mari médecin et de ses deux fils adultes, qui l'adorent. Elle reçoit des prix et des invitations à donner des conférences de partout dans le pays. Mais à l'âge de quarante-neuf ans, Johanne appelle encore sa mère pour lui demander son avis au moins une fois et même parfois deux fois par jour, où qu'elle soit. Elle me confie :

Je ne peux pas passer cinq minutes avec ma mère sans avoir envie de l'étrangler. Mais je suis profondément convaincue que je ne serais rien sans elle.

Elle m'a toujours dit : "En fin de compte, quoi que tu fasses, que tu assassines quelqu'un, que tu voles, que tu tombes en disgrâce, quoi que tu fasses, ta mère est la seule personne qui t'aime vraiment. Ta mère ne te laissera jamais, jamais tomber. Tu ne peux faire vraiment confiance qu'à ta mère." Et je la crois.

Annie, trente-neuf ans, divorcée, institutrice dans une école de province, perçoit autrement la présence de sa mère :

Ma mère a une influence sur les choix que je fais, même si elle n'est pas avec moi. Je sais même ce qu'elle pense. Quand je fais le ménage chez moi, j'entends sa voix me dire où mettre ceci, où mettre cela, et de ne pas cacher la poussière sous le tapis.

J'ai toujours voulu être avocate. Mais j'entends tout le temps la voix de ma mère me dire : "Comment pourrais-tu quitter ton travail et laisser tomber ta famille ? Comment pourrais-tu me quitter pour deux longues années ?"

Peu importe ce que je suis en train de faire, j'entends toujours sa voix. Alors je ne fais pas parfaitement le ménage : c'est ma manière de me rebeller. Mais je ne vais pas non plus à la faculté de droit.

Ces "messages", ces "voix" résonnent dans les oreilles d'une fille toute sa vie, litanie maternelle qui la forme constamment. Elles commencent avec la première respiration que nous prenons à la naissance, abruptement séparées de notre mère, et que nous faisons aussi abruptement le premier pas vers l'indépendance.

La petite enfance est un âge merveilleusement magique où l'on ne se perçoit aucunement comme séparée de sa mère. Bébé crie : on la prend dans les bras; son corps frémit de soulagement. Elle ignore où elle commence et où finit sa mère : en fait, de son point vue, elles sont encore un seul et même organisme. C'est l'union la plus parfaite : tous les besoins sont comblés — abri, protection, amour, nourriture —, tout est baigné du contact physique avec Maman, de la chaleur et du réconfort de sa peau, de l'odeur et du goût de son lait, de la douceur rassurante de sa voix, de son sourire et de ses caresses aimantes.

A moins, bien entendu, que bébé pleure et que *personne* ne la prenne dans ses bras. Ou qu'on lui crie après. A cet horrible instant, bébé, dans tout son corps convulsé, prend conscience que quelque chose lui manque, même si elle ne comprend pas la relation de cause à effet; elle continue à hurler pour que quelque chose, *n'importe quoi*, vienne mettre fin à sa panique, à son angoisse de ne *pas* être prise, nourrie, maternée.

Et si la mère, ou celle qui en tient lieu, ne vient pas "sauver" l'enfant, le monde devient un endroit dangereux.

L'un des facteurs pour lesquels il est vital de répondre aux besoins d'une enfant est sa perception d'être la cause de son propre abandon, même si cette perception est inconsciente. Ce point de vue narcissique est le point de départ de la croissance psychologique et physique de bébé; comme elle n'a pas conscience d'une barrière entre elle et sa mère, elle "croit" que ce sont ses cris eux-mêmes qui sont la cause des soins que lui donne sa mère.

Dans le cas où la mère ne lui donne *pas* de soins, bébé croit que c'est elle qui est la cause de son propre rejet parce qu'elle ne mérite pas d'être aimée, d'être maternée. Cette croyance peut hanter une vie entière. (Si elle est ignorée de manière répétitive, pendant de longues périodes, ou qu'elle est abandonnée, bébé finit par perdre toute sensation, tout espoir, toute conscience, tout appétit, et perd le goût de vivre.) L'absence de Maman (ou de la personne qui lui tient lieu de mère) devient quelque chose de terrifiant qui menace sa vie même.

Mais lorsque la mère, comme c'est habituellement le cas, donne à bébé amour, soins et attention, bébé apprend progressivement que le monde est un endroit accueillant qu'elle meurt d'envie d'explorer. Car, autant l'enfant désire le chaleureux refuge des bras de sa mère, autant elle désire aller dans le vaste monde — et c'est justement dans le vaste monde que bébé découvre son "moi".

Observez une enfant qui commence à marcher. Avec un sourire triomphal, elle disparaît d'un pas mal assuré derrière un fauteuil, hors de la vue de sa mère. Observez-la, à l'instant où elle se rend compte qu'elle a perdu sa mère de vue, le visage figé par la peur, retomber comme une pierre sur le sol et ramper à toute vitesse vers sa mère.

Si bébé peut "partir" (ne serait-ce, pour commencer, que pendant quelques instants), c'est que, d'une certaine façon, elle emporte sa mère avec elle. Comme la mère a prouvé à maintes reprises à bébé qu'elle était là pour s'occuper d'elle, bébé a appris la confiance. Elle intériorise la mère aimante et l'incorpore dans sa mémoire, ce qui lui permet de supporter des séparations de plus en plus prolongées. (A l'âge adulte, la mère intériorisée finit par se fondre avec l'amour-propre de la fille : elle *devient* une bonne maman pour elle-même et pour les autres. Mais on peut tout aussi bien intérioriser une *mauvaise* Maman, comme nous le verrons plus loin.)

La mère aimante intériorisée est la base sur laquelle s'édifie la perception de soi, perception qui ne se produit que lorsque l'enfant est à l'aise avec l'idée d'être *séparée* de sa mère. Toutes les relations ultérieures reflètent l'attitude de la mère : a-t-elle ou non donné à l'enfant la permission aimante d'être "soi", même si ce soi diffère beaucoup de la mère par son tempérament, ses buts et son rythme ?

Il est essentiel pour la santé émotive de l'enfant que la mère soit capable de respecter les différences qu'elle perçoit chez son enfant, sans les percevoir comme des trahisons. Pour favoriser la séparation, il faut d'abord que la mère soit à l'aise avec elle-même, qu'elle se souvienne de sa propre enfance, qu'elle puisse à la fois comprendre l'ambivalence que ressent l'enfant à l'idée de la séparation *et* la pousser gentiment vers l'indépendance.

Un tel amour maternel englobe à la fois l'intimité *et* la séparation : si la mère arrive à lâcher prise sans cesser d'aimer, on est libre de partir et d'acquérir une image de soi confiante, capable d'amour, capable de survivre seule. Mais si elle n'y arrive pas, on fera alors tout ce qui est possible pour *rester* : dans l'enfance, en devinant exactement ce qu'elle veut de nous et en le lui donnant (le "moi factice"), et à l'âge adulte, en devenant dépendante et inepte à l'excès ou en étant constamment en conflit avec elle. La colère nous lie d'aussi près à notre mère que la capitulation.

A moins d'intérioriser une bonne Maman, il est impossible de faire confiance à la vie.

Et c'est ainsi que commence l'existence, entre l'extraordinaire grâce de la proximité physique du corps de la mère et l'anxiété d'être séparée d'elle. Car la séparation d'avec la mère fait *également* partie inhérente de la condition humaine.

Pendant la première enfance, l'expérience de la séparation, avec des variations mineures, est vécue de la même manière par les garçons et par les filles : ils ont en commun leur totale dépendance. Mais lorsque bébé atteint l'âge d'environ dix-huit mois, la fille commence à prendre conscience du fait qu'elle est *différente* des garçons. Le monde souligne cette distinction : on encourage les garçons à prendre des risques, à partir aussi loin et aussi librement que possible sans se faire mal, à garder pour eux leurs émotions, à réussir dans des entreprises solitaires, à ressembler à papa. Aux filles, on conseille de ne pas prendre de risques, de rester près de la maison, d'attendre d'être invitées à danser, de tout raconter à Maman, d'être généreuses, d'être réceptives aux émotions des autres, de se modeler d'après l'exemple de leur mère.

Pour ces raisons et d'autres encore, il est plus difficile pour les filles de se séparer de leur mère que pour les garçons.

Lucy Rose Fischer, auteure d'une étude sur les relations mère-fille, écrit ceci :

Le processus de séparation de la fille se déroule sur la toile de fond de l'intimité mère-fille : c'est avec la mère (beaucoup plus qu'avec le père) qu'on se dispute, de laquelle on s'éloigne, qu'on repousse [...] alors même que les filles continuent à s'en remettre au soutien émotif de leur mère. Pour la plupart des filles, c'est la stabilité de l'affection que leur voue leur mère qui leur permet d'effectuer la séparation et d'acquérir le sentiment de leur indépendance.

Même si la mère *est incapable* de donner à sa fille cette qualité d'amour stable, il est néanmoins plus acceptable socialement pour la fille que pour le fils de rester dépendante et de *ne pas* voler de ses propres ailes.

«Au cours de l'adolescence, écrit la psychologue Louise Kaplan, les dissensions émotives mère-fille peuvent prendre des proportions gigantesques. La lutte [...] est toujours exacerbée par le message subtilement véhiculé par la société selon lequel *les filles ont intérêt à ne pas sortir de l'enfance.* » (C'est moi qui souligne).

Ou, pour citer une comptine anglaise du XIXe siècle :

Oh, mon fils reste mon fils jusqu'à ce qu'il se marie. Mais ma fille reste ma fille jusqu'à la fin de sa vie.

Tant qu'il y aura des garçons

Les choses se passent très différemment pour les garçons. Un garçon naît séparé de sa mère, pour une raison d'une importance incalculable : comme il a un pénis, il est son antithèse sexuelle. Dans la chambre d'enfant, la biologie a force de loi : alors que notre culture sourit parfois à la fille indépendante, elle répugne à la moindre suggestion qu'un garçon puisse devenir un "fils à Maman".

Selon des impératifs sociaux et psychologiques, s'il est périlleux pour les mères et leurs filles de se séparer complètement, cela l'est *tout autant* pour les mères et leurs fils de ne pas le faire. Selon plusieurs psychologues féministes qui ont étudié les critères différents selon lesquels on élève les filles et les garçons, la méthode traditionnelle employée pour empêcher ces deux sinistres éventualités de se produire consiste à élever les filles dans une attitude d'attachement et les garçons dans une attitude de séparation.

Comme l'expose Nancy Chodorow dans *The Reproduction of Maternity*, l'un des éléments essentiels de cette double échelle de valeurs est le fait que l'éducation des enfants, surtout durant les trois premières années de leur vie, échoit presque complètement aux femmes, même lorsqu'elles travaillent à plein temps. Au contraire, la plupart des pères, encouragés par la société, sont relativement détachés du processus de l'éducation de leurs enfants.

Voici en quelques mots la théorie de madame Chodorow : on encourage les garçons à se séparer et à devenir autonomes et on les considère comme des handicapés émotifs s'ils dépendent de quelqu'un d'autre, y compris de leur mère, de leur père ou de leurs frères et sœurs. Comme ils passent habituellement leur enfance en compagnie de leur mère, qui est leur source principale d'attention, plutôt qu'en celle de leur père, les garçons apprennent à devenir des "hommes" en maintenant entre elle et eux une certaine distance émotive. Ils s'identifient à leur père, non par le biais de l'intimité avec lui, mais, selon les mots de Nancy Chodorow, en devenant des "non-mères". Elle écrit : "Pour se sentir suffisamment masculin, un garçon [...] doit se définir comme quelqu'un de séparé [...] et apprendre le rôle masculin en l'absence d'une relation personnelle continue et suivie avec son père."

Pour les fils, donc, la séparation ne représente pas un bien grand mystère. Tout ce qu'ils ont à faire, c'est regarder leur mère et faire le contraire : porter des pantalons au lieu d'une jupe; s'endurcir au lieu de pleurer; choisir les pneus de la voiture au lieu de sa couleur.

Quant aux filles, qui ont l'habitude des relations intimes, on les considère comme des handicapées émotives si elles n'arrivent pas à former des liens. L'identification avec Maman est une conséquence naturelle et inévitable de leur relation continue avec leur mère et du temps plus long qu'elles passent avec elle, en comparaison avec le temps que passent ensemble les mères et leurs fils, ou les pères et leurs filles. Le processus de l'identification fonctionne dans les deux sens : la fille d'une mère est un prolongement de sa personne d'une manière qu'un fils ne pourra jamais imiter; Maman attend donc plus de sa fille : plus d'intimité, plus de compréhension, plus de loyauté.

Alors que ce genre de stéréotype sexuel constitue un handicap pour les deux sexes, il fait plus de tort aux filles, pour qui la partie est perdue si elles restent trop attachées à leur mère, car elles risquent d'être émotivement englouties, et perdue également si elles la rejettent complètement, car elles risquent alors à la fois de perdre une certaine facilité à former des liens et d'encourir la réprobation sociale.

Si, en plus de cette séparation des tâches du travail émotif, on prend en considération le tabou de l'inceste mère-fils (lourd d'implications et chargé de la menace d'une jalousie père-fils), on comprend d'autant mieux à quel point il est urgent pour la mère de maintenir une certaine distance entre elle et son fils.

Maman ne peut pas se permettre de risquer de creuser un fossé entre le père et le fils, pas plus qu'elle ne veut mettre en jeu son rôle d'épouse en faisant de son fils le rival de Papa. Elle veille donc à ce que cela n'arrive pas en encourageant son fils à être "viril" : à jouer à des jeux brutaux, à passer beaucoup de temps dehors, à ne pas "faire la mauviette", à garder moins de liens avec la maison et la réalité de son corps que la fille. Et, bien sûr, en ne s'attachant pas à lui.

D'après la psychiatre américaine Marianne Goodman :

Tout le mythe d'Œdipe décrit un certain tabou naturel et inné contre l'intimité entre mère et fils. Les petits garçons deviennent tous adolescents, et à ce moment-là, ils sont instinctivement attirés par leur mère — ainsi que leurs sœurs — parce qu'elles sont les femmes qu'ils côtoient. Mais en même temps, ils sont aussi repoussés. Alors, pour maintenir une frontière entre le fils et la mère, le fils doit rejeter sa mère. C'est plus difficile pour les filles de se séparer de leur mère que pour les garçons, car les filles sont comme leur mère, non seulement sexuellement, mais aussi dans leurs activités.

Alors, si une fille rejette sa mère, on lui fait sentir qu'elle est anormale. Mais c'est lorsqu'un fils ne rejette pas sa mère qu'il est anormal.

La société approuve tacitement que les fils se distancient ainsi de leur mère dans presque toutes les dimensions de la vie — *que la mère y contribue* (excepté, bien entendu, les cas où le fils se constitue le protecteur de sa mère, et peut-être son soutien financier) et même qu'elle fronce les sourcils si cela ne se produit pas. Ce sont donc les mères, encore plus que les pères, qui "fabriquent" les hommes.

Le Fils Très Saint

Le résultat de tout ceci ? En général, non seulement Maman attend moins de son fils que de sa fille, mais, comme elle se sent moins liée à lui de manière ambivalente, elle peut même le préférer en apparence à sa fille : c'est ce que j'appelle le syndrome du Fils Très Saint.

Parmi les mères que j'ai rencontrées, celles qui avaient à la fois des fils et des filles m'ont avoué qu'elles traitaient leurs fils avec plus d'indulgence — un favoritisme qui prend souvent la forme d'une absence de reproches.

De plus, les mères sont souvent perdantes avec leurs fils, en partie parce qu'elles n'attendent pas d'eux le même genre de dévouement que de la part de leurs filles. La mère d'un jeune homme de vingt-quatre ans l'explique ainsi : «Je ne sens pas avec lui l'urgence que je ressens en présence de ma fille, ce désir de réparer mon enfance, d'avoir avec elle l'intimité que je n'ai pas eue avec ma mère. Avec mon fils, je n'ai rien à prouver. Alors on peut faire les fous ensemble tant qu'on veut.»

Les inégalités de cette dynamique ne passent pas inaperçues aux yeux des filles, qui vivent souvent une rivalité prolongée avec un frère privilégié. «Mon frère n'a jamais tort, raconte Johanne, trente-deux ans. S'il téléphone à ma mère, elle pense qu'il est le bon Dieu en personne; s'il n'appelle pas, elle se dit : "Ça doit être parce qu'il est occupé." Mais moi, si je n'appelle pas, je me le fais dire ! Elle se plaint : "Je n'ai jamais de tes nouvelles."»

Ce favoritisme envers les fils se remarque particulièrement lorsque la maladie frappe un membre de la famille : on s'attend alors à ce que les filles se substituent à leur mère pour effectuer le "travail féminin" des soins à la personne malade. Comme le raconte Jacqueline, vingt-neuf ans :

Ma mère attend énormément de moi, mais elle ne demande jamais rien à mon frère Daniel. L'année dernière, mon père a été hospitalisé pour une opération à cœur ouvert; j'ai quitté mes enfants pour lui rendre visite tous les jours. Un jour, mon fils était malade, alors j'ai dit à ma mère : "Dis à Daniel que c'est lui qui doit y aller." Elle m'a répondu : "Il ne veut pas, il déteste voir papa dans cet état." Je lui ai dit : "Et tu crois que j'aime ça, moi?"

A propos de papa

Si le favoritisme de la mère envers son fils risque de nuire à la relation mère-fille, c'est aussi ce que peut faire le favoritisme d'un père envers sa fille. Cela ne veut pas dire que le père ne joue pas un rôle crucial dans le développement émotif et psychologique de sa fille.

Dans des circonstances normales, le père représente pour sa fille la liberté, la possibilité d'échapper à l'emprise maternelle. Sa valeur psychologique principale pour la fille est de lui permettre de faire l'expérience d'elle-même comme séparée de sa mère — une fonction moins urgente, pour les raisons énumérées plus haut, que pour les fils.

En agissant comme tampon entre les deux, le père peut tempérer les hostilités mère-fille. Il ne se sert pas de sa fille pour qu'elle combatte à sa place sur le terrain matrimonial, pas plus qu'il ne se fait porte-parole lors des conflits entre elles deux. Il les encourage plutôt à résoudre leurs conflits ensemble.

Dans son livre *Oneness and Separateness*, la D^re^ Louise Kaplan affirme que, bien que les filles soient souvent le reflet de la mère, quand elles sont avec le père, elles «se mettent à ressentir la possibilité d'une identité féminine hors de la relation exclusive avec la mère. Etre une femme, cela ne veut pas dire être Maman.»

Papa peut représenter une source de réconfort quand Maman n'est pas là, qu'elle a le cafard ou qu'elle est de mauvaise humeur; il représente un point de vue différent en plus de donner à sa fille une idée de ce que cela répresente d'être aimée d'un homme. S'il forme avec sa fille une relation profonde et qu'il lui offre son soutien affectueux, elle aura alors l'occasion de percevoir sa mère de façon plus objective.

Au mieux, le père, sans pour cela manquer de loyauté envers sa femme ni saper son autorité, devient donc pour sa fille une valve de sécurité, un mentor masculin, un port d'attache dans la tempête.

Mais les pères contribuent trop souvent à l'hostilité entre la mère et la fille. Ils le font de deux manières différentes : en devenant pour leur famille des "hommes invisibles" qui évitent les conflits à tout prix et ne viennent pas au secours d'une fille maltraitée; et en traitant leur fille comme "la chérie de papa", faisant ainsi d'elle la rivale de sa mère. Aucune de ces deux voies n'augure grand-chose de bon pour la relation mère-fille, comme nous le verrons au chapitre Quatre.

Débrouiller l'écheveau

Pour toutes ces raisons et bien d'autres encore, la relation mère-fille est, de tous les liens, le plus intense, le plus complexe et le plus déchirant. *C'est en partie parce que le rôle de mère est le plus difficile qui soit.* Les femmes qui sont mères sont plus évaluées en fonction de leur "succès" ou de leurs "échecs" de mères qu'en fonction de n'importe quel autre aspect de leur vie, et on les en tient beaucoup plus responsables que les pères : il semble parfois que tout ce qui compte, c'est le genre d'adultes que deviendront leurs enfants.

En même temps, les femmes pour qui le fait d'avoir des enfants constitue une revanche sur leur propre enfance ou une chance de sauver un mariage en péril risquent fort de se sentir flouées par la maternité. Car, au fond, nos enfants ne nous appartiennent vraiment que pendant le tendre moment intense de leur première enfance, entre leur premier souffle et la première fois qu'ils disent non. Et comme on peut très bien lire "non" dans un visage grimaçant de rage ou dans les épinards recrachés sur la table, cela n'est qu'une question de mois ou même de semaines.

Si la maternité représente la seule identité d'une femme, si cette femme n'a pas reçu d'amour de la part de sa mère, un "non" de son enfant peut être vécu comme un coup fatal.

Tout cela est fort compréhensible. Mais cela peut se transformer en fardeau intolérable pour les filles de ce genre de mère, qui héritent d'une double charge d'anxiété : les attentes trahies de leur mère, plus les leurs. Plus que les garçons, les filles se retrouvent aux prises avec les lambeaux des besoins frustrés et des rêves irréalisés de leur mère.

La découverte du juste équilibre entre le désir de fusion avec la mère et le besoin d'avoir un moi distinct peut prendre une vie entière, pour la mère comme pour la fille : alors que l'enfant tente de se fabriquer une identité distincte, la mère, si elle n'a pas eu l'occasion d'acquérir elle-même ce genre d'identité, peut encore se percevoir comme une enfant dépendante.

Mais la maternité, d'une certaine façon, est une relation à sens unique. Nous donnons de l'amour à nos filles, non pour qu'elles puissent nous aimer en retour *de la même manière*, mais pour qu'elles soient en mesure d'aimer à leur tour *leurs* enfants, *leurs* partenaires, *leurs* amies. L'amour qu'elles nous donnent en retour, d'enfant à parent, est unique; il ne peut pas ressembler à notre amour, parce que le fait d'être l'enfant de quelqu'un, même sans le facteur d'âge, est une situation bien particulière.

On n'a jamais le même itinéraire que les gens qu'on aime, et c'est bien ainsi, car si cela se produisait, la fille ne pourrait pas grandir ni devenir maîtresse de sa propre vie.

Le lien mère-fille douloureux qui demeure non résolu menace la santé de toutes nos autres relations. Quand une femme n'arrive pas à se détacher de sa mère, quand elle ne *veut* pas ou qu'elle ne *peut* pas le faire, ses émotions non résolues envahissent toutes ses autres relations : ce qu'elle n'a pas réussi à obtenir de sa mère refait surface sous forme d'attentes et de besoins démesurés. Elle n'a que des demandes, presque plus de générosité; que des déceptions, presque plus d'optimisme; que des appétits, presque plus de confiance. Ainsi, dans le sens le plus désolant, elle ressemble chaque jour un peu plus à sa mère.

Selon la D[re] Kaplan et d'autres thérapeutes, les gens entament souvent une thérapie à cause de problèmes découlant de leurs difficultés pour se séparer de leurs parents, pour essayer de définir qui ils sont et pour cesser leurs tentatives de gagner l'approbation parentale.

L'amitié entre deux personnes, même lorsqu'il s'agit d'une mère et de sa fille, dépend d'une définition claire entre là où commence l'une et là où l'autre finit; le reste est domination.

C'est ainsi que pour en venir à accepter notre mère, il faut commencer par faire le pas le plus difficile : admettre que tout ne va peut-être pas pour le mieux entre elle et nous, et que non seulement c'est acceptable de s'en rendre compte, mais que c'est peut-être impératif pour notre santé mentale comme pour notre relation avec elle.

Accepter notre mère, cela signifie également percevoir les bons côtés de la relation, et aussi en quoi notre mère a sincèrement fait de son mieux. Car, comme elle et nous sommes des alliées naturelles, tout le potentiel est là pour former avec elle une relation aimante et se comprendre de mieux en mieux. Le lien spécial qui nous lie, fait d'une condition biologique commune et de souvenirs partagés, peut nourrir l'amour, le respect, le réconfort mutuel; mère et fille peuvent en venir à apprendre l'une de l'autre, à chérir leurs ressemblances comme leurs différences. Chacune peut contribuer à enrichir l'univers de l'autre.

Voici ce qu'en dit Rolande, quarante-deux ans :

Même si nous avions des personnalités très différentes (elle était timide et assez vieux jeu, alors que j'étais une enfant très décidée), ma mère a toujours pris plaisir à mes rébellions, à ma vie débordante. Elle ne voulait pas que je sois sa copie conforme: au contraire, c'est elle qui souhaitait me ressembler, faire plus partie du monde. Je l'aidais à le faire, mais elle m'a aidée aussi: elle m'a arrondi les coins. Je n'ai jamais douté de son amour pour moi, jamais douté qu'elle serait là si j'avais besoin d'elle, en toutes circonstances. J'ai senti ça jusqu'au jour de sa mort. Elle me manque terriblement. C'est en m'ennuyant d'elle à ce point que je me rends compte de la chance que j'ai eue de l'avoir pour mère.

Mais comme nous sommes aussi des ennemies naturelles, le potentiel d'hostilité — parfois déchirante — existe également.

Résoudre la tension en chérissant ce qui est précieux, en changeant ce qui peut l'être et en acceptant ce que l'on ne peut pas changer, voilà qui peut faire toute la différence entre la réalisation de nos espoirs personnels et la perte de nos rêves, entre un avenir enrichi et un présent qui ne fait que répéter le passé, entre croire que l'on est digne d'aimer et d'être aimée ou croire qu'on ne l'est pas et qu'on ne l'a jamais été.

La relation mère-fille difficile est une bombe à retardement programmée pour exploser à la prochaine génération. Elle est aussi héréditaire que les yeux bleus ou noisette. La guérison est douloureuse; pour cela, il faut faire la lumière sur tous les coins noirs de son histoire et découvrir où l'on peut compter sur de l'amour et où il vaut mieux ne pas le chercher.

Mais cela n'est jamais aussi affreux que de faire semblant que le problème n'existe pas.

2

Gentille Maman, méchante Maman

«Ma mère était toujours très bien habillée, obsessivement mince, parfaitement maquillée. Moi, j'ai toujours été grosse et maladroite. Elle m'amenait tout le temps chez des spécialistes en chirurgie esthétique pour leur demander ce qui n'allait pas chez moi. Alors j'ai grandi avec un énorme complexe d'infériorité à propos de mon corps.

Un jour, alors que j'avais dix ans et que j'étais au sommet de ma gaucherie, elle m'a dit : "Si tu ne te fais pas opérer le nez, les gens vont te regarder de travers. Il est grotesque."

J'ai demandé : "Qu'est-ce que ça veut dire, grotesque?" Elle m'a répondu : "C'est quelque chose de répugnant."

J'ai voulu mourir.»

Lisa, trente-deux ans

Un certain dimanche soir, à l'époque où je commençais mes recherches pour ce livre, je me trouvais dans un grand dîner où sept couples avaient été invités. Pendant le café, la conversation se mit à tourner autour des enfants, et je demandai : «Parmi les femmes qui sont ici, combien ont des relations satisfaisantes avec leur mère ?» Pas une main ne se leva. Le résultat était unanime, ce qui ne passa pas inaperçu aux yeux des femmes, qui, riant nerveusement et se tordant le cou pour comparer leurs réactions, semblaient extrêmement soulagées de découvrir l'aspect généralisé de leur triste expérience.

La prudence journalistique m'empêcha alors de voir dans le résultat de mon sondage si peu scientifique autre chose que les caprices du hasard. Mais plus les jours et les semaines passaient, plus je rencontrais de femmes à qui je décrivais mon projet. A l'exception d'une poignée, elles réagissaient toutes de la même façon : «Il faut *absolument* que je vous raconte mon histoire», me disaient-elles, comme si elles allaient me révéler pour la première fois un secret brûlant et très profondément enfoui.

Se pouvait-il, me demandais-je, qu'il y ait *tant* de mauvaises mères ? Tant de filles pleines de souvenirs amers, privées d'un lien affectueux avec leur mère ? Et pourquoi les filles étaient-elles si mal à l'aise d'en parler, sauf peut-être en privé, et encore ?

Selon une étude dirigée par les sociologues américaines Grace Baruch et Rosalind Barnett, dont les résultats ont été publiés sous le titre de *Lifeprints*, environ 25 p.100 des femmes ont une "mauvaise relation" avec leur mère, et encore 25 p.100 décrivent leur relation comme "plus ou moins satisfaisante". Mais en réalité, ces chiffres peuvent fort bien être beaucoup plus élevés : tout dépend de la volonté ou de la capacité des sujets à parler publiquement de cette question, ou même à envisager cette possibilité. Il est pratiquement impossible de quantifier quelque chose d'aussi subjectif. Tout dépend également de ce que chaque fille appelle une "mauvaise mère".

Peu de filles sont prêtes à admettre qu'elles ont une "méchante Maman" ou que leur mère fait preuve de graves lacunes dans sa manière de les materner. Confesser que sa mère n'a pas la fibre maternelle, c'est se retrouver dans la position d'orpheline du cœur. Même si c'est l'enfer à long terme, la négation représente pour l'enfant, et même pour l'adulte, un réconfort à court terme.

La prise de conscience n'est pas moins douloureuse (bien que la douleur dure moins longtemps, parce qu'elle est la clé qui permet de mettre fin aux conséquences de cette négation). Vivan Gornick, dans son livre *Fierce Attachments : A Memoir*, une chronique extraordinaire de sa vie avec sa mère, décrit son sentiment d'être une déception pour sa mère, et comment elle était persuadée que la tension qui en découlait entre elles deux était un fait inévitable et immuable de sa vie :

Elle ne voyait pas que son malheur perpétuel constituait une accusation et un jugement. "Toi ? disait chacun de ses soupirs de reproche. Tu n'est pas la bonne enfant. Tu ne m'apportes ni réconfort, ni plaisir, ni amélioration. Mais tu es le trésor de mon cœur. Ta tâche dans la vie est de me comprendre, ton destin est de vivre jour après jour avec la certitude que tu ne suffis pas à guérir ma vie de ce qui lui manque.

Les enfants arrivent à rendre supportable ce genre de mission parentale en prenant volontairement les torts sur leurs épaules, un mécanisme de survie qui a une façon assez perverse de fonctionner. Si c'est de *ma faute* que Maman soit si malheureuse, cela devient alors *réparable.* Accepter les torts, c'est rendre possible la survie de l'espoir d'être aimée un jour : il suffit de le mériter.

L'enfant évite donc soigneusement de se rendre compte que le problème relève de sa mère et non pas d'elle. Une fois niée, cette prise de conscience s'enfonce toujours plus profondément dans l'inconscient de l'enfant, et plus tard, de la femme.

C'est ainsi que beaucoup de filles, enfouissant sous une épaisse couche d'oubli les blessures, les injures ou les carences de leur enfance, passent toute leur vie à éviter, à supporter ou à affronter leur mère plutôt qu'à la regarder en face. Cela peut être très humiliant de se souvenir de la manière dont on s'est abaissée pour ne pas se retrouver dans les mauvaises grâces de sa mère, de cette volonté de faire *n'importe quoi* pour ne pas être rejetée à un âge où le rejet a le visage de la mort.

Un autre facteur qui rend dangereuse toute prise de conscience du fait que l'on n'était pas aimée est la crainte que Maman ait peut-être eu *raison,* et qu'on ne mérite *vraiment* pas d'être aimée. Ceci est surtout vrai dans les familles où l'on est seule à ressentir une telle colère, une telle nostalgie. On se sent isolée : les frères et sœurs n'ont pas la même intransigeance envers Maman parce qu'ils n'ont pas vécu la même chose avec elle; ils pensent peut-être que l'on est dérangée ou ingrate; il arrive aussi parfois qu'on leur rappelle un passé qu'ils aimeraient mieux oublier.

A moins d'avoir quelque chose à comparer avec sa propre expérience, comme de faire intimement connaissance avec d'autres familles, ce qui donne l'occasion d'observer d'autres façons d'*être* en famille, on peut *prêter foi* au jugement maternel négatif qui nous condamne. La plupart des gens font tout ce qu'ils peuvent pour diluer ou pour dévier ce genre de conviction.

C'est ainsi qu'à l'âge adulte, la négation s'amplifie, nourrie de raisonnements subtils et du désir d'être "équitable". On passe par-dessus le sentiment confus de sa propre insuffisance pour adopter des réactions et des aphorismes automatiques qui correspondent à ce que la société attend de nous.

«Aimez-vous votre mère ?» nous demande quelqu'un. Notre estomac n'est qu'une masse de nœuds. Mais nos lèvres disent : «*Bien sûr* que je l'aime : c'est *ma mère*, après tout.» Nous ajoutons même parfois que notre relation ne nous comble pas totalement, ou même qu'*elle* ne nous comble pas totalement, mais que voulez-vous, peut-être que nous ne la comblons pas *non plus*, elle prend de l'âge, personne n'est parfait...

Tout cela est très bien, très circonspect, même très équitable. Mais cela n'explique pas ce nœud dans notre estomac qui refuse de se dénouer. Ni pourquoi, chaque fois que nous entendons sa voix au bout du fil, notre corps se raidit en prévision d'une attaque.

Même si nos paroles et notre cerveau musèlent ce que nous ressentons, notre corps émet constamment sur la fréquence non-verbale : *Il se passe quelque chose de très grave, et je fais tout ce que je peux pour que ça ne se voie pas*; c'est comme rester assise sur une malle pleine à craquer pour empêcher le couvercle de voler en éclats. Le problème, c'est qu'on ne peut jamais se reposer; avec le temps, la négation menace notre santé physique et mentale et s'attaque même à nos autres relations.

Les femmes qui se sentent obligées de "fermer le couvercle" sur ce qu'elles ressentent envers leur mère ne se rendent sans doute pas compte qu'il y a deux choses qui contribuent à leur résistance. La première, c'est qu'elles ne se sentent pas justifiées de sentir ce qu'elles sentent. Mais elles n'ont rien à sentir à la place : il vaut mieux avoir une mère qui ne nous aime pas que *pas de mère du tout*. La seconde, c'est que nous vivons dans une culture qui interdit cette prise de conscience.

Ce qui musèle la fille et qui la force à refouler son instinct au fond d'elle-même, c'est le tabou de la Mauvaise Mère, le refus culturel d'admettre l'imperfection maternelle qui fait l'objet du chapitre trois.

Mais pour le propos de ce chapitre-ci, il est important de reconnaître qu'*en tant qu'adultes*, nous avons le droit de percevoir que notre relation est anormale, insuffisante ou dénuée d'amour: nous ne sommes plus des enfants sans défense. C'est en parvenant à regarder cela en face que l'on peut percevoir sa mère et soi-même sous un éclairage différent qui permet plus d'acceptation.

Pour commencer à décrire nos émotions telles qu'elles sont, il est pratique de définir tout d'abord les termes. En quoi la bonne Maman est-elle différente de la mauvaise Maman ?

La bonne Maman

Une bonne mère, c'est une mère qui «n'impose pas à l'enfant [ses] propres besoins au détriment de ceux de l'enfant». On peut dire également que la bonne mère ne se fâche pas des manifestations d'agressivité occasionnelles de l'enfant, pas plus qu'elle ne se sent menacée par l'individualité et l'indépendance de son enfant; elle n'exige pas de son enfant qu'elle essaie constamment de lui plaire.

Une bonne mère comprend que son enfant puisse éprouver à son égard de bons *et* de mauvais sentiments. Cela implique également que la bonne mère est capable de tolérer *en elle-même* la présence de bons et de mauvais sentiments envers son enfant. Elle se pardonne lorsqu'elle fait une erreur de temps en temps — comme une poussée de mauvaise humeur ou de colère — et elle sait contrôler ses erreurs en les admettant et en se demandant en quoi elle contribue à sa propre frustration.

«Ses actions imparfaites montrent à l'enfant qu'elle peut obtenir l'amour de sa mère sans être parfaite, écrit Louise Kaplan. En ne renonçant pas à l'espace qui lui revient de droit, la mère laisse aller l'enfant et lui permet de trouver l'espace qui lui revient, à elle.»

C'est ainsi qu'elle permet à son enfant d'être imparfaite, elle aussi.

Sylvie, 35 ans, agente de voyages, a pour fille Sarah-Jeanne, une adolescente de 17 ans, dont la sensibilité à fleur de peau et les récriminations feraient grincer les dents d'une sainte. La mère de Sylvie lisait son courrier, écoutait ses conversations téléphoniques et envahissait à tout moment sa vie privée. Pourtant, Sylvie a fait un effort conscient pour considérer sa fille comme une personne distincte, différente d'elle-même, qui a besoin de se colleter avec les démons de son adolescence, plutôt que comme une sale môme qui ne cherche qu'à briser le cœur de sa mère :

En ce moment, je me rends compte que Sarah-Jeanne est dans une phase où elle repousse sa mère. Alors quand elle me hurle : "Je te déteste !", je ne la prends pas au pied de la lettre. On ne doit pas faire ça. Je me souviens que moi aussi, je détestais ma mère. Je l'avais même écrit dans mon journal, et elle l'avait lu; elle ne m'a jamais laissée l'oublier. Alors quand Sarah-Jeanne me dit ça, je ne la prends pas au sérieux. J'observe plutôt ses sautes d'humeur pour voir si elles ont un rapport avec ce qui lui arrive, comme ça je sais quand quelque chose ne va pas et je peux m'en occuper avec elle.

Il faut dire aussi que je la connais : elle n'a jamais été le genre de personne qui aime s'asseoir et bavarder. Pourquoi serait-elle différente maintenant ? Alors je n'exige pas cela d'elle.

Susanne, 45 ans, respecte elle aussi les différences entre elle et sa fille Aimée, 23 ans, parce qu'elle parvient à voir les deux côtés du fossé des générations et de sa propre ambivalence maternelle :

C'est beaucoup plus facile pour Aimée de se séparer de moi que pour moi de la laisser partir. C'est comme ça depuis la première fois qu'elle a pris l'autobus scolaire pour aller à l'école: l'enfant est prête pour la séparation, mais nous, surtout si c'est notre premier enfant, on ne sait pas à quoi s'attendre. A chaque étape, il a fallu que je m'adapte comme mère à quelque chose de nouveau et que je la comprenne.

Alors, quand elle a grandi, j'étais à fois triste et heureuse : triste de perdre quelque chose en la voyant de moins en moins, mais heureuse qu'elle arrive à me laisser.

Cela a toujours été mon but : arriver à la laisser partir, même si ça n'a pas toujours été facile. Est-ce que ce n'est pas le but de tous les parents de préparer leurs enfants à partir dans le monde?

La bonne mère nous aime sans conditions et sait nous laisser partir. Elle nous permet d'être nous-mêmes, différentes d'elle, de célébrer et de tirer les leçons de nos différences. Si nous le lui demandons, elle sait nous dire gentiment la vérité, mais elle sait aussi quand ce qu'il nous faut vraiment, c'est être dans ses bras. Elle nous laisse faire des erreurs, dans les limites du raisonnable, et tirer les leçons de leurs conséquences. Elle nous laisse prendre des responsabilités appropriées à notre degré de maturité et prendre les décisions qu'elles impliquent. Elle sait reconnaître qu'elle s'est trompée. Elle sait nous encourager à prendre des risques et nous accueillir à la ligne d'arrivée avec le sourire, peu importe notre place. Elle nous permet de retourner à la maison à l'occasion sans nous engloutir complètement; elle nourrit notre autonomie en nous aidant à trouver des options.

La mauvaise mère est incapable de donner à sa fille cet amour libérateur.

La mauvaise Maman

S'il est relativement facile de reconnaître et de décrire une bonne mère, ce n'est pas le cas de la mauvaise mère, car c'est souvent une question de degré, ce qui relève de la subjectivité personnelle.

Il n'y a aucun doute sur ce qui constitue une *mère méchante* — une mère dont le comportement est empreint de méchanceté et même de sadisme — sauf, peut-être, pour ces mères elles-mêmes, qui ne se considèrent pas de cette manière. Il existe des règles culturelles tacites au sujet de la façon de traiter les enfants qui interdisent de brutaliser un enfant, d'exploiter un être innocent et sans défense; c'est une morale collective au sujet de laquelle la plupart des gens sont d'accord. Selon ces règles :

l'inceste est inacceptable;

c'est inacceptable de torturer physiquement et de mutiler un enfant;

c'est inacceptable d'affamer et d'abandonner un enfant.

Ce qui est arrivé à Roberte, trente-trois ans, est inacceptable:

Quand j'avais cinq ans, mon père m'a violée. Et quand je lui ai dit: "Je vais le dire à Maman", il m'a frappée à coups de couteau. Si je n'ai pas saigné à mort, c'est parce qu'il connaissait un médecin qui a accepté de me soigner et de se taire moyennant une certaine somme. Personne ne l'a su. Je suis restée muette là-dessus pendant le reste de mon enfance. Je n'ai jamais dit un mot, jamais versé une larme jusqu'à ce que j'en sois à ma sixième année de thérapie.

Quand, à l'âge de trente ans, je l'ai finalement raconté à ma mère et que je lui ai dit que j'avais envie de tuer mon père, elle m'a répondu : "Tu es un monstre. Ça n'est jamais arrivé." Je lui ai montré mon dossier gynécologique, qui décrit les blessures internes qui remontent à mon enfance. Elle a dit : "Tu as dû le provoquer".

Ce qui est arrivé à Eléonore est également inacceptable, peu importe les critères que nous appliquions :

Ma mère était une alcoolique chronique. Quand elle avait pris un coup, il ne fallait pas traîner dans les parages. Une fois, quand j'avais sept ans, elle m'a entendue dire "merde". Elle m'a tenue par les pieds au-dessus de la toilette, elle a mis ma tête dans l'eau et elle a tiré la chasse à plusieurs reprises en disant : "Ça t'apprendra à dire des gros mots".

Il s'agit d'outrages impardonnables à l'âme humaine, si révoltants qu'ils sont horrifiants à entendre ou à lire. Et c'est avec ce genre d'absolu moral que nous comparons modestement notre enfance, croyant soit que nous avons eu une enfance parfaitement normale — quand ce n'était pas le cas —, soit qu'elle vaut à peine d'en parler à côté de ce qu'on vécu Roberte ou Eléonore.

La zone grise de la mauvaise mère est beaucoup plus vaste et difficile à définir selon ce qui est mauvais pour l'enfant. Quand, par exemple, une fessée devient-elle une agression ? Quand l'obéissance se transforme-t-elle en esclavage ? Où l'affection se change-t-elle en séduction ?

Les définitions sont ici matière à interprétation, car elles n'entrent pas dans ce qui est généralement reconnu comme des mauvais traitements infligés à l'enfant. La plupart des gens sont convaincus que si leurs parents ne les ont jamais battus, jamais abusés sexuellement, jamais privés de repas ni manqué de leur donner les soins corporels essentiels, ils ont eu une enfance "normale", quand il est fort possible qu'ils aient subi des mauvais traitements *psychologiques*.

Assise dans son salon, Nicole, une libraire de 42 ans mère de deux adolescents, rassemble ses pensées en regardant pensivement par la fenêtre. Elle lutte avec ses souvenirs comme si elle était perchée en haut d'un grand plongeoir en se demandant si elle va sauter ou non. Elle éprouve de la réticence à critiquer ouvertement sa mère, et fait précéder ses confidences de phrases comme : «Mais je l'aime, ne vous y trompez pas», et autres affirmations de sa loyauté. Puis elle finit par débiter, la voix brisée :

Quand j'étais une petite fille et que je faisais une bêtise, ma mère me disait qu'elle allait me quitter, et que quand papa rentrerait à la maison, j'allais devoir lui expliquer où elle était et pourquoi elle était partie. Je me souviens comme si c'était hier de l'avoir suppliée : "Non, Maman, s'il te plaît, ne me laisse pas, ne me laisse pas toute seule, je serai sage, je serai sage." Je ne savais pas qu'elle faisait quelque chose de mal.

Nicole a été victime de violence psychologique, une forme de mauvais traitement envers une enfant. Selon une des autorités en la matière, on peut définir ce genre de mauvais traitement par la manière dont réagit l'enfant : «Dans la plupart des cas, ce sont les conséquences psychologiques d'un acte qui déterminent si cet acte est abusif ou non», qu'il s'agisse d'abus sexuel, de violence physique ou que l'agression ait porté sur l'âme de l'enfant.

Une enfant qui est persuadée que c'est de *sa faute* si sa mère ne l'aime pas ou qu'elle est incapable de lui manifester son amour — *et qu'elle mérite les mauvais traitements ou la cruauté dont elle est victime* — est une enfant maltraitée psychologiquement.

Même si elle ne fait pas couler de sang et ne laisse aucune cicatrice, la violence psychologique ne constitue pas seulement une forme de mauvais traitement, au même titre que l'abus sexuel ou la violence physique, mais elle est peut-être la pire des trois, à cause de l'intention émotive, qui peut être inconsciente, derrière le geste du parent.

Par exemple, si une mère fait tomber son enfant par terre sans le faire exprès en essayant d'ouvrir une porte d'armoire récalcitrante, l'enfant n'interprétera pas ce geste comme de la violence, parce qu'il n'a pas été accompli délibérément. Mais si la même mère pousse son enfant par terre dans sa rage de ne pas pouvoir ouvrir la porte, l'enfant en portera la blessure psychologique. Ce n'est pas la douleur physique en soi qui blesse le plus l'enfant; c'est la *raison* pour laquelle la douleur lui a été infligée.

C'est pourquoi Roberte, dont le père qui l'avait violée a plus tard été interné à l'hôpital psychiatrique, a pu lui pardonner parce qu'il souffrait de maladie mentale. Mais elle n'arrive pas à pardonner à sa mère, bien qu'elle ne l'ai jamais touchée :

Le pire, ce n'est pas ce que mon père m'a fait. Ce qui est le plus douloureux, c'est que je ne me suis pas encore débarrassée du sentiment d'humiliation, de la partie de moi qui souffre d'un complexe de "marchandise endommagée" à cause d'une mère qui a refusé de me croire, comme si ça ne l'atteignait pas qu'il me soit arrivé tout cela. Ma mère a été capable de rester assise là avec un visage impassible et de me dire : "Tu as couru après".

Le Dr James Gabarino, directeur de l'Institut Erikson pour la recherche avancée sur le développement de l'enfant et coauteur du livre *The Psychologically Battered Child*, m'a dit : «Ce qui compte, c'est que notre manière de voir le monde est le reflet de la qualité de notre vie familiale. C'est comme en temps de guerre: qui haïssons-nous le plus, l'ennemi ou le traître dans notre propre camp ? Maltraiter psychologiquement un enfant, c'est comme le trahir. C'est pourquoi j'estime que c'est la pire forme d'abus dont un enfant puisse être victime.»

Selon le Dr Gabarino, les parents qui maltraitent psychologiquement un enfant doivent être tenus responsables de leur comportement. «Appeler un certain comportement abus ou négligence, cela revient à dire : "Vous auriez dû savoir que ce n'est pas comme cela qu'on doit traiter un enfant". Si quelqu'un disait : "Je ne savais pas que c'était mauvais pour mon enfant que je le batte avec un bâton" ou "Je ne savais pas que c'était mauvais pour mon enfant de huit ans que j'aie une relation sexuelle avec elle", on lui répondrait : "Vous auriez dû le savoir". Il existe un jugement collectif selon lequel tout le monde est censé savoir qu'on ne traite pas un enfant de cette façon.»

La même échelle de valeurs s'applique à la violence psychologique.

Le Dr Gabarino et ses coauteurs définissent la violence psychologique comme «une attaque concertée par un adulte envers le développement du moi et de la compétence sociale d'un enfant, un *schéma* de comportement destructeur sur le plan psychique». Selon eux, ce comportement peut prendre cinq formes différentes :

- *Le rejet* (l'adulte refuse de reconnaître la valeur de l'enfant et le caractère légitime de ses besoins);
- *L'isolement* (l'adulte coupe l'enfant de la possibilité de vivre des expériences sociales normales et l'amène à croire qu'elle (ou il) est seule au monde);
- *La terreur* (l'adulte agresse verbalement l'enfant, crée un climat de peur, menace ou terrorise l'enfant);
- *La négligence* (l'adulte prive l'enfant d'une stimulation et d'une communication essentielles, réprimant ainsi sa croissance émotive et son développement intellectuel);
- *La corruption* (l'adulte encourage l'enfant à adopter un comportement destructeur et antisocial, le confirme dans sa déviance et le rend incapable de vivre des expériences sociales normales).

Certaines autorités considèrent l'amour possessif étouffant comme une forme de mauvais traitement. Si notre mère a vécu notre vie comme s'il s'agissait de la sienne, sans jamais nous permettre un moment de chagrin ni de frustration, si elle dormait toujours avec nous dès que nous avions un cauchemar, si elle n'a jamais établi de limites entre elle et nous et qu'elle gardait constamment un œil sur nous, si elle trouvait toujours des excuses pour nos comportements négatifs ou blessants et qu'elle s'arrangeait pour que n'ayons pas à en subir les conséquences, si elle insistait pour que nous lui racontions *dans le moindre détail* tous les événements de notre vie, alors nous n'avons jamais eu besoin de grandir et de devenir responsables de nos actes. Nous restons des enfants.

Le processus selon lequel on devient une adulte autonome et capable d'empathie, et qui passe par toutes les transitions merveilleuses, passionnantes, stimulantes et même douloureuses de la croissance de l'enfant, ressemble assez à la façon dont on apprend à marcher : chaque pas nous prépare à faire le suivant. Mais si le parent marche à la place de l'enfant, elle n'acquiert même pas la musculature suffisante pour supporter le poids de ses émotions. Elle ne sait pas se tenir debout toute seule.

Ce genre d'enfant devient souvent une adulte narcissique, affamée d'éloges en tout temps, incapable d'offrir de l'amour, incapable d'accepter les conséquences de ses actes, qui ne sait que manipuler les gens et rejeter sur eux le blâme de ses propres manques.

Parmi les mauvais traitements infligés aux enfants, ceux qui ne laissent pas de cicatrices ne sont pas l'objet de la réprobation sociale qui entoure l'abus sexuel et la violence physique, et sont donc plus faciles à nier ou à minimiser. *Mais ils sont profondément destructeurs* parce que, selon les experts de l'enfance maltraitée, ils sont au cœur de *tous* les mauvais traitements. Ce n'est pas la cruauté physique ou sexuelle en soi qui détruit tellement la faculté de confiance de l'enfant; ce qui la blesse, c'est que la personne même qui est censée la protéger à tout prix puisse trouver acceptable — et même moralement élevé — un comportement qui terrorise une enfant vulnérable et sans défense.

Il arrive beaucoup trop souvent qu'une mère perçoive l'opinion différente, la grimace, la personnalité ou les vêtements excentriques de son enfant comme un coup de poignard au cœur. Certains parents, par exemple, ont des vapeurs lorsque leur progéniture se fait percer l'oreille d'une rangée de petits trous bien alignés. Devant ce genre de comportement, la mère a l'impression qu'elle a échoué dans son rôle de parent. Pire encore, elle a également l'impression que son enfant la rejette.

Certaines sont tellement préoccupées de leur enfant, à moins que ce ne soit d'elles-mêmes, qu'il semble que l'enfant renvoie à sa mère l'image de sa valeur *en tant que personne*, alors qu'en fait, l'enfant est en train de définir sa valeur *à elle*. Il en résulte que la mère se comporte souvent — spécialement avec une fille — de manière à projeter sur elle ses sentiments de culpabilité, d'échec ou de rejet. Même quand la fille est adulte.

La meilleure manière d'éviter de se sentir coupable, c'est d'avoir plus de pouvoir que sa fille — et le pouvoir a plusieurs visages, dont certains sont amicaux et d'autres vertueux. Plus la fille grandit, plus les tentatives de la mère pour garder le pouvoir sont élaborées.

Au cours de mes rencontres, j'ai relevé huit schémas de comportement manipulateur qu'exercent les mères sur leurs filles adultes. Ces stratagèmes sont des symptômes de tension dans la relation mère-fille. Voici les noms que je leur ai donnés :

L' inaccessible étoile
Le sabotage systématique
Diviser pour mieux régner
La malade imaginaire
La leçon d'histoire
Que la meilleure gagne
Maman d'abord
Jamais je ne t'oublierai.

Examinons-les un à la fois.

L'inaccessible étoile

La principale caractéristique de ce schéma est le besoin insatiable de la mère : quoi que nous fassions, peu importe les efforts que nous dépensons pour atteindre la perfection, elle trouve toujours un défaut; peu importe à quel point nous croyons lui plaire, elle en veut toujours plus. Dès que nous sautons par-dessus la barre, elle la remonte et nous met encore au défi.

Jacqueline, 55 ans, est réalisatrice de télévision. Elle a remporté trois prix pour ses émissions, mais cela ne semble nullement apaiser l'appétit de sa mère pour les exploits de sa fille :

Peu importe ce que je réussis, elle me dit toujours : "Bon, eh bien, qu'est-ce que tu vas faire maintenant ?" Sans que je lui demande rien, ma mère a toujours un commentaire à offrir sur ma carrière. Récemment, c'est : "En fin de compte, ce ne sont que des émissions de télévision : pourquoi ne fais-tu pas du cinéma ?" Je n'en fais jamais assez; elle en veut plus, plus, plus.

Annie, 24 ans, qui prend des cours d'informatique pour adultes, a appris qu'un compliment de sa mère n'arrive jamais seul :

Elle me félicite, et puis paf. Chaque grande réussite de ma vie se transforme mystérieusement en échec. Par exemple, je travaille à la conception d'une gamme de logiciels pour les hôpitaux. C'est très important pour moi d'avoir choisi un domaine où je peux aider les gens. Elle m'a dit : "C'est bien... mais ça ne doit pas payer tant que ça."

Elle change tout le temps les règles du jeu. Elle me dit que je travaille trop et que je devrais me détendre de temps en temps. Mais quand je prends des vacances, elle me traite de paresseuse.

Ou alors, elle me dit que je devrais prendre tel ou tel cours, alors je m'inscris; après, elle me dit : "Veux-tu me dire pourquoi tu t'es inscrite le samedi au lieu du soir ?"

Le sabotage systématique

Dans cette catégorie, la mère tente plus ou moins subtilement de saboter le bonheur de sa fille, et même parfois de s'arranger pour que ce soit la fille qui se sabote toute seule.

Barbara, 34 ans, a toujours eu un problème de poids; comme sa mère, elle a tendance à peser dix ou quinze kilos de trop.

J'ai essayé un nombre incalculable de régimes et je n'arrive toujours pas à perdre du poids. Mais ma mère — qui n'est pas vraiment un exemple — ne m'aide pas du tout quand elle me répète constamment de me mettre au régime. Une fois, elle m'a dit: "Si tu ne perds pas du poids, aucun homme n'arrivera jamais à te prendre dans ses bras".

Alors je me mets au régime, pleine de détermination, et elle change de chanson. Elle me dit : "Comment fais-tu pour manger si peu ? tu vas te rendre malade ! Tiens, mange ça." Et elle essaye de me faire manger de force.

Il arrive parfois que le sabotage systématique prenne des proportions étranges. Rachel, 24 ans, a été élevée avec des critères de réussite très élevés : les distinctions académiques faisaient partie, selon ses mots, du "quotidien de la maison". Elle fut donc citée au tableau d'honneur pendant toutes ses études. Mais elle n'obtint jamais un seul compliment de la bouche de ses parents.

Une fois, j'ai demandé à ma mère pourquoi elle ne m'a jamais fait de compliments pendant mon enfance. Elle m'a dit : "Oh, non, non, je n'aurais jamais pu faire ça". Quand je lui ai demandé pourquoi, voici ce qu'elle m'a répondu : "Parce que tu aurais pu acquérir une haute opinion de toi-même qui aurait été détruite quand tu aurais grandi et que tu te serais rendu compte que tu n'étais pas à la hauteur. Tu aurais cru que je t'avais menti."

Diviser pour mieux régner

Ce genre de mère cherche à se faire des alliés, habituellement parmi les membres de la famille, dans un effort inconscient pour mettre leurs filles dans le tort ou pour les y maintenir. Cette dynamique dresse souvent les enfants d'une même famille les unes contre les autres jusqu'à l'âge adulte; elles luttent pour être celle qui en fait le plus pour Maman ou qui obtient le plus d'elle, alors que pour chacune, le vrai enjeu de la bataille est plutôt d'être ou non dominée et manipulée par la mère.

Elizabeth Fishel, auteure du livre *Sisters*, écrit que la relation d'une fille avec sa mère représente son premier modèle d'intimité et détermine donc le caractère de ses relations avec les autres enfants de la famille :

Les parents [...] séparent les sœurs les unes des autres en disant aux unes du mal de l'autre en son absence, en fomentant des rumeurs ou en répétant des confidences, en faisant de l'une des filles un "fils" et d'une autre une "petite fille" affectueuse, en citant trop souvent l'une en exemple aux autres, et même en les incitant avec trop d'insistance à être amies ensemble. [...] Partout et toujours, la rivalité que l'on observe entre sœurs représente, au moins en partie, une expression de la rivalité que vivent les filles avec leur mère, mais sous une forme moins menaçante, plus facile à supporter.

Patricia, 44 ans, et sa sœur Catherine, qui en a 39, ont accepté de me parler ensemble de leur relation même si, selon les mots de Patricia, «nous ne sommes pas amies». Les deux femmes sont à l'opposé l'une de l'autre dans leur personnalité et leur mode de vie. Patricia habite une immense villa située dans un quartier huppé, alors que Catherine vit au centre-ville dans une petite maisonnette sans prétention. Le mari de Patricia est cadre dans une grosse entreprise où il se rend tous les matins dans une voiture avec chauffeur; le mari de Catherine est propriétaire d'une petite quincaillerie.

Patricia ne trouve même pas sa mère énervante, alors que Catherine, comme elle le dit elle-même, ne peut pas la voir en peinture.

Au cours de l'entrevue, le rythme de la conversation reflète le tempérament des deux sœurs. Catherine coupe la parole, pleure, soupire; Patricia écoute dans un silence poli ou tente de tempérer la dureté des propos de Catherine envers leur mère.

Curieusement, chacune des deux sœurs a adopté certains traits (qu'elles détestent toutes les deux) de leur mère, comme si elles se les étaient partagés. Catherine est moraliste et porte des jugements catégoriques sur les choses et les gens; Patricia est matérialiste et se laisse facilement dominer.

Catherine : «Ma mère m'appelle tout le temps pour me dire : "Patricia vient de s'acheter un nouveau sofa. Tu devrais peut-être t'en acheter un pareil." Mais elle ne vient jamais me voir, parce qu'elle ne peut pas se vanter à ses amies de la façon royale dont nous la recevons mon mari et moi, ou de la fortune que nous avons, parce que nous n'en avons pas. Ma sœur est snob, exactement comme ma mère. Elle ne nous invite jamais : nous sommes trop ordinaires."»

Patricia : «J'aime avoir de l'argent. J'aime la liberté que cela me donne, et je ne vais tout de même pas m'excuser d'avoir épousé un homme riche. Et j'ai déjà invité Catherine et son mari, mais elle n'aime pas le fait que nous fumons la cigarette. Il suffit que j'en allume une pour qu'elle s'en aille. Elle fait comme notre mère : elle essaie de contrôler ma manière de vivre. Alors je n'insiste pas.»

En fait, *ensemble*, Catherine et Patricia *incarnent* leur mère; séparément, elles se cantonnent dans une attitude froidement détachée l'une envers l'autre, détachement que leur mère a toujours encouragé.

Dans la famille Martin, les quatre filles ont pratiquement grandi sans se connaître, faisant mentir le mythe qui veut que des sœurs soient automatiquement des amies l'une pour l'autre. Comme le raconte Barbara, l'aînée, «nous étions des étrangères vivant sous le même toit. Mes sœurs et moi n'étions d'aucun réconfort l'une pour l'autre. Nous tentions toutes de nous hisser vers la même étincelle de chaleur, nous nous battions pour le même os d'amour maternel. Ma mère a veillé à ce que nous nous détestions; dès que l'une d'entre nous était absente, ses pires défauts étaient discutés en détail. On n'osait pas tourner le dos.»

Mais une fois adultes, les quatre femmes ont appris à ne pas laisser leur mère les brouiller encore plus. Elles refusent maintenant de jouer son jeu et de parler des absentes dans leur dos. Leur solidarité rend leur mère folle. Comme le raconte Barbara :

Une année, mes sœurs et mes parents dormaient tous chez moi. C'était la veille de Noël, un événement annuel qui se fêtait traditionnellement chez moi et que ma grand-mère m'avait toujours aidée à préparer. Mais ce matin-là, Grand-mère a eu une crise cardiaque et il a fallu la transporter à l'hôpital. Nous nous faisions toutes un sang d'encre, et nous ne sommes pas rentrées à la maison avant minuit, complètement épuisées. Pour détendre l'atmosphère, mes sœurs et moi, nous nous sommes versé quelques verres en plaisantant et en riant.

Le visage enfoui dans son mouchoir plein de larmes, ma mère nous a entendues rire, elle a levé la tête et elle a rugi : "Grand-

mère est à l'hôpital, et vous ne vous en souciez même pas." Puis, comme c'est moi qu'elle a toujours détestée le plus, elle m'a regardée droit dans les yeux et elle a ajouté : "De toute façon, elle n'y serait même pas sans toi : tu lui as fait faire toute la cuisine, et elle va peut-être en mourir."

La malade imaginaire

Voici une manière particulièrement efficace de contrôler le comportement d'une enfant, parce qu'*il y a toujours une possibilité que Maman soit vraiment malade.*

Toutefois, il arrive souvent que la "maladie" de la mère se déclare au moment exact où sa fille la défie, ou tout au moins menace de le faire. Pour défier sa mère, la fille n'a souvent besoin que de devenir le centre d'attention et d'éloigner les regards de sa mère, dont l'envie peut prendre des proportions cruelles.

Lorsque Elise s'est retrouvée enceinte pour la première fois, elle a éprouvé des difficultés à garder son bébé et s'est vue obligée de garder le lit pendant les deux derniers mois de sa grossesse. Au cours de cette période, sa mère, avec qui elle parlait habituellement tous les jours, est brusquement devenue inaccessible.

Il m'est impossible de dire à quel point j'ai eu de la peine. Mais ma mère arrive toujours à m'en faire encore plus : elle peut me battre sur n'importe quel terrain, surtout sur celui de la maladie. Quand je suis allée à l'hôpital, elle a prétexté une maladie; j'ai eu un accouchement cauchemardesque et il a fallu que je reste longtemps à l'hôpital. Elle n'est jamais venue me voir. Quand j'ai pu rentrer à la maison, j'étais extrêmement faible. Elle m'a téléphoné, mais elle ne m'a jamais demandé comment j'allais : au lieu de ça, elle m'a dit : "Je me sens de moins en moins bien; je crois que je vais mourir". Elle n'était même pas malade. Ça l'a rendue folle que je passe si près de la mort, non pas parce qu'elle a failli me perdre; mais parce que tout le monde s'occupait de moi, et pas d'elle.

Rachel, dont le père est mort dans un accident de voiture quand elle avait quatre ans, a toujours été très vulnérable aux simulations "mortelles" de sa mère. Agée maintenant de 51 ans, elle raconte :

Sa mort imminente était un stratagème idéal. Au début, j'ai été complètement emportée, comme dans un tourbillon : j'étais terrifiée à l'idée de rester seule. Mais j'ai fini par comprendre : elle s'arrangeait pour avoir une attaque chaque fois que je faisais quelque chose qui lui déplaisait. Je me souviens, une fois, d'avoir enjambé son corps pour sortir avec mon amoureux (que j'ai fini par épouser) : elle venait encore de simuler une attaque.

Aujourd'hui, elle a 84 ans et elle se porte comme un charme. Elle ne va jamais mourir. Jamais.

La leçon d'histoire

Certaines mères semblent passer leur temps à mettre à jour la liste des crimes de leur fille, soigneusement catalogués par sujet; dès que la fille en commet un nouveau, elle reçoit un discours sur toutes les fois où elle a fait quelque chose de semblable au cours de sa vie. Dans ces moments-là, l'"histoire ancienne" de la fille est exhumée et utilisée comme pièce à conviction.

Quand Irène, à l'âge de 24 ans, a annoncé à sa mère son intention de divorcer, elle comptait sur le soutien de sa mère, qui avait elle-même vécu un divorce au début de la vingtaine.

Est-ce qu'elle m'a réconfortée ? Vous voulez rire ! Elle s'est plutôt dépêchée de me dire à quel point mon mari lui avait déplu dès la première rencontre, que j'ai toujours très mal choisi mes partenaires. Elle m'a rappelé André, celui qui m'a laissée tomber à l'école secondaire, et Denis, celui qui s'est fait arrêter parce qu'il vendait de la drogue. Elle a énuméré tous les déboires amoureux que j'ai eus dans toute ma vie. On aurait dit qu'elle attendait qu'il m'en arrive un autre pour ajouter quelque chose de neuf à sa liste : rien n'aurait pu lui faire plus plaisir ce jour-là.

Cette technique sert parfois à éviter un problème en le remplaçant par un autre. Marianne, 35 ans, a un fils de sept ans qui souffre de problèmes d'apprentissage. Sa mère avait déjà offert de défrayer les coûts d'une école privée pour le garçon; Marianne avait refusé, car elle estimait qu'il serait bon pour lui de le maintenir dans le système public plutôt que de l'isoler. Mais son handicap s'avéra si important que l'école n'arrivait plus à lui donner l'attention dont il avait besoin.

J'ai appelé ma mère pour lui dire : "Je crois que je vais accepter ton offre". Elle est devenue de glace. Elle m'a dit : "Ça ne m'étonne pas qu'il ait des problèmes : tu n'as jamais été bonne élève, et on voit bien que tu ne lui as jamais donné de bonnes habitudes d'étude. Tout ce dont il a besoin, c'est qu'on lui serre un peu la vis. Il manque de discipline, mais ce n'est pas toi qui vas lui servir d'exemple".

Que la meilleure gagne

Quand leur fille atteint l'âge adulte, certaines mères se sentent inutiles parce qu'elles ne les consultent plus sur des questions de routine. Ces mères tentent alors de garder le contrôle en sapant la confiance et les décisions de leur fille, et dans les cas extrêmes, en s'engageant dans une compétition ouverte avec elle.

Le cas le plus étrange que j'aie trouvé au cours de mes entrevues est celui de Jeannette et de sa mère. Jeannette a toujours été une enfant timide et renfermée (à 32 ans, elle a encore un air presque fragile), facilement dominée par une mère qui ne mâche pas ses mots. Mais quand Jeannette a entamé la vingtaine, elle a rassemblé tout son courage pour déménager de l'appartement maternel, s'installer seule et démarrer une petite entreprise de traiteur qu'elle a appelée "Faites-nous confiance" :

Comme ma mère me suppliait de la laisser participer aux affaires de mon entreprise, je lui ai dit qu'elle pouvait essayer de s'occuper des contrats du secteur commercial : je me disais que ça lui donnerait quelque chose à faire, et de toute façon, j'avais plus envie de m'occuper des fêtes privées. Et puis, je voulais qu'elle soit contente de moi — je souhaitais désespérément me rapprocher d'elle, car cela n'était jamais arrivé — et puis je me sentais un peu inexpérimentée. Mais plus le temps passait, plus elle prenait de décisions importantes; elle s'est mise à prendre le contrôle de mon entreprise. Comme les affaires étaient très bonnes, je ne rechignais pas trop. Mais il est venu un moment où j'ai trouvé cela insupportable, parce qu'elle me traitait comme une esclave dans mon propre bureau.

Je lui ai rappelé que c'était moi la patronne, que ça me faisait plaisir de discuter des décisions avec elle, mais que c'était moi qui avais le dernier mot. Ç'a été terrible : elle était tellement en colère que j'ai cru que son cœur allait lâcher. Elle est partie en claquant la porte et je ne l'ai pas vue pendant des semaines.

Et puis tout d'un coup, elle a ouvert sa propre entreprise de traiteur à quelques coins de rue de la mienne. Et elle l'a appelée: "Faites-moi confiance".

Maman d'abord

Les mères appartenant à cette catégorie font bien comprendre à leurs filles qu'elles s'attendent à être en tête sur la liste de leurs priorités. L'une des manières qu'ont les filles adultes de répondre à cette exigence est de consulter leur mère sur toutes leurs décisions domestiques, comme la composition de leurs menus ou l'éducation de leurs enfants.

L'une de ces femmes m'a dit : «Quand je me suis mariée, je suis allée acheter des meubles. Devinez qui m'a accompagnée ? Pas mon mari : ma mère. C'était très clair : je ne devais pas acheter quoi que soit pour ma maison sans son approbation. Mon mari ne servait qu'à payer la facture.»

Il y a peu de choses qui puissent autant perturber les priorités d'une femme que la promesse d'hériter de sa mère. Dès qu'il y a un héritage en jeu, beaucoup de femmes doivent faire des choix difficiles, pour ne pas dire absurdes. L'une des femmes que j'ai rencontrées m'expliqua piteusement : «Elle disait : "saute". Je répondais : "jusqu'où ?"»

Céline est la meilleure amie de Johanne depuis trente ans. Mais Johanne n'a invité Céline ni au mariage de ses filles, ni à son vingt-cinquième anniversaire de mariage. Pourquoi ?

Parce que ma mère n'a jamais aimé Céline. Elle m'a déjà dit que si je continuais à la voir, elle me déshériterait. Alors nous voilà, deux femmes de cinquante ans, obligées de nous cacher pour manger ensemble ou pour faire des courses, comme si nous avions une liaison clandestine.

Jamais je ne t'oublierai

Le pouvoir d'une relation mère-fille perturbée est si fort que, dans les cas les plus extrêmes, il peut pousser une fille à se dire qu'il est dans son intérêt de satisfaire l'ego dévorant de sa mère. A moins que la fille ne se rende compte que sa mère a un problème grave (qu'il soit psychologique, médical ou relié à l'acool ou aux drogues), elle risque de se retrouver prisonnière d'un monde nébuleux où elle croit que c'est elle qui est folle.

Quand Marthe avait cinq ans, elle a subi un attentat à la pudeur de la part du frère de sa mère. Quand elle a parlé à sa mère de l'incident, celle-ci a répondu : «Oh, c'est juste parce qu'il t'aime bien». Comme le frère persistait dans son harcèlement, Marthe a dû en parler à son père. Ce n'est qu'à cet instant qu'elle a obtenu la paix. Sa mère a été menacée de se faire enlever la garde de l'enfant; quant à l'oncle, il a déménagé... après avoir reçu des menaces de violence physique.

Mais la blessure de Marthe persistait sous forme de cauchemars et, plus tard, dans ses difficultés à former des liens amoureux avec qui que ce soit. Quand elle atteignit la trentaine, elle entama une thérapie pour régler à la fois le traumatisme de son enfance et le refus de sa mère de la prendre aux sérieux, choisissant plutôt de protéger son frère. «Je ne me suis jamais remise d'avoir été trahie par ma propre mère», confie Marthe.

La peur constitue un mécanisme de contrôle qui peut également avoir des répercussions psychologiques à long terme.

J'ai rencontré une femme qui vit dans la peur constante que sa fille, qui a 30 ans, soit tuée dans un accident de voiture, attrape le sida ou ne mange pas suffisamment. Elle abreuve sa fille de récits édifiants, tous plus affreux les uns que les autres, qu'elle glane dans leurs moindres détails à la télévision ou dans les conversations avec les voisines de leur tour résidentielle, récits qui parlent tous de jeunes femmes abusées, violées ou mutilées.

Ce genre d'inquiétude peut rendre une fille émotivement handicapée. En fait, sa fille *est* handicapée : bien qu'elle ait un bon emploi dans une banque, elle n'arrive pas à faire le saut et à quitter ses parents pour aller vivre seule.

La D[re] Ann Caron, psychologue de l'éducation qui anime des ateliers mère-fille, décrit ainsi la vraie nature de l'inquiétude maternelle excessive et chronique : «L'inquiétude est comme une longue laisse. La mère qui s'inquiète constamment de sa fille peut avoir l'air de le faire par amour... mais sa manie de l'exprimer à tout moment lui assure que sa fille ne s'éloignera pas trop d'elle.»

Je suis trop petite

Pris séparément, la plupart de ces exemples ne montrent pas des mères impénitentes, sadiquement destructrices et sans aucune vertu pour les racheter. Mais si ces symptômes s'ajoutent les uns aux autres et prennent un caractère chronique — s'ils sont rarement compensés par des moments d'amour — la fille risque d'en venir à conclure que *le bonheur de sa mère dépend de son malheur et de sa faiblesse de caractère à elle.*

Le prix que paie la fille pour ces huit manières dont sa mère contrôle sa vie émotive et mine sa confiance en elle peut être une impossibilité de grandir émotivement; alors qu'elle éprouve une immense colère d'être maltraitée de la sorte, elle peut également éprouver d'immenses difficultés pour se libérer de sa prison — jusqu'au jour où elle se rend compte que sa mère, même si elle n'en a nullement l'intention, est en train de lui infliger des blessures psychologiques.

«Elle m'a fait ce qu'il y a de pire, m'a dit une femme. Elle m'a fait douter de moi.»

Lorsqu'une mère tente ainsi de s'attacher sa fille grandissante, que ce soit par peur, par besoin, par maladie ou par colère, les conséquences peuvent être catastrophiques. Continuer à essayer de plaire à une mère impossible à satisfaire met en danger la santé mentale de la fille adulte et toutes ses relations. Et pourtant, ces filles persistent à retourner vers leur mère sans essayer de modifier la relation ou leurs réactions amères ou angoissées. (La manière de réparer et de redéfinir un lien mère-fille douloureux est observée en détail dans la quatrième partie de ce livre.)

Ces filles sont prisonnières de limbes psychologiques, écartelées entre la peur d'être émotivement prises au piège du contrôle de leur mère et la terreur de dériver sans bouée maternelle.

Lilly Singer, auteure du livre *Beyond Loss*, m'a expliqué au cours d'une entrevue pourquoi les filles persistent à dépendre, d'une manière ou de l'autre, d'une mère qui ne les aime pas, et en quoi cette dépendance est la conséquence de l'attitude émotivement abusive de la mère :

Si l'on vous répète depuis l'âge d'un mois que vous n'êtes bonne à rien, que vous êtes bête, que vous ne savez rien faire, que vous n'avez pas d'opinion propre, que vous choisissez mal vos amis, que vous n'étudiez pas comme il faut, que vous ne portez pas les vêtements qu'il faut et que vous n'êtes pas jolie, vous allez finir par le croire. Et si vous le croyez, vous allez avoir besoin d'une maman pour vous dire ce qu'il faut faire.

Et ça, c'est criminel : ne pas laisser son enfant grandir et devenir une personne à part entière, indépendante et respectée.

Que peut faire une fille adulte pour s'extirper de l'enchevêtrement douloureux qui la lie à sa mère ? Elle peut commencer à se dégager en prenant conscience du fait que sa mère, le plus souvent sans éprouver aucun désir conscient de nuire à sa fille, n'a peut-être simplement pas trouvé en elle une fibre maternelle saine (pour des raisons que nous verrons plus loin) à l'époque où la fille était jeune et que son enfance se déroulait de manière anormale.

Et comment savoir si son enfance a été normale ou non ? «On doit comparer ce qu'on attend de la vie et des gens avec ce que d'autres personnes en attendent, conseille le Dr Gabarino. C'est ainsi qu'on peut acquérir une plus grande perspective sur sa propre expérience. C'est très difficile à faire si les seuls contacts intimes qu'on a se limitent à la famille proche.»

Une autre étape consiste, pour la fille, à observer ses émotions et ses instincts en les verbalisant : «Je me sens souvent mal à l'aise (en colère, dominée, usurpée, inadéquate, coupable, furieuse) en présence de ma mère. Je dois faire attention à ce que je sens, parce que cela a tendance à se répercuter sur la manière dont je traite mes amies (mes partenaires, mon mari, mes enfants, mes collègues). Ce que je sens est valide. Je n'ai pas à blâmer ma mère ni à l'excuser : il me suffit de la *voir* pour que je puisse *me voir* moi aussi.»

Si les mères qui n'aiment pas leur fille pouvaient prendre conscience de ce que leur comportement a d'abusif, soit elles arrêteraient, soit elles iraient chercher de l'aide pour régler leur problème. Mais beaucoup d'entre elles en sont incapables : elles choisissent plutôt de le nier, à elles-mêmes, à leur famille, au monde entier, pour éviter de se sentir coupables, d'avoir à faire des changements dans leur vie, ou pour éviter de prendre conscience du fait douloureux qu'elles aussi, elles ont été des petites filles mal aimées.

La psychanaliste Alice Miller écrit :

Nous punissons nos enfants des gestes arbitraires de nos parents contre lesquels nous étions sans défense. [...] Les gens qui ont eu la possibilité, au cours de leur enfance, de réagir de façon appropriée (c'est-à-dire par la colère) à la douleur, aux injustices et à la négation qu'on leur infligeait, consciemment ou non, conservent plus tard cette capacité de réagir à la vie de façon appropriée. [...] Ces personnes ne ressentent pas le besoin de réagir par la brutalité.

Mais l'enfant ne perçoit pas le comportement de sa mère comme de la peur et une réaction inconsciente à sa propre enfance; ce que perçoit l'enfant, c'est *la colère : la défense de la mère contre sa propre peur.*

«Le problème, c'est que l'on a tendance à faire aux autres ce qu'on nous a fait, parce que c'est tout ce qu'on a appris, explique la D[re] Marianne Goodman. Si on a beaucoup de chance et qu'on a choisi une bonne mère, on a des chances de devenir soi-même une bonne Maman. Sinon, on va trouver cela beaucoup plus difficile, parce que cela ne viendra pas naturellement.»

Selon une étude menée dans une faculté de médecine américaine, le principal facteur qui détermine si une personne maltraitera ses enfants est le sentiment éprouvé au cours de l'enfance «de n'avoir été ni désirée, ni aimée par ses parents».

Pour se libérer d'un passé douloureux, la fille mal aimée doit accepter la possibilité qu'il puisse exister quelque chose de profondément malsain entre elle et sa mère. Malheureusement, nous vivons dans une culture qui n'encourage pas ce genre de prise de conscience.

3

Le tabou de la Mauvaise Mère

«C'est intéressant d'observer la réaction des gens quand je leur raconte que je ne parle jamais à ma mère. Je l'ai justement dit un soir à un homme avec qui je sortais. Il a dit : "Mais est-ce qu'elle est vivante ?" J'ai répondu oui. Il est resté là à me regarder. Puis il a dit : "Qu'est-ce que tu veux dire au juste ?" J'ai répondu : "Nous ne parlons pas au téléphone et je ne vais jamais la voir".

— Du tout ?

— Du tout.

— Depuis longtemps ?

— Six ans.

Il s'est mis à couper du riz dans son assiette. Il ne disait plus rien; il coupait son riz d'un air absent, comme s'il n'arrivait pas à se rentrer ça dans la tête. J'ai fini par dire: "changeons de sujet". C'est la dernière fois que nous sommes sortis ensemble.»

Edith, quarante-deux ans.

M*aman*. Pour la plupart des gens, ce mot évoque des images de foyer douillet, de vie de famille chaleureuse : Maman qui allaite son bébé, Maman qui sort du four de bons biscuits, Maman qui soigne tendrement une enfant fiévreuse, Maman qui écoute nos tragédies d'une oreille compatissante, Maman qui nous encourage dans tout ce que nous entreprenons. Voilà ce que "Maman" est censé vouloir dire : soit dans ce que nous vivons, soit dans ce que nous faisons semblant de vivre, soit dans ce que dont nous rêvons avec nostalgie d'avoir vécu.

Mais pour certaines d'entre nous, "Maman" évoque des images d'une autre couleur : Maman humiliante, Maman critique, Maman marâtre, Maman qui détient les clés du sanctuaire de l'approbation. Cette mère-là ne fait partie des rêves de personne: elle appartient à des souvenirs douloureux, parfois menaçants, quelquefois terrifiants.

Les gens qui ont de bonnes mamans s'en vantent tous en chœur; les autres le taisent comme un secret honteux.

Elles disent parfois même des mensonges.

Quand Cathie avait sept ans, sa mère lui servit un matin du gruau d'avoine que l'enfant refusa de manger parce que les grumeaux lui soulevaient le cœur. Sa mère ne lui laissa rien manger d'autre à la place; Cathie tint bon. Sa mère lui renversa alors le bol sur la tête et l'envoya à l'école sans lui laver les cheveux.

Ce genre de bataille était courant dans la famille de Cathie, mais pas dans celle de ses amies, et elle s'en rendait bien compte:

Je voyais bien que ma mère ne m'aimait pas. Mais je faisais semblant. Quand mes amies disaient qu'elles devaient être à la maison à six heures pour souper, je répondais : "Oh, la mienne veut que je rentre à cinq heures et demie." Je n'avais pas d'heure limite. Je voulais juste qu'elles pensent que j'en avais une, que ma mère allait s'inquiéter si je ne rentrais pas, se demander où j'étais. Alors j'inventais des règles qui n'existaient pas dans ma famille : moi, ma mère voulait que je rentre plus tôt que les autres... c'était comme si elle m'aimait plus que les autres mamans.

Comme Edith, Cathie, qui est maintenant dans la cinquantaine, ne voit plus sa mère. Et comme Edith, elle ne raconte plus à personne qu'elle n'aime pas sa mère. Il arrive parfois qu'elle le confie à quelqu'un, mais seulement quand elle est certaine que la personne à qui elle s'ouvre a vécu le même genre d'expérience, ou quand elle a bu un verre de trop. C'est trop épuisant, trop gênant, trop décourageant d'essayer de s'expliquer chaque fois.

La plupart des gens évitent les "histoires de mères". Peu importe les faits qui justifient votre attitude, la réaction est généralement comme suit :

- «Elle ne peut pas être *complètement* méchante.» (Variante: «Ce n'est pas de sa faute.»)
- «Tu ne peux pas passer ta vie à rejeter la faute sur ta mère.»

(Variante : «Il faut que tu transcendes ça.»)

• «Comment peux-tu dire des choses pareilles au sujet de ta mère ?» (Variante : «Tu n'as pas honte ?»)

Ces trois éventualités servent à une seule fonction : vous empêcher de souiller l'image de la Très Sainte Mère. Même si vos raisons de ne pas l'aimer sont entièrement justifiées, peu de gens ont envie de les écouter. Ils se sentent pris entre deux feux : s'ils compatissent avec vous, ils auront l'impression de trahir la Mère en général, et leur propre mère en particulier. Ils se sentiraient coupables de vous avoir écoutée. Le résultat est une censure spontanée : les filles apprennent vite à garder pour elles ce genre de réalité.

Ces filles n'obtiennent que rarement le genre de compassion et de compréhension qu'elles cherchent lorsqu'elles déclarent que leur relation avec leur mère est tendue, destructrice ou inexistante. Comme me l'a dit une femme en soupirant : «J'ai arrêté d'expliquer ma mère aux gens depuis longtemps. C'est comme expliquer la couleur rouge à un aveugle. Si les gens n'ont pas vécu le même genre de chose, ils ne comprennent pas.»

Ce qui empêche les gens de comprendre, c'est le tabou de la Mauvaise Mère.

Le tabou de la Mauvaise Mère émane du commandement biblique : «Tu honoreras tes père et mère». Selon ses règles tacites, personne ne doit décrire ni raconter la manière dont sa mère a pu être cruelle, humiliante ou sans amour. Car cela constitue une violation d'un impératif sacré qui remonte à la nuit des temps : on ne dit pas du mal de la femme qui nous a donné la vie. «Et celui qui maudit son père, ou sa mère, sera assurément mis à mort», prévient le livre de l'Exode.

«Il reste un seul tabou qui ait survécu à tous les efforts récents de démystification : c'est l'idéalisation de l'amour maternel», écrit Alice Miller dans son livre *Le Drame de l'enfant doué*.

Notre culture est beaucoup plus intéressée à protéger l'image de la Sainte Mère qu'à regarder en face la réalité des enfants négligés ou maltraités.

La sainteté de la maternité, en dépit de l'évidence la plus

flagrante, a joué un rôle dans la réaction scandalisée qui a accueilli la parution de *Maman très chère*, le terrible livre de Christina Crawford qui raconte en détail comment sa mère adoptive, l'actrice américaine Joan Crawford, l'a battue puis bannie dans un pensionnat. Peu après la sortie du livre, et en partie en réaction à l'indignation qu'il soulevait (qui se manifestait en lettres indignées à son éditeur et ailleurs), Christina Crawford a eu une crise cardiaque.

Aujourd'hui complètement rétablie, elle évoque pour moi la réaction de colère du public et ses conséquences pour elle, il y a plus de dix ans : «Je n'étais absolument pas préparée à l'intensité des émotions que mon livre a soulevées. Je n'avais personne vers qui me tourner, parce que personne n'avait vécu cela avant moi. Cela a été très, très dur pour moi comme pour ma famille.»

Christina avait commis le crime d'exposer au grand jour la vie privée de sa mère, et pour bien des gens, c'était beaucoup plus répréhensible que tout ce que sa mère avait pu lui faire. Dans notre culture, le concept du foyer comme ultime refuge règne en maître : quand la vie privée d'une famille est rendue publique, ce sanctuaire domestique est menacé.

C'est ce concept de vie privée qui, tout en protégeant la famille de l'intrusion des étrangers, cache les mauvais traitements qu'on inflige aux enfants, et les secrets de famille pourrissent en cachette, loin des regards du monde. L'inviolabilité du sanctuaire familial éclipse toutes les autres valeurs et déforme nos perceptions.

Car, bien que les progrès sociaux des derniers siècles aient eu pour résultat l'adoption de lois contre le travail des enfants, de l'instruction obligatoire pour tous et autres législations destinées à protéger la croissance des enfants, cette protection s'arrête bien souvent à la porte de la maison de l'enfant.

Il est pratiquement impossible d'obtenir qu'une Cour déclare une mère impropre à assumer la garde de son enfant ou qu'elle prive un père de son droit de visite. Selon un article publié dans la revue *People* et traitant des femmes et des enfants fuyant un père agresseur sexuel, «comme les juges sont en général assez réticents devant le témoignage de très jeunes victimes, le parent coupable échappe souvent à la condamnation et conserve même son droit de visite. D'après les déclarations indignées de certains avocats des droits des enfants, il arrive trop souvent que des poursuites judiciaires aient pour résultat de laisser la victime à la merci de son agresseur.»

Pour sa part, le journaliste John Crewdson écrit dans *By Silence Betrayed* : «La vraie raison de l'absence de discours public [sur l'inceste] est l'opinion, toujours généralement acceptée, que ce qui se passe à l'intérieur de la maison et de la famille devrait mystérieusement échapper au regard public.»

Il arrive pourtant que cette protection contre le regard public soit défiée, tout au moins par la presse. Certaines histoires de meurtres d'enfants qui font les manchettes des journaux sensibilisent le public à cette question.

Mais que faire lorsque l'enfant n'est pas en danger de mort (quand les mauvais traitements qu'elle reçoit sont plutôt de la nature de l'humiliation, de la mort de l'âme) ? Le public a moins tendance à éprouver de la compassion pour l'enfant que l'on rudoie, que l'on néglige ou que l'on étouffe. Et notre culture est encore moins compréhensive à l'égard de l'adulte dont la vie est marquée par le manque de confiance en soi qui découle de ce genre de traitement au cours de l'enfance.

L'origine du tabou

Le tabou de la Mauvaise Mère est le résultat de trois facteurs: la culture, les parents et l'enfant elle-même.

La maternité en tant que rôle exclusif et sacré pour les femmes représente un phénomène relativement récent dans l'histoire du monde occidental. Selon certaines anthropologues, ce n'est qu'au début du XIXe siècle qu'on s'est mis à attendre des mères qu'elles fassent de leurs enfants le centre de leur vie, en même temps que les pères se désintéressaient de l'éducation des enfants et quittaient leurs terres pour aller travailler dans les usines, laissant les mères seules à la maison pour élever la famille.

Au début du XXe siècle, la maternité était devenue une mission divine. En 1905, lors d'un discours devant le Congrès national des mères américaines, le président des Etats-Unis Théodore Roosevelt leur déclara, plein de révérence : «Quant à la mère, son nom même signifie amour désintéressé et abnégation, et dans toute société digne de ce nom, il regorge d'associations qui l'emplissent de sainteté.»

Au nom de la famille et du pays, cela devint le devoir solennel des femmes d'élever leurs enfants pour en faire des citoyens respectueux de Dieu et de la loi. La mère devait exercer une vigilance constante : même un manque mineur risquait de traumatiser l'enfant pour le reste de ses jours. C'était la mère dans toute sa sainteté. Plus tard, en Amérique du Nord, comme nous le verrons, on allait la réprimander si elle embrassait trop ses enfants. Mais de tout temps, qu'elle soit idéalisée ou calomniée, c'est *toujours* elle, entre les deux parents, qu'on tenait responsable de l'adulte que deviendrait son enfant.

Avec ce genre de pressions, comment s'étonner que les mères se vengent férocement ou amèrement dès que leur enfant leur répond avec impertinence ou exprime son désaccord avec elle ?

Même si son image a parfois subi des revers, la Sainte Mère, que l'on célèbre tous les ans à la fête des mères, fait partie des symboles intouchables de notre culture. Affirmer le contraire, tout au moins en société, c'est jeter un froid à coup sûr.

Etre la mère-incarnation de la pureté, la mère-gardienne de la moralité pendant que papa amène à manger à la maison, voilà une responsabilité écrasante. C'est pourquoi, lorsqu'on se risque à dire : «Je n'aime pas ma mère», c'est comme si on violait un symbole sacré, comme si on giflait une religieuse.

La mauvaise graine

Si Maman est la vertu incarnée, ou est censée l'être, et si elle est au-dessus des reproches publics, pourquoi donc certains enfants deviennent-ils des vauriens ? Cela doit être parce qu'ils sont *nés* comme ça.

L'idée que l'enfant naît fondamentalement mauvais alimente la flamme de l'idéal maternel. Ce point de vue est lié au concept chrétien du péché originel qu'efface le baptême. Les sectes fondamentalistes considèrent que l'enfant naît dans le péché et qu'il faut l'en purger. Le thème de l'enfant comme agent du mal apparaît dans des films comme *L'Exorciste* ou *Le bébé de Rosemary*.

C'est ainsi que le fait de battre un enfant, par exemple, peut se justifier pour certains comme une manière de le contrôler ou une méthode de purification spirituelle. On peut voir cet idéal spirituel élevé à l'œuvre dans tous les pays qui sanctionnent le châtiment corporel dans leurs écoles.

Dans le domaine de l'éducation des enfants, ce que l'on considère comme approprié est lié à la perception collective de ce qui est socialement acceptable. Ce que la majorité estime contribuer à la formation morale des enfants, de façon à ce qu'ils obéissent à l'autorité, devient la norme acceptable. On ne peut donc pas affirmer catégoriquement que tous les châtiments corporels entrent dans la définition sociale et clinique des mauvais traitements, car pour certains, ils sont *acceptables*. Mais selon le Dr James Gabarino, qui fait autorité en matière d'enfants maltraités, «Il est absolument juste de dire qu'on *devrait* les considérer comme des mauvais traitements.»

Dans le passé, l'emploi de la force physique pour purifier un enfant était non seulement justifié, mais conseillé. Dans son livre *For Your Own Good*, la psychanaliste Alice Miller cite ces extraits tirés de deux livres différents rédigés par des pédagogues allemands des années 1900 :

Même une pédagogie profondément chrétienne, qui accepte la personne comme elle est et non comme elle devrait être, ne peut renoncer en principe à toute forme de châtiment corporel, car c'est parfois la meilleure punition qui soit pour certains genres de délinquance : il humilie et perturbe l'enfant, affirme la nécessité de s'incliner devant une autorité supérieure et, en même temps, révèle toute la vigueur de l'amour paternel...»

«L'entêtement doit être brisé "quand l'enfant est très jeune, en faisant sentir à l'enfant la supériorité incontestable de l'auto-

rité de l'adulte". Plus tard, on obtient des effets plus durables en faisant honte à l'enfant, surtout sur les natures vigoureuses.

Alors que le fait de battre son enfant expose le parent à la perte d'une partie (mais pas de toute) sa probité sociale, l'usage apparemment non-violent du pouvoir parental pour diminuer ou pour effrayer un enfant n'est pas sanctionné de la sorte. La culpabilité a toujours été un outil bien pratique pour contrôler les enfants («Si tu mets cette minijupe, ton père va avoir une crise cardiaque»). Mais la recherche moderne en psychologie montre que l'utilisation de la honte (qui enlève à l'enfant sa dignité) est un instrument de contrôle beaucoup plus efficace et plus violent; on la considère maintenant comme une "émotion maîtresse".

Dans un article publié en 1987 dans le *New York Times*, Daniel Goleman définit la culpabilité comme une réaction émotive à un geste qui ne pousse pas *obligatoirement* à la haine de soi. D'autre part, la honte, écrit-il, «s'attaque à la perception fondamentale de soi et est le plus souvent ressentie comme [...] de l'humiliation».

Cela ne veut pas dire que la culpabilité ne peut pas mettre quelqu'un aux prises avec les affres de la gêne ou même de la haine de soi. Mais la honte infligée par les parents, sous forme de l'humiliation de l'enfant, laisse dans sa mémoire la trace indélébile des moments les plus douloureux de son enfance. Devoir aller à l'école avec du gruau dans les cheveux, voilà un exemple de honte qui peut pousser une personne à se détester elle-même.

La honte renforce le tabou de la Mauvaise Mère. La thérapeute familiale Marilyn Mason, coauteure du livre *Facing Shame*, a confié à Daniel Goleman: «La règle tacite de la famille dysfonctionnelle comporte l'interdiction de parler des expériences douloureuses de la vie, quelles qu'elles soient. L'obsession de la honte pousse ses membres à exercer un contrôle rigide sur leurs émotions et à être très exigeants envers eux-mêmes.»

L'idée de l'enfant comme agent du mal et du parent comme unique source du bien, en tant que division morale des tâches, a des conséquences désastreuses dans le domaine de la psychiatrie. La théorie œdipienne de Freud (selon laquelle l'enfant désire inconsciemment avoir une relation sexuelle avec le parent du même sexe, supprime son désir, puis le transfère plus tard sur une relation en-dehors de la famile) lui servait à expliquer tant bien que mal les récits de ses patientes qui avaient subi des agressions sexuelles incestueuses de la part de leur père ou d'un autre homme de la famille. Il interprétait ces confessions comme des fantasmes de désir sexuel pour le père de la patiente, soi-disant parce que ces femmes n'avaient pas réglé leur complexe d'Œdipe. Il "expliquait" ainsi, pour ses contemporains et ses disciples psychanalistes, pourquoi des enfants racontaient qu'un oncle, un ami de la famille ou même leur papa les touchaient de manière sexuelle.

Ce que Freud a fait pour la littérature psychiatrique en aseptisant ou en niant carrément la vérité de ce que voient et vivent les enfants, certaines mères l'ont fait dans leur foyer. Selon John Crewdson, si l'inceste est l'acte criminel le moins rapporté, c'est que les mères ne veulent pas en entendre parler. Les enfants apprennent donc à ne pas raconter à Maman ce genre de mauvaise nouvelle parce qu'elle aime mieux préserver le statu quo dans la famille : elle ne veut pas mettre son mariage en danger. Il écrit : "Quand les victimes d'inceste finissent par se décider à en parler à quelqu'un, ce n'est pas par hasard si elles choisissent une institutrice, un conseiller pédagogique, une voisine ou une amie : n'importe qui plutôt que leur mère.»

Beaucoup d'enfants survivantes d'abus, que ce soit de nature sexuelle, physique ou émotive, tiennent plus responsable leur mère passive que leur père abusif, parce que la mère aurait pu faire quelque chose pour protéger son enfant, mais qu'elle *ne l'a pas fait.* Emilie, trente-trois ans, se souvient d'un incident de son adolescence :

Quand j'ai fini par rassembler assez de courage pour parler à ma mère de l'alcoolisme de mon père et de la violence de son caractère, elle m'a répondu : "Eh bien, tu sais que ton papa est fatigué quand il rentre à la maison. Il veut se détendre. Mais il n'est pas alcoolique." Mon père avait la réputation d'arracher les portes de leurs gonds et de se demander ce qui s'était passé le lendemain. C'était un vrai cauchemar. Pour supporter la vie avec mon père, ma mère niait tout. Il aurait pu mettre le feu à la maison: elle aurait clamé son innocence, même si on l'avait pris l'allumette à la main.

C'est ainsi que la Mauvaise Mère est protégée par notre culture, qu'elle se protège elle-même ou qu'elle est protégée par son mari, qui ne peut pas se résoudre à admettre, même à ses propres enfants, que leur mère a tort.

Les pères renforcent souvent le tabou de la Mauvaise Mère. Comme nous le verrons dans le prochain chapitre, ces pères ont tendance à ignorer les frictions entre mère et fille; en restant effacés dans le domaine des émotions, ils maintiennent dans la famille un statu quo qui, bien que souvent orageux, leur est néanmoins rassurant parce qu'il est familier.

Sylvie, quarante-trois ans : «Il arrivait parfois que mon père prononce ces mots merveilleux : "Béatrice, laisse Sylvie tranquille". Cela arrivait si rarement que je ne pouvais pas compter dessus. Mais c'était quelque chose : je me souviens très bien des cinq fois où il l'a fait.»

Les filles de mères dominantes idéalisent souvent leur père. Mariette, soixante-huit ans, l'évoque amèrement : «Je me rends compte aujourd'hui que si j'aimais tant mon père, c'est surtout parce qu'il ne m'humiliait jamais. C'était un amour très négatif. Il était aimable, mais il n'avait aucune force. La seule fois que j'ai essayé de lui parler de ma mère, il m'a répondu : "Je ne veux pas avoir de problèmes". Je n'en ai plus jamais reparlé.»

D'autres filles tiennent leur père responsable. La mère de Gloria était un vrai tyran; tout le monde s'inclinait devant ses colères imprévisibles et ses remontrances cinglantes, même le père de Gloria. Aujourd'hui, la colère que Gloria éprouvait contre sa mère s'est muée en une sorte d'indifférence glacée. Mais sa colère contre son père a gardé la même intensité qu'autrefois. Pourquoi ? Parce que son père ne l'a jamais protégée contre sa mère : il préférait protéger sa femme. Elle confie :

J'aimerais tant qu'il n'ait pas été si faible, qu'il soit intervenu pour moi. Quand j'étais enfant, je crois que c'est ça qui m'a blessée le plus, pas qu'elle m'humilie constamment, mais qu'il la laisse me traiter de cette façon. Il savait comment elle pouvait être. Mais chaque fois que je me plaignais à lui, il me disait : "Tu dois respecter ta mère".

Je savais que s'ils se séparaient un jour, elle ferait tout pour m'empêcher de le voir, et qu'il la laisserait faire par faiblesse. Je ne pourrais jamais compter sur lui. Il est comme ça. Et ça me faisait beaucoup de peine. J'en ai encore.

Les mensonges qu'on se raconte

Le tabou de la Mauvaise Mère bénéficie d'une puissante alliée dans la personne de l'enfant elle-même. Lorsque l'enfant naît, elle dépend totalement de sa mère pour la nourriture, la chaleur et la protection. Comme nous l'avons vu dans le chapitre précédent, Maman, en tant que source de vie et de nourriture, est également à l'origine de l'opinion, bonne ou mauvaise, que l'enfant aura d'elle-même.

Une enfant joue avec ses jouets, lève la tête et rencontre le regard adorateur de sa mère; fortifiée par son amour et son approbation, elle reprend son jeu. Mais si la mère détourne le regard dans un geste de réprobation ou de dégoût, l'enfant arrêtera de jouer et tentera de grimper sur les genoux de sa mère, croyant être coupable d'un crime sans nom : Maman ne l'aime pas. Plutôt que de se percevoir comme innocente, l'enfant se voit alors comme fondamentalement mauvaise. C'est la seule explication qu'elle puisse envisager, et qui semble marcher, puisqu'elle résoud un mystère.

«Peu importe à quel point la mère est mauvaise, elle est tout pour l'enfant, explique la Dre Marianne Goodman. Une enfant de trois ans est incapable de se trouver un appartement, d'aller chercher à manger au magasin et de prendre soin d'elle-même. Même si Maman est très méchante, l'enfant doit la rendre "bonne" pour son univers à elle. Son univers doit se fonder sur quelque chose de solide, quelque chose de ferme sur quoi elle peut compter.»

C'est ainsi que l'enfant en vient à tout déformer : elle-même, ses parents, sa perception du monde. Comme elle ne peut pas envisager l'existence d'une "mauvaise Maman", elle fait ce que les psychanalystes appellent une division.

Quand elle atteint l'âge d'environ trois ans, l'enfant a déjà traversé plusieurs stades de ce que la psychanalyste Margaret Mahler nomme "la séparation et l'individuation". Elle commence à avoir un sens de ses limites, de son territoire psychique, d'elle-même comme personne distincte de sa mère. Mais elle n'est pas encore assez mûre émotivement, ni assez avisée pour comprendre que Maman peut très bien avoir des moments de mauvaise humeur et être tout de même une bonne Maman. Pour l'enfant qui mourrait si sa mère disparaissait, Maman ne peut être *que* bonne.

L'enfant n'a pas les moyens de percevoir sa mère comme "mauvaise", car sa survie dépend de la présence d'une bonne mère dans son champ de perception. Cette personne qui me crie dans les oreilles ou qui me secoue brutalement doit être quelqu'un d'autre : une bonne Maman, *ma* bonne Maman, ne me traiterait pas de cette façon. La mère est donc perçue comme *deux* mères: la bonne et la mauvaise. De la même façon, l'enfant se perçoit elle-même comme parfaite ou horrible. C'est ce phénomène que l'on nomme division.

Tous les enfants passent par une période où cette ambiguïté se résoud dans une double perception : l'enfant perçoit et sa mère, et elle-même, comme des couples d'entités entièrement séparées, un moment le "bon" moi, un autre le "mauvais" moi.

Mais même si la mère est entièrement "mauvaise" et que l'enfant ne peut pas ne pas s'en rendre compte, elle se l'explique en se persuadant qu'*elle est une mauvaise enfant et qu'elle mérite la colère et le rejet de sa mère*. En même temps, l'enfant, de son point de vue égocentrique normal, croit que la colère a le pouvoir d'annihiler l'autre. Elle se garde donc d'éprouver des émotions négatives, car elle ne veut pas faire de mal à Maman. D'une manière ou de l'autre, c'est l'enfant qui "rend" sa mère "mauvaise".

Avec le temps, si l'enfant a reçu amour et attention de façon régulière et prévisible et si la mère aimante est plus "bonne" que "mauvaise", les deux images se fondent en une seule et l'enfant perçoit sa mère comme une personne humaine entière, avec en majeure partie des bonnes qualités et quelques-unes moins bonnes, mais en somme, "suffisamment bonne".

L'enfant a donc la possibilité de se percevoir elle-même de la même façon, sachant que même si elle provoque à l'occasion la colère de sa mère, Maman ne l'abandonnera pas. Grâce à la constance de l'amour de sa mère, l'enfant l'intériorise sous la forme de l'approbation et de l'affection maternelles : l'enfant intériorise la Bonne Maman. C'est cette Bonne Maman intérieure qui rend possible la séparation de l'enfant.

Avec le temps, l'amour de Maman pour nous devient amour de soi, approbation de soi, confiance en soi et respect de soi. Une contrariété ou un rejet n'est pas mortel, car la bonne Maman intérieure nous protège des effets paralysants du doute, nous protège de la peur horrible de mourir sans elle, parce que dans la profondeur de notre inconscient, elle est toujours avec nous.

Mais si l'enfant n'a pas reçu cette affection et ces soins constants, si elle intériorise plutôt la Mauvaise Maman, elle se met à percevoir le monde par couples d'absolus : tout bon ou tout mauvais, tout blanc ou tout noir. Lorsqu'elle est encore dans l'enfance, toutefois, elle n'ose pas percevoir Maman comme toute mauvaise. Elle défend avec une telle énergie le fantasme de la mère toute bonne qu'elle bloque toute autre information dans un recoin de sa mémoire. C'est cette défense qui rend si difficile de reconnaître et de résoudre au cours de la thérapie le sentiment de n'être pas aimée : c'est le cœur de notre résistance.

Le blocage est une façon très répandue de traiter les mauvais souvenirs. Mais pour deux des femmes que j'ai rencontrées, ce blocage était si fort qu'il éliminait toute leur enfance. L'une d'elles ne se souvenait d'aucun détail des huit premières années de sa vie; l'autre, de ses douze premières années. Ni le nom d'une institutrice, ni celui d'une amie. Ni les jeux, ni les larmes. Rien.

Mais le blocage fonctionne aussi dans la direction opposée. Certaines filles tombent dans l'extrême inverse : elles ne peuvent voir leur mère *que* comme toute mauvaise, se trouvant incapables de reconnaître une seule des qualités de leur mère. Le fait de tenir leur mère responsable de tous leurs problèmes dans la vie leur fournit une excuse en or pour ne pas en prendre la responsabilité.

C'est ainsi qu'à l'âge adulte, les filles mal aimées vivent souvent leurs relations avec les autres comme toutes bonnes ou toutes mauvaises, sans intermédiaire entre les deux. L'amie intime devient la "parfaite" âme sœur, idéalisée hors de toute proportion... jusqu'à ce qu'elle oublie un rendez-vous ou qu'elle ne soit pas disponible pour lui rendre un service. Sans aucune continuité avec l'histoire de leur amitié, sa fidélité, sa sincérité ou sa loyauté passées, l'amie devient alors l'impardonnable ennemie jurée.

Mais ces filles se traitent elles-mêmes avec la même sévérité moraliste : elles s'exaltent et se détestent avec autant d'énergie, sinon plus. La fille adulte devient sa propre critique impitoyable. Chaque faute, chaque manque a des airs d'exécution : elle ne peut pas se pardonner parce que toutes ses erreurs, accumulées dans le réservoir débordant du doute de soi, inondent son esprit à chaque nouvel écart. L'emploi qu'elle vient de perdre la transforme en incompétente chronique : on vient juste de "découvrir" quelle imposture elle est. L'amoureux distant lui prouve une fois encore à quel point elle est peu désirable et éveille en elle le sentiment égaré (quand ce n'est pas le souvenir aigu de l'origine de sa disgrâce) d'être l'enfant mauvaise, indigne d'être aimée.

Si elle devient mère, cette fille perçoit à son tour ses enfants — et surtout ses filles — dans le même éclairage brutal, tout en contrastes de bien et de mal. La boucle est bouclée.

C'est toujours la division qui fait son œuvre, mais longtemps après l'époque où elle aurait dû être résolue, après que la maturité émotive aurait dû l'amener à dépasser ce mode de pensée polarisé.

L'adulte qui éprouve le besoin de diviser le monde en bons et en méchants est fidèle au souvenir de sa mère intériorisée; mais elle n'est pas fidèle à elle-même. C'est parce qu'elle n'est pas sûre de savoir qui "elle" est.

Le moi factice

En plus de diriger une agence de placement dans une grande ville, Diane, trente-sept ans, est la mère divorcée d'une adolescente. C'est une femme d'allure très respectable, une travailleuse acharnée qui n'accepte pas la moindre marque de sexisme de la part des hommes avec qui elle sort.

Mais dès qu'elle est avec sa fille, elle devient la proie de ses émotions. La chose la plus difficile à faire en tant que mère, me confie-t-elle, c'est de donner des limites à sa fille; elle voue une véritable adoration à sa fille adolescente, qui la traite avec une alternance de gentillesse et d'humeur renfrognée typique de son âge. C'est cette mauvaise humeur que Diane ne supporte pas : elle lui brise le cœur comme si son existence même était en jeu. Incapable de se pardonner quand elle perd occasionnellement patience avec sa fille, elle est convaincue qu'elle est une mauvaise mère, et même une mauvaise femme.

Quand on demande à Diane de raconter son enfance, on a l'impression qu'elle se retient à deux mains pour ne pas fondre en larmes :

Quand j'étais enfant, dans ma famille, on n'avait pas le droit d'exprimer nos émotions. Si je ne faisais pas ce qu'on me disait de faire, je recevais une fessée avec une brosse à cheveux.

Je ne voulais jamais être punie, et j'ai réussi à ne pas l'être souvent, parce que je m'arrangeais toujours pour faire ce qu'il fallait. Je réfléchissais très soigneusement à la manière d'éviter les ennuis. Je me disais : "Qu'est-ce qu'il faut que je fasse pour qu'elle ne se fâche pas ?", et puis je le faisais. Je suis devenue la petite fille la plus sage du monde.

Maintenant, je suis très sévère avec moi-même. Quand je ne fais pas les choses comme il faut, surtout avec ma fille, j'ai envie de me tuer. C'est comme si je me retrouvais à cinq ans, en train d'essayer désespérément de regagner sa faveur.

L'exemple de Diane illustre bien ce qui arrive lorsqu'une enfant essaie si fort de gagner l'amour d'un de ses parents qu'elle en perd son "moi" en cours de route. A sa place, elle se fabrique ce que les psychanalistes appellent le "moi factice".

L'enfant devine ce que sa mère veut qu'elle soit, qu'elle fasse, qu'elle ressente, et même ce qu'elle *veut qu'elle veuille*, puis elle se comporte comme si c'était cela qu'elle voulait elle-même, plutôt que sa mère. L'enfant perçoit correctement que sa survie dépend de cette mascarade : «Si je deviens l'incarnation de ce que ma mère voudrait que je sois, elle va peut-être m'aimer. Si j'exprime tout ce que je ressens ou que je veux être, elle ne m'aimera pas.» Elle devine ce que veut sa mère... puis elle n'a plus qu'à livrer la marchandise.

Comme nous le verrons dans les chapitres suivants, le moi factice peut saboter toutes les inclinations naturelles d'une enfant; Maman veut-elle une fille angélique, un bouc émissaire, une esclave ? Selon son tempérament, l'enfant ignore son propre instinct et ses émotions pour devenir l'une ou l'autre de ces personnages, ou même plusieurs en même temps.

Voici comment Alice Miller décrit le moi factice :

Le "vrai Moi" [de l'enfant] ne peut pas se développer ni se différencier normalement, parce que l'enfant n'a pas la possibilité de le vivre. [...] Il s'est produit un processus de vidage, d'appauvrissement et de meurtre partiel lorsque tout cela était vivant et spontané en lui. [...]

[L'enfant] ne peut pas se baser sur ce qu'il ressent, n'a pas la possibilité d'en faire l'expérience dans sa vie de tous les jours, n'a aucune conscience de ses propres besoins réels et se trouve aliéné de lui-même au plus haut degré. Dans ces circonstances, il n'a pas la possibilité de se séparer de ses parents [...] Il devient plutôt ce dont sa mère a besoin qu'il soit, et c'est cette certitude qui lui sauve la vie (c'est-à-dire l'amour de sa mère ou de son père) à ce moment-là, mais elle l'empêche néanmoins d'être lui-même pour le reste de sa vie.» [C'est moi qui souligne.]

Il arrive même que la mère soit sincèrement convaincue qu'elle aime son enfant de tout son cœur. Mais elle émet des messages plus ou moins subtils (et même parfois incongrus) sur la manière dont elle souhaite voir réagir son enfant à son amour et lui en témoigner de la gratitude. L'enfant lui donne donc ce qu'elle veut, ce qui ne reflète pas toujours ce que l'enfant veut et dont elle a désespérément besoin : *être aimée et acceptée pour elle-même, comme elle est.*

L'existence du moi factice consolide l'insécurité et le doute de soi que ressent l'enfant. Comme l'enfant a besoin pour exister de la bienveillance de sa mère, elle se sent coupable si sa mère ne lui en manifeste pas. Elle se dit: «C'est ma faute si ma mère ne m'aime pas, car puisqu'elle est parfaite et omnisciente, elle m'aimerait sûrement si j'étais meilleure.»

Lorsque la réalité devient insupportable, l'enfant ajoute ses fantasmes au moi factice. Elle idéalise les mères des autres enfants. Elle imagine qu'elle a été adoptée. Voici ce que m'a raconté une de ces femmes :

Je m'étais persuadée que ma vraie mère m'avait laissée dans un orphelinat et que c'était une autre mère horrible qui m'élevait. J'en étais absolument certaine parce que j'avais des cheveux blonds et des yeux bleus alors que ma mère était brune. J'étais sûre que ma vraie mère se rendrait compte un jour qu'elle avait commis une grave erreur et qu'elle reviendrait me chercher pour tout réparer.

D'autres enfants rêvent qu'un substitut de la bonne mère va venir les sauver. Cela peut être une grand-mère, une tante ou une institutrice. Pour Laure, qui a reçu une instruction très catholique, c'était la Vierge Marie.

Laure était la septième d'une famille de huit enfants qui vivait dans une région rurale très pauvre. Certains jours, les enfants se rendaient à l'école l'estomac creux et ne rentraient le soir à la maison que pour trouver la table vide. Il lui est arrivé d'aller à l'école pieds nus parce qu'aucune des paires de souliers qui lui venaient des plus grands ne lui allait. Enfant timide, qui essayait d'être parfaite pour ne pas se faire battre par sa mère, elle a eu une des vies les plus tristes que j'ai vues au cours de mes entrevues.

Laura est maintenant âgée de quarante-deux ans :

Au fond de la cour, j'avais un arbre préféré sous lequel j'allais m'asseoir, quand j'étais petite, pour attendre que la Sainte Vierge descende du ciel pour me sauver de ma mère. Je me disais: "C'est l'endroit parfait; si elle apparaissait, ce serait sûrement ici." J'allais m'asseoir sous l'arbre et je l'attendais.

En plaisantant à moitié, elle ajoute : «La vache, elle n'est jamais venue.»

Jusqu'à ce jour, Laure n'est jamais parvenue à se mettre en colère contre sa mère ou contre les circonstances qui ont contribué à ses sentiments de terreur et d'abandon. Au lieu de cela, elle se blâme constamment de tout ce qui lui fait mal. Quand une voiture traverse la ligne blanche et frappe la sienne de côté, c'est parce qu'elle "ne faisait pas attention"; quand un homme la rejette, c'est parce qu'elle "n'est pas à la hauteur".

Laure est incapable de faire la différence entre ce qu'elle est et l'enfant qu'elle a dû devenir pour survivre. Elle se voit toujours comme une vilaine petite fille. Pourquoi s'accroche-t-elle si désespérément à quelque chose qui n'est pas vrai ? Selon la D[re] Jane Abrahamson, auteure d'une étude sur la relation mère-fille, «ressentir une émotion, quelle qu'elle soit, c'est sentir quelque chose d'autre que ce vide mort, et c'est comme ça que le lien avec la mère se perpétue. C'est ce vide affreux qui est terrifiant, car il ressemble à la non-existence. N'importe quoi lui est préférable, même l'émotion la plus négative.»

Le plus triste, dit la D[re] Marianne Goodman, c'est qu'il y a des filles qui *continuent à essayer. Elles se frappent encore et encore la tête contre le même mur ensanglanté, non seulement dans leur relation avec leur mère, mais avec tout le monde. Elles choisissent tout le temps le même type de personnes, car elles cherchent à reproduire la même situation pour essayer de s'en sortir autrement. Mais elle finissent toujours par s'en sortir de la même façon, parce qu'elles essaient toujours de protéger leurs parents. Elles sont encore en train d'essayer de donner raison au parent, encore en train de prendre le rôle de la méchante. Elles sont incapables d'admettre que leur mère ne les aimait pas : elles préfèrent se blâmer elles-mêmes. Elles disent : "J'étais difficile à aimer. J'étais une enfant insupportable." Elles trouvent des excuses à leur mère.*

Le moi factice est le tabou de la Mauvaise Mère retourné vers l'intérieur. Et comme on a tendance à répéter toute sa vie ce qu'on a appris au cours de l'enfance (à moins qu'on ait recours à de l'aide professionnelle), quand on continue à opérer avec le moi factice, on reste une enfant. On a beau avoir appris *que* sa mère est incapable de nous valoriser pour ce qu'on est : on n'a toujours pas compris *pourquoi* elle est impossible à satisfaire.

C'est ainsi qu'on transporte avec soi la Mauvaise Mère intérieure, qui distille constamment un message selon lequel on est une méchante petite fille et que Maman, la bonne, la sage, la pure et toute-puissante origine de toute vie, a toujours raison. Comme une phobie, ce message est constamment renforcé jusqu'à ce qu'il devienne automatique et que le moi factice gagne la partie.

A l'âge adulte, cette distorsion peut avoir des conséquences dramatiques. Selon le Dr Gabarino, «cela ne me surprendrait pas que ce soient les enfants qui croient que c'est de leur faute qui aient le plus de difficultés à se rétablir de l'abus sexuel. Le but principal de beaucoup d'interventions thérapeutiques avec des enfants consiste à définir avec eux la réalité et à leur faire entendre que c'est l'adulte qui est responsable, que l'enfant ne peut pas être tenu responsable de ce qui lui est arrivé.»

Les enfants sont tellement conditionnés à croire que leurs parents ont raison que si ces parents sont manipulateurs et qu'ils maltraitent leurs enfants "pour leur bien", leurs enfants apprennent à faire taire leur extraordinaire capacité de "voir" honnêtement et franchement ce qu'ils ont sous les yeux. Comme le raconte Juliette, trente-et-un ans :

J'ai des zones d'ombres dans ma personnalité. J'ai tellement été dominée par une mère qui disait tout le temps "mais ma chérie, je veux t'aider" que j'en perds tout bonnement mon identité. J'ai commencé très jeune à identifier mes intuitions comme fausses : j'avais quelque chose qui ne tournait pas rond.

Un héritage impérissable

Les filles inacceptables traversent la vie à tâtons, avec des faux départs, des arrêts, des sursauts; elles tentent de se libérer ou même de se mettre en colère, mais elles ne vont pas plus loin que la porte de la maison. Elles ont beau s'accrocher tant bien que mal à l'illusion de leur indépendance, que ce soit en piquant des crises de nerfs, en déménageant le plus loin possible ou en essayant de combler leur vide intérieur par une ronde de réussites et d'échecs aussi frustrante qu'incessante, elles ne réussissent toujours pas à se sentir bien dans leur peau. Elles sont étrangères dans leur propre corps. Envahies par la confusion, la colère, la dépression, le vide émotif, elles ne savent même pas pourquoi.

Les femmes de ce genre restent reliées à leur mère par le fantasme qu'un jour, miraculeusement, tout va changer : la relation va changer, la mère va changer. Ce sont des orphelines du cœur, à la dérive dans une espèce de purgatoire : isolées par la rage et la culpabilité qu'elles ressentent, elles sont abandonnées par un ordre social qui punit pour sa déloyauté l'enfant victime qui ose dire : «C'est assez. Je ne peux plus rien investir de moi-même dans cette relation si elle continue comme cela.»

Dans son ouvrage *An Unknown Woman*, Alice Koller décrit de manière éloquente ce que cela représente d'être isolée de la sorte, étrangère même à soi-même :

Je n'ai pas vraiment vécu cette vie qui a déjà duré trente-sept ans. Je n'ai fait que semblant de la vivre : j'ai dit et fait ce qu'il fallait pour faire croire aux autres que j'étais vivante. Mais c'est moi le dindon de la farce. Parce que, maintenant que j'ai fini de jouer à ce jeu, il n'y a plus rien de vrai pour le remplacer. [...] J'ai échoué parce que les choses que j'ai entrepris de faire, je ne les ai pas choisies. Il n'y avait pas de vrai "moi" pour faire les choix.

Voilà le genre de terrible pacte qui survient lorsqu'une enfant, devenue adulte, demeure incapable de concevoir sa mère autrement que comme uniquement bonne ou uniquement mauvaise. Voilà le prix dramatique du tabou de la Mauvaise Mère. C'est une dette qui se transmet d'une génération à l'autre... à moins que la fille devenue adulte ne décide que le cycle de la colère, de la culpabilité, des faux espoirs, des rêves brisés et des déceptions en série finira avec sa génération. Avec elle-même.

Faire face à cet héritage, faire face au tabou de la Mauvaise Mère, c'est accomplir un acte de courage incalculable; pour beaucoup de filles, il faut en être arrivée à un désespoir absolu pour finir par se décider à le faire. A cause du danger de la censure sociale et psychologique, beaucoup d'entre elles en sont incapables. Elles deviennent les tragiques victimes du tabou... et le cycle se perpétue.

Mais il comporte également une triste et suprême ironie : c'est que l'une des victimes du tabou de la Mauvaise Mère peut fort bien être Maman elle-même.

Pour rendre la lecture plus agréable, les noms et les situations ont été replacés dans un contexte francophone (NdT).
«La reproduction de la maternité».

Deuxième partie

Derrière le rideau

4

L'évolution de la mère impossible à satisfaire

«Je me compare constamment à ma fille : ce qu'elle vit est à des années-lumière de ce que je vivais à son âge. Moi, j'ai grandi sur une petite ferme pendant la Crise; nous étions huit enfants, c'était la misère. Quand j'avais seize ans, je faisais les corvées de la ferme en rentrant de l'école, et les fins de semaine, je travaillais dans un magasin. Mais quand ma fille a eu seize ans, elle passait tous ses après-midi et ses fins de semaine à s'amuser avec ses amis.

A vingt-cinq ans, j'étais mariée et je restais à la maison pour élever mes trois enfants. Maintenant qu'elle a vingt-cinq ans, elle fait des études pour devenir avocate.

Pour moi, elle est une inconnue. Je n'ai aucun moyen de m'identifier avec elle. Elle a tant de choses que je n'ai jamais eues.»

Madeleine, cinquante-cinq ans.

Il y a un ou deux ans, mon mari et moi sommes allés au quarantième anniversaire de Liette, l'une de mes meilleures amies. Parmi les invités se trouvait Rose, la mère de Liette. Je connaissais dans le moindre détail les manières dont Liette craint et déteste sa mère: cela faisait plusieurs années que je l'écoutais me décrire Rose la critique, Rose la plaignarde, Rose pour qui rien ni personne n'est assez bien; Liette l'avait surnommée “Rosa la terreur”.

Mais la Rose que j'ai rencontrée ce jour-là pour la première fois s'est révélée être une petite vieille dame grisonnante à la voix douce, âgée d'environ soixante-dix ans. Rose m'interrogea sur mon travail et sur ma famille avec un mélange d'intérêt alerte et de timidité charmante, puis elle me parla avec amour et fierté de sa Liette, qui enseigne l'anglais à l'école. J'étais complètement sous son charme.

Plus tard, je suis allée m'asseoir à côté de Liette pour lui demander : «C'est *ça*, Rose ? Qu'est-ce que tu lui as fait, une lobotomie ?

— Tu ne la connais pas, articula péniblement Liette en tordant dans ses mains une serviette en papier. Devine ce qu'elle m'a offert pour mon anniversaire : le *Livre des Morts*. Qu'est-ce que tu dis de ça ? Elle sait que j'utilise des livres de référence, mais quand même !»

On pouvait interpréter le cadeau de deux façons différentes : il pouvait également signifier que Rose, qui venait d'avoir soixante-et-onze ans et dont la santé était précaire, se préoccupait beaucoup de la mort. Mais pour Liette, il n'y avait qu'une interprétation possible : sa mère souhaitait sa mort.

On pouvait également voir Rose de deux façons différentes : la mère qui vivait dans les souvenirs d'enfance de Liette n'avait plus grand-chose à voir avec la vieille dame frêle et effacée que les autres invités de la fête voyaient refuser poliment un deuxième morceau de gâteau.

Comme Liette et sa mère (et comme Madeleine et sa fille), les mères et les filles sont souvent des inconnues l'une pour l'autre et se perçoivent mutuellement comme des extra-terrestres. Le fossé qui les sépare semble souvent infranchissable.

La plupart des mères de la vieille génération ont élevé leurs enfants de leur mieux. Mais même les efforts les plus consciencieux d'un parent ne garantissent pas le genre d'adulte que deviendra l'enfant : il peut arriver que des événements imprévisibles ou des ruptures malencontreuses viennent éloigner l'une de l'autre les mères et les filles les plus liées : un handicap congénital de l'enfant, qu'il soit physique ou mental, la mort de l'un des conjoints, l'autobus scolaire qui glisse sur une plaque de verglas et tombe dans une rivière, une maladie incurable de la mère.

La mère elle-même a un passé fait d'une quantité de facteurs incontrôlables: peut-être qu'elle n'a eu que des sœurs, qu'elle était enfant unique, que l'un des enfants de la famille était retardé, que ses parents étaient divorcés, que sa grand-mère vivait dans la même maison, que sa famille était riche, ou pauvre.

Des milliers de variables contribuent à créer chaque enfant et chaque mère. Ce sont ces variables qui peuvent jeter une ombre sur leur relation et expliquer (mais pas toujours excuser) pourquoi certaines mères semblent si difficiles à satisfaire.

Le fossé des générations

Mères et filles ne voient pas les choses de la même façon : voilà une vérité vieille comme le monde. En 1965, Simone de Beauvoir écrivait sur sa mère :

Riche d'appétits, elle a employé toute son énergie à les refouler et elle a subi ce reniement dans la colère. Dans son enfance, on a comprimé son corps, son cœur, son esprit, sous un harnachement de principes et d'interdits. On lui a appris à serrer elle-même étroitement ses sangles. En elle subsistait une femme de sang et de feu : mais contrefaite, mutilée et étrangère à soi.

Mais les femmes qui sont maintenant dans la trentaine ou la quarantaine ont probablement *moins* en commun avec leur mère que tous les autres couples de générations qui les ont précédées.

D'une part, ces filles font partie de la génération la plus nombreuse de l'histoire, dont le poids démographique pèse plus lourd chaque jour sur la culture qui l'a nourrie... et qui s'est nourrie d'elle. La génération du *baby boom*, soixante-seize millions de personnes nées entre 1946 et 1964, a changé la face de l'Amérique en monopolisant, non seulement l'attention des médias, mais aussi les budgets de campagnes publicitaires destinées *aux enfants seulement*. Il s'agit de la première génération d'enfants à être choyés et courtisés pour leur pouvoir d'achat: ils représentaient une véritable *mine d'or*.

Pour la première fois dans l'histoire, la génération plus âgée se retrouvait éclipsée et noyée par le nombre de sa progéniture. «Nous n'allons jamais, jamais grandir ! clamait le *yippie* Jerry Rubin. Nous allons rester adolescents *pour toujours* !»

Pour les femmes de cette génération, les changements qui se sont produits dans la société sont renversants. Les femmes n'entendent plus se laisser confiner dans leurs rôles d'épouses et de mères. Elles commencent à refuser d'accepter aveuglément d'être moins payées que leurs équivalents masculins. Il n'existe pratiquement aucun domaine que les femmes n'aient pas entrepris de s'approprier : avocates, constructrices, pilotes, membres du clergé, policières, même générales : on trouve maintenant des femmes dans toutes les carrières qui ont déjà été réservées aux hommes.

Même dans les écoles primaires et secondaires, les filles s'affrontent avec succès avec les garçons, tant dans le domaine sportif que dans le domaine intellectuel.

C'est la notion même de féminité qui a été complètement renversée. Les femmes de cette génération ont fait leur entrée dans l'adolescence avec la pilule contraceptive dans leur sac à main. Elles ont fait accepter la maternité des femmes célibataires. Elles ont accès à l'insémination artificielle, réduisant le "père" à un donneur de sperme anonyme. Elles fuient le mariage et l'amour en faveur de leur carrière et de leur salaire, faisant passer leurs objectifs personnels avant l'altruisme collectif.

C'est pour cette génération que les relations sexuelles, de l'obligation conjugale et familiale qu'elles étaient auparavant, sont devenues l'expression désinvolte d'une intimité passagère. La plupart de ces jeunes femmes avaient déjà perdu leur virginité quand elles sont sorties de l'université. Et elles ne voulaient pas seulement faire l'amour : elles voulaient surtout *y prendre plaisir*! Mais c'est aussi cette génération qui a découvert, avec les ravages du sida, que les relations sexuelles peuvent aussi être porteuses de mort.

La conception de la masculinité a changé, elle aussi : le père des années 40 passait pour une mauviette s'il passait l'aspirateur ou qu'il touchait seulement à une assiette. Aujourd'hui, on voit beaucoup de pères changer les couches ou discuter, au rayon des légumes du supermarché, de la valeur nutritive comparée des choux-fleurs et des brocoli.

Comme le corset, la famille idéale des années 50, avec Papa comme soutien de famille et Maman qui élevait les enfants à la maison, fait maintenant partie des annales de l'histoire : en 1989, en Amérique du Nord, seulement 10p.100 des familles répondaient à ce modèle. Alors qu'en 1940, seulement 9p.100 des mères de jeunes enfants travaillaient en dehors de la maison, en 1987, c'est 64p.100 des mères d'enfants de moins de six ans qui occupaient un emploi. En 1960, 13p.100 des femmes âgées de vingt-cinq à vingt-neuf ans n'avaient pas d'enfant; aujourd'hui, ce chiffre a plus que doublé.

Dans cette soupe de statistiques, rajoutons le fait que plus de la moitié des mariages se terminent par un divorce, ce qui représentait un disgrâce sociale il n'y a qu'un demi-siècle; que 60p.100 de tous les enfants nés en 1984 connaîtront la famille monoparentale avant d'atteindre dix-huit ans; que, si 11,5p.100 des familles de 1970 avaient une femme pour chef, elles sont aujourd'hui 23p.100.

Et quand les femmes d'aujourd'hui vivent des événements difficiles, elles n'ont pas que Maman vers qui se tourner. Avec le phénomène ultra-répandu des thérapies et des groupes d'entraide, les filles adultes peuvent résoudre leurs problèmes dans le bureau d'une inconnue : dans bien des cas, les bras de Maman ont cédé la place à l'heure hebdomadaire de psychothérapie.

Quant à la vie amoureuse, là où la mère était souvent une influence majeure, quand ce n'était pas déterminante, dans le choix du partenaire de sa fille, elle est souvent remplacée de nos jours par les agences matrimoniales et les petites annonces. Si beaucoup de jeunes femmes d'aujourd'hui rêvent encore du mariage idéal, elles rêvent également d'attendre d'être bien installées dans leur vie professionnelle et de s'être assurées un certain confort matériel.

Considérons le monde tel que nos mères, d'un œil horrifié, le voient quand elles contemplent la vie de leurs filles : cloîtrées entre la chambre d'enfants et le lit conjugal, maintenues sous la tutelle financière de leurs maris, c'est avec un sérieux handicap que nos mères ont *commencé* dans la vie.

Ne serait-ce qu'à cause de leur sexe, nos mères étaient considérées comme des fardeaux dès la naissance, *même par leurs mères*, à qui leur culture ne souriait que si elles produisaient des fils (ce qui ne tenait pas compte du fait très important que le sexe du bébé est déterminé par le père).

Si la préférence pour des enfants mâles remonte aux temps bibliques, elle a néanmoins persisté jusqu'à notre époque. Aussi tard qu'en 1976, quand on demandait à des femmes quel sexe elles préféraient pour leurs enfants, deux femmes sur trois choisissaient les garçons (quant à leurs maris, ils préféraient les garçons dans une proportion de trois ou quatre contre un). Bien qu'il ait influencé leur enfance, ce préjugé ne semble plus faire partie de la vie des jeunes femmes d'aujourd'hui. Plusieurs démographes m'ont expliqué qu'il n'existe pas de chiffres récents sur cette préférence; on estime tout simplement que pour les jeunes femmes qui subviennent elles-mêmes à leurs besoins, la question ne se pose plus.

A l'époque où les mères des jeunes femmes d'aujourd'hui atteignaient l'âge adulte, elles ne bénéficiaient pas des thérapies d'aujourd'hui, et n'étaient encouragées ni à l'expression de soi, ni au défoulement. La consigne était plutôt «sois belle et tais-toi», et beaucoup d'entre elles devaient vouvoyer leurs parents. A l'exception de quelques familles plus éclairées, il n'était pas question qu'elles parlent de leurs rêves, de leurs désirs sexuels ni de leurs besoins.

Enfermées toute leur vie dans la prison de dentelle du sexe féminin, synonyme de dépendance, comment peuvent-elles ne pas éprouver de difficulté à comprendre leurs filles dont la vie est si différente de la leur ? Comment peut-on s'attendre à ce qu'elles assimilent les concepts féministes de liberté et d'autonomie alors que la vie leur a si peu offert de possibilités?

Le fossé culturel

Les femmes de l'ancienne génération, qui sont maintenant dans la soixantaine ou au-delà, trouvent parfois le monde de leur fille étranger au leur d'une autre façon : les traditions et même la langue de leur jeunesse n'ont plus cours, comme une clé sur une porte dont on a changé la serrure.

Beaucoup d'entre elles sont immigrantes ou filles d'immigrants, élevées par des parents qui avaient une culture et un accent étrangers.

Mes parents venaient d'Italie; raconte Cristina, trente-quatre ans; mon père et mes frères étaient les chefs de la maison. Parce qu'elle était une fille, ma mère n'était pas une enfant désirée; sa fille n'avait donc pas d'importance à ses yeux. J'étais moins importante que mon frère. Elle n'élevait jamais la voix avec mon père : c'était bien trop dangereux. Il n'était pas question qu'elle touche à mon frère. C'était donc moi qui recevais le poids de sa frustration.

Sa seule contribution possible à la vie, c'était de faire la cuisine. C'était important pour une mère italienne de faire la cuisine et d'avoir une famille qui mangeait beaucoup. Et comme une mère ne forçait jamais ni son mari ni ses fils à faire quoi que ce soit, surtout pas à manger, elle avait particulièrement besoin d'une grosse fille pour montrer qu'elle faisait bien son travail de mère. Moi, j'avais plutôt l'air rachitique ! Ma mère essayait de me faire manger de force. Nous avions des disputes énormes au sujet de la nourriture. Alors, de son point de vue, j'étais un échec.

D'autres mères ont été élevées dans la richesse et les bonnes manières de la vieille Europe. La mère de Martine, née dans une famille bourgeoise de l'Autriche d'avant-guerre, a été élevée avec une étiquette rigide, une gouvernante et des manières de princesse. Martine, elle, s'est jetée à l'adolescence dans les manifestations étudiantes, l'amour pas la guerre, la drogue et la musique rock :

Ma mère voulait que je suive son exemple et que je trouve un mari de bonne famille avec une bonne éducation. Elle voulait que je sois le reflet parfait de ce qu'elle était. Au lieu de cela, j'ai épousé un fils de menuisier qui n'a pas terminé ses études secondaires. Je ne pouvais rien lui faire de pire. Elle ne s'en est pas encore remise.

Même dans une famille assimilée, les attaches culturelles avec le passé se perpétuent avec les générations. Le Dr James Gabarino, évoquant l'histoire d'une amie qui donnait dans une université américaine un cours portant sur les différences ethniques et culturelles entre les gens, m'a raconté ce qui suit :

L'un des étudiants s'est exclamé : "Moi, je pense que toute cette histoire de différences culturelles est exagérée". L'enseignante s'est tournée vers le groupe et a répondu : "D'accord.

Faisons une expérience. Combien de fois téléphonez-vous à vos parents ?" Certains ont répondu "une fois par semaine", alors que d'autres ont répondu "une fois tous les deux ou trois mois". L'enseignante leur a alors demandé : "Qui parmi vous est de culture juive ou italienne ?" La plupart faisaient partie des gens qui appelaient leurs parents toutes les semaines. Puis elle leur a demandé qui était WASP : c'était la majorité des gens qui appelaient leurs parents tous les deux ou trois mois.

En se perpétuant dans les familles les plus traditionnelles, les coutumes folkloriques héritées d'autres cultures alimentent souvent les dissensions mère-fille. Dans beaucoup de familles juives, par exemple, il est de mise de minimiser les occasions où la chance sourit en disant quelque chose comme : «Nous irons chercher la prime de ton père demain... si nous vivons jusque là», de façon à ne pas attirer l'attention de Dieu, qui risquerait, dans l'intérêt d'une bonne leçon d'humilité, de changer le résultat de l'entreprise.

Certaines mères juives suivent même une tradition venue d'Europe de l'Est et qui consiste à gifler leur fille le jour de leurs premières règles pour éloigner les mauvais esprits.

Beaucoup des filles de ces femmes réagissent à ces vestiges de l'histoire culturelle de leur mère avec un mélange de rage et de confusion, car il leur est difficile de ne pas les interpréter de manière personnelle, même si ce n'était pas l'intention de la mère.

Le fossé historique

Parmi les mères des femmes que j'ai rencontrées pendant la préparation de ce livre, beaucoup ont atteint l'âge adulte pendant la Crise de 1929. Il est impossible d'exagérer l'impact de cet événement sur leur génération : c'étaient des années très sombres où tout espoir semblait avoir disparu.

Contrairement au "mini-krach" de 1987, les tentacules de misère et de désespoir de la Crise atteignaient tous les niveaux de la société. Beaucoup des mères de cette époque n'avaient pas les moyens d'avoir une grande famille; mais le choix qu'elles faisaient d'avoir moins d'enfants leur enlevait beaucoup de leur valeur aux yeux de la société.

Si beaucoup de femmes d'aujourd'hui choisissent elles aussi de ne pas avoir d'enfants, c'est, au contraire, parce qu'elles veulent avoir plus d'argent, plus de choix et plus de liberté que leur mère. Le fait de ne pas avoir d'enfants *augmente* leurs chances de saisir les occasions financières et professionelles par les cheveux. Au lieu de la génération de la Crise, c'est la génération du *baby boom* qui détient le record du plus faible taux de fertilité.

Le fossé historique qui sépare les mères et les filles comprend également des différences d'attitudes en ce qui concerne l'éducation des enfants. Les critères selon lesquels on juge les mères varient énormément selon l'époque.

Tout comme il existe des modes en matière d'habillement, il en existe aussi en matière de maternité, et que Dieu vienne en aide à la mère qui s'en écarte.

Comme nous l'avons vu dans le chapitre Trois, au début du siècle, la Mère était considérée comme l'incarnation poudrée et corsetée de la pudeur et de la vertu : qui d'autre pouvait mieux qu'elle accomplir la tâche sacrée de purifier ses enfants pour en faire des citoyens soumis, patriotiques et vertueux ?

Mais au cours des années 20 et 30, la profession psychologique encore balbutiante émit l'opinion que la Mère n'était pas à la hauteur du dessein moral élevé de sa tâche.

La Mère-madone se retrouva brusquement considérée comme un danger pour ses enfants à cause de l'amour naïf, excessif et sentimental qu'elle leur portait. La culture même qui avait enfermé les mères dans un idéal de grâce domestique les réprimandait maintenant pour leur ignorance des réalités de ce monde. Elles furent déchues sans cérémonie de leur position d'idoles à l'époque même où grandissaient beaucoup des mères décrites dans ce livre.

Ce sont les filles de ces mères discréditées qui en ont supporté les conséquences. Dans le domaine de l'éducation des enfants, le psychologue John Watson, l'un des gourous américains des années 20 et 30, clamait haut et fort que les mères étaient "dangereuses". A cause l'adoration invétérée de la mère pour ses enfants, il voyait en elle l'instrument même de la faiblesse et de la dépendance des enfants, la cause de leur manque de colonne vertébrale et de force de caractère. Elle faisait courir à ses enfants le risque fatal de grandir sans acquérir la force nécessaire pour répondre aux exigences éprouvantes de la société capitaliste.

Heureusement, le Dr Watson accourait à la rescousse pour sauver les pauvres mères de leur ignorance et de leur faiblesse. Il leur dicta un canon d'une rigoureuse sévérité : traitez vos enfants comme de jeunes adultes. «Ne les embrassez jamais, ne les prenez jamais dans vos bras, les exhortait-il. Ne les prenez jamais sur vos genoux.» Si une mère, incapable de contenir plus longtemps ses besoins malencontreux, devait céder à ses impulsions étouffantes et en venir à *embrasser* (ô horreur) son enfant, elle ne devait le faire que le soir, à l'heure du coucher. Le matin, ayant sans doute eu le temps de se ressaisir et de retrouver sa dignité, elle devait serrer la main de son enfant pour lui souhaiter le bonjour.

La plupart des enfants de cette époque devaient être élevés avec une disicipline scientifique toute militaire : les tétées et l'apprentissage de la propreté devaient être accomplis selon un horaire strict. Discipline et retenue étaient les signes auxquels on reconnaissait un enfant bien élevé.

Si les mères n'avaient pas le droit d'exprimer leur amour à leurs enfants, comment ces enfants, dont la moitié sont les mères des jeunes femmes d'aujourd'hui, ont-ils pu grandir sans être persuadés que leur mère ne les aimait pas ? Et que faisait la mère qui souffrait d'un besoin d'affection inassouvi ? Elle serrait encore plus fort la vis qui bloquait son amour pour elle-même et pour ses enfants. Elle gardait ses sentiments pour elle seule, comme une pile de lettres d'amour jaunies sur une étagère de son cœur.

On ne peut tout de même pas imaginer que ce sont toutes les mères qui suivirent sans protester les conseils de ce bon Dr Watson. Quelques-unes d'entre elles ont dû les ignorer tout simplement et se fier plutôt à leur bon sens et à l'instinct du cœur. Mais comme les femmes n'étaient pas *encouragées* à le faire, celles qui se comportaient ainsi devaient être dotées d'une confiance en elles et d'une indépendance d'esprit qui sortaient de l'ordinaire.

Lorsque les jeunes filles élevées de cette façon sont devenues mères à leur tour, leur expérience différait de celle de leur mère du tout au tout, car la rigidité des années 30 avait fait place au grand soupir de soulagement de la Libération et de l'après-guerre ainsi qu'à une ère d'abondance industrielle et de permissivité dans l'éducation des enfants. Les adultes de la génération élevée dans la sévérité de la Crise et de la guerre accueillirent avec plaisir la publication des livres du Dr Spock qui, avec une approche plus douce et plus réaliste, les encourageait à traiter leurs enfants, ainsi qu'eux-mêmes, avec plus d'ouverture et d'indulgence. Mais les mères des années 40 et 50, dont la maternité se situait quelque part entre la rigidité de Watson et la flexibilité de Spock, n'avaient pas pour autant oublié leur propre enfance. Comment pouvaient-elles s'imaginer qu'elles étaient en train de donner le jour à ce que les Américains ont fini par appeler la *Me generation* ?

De la même façon qu'elles avaient été élevées à montrer de la déférence pour leurs aînés, elles n'en attendaient pas moins de leurs enfants. Mais se retrouver (plus ou moins subtilement) dénigrées parce qu'elles faisaient passer leurs enfants d'abord, voilà qui dépassait les bornes et qui ressemblait sérieusement à de la trahison. *Surtout* quand c'étaient leurs filles qui les dénigraient ainsi. Cela représentait la négation de toutes les valeurs que la mère avait appris à chérir : dorloter, cuisiner, faire le ménage, s'occuper de la maison, des enfants, du mari, et sacrifier pour eux ses propres besoins et ses ambitions.

Si l'on faisait partie de ces femmes, comment ne pas penser : c'est comme ça qu'on me remercie de ma peine ? J'ai fait ce que ma mère m'a appris et que sa mère faisait avant elle, et voilà que ma fille rejette son héritage.

L'une élevée dans l'austérité émotive et matérielle, l'autre dans l'abondance: ne nous étonnons plus que les mères et les filles semblent si loin l'une de l'autre. Chacune des deux, citoyenne d'un contexte très différent de celui de l'autre, lutte désespérément pour tenter de décoder ses messages.

Le fossé des tempéraments

Les différences culturelles et historiques qui séparent les filles de leur mère ne font que recouvrir leurs différences innées. A toutes les époques, c'est leur personnalité intrinsèque qui détermine la façon dont chaque mère et chaque fille réagit à ces différences.

C'est là qu'on observe à quel point les mères peuvent traiter leurs enfants différemment. Il arrive souvent que des frères et sœurs se demandent s'ils ont vraiment grandi dans la même famille, tant leur expérience de leur mère varie.

Comme l'ont montré d'innombrables études, le tempérament constitue un baromètre infaillible du comportement des gens. Les Drs Stella Chess et Alexander Thomas, par exemple, dans une étude menée à New York, ont décrit l'enfant facile, l'enfant difficile et l'enfant lent. Les mères sont tout simplement des versions adultes des mêmes catégories de tempérament.

Les différences de comportements proviennent de plusieurs facteurs :

L'hérédité. Selon une étude effectuée sur des couples de jumeaux, le bagage génétique détermine plus de la moitié des traits de la personnalité; le reste, qui représente moins de la moitié, est déterminé par la famille et les expériences de la vie. Une enfant timide, par exemple, ne peut pas être rendue agressive, mais on peut l'encourager à sortir de sa coquille. L'autorité, comme l'indolence, l'obéissance ou la fragilité, et même certaines pathologies psychologiques, sont également héréditaires dans une large mesure. On peut facilement observer ces différences dans une pouponnière : alors que certains bébés hurlent, d'autres dorment paisiblement; l'une gigote tandis que l'autre regarde tranquillement dans le vide.

Il semble également que le besoin d'intimité constitue un trait génétique : alors qu'une personne peut être une solitaire née, une autre recherche constamment les contacts et les embrassades. Selon un article du *New York Times*, "[Le besoin d'intimité] est un trait qui peut être énormément renforcé par la qualité des interactions à l'intérieur de la famille".

Le point de vue qu'une personne a sur la vie lui appartient en propre. Comme un accord de musique, elle peut traverser un mode mineur, son rythme peut changer, mais cela finit toujours par se résoudre. La façon dont elle se perçoit, elle et le monde, se détermine au cours de ses premières années et constitue une combinaison de ses traits innés et de son enfance. Elle ne peut pas changer ce qu'elle est fondamentalement, mais elle peut s'adapter et apprendre à être à l'aise avec elle-même comme avec les gens différents d'elle, surtout si ses parents comprennent qu'on peut être différente sans être dans l'erreur.

Mais les mères décrites ici ont elles-mêmes eu des parents qui n'avaient pratiquement aucune connaissance de ce genre de choses.

L'"accord". Les mères adaptent souvent la mode de leur époque en matière d'éducation selon leurs goûts et leur personnalité, ce qu'elles aiment et ce qu'elles n'aiment pas, et les enfants adoptent des rôles qui reflètent leur façon unique et innée de réagir au comportement de leur mère. Comme l'ont découvert les Drs Stella Chess et Alexander Thomas, la manière dont elles "s'accordent" dépend du tempérament de chacune des deux.

Selon la D^re^ Goodman,

Quand la mère et l'enfant ne se ressemblent pas, cela fait le même effet que des ongles sur un tableau noir. Cela se voit avec un jeune bébé. On peut avoir une mère très énergique, très vive, avec un bébé très sensible qui pleure quand la stimulation est trop forte : cela crée une dissonance. Quand la mère se comporte selon sa manière énergique habituelle, elle met mal à l'aise son enfant plus calme. Elles sont toutes les deux elles-mêmes, mais elles ne fonctionnent pas bien ensemble.

Que se passe-t-il quand la fille grandit ? Si elle ne donne pas à sa mère ce qu'elle veut, la mère risque de se transformer en victime amère et passive.

Ce manque de ressemblance fait partie de la vie de Nicole, qui a 41 ans. Elle a toujours été calme et plus lente que sa mère, dont la personnalité est plus exigeante, plus impatiente. Elles vivaient dans un état de perpétuelle friction. Mais la jeune sœur de Nicole,

Adèle, ressemblait à sa mère de bien des façons. Comme le dit Nicole : «Ma sœur ne me comprend pas toujours quand je lui dis que je n'aime pas beaucoup ma mère; ça la met très en colère. Elle ne *voit* pas Maman comme ça, c'est tout. Elle ne comprend pas ce que je ressens.»

Il arrive également que deux sœurs se divisent les traits de caractère de leur mère, un peu comme si elles s'étaient distribué un paquet de cartes au gré de leur tempérament. Martine, trente-neuf ans, et sa sœur Chloé, trente-cinq ans, réagissent elles aussi à leur mère de façon très différente. Ecoutons Martine :

Ma mère est beaucoup plus proche de ma sœur que de moi, parce qu'elle est terriblement guindée et que ma sœur est comme elle : très dame, très raffinée. Moi, on me trouvait rustre. J'étais très fonceuse : je jouais avec les petits voyous dans la rue, j'étais une dure. Chloé et Maman se voient beaucoup; moi, je fais des choses de mon côté.

A cause de ces différences de caractère entre mère et fille, le "bonheur" d'une mère peut devenir "l'enfant à problèmes" d'une autre.

C'est ainsi que, comme nous le verrons dans les cinq prochains chapitres, les mères se situent dans certaines catégories *générales* de comportement, de la même manière que leurs filles adoptent certains comportements selon leur caractère, qui seront décrits dans la troisième partie de ce livre. Il arrive parfois que leurs tempéraments se heurtent l'un à l'autre avec une violence telle qu'il en résulte de véritables tremblements de terre qui ébranlent toute une famille.

Le fossé émotif

La tension se manifeste dans la manière dont les mères et les filles expriment (ou répriment) leurs émotions l'une pour l'autre. Les différences de contexte et de tempérament qui maintiennent la mère et la fille dans la discorde s'infiltrent dans leurs attentes émotives. Mis à part les facteurs historiques, bien des filles ont l'impression que quoi qu'elles fassent, elles n'arriveront jamais à faire plaisir à leur mère.

Pourtant, la plupart des mères aiment vraiment leurs filles. Alors pourquoi certaines d'entre elles sont-elles incapables de l'exprimer ? L'une des raisons principales est qu'elles ont été élevées à respecter leurs aînés à leur détriment, à réprimer leurs émotions et leurs besoins et à ne pas exprimer ouvertement leurs différences d'opinion.

Comme la survie émotive de ces femmes exigeait d'elles une obéissance aveugle et l'invention d'un “moi factice” (voir le chapitre 3), elles ont dû réprimer leur colère et se persuader que leur mère avait toujours raison. Déchirées entre le souvenir de la rigidité de leur enfance et la nouvelle vague de permissivité en matière d'éducation, elles sont souvent en proie à l'ambivalence.

Dans l'idéal, une fille devrait pouvoir exprimer une émotion sans avoir à passer aux actes, et une mère devrait pouvoir entendre l'expression d'une émotion sans y réagir de manière exagérée. Ce n'est pas ce qui se passe dans le cas d'une relation mère-fille difficile. Les mères qui ne supportent pas d'écouter leurs filles sans les critiquer réagissent en fait avec une colère ou une tristesse qu'elles nient depuis longtemps; plutôt que d'être présentes à la conversation avec leurs filles, elles sont envahies par le duo des voix de leur manque affectif enfantin et de leur frustration d'adultes.

Patricia, 60 ans, ressent comme une véritable torture son ambivalence envers sa fille Dominique, âgée de 36 ans :

Il y a toujours une tension entre nous; on dirait que nous nous surveillons mutuellement. J'ai toujours l'impression qu'il faut que je sois sur mes gardes. C'est très, très dur pour moi de m'ouvrir avec elle. Je peux vous parler, à vous, je peux parler à une amie, mais impossible de lui parler, à elle. Je suis dominée par le sentiment de ne pas être une bonne mère parce que je ne suis ni ouverte, ni honnête et que je suis incapable de me mettre à nu et de lui montrer mes blessures. C'est comme ça que j'ai été élevée. Je me sens si vulnérable avec elle : elle a le pouvoir de me faire tellement mal... C'est comme si je me déshabillais devant quelqu'un d'autre.

Comme le dit la psychologue Jane Abramson, qui a effectué

une étude sur les relations mère-fille difficiles :

Je pense que l'une des principales différences entre ma génération et celle de ma mère est que la sienne a appris à obéir à une autorité quelconque, que ce soit leur mère ou un expert en éducation des enfants, au lieu de faire confiance à leurs propres ressources. Ces femmes ont été obligées de se déformer pour plaire au lieu d'être naturellement fidèles à elles-mêmes et à ce qu'elles sentaient. Ce besoin de ne pas être soi-même — ce "moi factice" — est l'une des raisons qui poussent certaines personnes à entreprendre une psychanalyse; c'est également la raison qui fait que les gens ratent leur vie et l'éducation de leurs enfants.

Décrivant le prix que paie la mère quand elle nie ses émotions, le psychologue Bruno Bettelheim écrit ce qui suit :

Face à la joie de vivre de son enfant, cette mère craint, inconsciemment, que ne s'éveillent en elle des sentiments réprimés tel le chagrin et la colère, au point où ceux-ci finiraient par s'exprimer librement... Pour maintenir son emprise, elle peut faire en sorte que son enfant ne soit pas trop heureux afin que ne s'éveille en elle la jalousie, ou encore, elle peut garder une distance émotive de manière à ce que les gestes de son enfant ne viennent briser son pouvoir répressif.

Une mère qui n'a pas résolu sa relation avec ses parents, ce qui, dans la génération de nos mères, était culturellement interdit, projette cette dissonance sur ses propres enfants. Elle favorise sans doute l'enfant qui lui donne le moins de "problèmes" et adopte un comportement punitif avec celle qui lui rapelle le plus sa propre insécurité : l'enfant "difficile" ou "ingrate", en fait l'enfant qui ressemble le plus à ce que sa propre mère désapprouvait en elle.

Le triangle. L'enfant qui sert de bouc émissaire reçoit de plein fouet les émotions les plus violentes de sa mère. Mais, d'une manière insidieuse, l'enfant sert ainsi les desseins de sa mère. Selon la D^re^ Harriet Goldhor Lerner, «en attirant l'attention d'un parent, "l'enfant difficile" l'aide presque magiquement à ne pas prendre conscience des conflits de son mariage ou de ses émotions difficiles envers un de ses parents ou de ses grands-parents.»

On appelle "triangle" le mécanisme de cette dynamique.

Certaines thérapies familiales américaines se concentrent sur la façon dont fonctionne la famille, en particulier la manière dont les difficultés entre deux des membres se répercutent sur un troisième.

Par exemple, lorsqu'une mère trouve chez un enfant un *excès* de défauts, c'est souvent qu'elle est impliquée dans un "triangle", c'est-à-dire qu'elle reporte sur l'enfant ses émotions négatives envers son mari ou sa mère, émotions au sujet desquelles elle ne peut ou ne veut rien faire directement (le chapitre 17 traite de la manière de défaire un "triangle"). Son comportement est le résultat de plusieurs générations de triangles du même genre. Quand elle lève la main pour gifler son enfant ou qu'elle se voile la face dans un geste de martyre, ce sont plusieurs générations de réactions maternelles qui se répercutent dans son geste. Elle reproduit un comportement acquis et marqué par l'enfance de sa mère et celle de sa grand-mère, à l'époque où leur propre mère les frappait ou qu'elle fondait en larmes. La manière dont une personne réagit aux conflits ou à la souffrance se transmet de génération en génération : de l'arrière-grand-mère à la grand-mère, puis à la mère et enfin à l'enfant.

Les triangles fonctionnent de plusieurs façons différentes; la mère qui déteste les affrontements, par exemple, ne réprimera pas directement le caractère de son enfant, mais elle aura tendance à se liguer avec une enfant plus docile pour persuader l'enfant en colère de se comporter plus civilement. Cette dynamique est au cœur de la division pour mieux régner : c'est ainsi que naissent le favoritisme et les rivalités intenses entre enfants d'une même famille. La "division" décrite au chapitre Trois se manifeste différemment dans la façon dont une mère traite chacun de ses enfants. Lorsque la mère immature ne s'est pas réellement séparée de sa propre mère (lorsqu'elle effectue toujours une division du monde en "bons" et en "méchants»), il arrive souvent qu'elle fasse la même division avec ses enfants, faisant de l'une la "bonne enfant" et de l'autre la "mauvaise enfant". Dans son livre *Siblings in therapy*, Stephen Bank écrit :

L'adoration constante d'un enfant, quand elle s'accompagne régulièrement de la dévaluation d'un autre, exprime à l'enfant défavorisé qu'il n'a pas de valeur, ou moins de valeur qu'un frère ou une sœur... L'enfant défavorisé, souvent incapable de faire face à l'aversion des parents, préfère reporter sa colère sur le frère ou la sœur qu'on lui préfère.

Le triangle nourrit l'hostilité mère-fille en opposant une enfant contre une autre, tournant autour de la source réelle du conflit. Le triangle sert parfois aussi à *exploiter* une fille dans le but de sauvegarder le mariage de la mère.

Lorsqu'une fille devenue adulte quitte sa famille d'origine, le manque d'amour ou la fadeur du mariage de ses parents refait surface et prend toute la place. Autour de la table à manger désertée, il n'y a plus personne pour faire écran entre les deux parents qui se font face. Sans le troisième membre du triangle, la mère et le père n'ont plus de bouc émissaire sur qui reporter la tension de leur relation. En effet, quelle meilleure manière existe-t-il de tenir à distance les conflits muets entre parents, sinon de faire continuellement de leur fille la dépositaire du trop-plein de leurs récriminations, l'arbitre involontaire de leurs différends ?

Le facteur paternel

Malgré son exclusion de ses autres rôles, la mère restait néanmoins maîtresse de son foyer. Son mariage, sa maison, ses enfants constituaient *son* territoire : tout ce qui menaçait cette autorité, y compris sa fille, risquait d'ébranler sa seule fondation. Elle avait beau réagir comme une tigresse quand ses petits étaient en danger, elle n'en gardait pas moins jalousement l'affection de son mari et sa place dans son lit. C'est sur cette toile de fond culturelle, émotive et caractérielle que se dessine la silhouette importante du père.

Si ces femmes, enfermées par leur culture dans le rôle d'épouse et de mère, sentaient que leur fille recevait, grâce à son charme, une trop grande part de l'attention du père, elles risquaient de faire passer à la fille un mauvais quart d'heure.

Le père passif. Dans les années 40 et 50, le père-chef de famille abandonnait volontairement toute autorité à la porte de la chambre d'enfants. Parmi les femmes que j'ai rencontrées, un fort pourcentage (au moins la moitié) m'ont décrit leur père comme un homme "timide", "dominé" ou "faible" à la maison. Ces pères avaient tendance à éviter toute manifestation d'hostilité entre mère et fille; en se fondant dans le décor familial, ils maintenaient un *statu quo* ponctué d'échanges hostiles ou de silences glacés, mais néanmoins confortable parce que familier.

Les pères représentaient souvent l'œil du cyclone dans la vie de leur fille, mais nourrissaient la tempête, soit en n'intervenant pas en sa faveur, soit en prenant clandestinement son parti. C'est leur effort de ne pas créer de remous, leur passivité même, qui donnait parfois naissance à de véritables tornades.

En guise de réaction à leur frustration, leurs femmes déchargeaient souvent leur sentiment d'être déclassées sur les seules personnes sur qui elles pouvaient excercer un contrôle total : leurs enfants, et *surtout* leurs filles. Comme ces maris s'objectaient rarement à l'hostilité que leurs femmes manifestaient à leurs enfants, et pouvaient même aller jusqu'à fermer les yeux («Oh, mais elle ne le fait pas exprès»), ils se retrouvaient en fait à la favoriser par leur indifférence.

C'est ainsi que leurs filles se sentaient souvent privée de *toute* affection parentale. Comme le dit Esther, trente-deux ans :

Je sais que mon père m'aime, mais j'ai l'impression qu'il a beaucoup de mal à prendre sa vie en main. Ma mère est très jalouse parce que nous avons toujours été très unis, lui et moi. Alors quand je me dispute avec elle et que je ne lui parle pas pendant quelque temps, je n'ai aucune nouvelle de lui : c'est comme si j'étais morte. Je lui dis au téléphone : "Dis donc, tu es adulte, tu peux faire tout ce que tu veux, non ? Si tu veux me voir, tu n'as qu'à venir chez moi." Et il ne vient pas.

La fille à papa. Beaucoup de pères se laissent également prendre dans le filet de jalousie que tisse entre elles deux femmes (la mère et la fille) qui luttent pour obtenir sa faveur. C'est là que la mère et la fille sont, ou deviennent, des "ennemies naturelles".

Leur rivalité peut être particulièrement intense s'il s'agit de la fille aînée. Selon le Dr Goodman:

Elle usurpe la relation privilégiée que la mère avait avec son mari. Bien qu'elle soit le bébé, son arrivée donne immédiatement lieu à une relation triangulaire, surtout quand la mère souffre d'insécurité. Maintenant, Maman doit partager Papa avec l'enfant. L'enfant ne fait plus seulement partie d'elle : elle est la fille de papa, la petite chérie de papa, c'est-à-dire tout ce que Maman a sans doute été ou voulu être, surtout dans une relation matrimoniale dominant/dominée. Tout d'un coup, voilà une deuxième personne "inférieure" de sexe féminin, bien plus fervente et affectueuse avec le père, et Maman est évincée de sa position privilégiée. Il faudrait alors que la mère se rende compte de ce qui se passe, ne se sente pas menacée et apprécie le fait que sa fille grandit; si elle est capable d'attendre, elle aura plus tard une amie dans la personne de sa fille. Mais si elle souffre d'insécurité, que ce soit à propos d'elle-même ou de son union, elle risque d'entrer en compétition avec sa petite fille.

Ce genre de triangle peut être très néfaste pour la fille, car il menace à la fois son attachement envers sa mère *et* sa relation avec son père et les hommes en général. Diane, vingt-six ans, raconte que «Maman n'aime pas que Papa fasse trop attention à moi. Le fait d'être une fille me force à marcher sur des œufs.»

Certains pères, surtout si le mariage n'est pas heureux et qu'ils n'ont pas l'intention d'y mettre fin, s'ingénient consciemment ou non à diviser la mère et la fille. Sous prétexte de fournir à la fille un refuge contre la colère de sa mère, Papa se transforme en galant chevalier qui vole à son secours. Il forme parfois avec elle un lien qui exclut la mère, allant jusqu'à traiter sa fille "comme un garçon".

Alexandra, vingt-huit ans, dirige le département de chimie d'une université renommée :

Comme ma mère et moi ne nous entendions pas très bien, j'étais devenue une vraie fille à papa. Maman voulait que je devienne secrétaire : elle ne s'intéressait pas vraiment à ce que je faisais. Mais mon père, lui, disait à tout le monde : "Quand Alex va sortir de l'université, elle va faire son droit et devenir la première femme Premier Ministre du pays." Il le pensait vraiment.

J'aurais tellement voulu avoir une mère avec qui j'aurais pu parler, ou rire, ou lui demander son avis. Mais elle n'est pas comme ça. Alors j'ai appris à ne pas avoir besoin d'elle et à ne pas l'écouter. Aujourd'hui, notre relation est absolument inexistante.

Dans le pire des cas, le père abuse de son autorité et se lance de plein front dans une lutte de pouvoir avec la mère, qu'il ignore, qu'il rejette ou qu'il traite de manière humiliante, courtisant en même temps sa fille pour qu'elle prenne son parti.

A voir la famille de Laure, qui aurait pu déduire de son apparente unité que Laure a dû payer très cher sa position de petite fille de papa ? Son père, réfractaire à toute confrontation directe avec sa fille au sujet de ses difficultés conjugales, s'en servait plutôt de prétexte pour faire de sa fille une "compagne" et admiratrice éperdue.

Mon père est persuadé que je suis parfaite. Quand je me dispute avec Maman, il est toujours de mon côté, sans même savoir à propos de quoi nous nous disputons. Ç'a été une source énorme de discussions entre eux deux.

Je dis tout à mon père : il sait bien plus de détails de ma vie qu'elle, parce qu'elle trouve toujours quelque chose à critiquer dans tout ce que je fais. Lui, il se sent coincé dans son mariage; c'est quelque chose dont nous parlons souvent ensemble : comment il va faire pour survivre tout en continuant à vivre avec ma mère.

Mon père est l'homme le plus doux, le plus calme, le plus gentil qui soit. Mais ma mère ne fait que se plaindre, se plaindre, se plaindre, jusqu'à ce qu'il explose. Il est obligé de mettre au point des tactiques pour la forcer à se taire. Quelquefois, il est même obliger de la gifler. Et pourtant, c'est un homme si distingué qu'il ne ferait jamais une chose pareille si elle ne l'y poussait pas.

Je ne sais pas pour qui j'éprouve le plus de pitié. Intellectuellement, je serais plutôt du côté de mon père, mais émotivement, je suis du côté de ma mère. Je la vois pleurer, je sais qu'elle a mal, et je vois mon père se fâcher si fort que je dois lui dire d'arrêter.

Le prix à payer pour être la préférée de papa est très élevé. Comme leur mère est complètement reléguée dans l'ombre, ces filles idéalisent leur père, qui est le seul parent sur lequel elles puissent compter pour obtenir affection, conseils et approbation. Mais en réalité, la fille perd ses *deux* parents : le fait de choisir son père la projette dans une sorte de limbe psychologique qui la rend incapable de s'identifier à l'un ou l'autre des deux.

Quand la mère est exclue, la fille se retrouve brusquement, et fort mal à propos, promue dans la hiérarchie familiale à un échelon vertigineux. Elle devient le véhicule par lequel le père justifie sa froideur ou son hostilité envers la mère, à moins qu'elle ne devienne un prétexte pour la passivité ou la violence du père. Loin de protéger sa fille, il la piège en alimentant constamment la jalousie de sa mère envers elle.

C'est ainsi que Papa, au lieu de servir de tampon entre la mère et la fille, en vient à élargir le fossé entre elles deux, et que la fille, privée d'un rôle sain dans la famille, se retrouve émotivement abandonnée.

La mère muselée

Les mères des femmes adultes d'aujourd'hui ont dû composer avec le manque total de prestige et d'opportunités qui a été le lot de leur génération. Privées de valeur aux yeux de la société, et parfois même de leur propre famille, elles n'avaient qu'une seule soupape pour se défouler de leur colère : leurs filles, qu'elles "punissaient" souvent pour toutes les possibilités qui leur étaient refusées. Comme la majeure partie de ces redressements de torts par procuration se produisaient de manière inconsciente, elles n'en éprouvaient que peu de remords, allant même jusqu'à nier vigoureusement ou à se justifier moralement.

Avant que leurs filles puissent même commencer à identifier la source réelle du tourment déchirant (bien que parfois exprimé de manière injuste et exagérée) de leur mère, il faut souvent qu'elles soient bien installées dans l'âge adulte et, dans bien des cas, qu'elles aient derrière elles plusieurs années de psychothérapie. Hélène, 42 ans, agente de change :

Quand j'étais en première année d'université, je suis allée passer les vacances de Noël à la maison, et le jour de mon arri-

vée, j'ai sorti mes livres pour les montrer à ma mère. J'étais si fière de les avoir achetés d'occasion ! Elle me les a arrachés des mains et elle les a jetés par terre avec une violence telle que la tranche de plusieurs livres s'est brisée.

"Toi et tes livres ! s'est-elle mise à hurler. Voilà le problème! Je n'aurais jamais dû te laisser apprendre à lire. Tous ces maudits livres ne disent qu'une chose : comment tout est la faute de la mère !"

C'était sans issue. On aurait dit que je lui avais montré des livres sur Freud et les mères. Un déclic s'est fait dans ma tête et je me suis dit : "ne réagis pas". A ce moment précis, je me suis rendue compte que la plupart du temps, il n'y avait aucun rapport entre la cause de la colère de ma mère et ce que j'avais fait en réalité.

Plus tard, j'ai fini par comprendre ce qui se cachait derrière ses crises de rage : la vraie raison, c'est qu'elle n'est jamais allée à l'université. Elle n'a jamais eu l'occasion de prouver ce qu'elle était capable de faire, d'avoir une carrière enrichissante. Elle était coincée dans un mariage affreux. Elle n'avait aucune porte de sortie.

Et moi, je suis tout ce qu'elle ne sera jamais.

Affirmer que les jeunes femmes d'aujourd'hui représentent une menace pour leur mère constitue donc la plupart du temps un euphémisme : la vraie question est à quel *degré*. Maman se tournait vers l'étroit contexte de sa vie familiale, et surtout vers ses enfants, pour y puiser un sentiment de satisfaction. Mais sa fille, qui a grandi pendant la vague de libération des mœurs des années 60, se perçoit dans un contexte plus vaste, décide de sa vie et gagne elle-même sa subsistance.

Pour la génération des mères de la Crise ou de la guerre qui a suivi, élevées avec des valeurs d'austérité, de patriotisme et d'obéissance à l'autorité, le pire sort était *l'indépendance* : soit rester vieille fille, soit se retrouver mariée à un homme incapable d'assurer la subsistance de sa famille et *être obligée* de travailler.

Quant à leurs filles, soulevées par divers mouvements collectifs (lutte contre la guerre du Vietnam aux Etats-Unis, Révolution tranquille et montée du souverainisme au Québec, mouvement étudiant de mai 68 en France, sans oublier l'avènement du féminisme un peu partout), elles décidaient plutôt de vivre pour elles-mêmes d'abord et avant tout. Pour elles, le pire sort était la *dépendance*. De bien des façons, ces mères — aveuglées par leur propre passé, aveuglées par leur jalousie de ne jamais pouvoir devenir ce que leurs filles sont ou ont le choix d'être, aveuglées par le sentiment d'inacceptabilité de leur enfance — ne *voyaient* même pas leurs filles. Elles *projetaient* plutôt sur leurs filles leurs propres rêves irréalisés, eux-mêmes le reflet des attentes de leur mère et d'une époque révolue.

Privées de tout contact affectueux avec des adultes, de toute satisfaction sexuelle et de toute stimulation intellectuelle, ces femmes n'avaient que leurs filles pour combler ce vide immense et se les attachaient donc de plus en plus près. La petite enfance de leurs filles représentaient pour ces femmes une époque bénie; mais quand l'enfant commençait à se séparer de sa mère, et, plus tard, à choisir dans la vie des buts nouveaux, différents, révolutionnaires — choisissant selon ses propres critères au lieu d'obéir à ceux de sa mère — la mère se sentait complètement abandonnée.

Comment allait-elle réagir ? Soit par l'agressivité, soit par la dépendance et l'impuissance, soit par la froideur et le détachement.

Selon la psychologue Louise Kaplan :

Une mère normale, aimante, ne peut pas fleurir dans une société qui humilie les femmes en les définissant implicitement comme impuissantes et dépendantes. Comme une enfant dépendante qui lutte pour être aussi puissante et dangereuse que ses oppresseurs, la femme opprimée se protège contre l'humiliation et la terreur de la solitude en essayant de devenir aussi dangereuse et tyrannique que ses oppresseurs. [...] Le cercle vicieux de l'oppression des femmes se renforce lorsque la mère se détourne de sa fille si celle-ci n'incarne pas les attributs que la mère aurait souhaité avoir, mais n'a jamais eus. Dans le cas où la fille tente d'acquérir ces attributs enviés, la mère fera tout pour la décourager subtilement de cette ambition.

Pour toutes les raisons citées plus haut, lorsqu'une mère ne s'attribue aucune valeur personnelle, lorsqu'elle sent qu'elle n'est pas appréciée et qu'elle n'aura jamais la possibilité de découvrir qui elle est ni d'exprimer sainement ce qu'elle ressent, elle risque de se retrouver émotivement incapable d'accepter l'indépendance de sa fille, sa sexualité, sa manière personnelle de vivre sa vie amoureuse ou sa maternité, ainsi que son style de vie émancipé.

La mère tentera alors, dans tous les sens du mot, sauf littéralement, de "réduire sa fille en morceaux". N'ayant pas elle-même effectué la séparation avec sa mère, n'ayant que sa mère pour seul modèle, elle verra dans les échecs de sa fille un enjeu tragique et destructeur.

Elle tentera donc de saboter le bonheur de sa fille tant enviée ou de la traiter de façon humiliante. C'est une vérité bien connue des psychologues qu'en dévaluant un objet, on s'évite d'avoir à le désirer. Les mères qui ont été élevées pour être "jolies", "féminines", "douces", doivent trouver des façons détournées d'exprimer des émotions qui ne sont ni douces, ni jolies : quoi de plus pratique que leurs filles ? Elles représentent une cible naturelle.

Comment ce genre de mères pourraient-elle évaluer de façon réaliste et admirer ouvertement leurs filles dans l'environnement étouffant qu'elles ont hérité de leur propre enfance et de leur vie conjugale ? Elles pour qui la maternité, les enfants, la famille représentent tout, le nid vide leur semble un tombeau.

Comme des souris en cage courant follement dans une roue, bien des mères restent prisonnières de leur sentiment de rejet. Elles protègent leurs arrières contre leurs enfants en vivant dans le passé, en s'engageant dans de multiples disputes, en poussant d'innombrables soupirs, tous provoqués par la même question : Pourquoi ma fille refuse-t-elle de voir les choses à *ma* façon ? Pourquoi ne m'apprécie-t-elle pas plus ? Moi, j'étais une bonne enfant : pourquoi pas elle ?

Incapables de laisser entrer dans leur relation le souffle d'air frais de la séparation et du respect mutuel, ces mères cherchent désespérément à prolonger le pouvoir qu'elles ont sur leurs filles et à se les attacher. Leur insatisfaction se nourrit des détails de leur passé : tempérament, gènes, ordre de naissance, expériences de vie, impératifs de la féminité. A cause de leur vécu et de leur crainte d'être abandonnées en territoire hostile, beaucoup d'entre elles sont *incapables* d'entrer en relation avec leurs filles autrement qu'en encourageant une dépendance qui les mutile.

Ce n'est pas que ces mères n'aiment pas leurs filles, c'est qu'elles *n'osent pas*.

Le comportement de la mère impossible à satisfaire suit certains scénarios facilement reconnaissables. Ce genre de mère "contrôle" sa fille :

en inspirant la pitié (la Victime);
en la reprenant sévèrement (la Critique);
en la couvant (la Mère poule);
en la terrorisant (la Tortionnaire);
en la négligeant (l'Absente).

Beaucoup de ces rôles peuvent se combiner. Certaines mères en sont un cocktail parfait : mères poules un jour, terrorisantes le lendemain.

Ce n'est pas Maman *à elle seule* qui détermine le cours de notre vie, que ce soit pour le meilleur ou pour le pire. Ce n'est pas non plus Maman *en tout temps et en toutes circonstances* qui porte la responsabilité des vents changeants de notre estime de soi. Elle peut avoir été une certaine personne à vingt-cinq ans, une autre à quarante; trop tendue au début de sa maternité, trop permissive plus tard; gentille Maman pour l'une de ses enfants, méchante Maman pour l'autre; pleine de confiance en elle avec ses jeunes enfants, anxieuse avec ses adolescentes.

Il existe néanmoins un facteur principal sur lequel la mère a une influence indéniable : pour citer les psychiatres Thomas et Chess, «l'acquisition de l'estime de soi est toujours un processus social».

Il y a deux raisons qui rendent important l'examen des ces rôles maternels. Premièrement, il remet Maman dans une perspective plus réaliste, nous permettant de mieux comprendre ses différences de vécu et de tempérament. Pour certaines filles, il peut s'avérer suffisant de reconnaître que leurs tensions avec leur mère ne sont pas assez graves pour empêcher toute résolution.

Deuxièmement, pour d'autres filles, le fait de reconnaître la gravité de leurs différences, sans tout imputer pour autant au fossé des générations, les aide à faire le premier pas vers la décision d'essayer ou non d'entretenir une relation *quelle qu'elle soit.*

En lisant les descriptions de comportements maternels qui font l'objet des cinq chapitres suivants, il vaut mieux garder en tête certains points précis avant d'essayer de les appliquer à sa propre expérience :

1. Ces chapitres décrivent des *extrêmes* de comportement.
2. Ces comportements sont *incessants* et ne constituent pas des incidents isolés.
3. Ces comportements peuvent pousser la fille à se sentir douloureusement *complice*, comme si, incapable de faire quoi que ce soit pour l'éviter, elle avait elle-même contribué à sa propre destruction.

Je n'ai pas rencontré une seule fille qui n'ait pas tenté à de multiples reprises, tant dans son enfance qu'à l'âge adulte, d'aller au-devant de sa mère et de faire plus de la moitié du chemin. Mais la plupart d'entre elles en sont venues à désespérer que leur relation avec leur mère puisse *jamais* s'améliorer.

Pour celles qui se sentent piégées ainsi, la question qui se pose est la suivante : «Et maintenant, que vais-je faire ?»

Question qui en soulève trois autres, qui sont au cœur de ce livre :

- Comment peut-on faire évoluer la relation vers une amitié qui semble aujourd'hui hors d'atteinte ?
- En l'absence de cette amitié, comment peut-on au moins établir une trêve et apprendre à respecter et à accepter les différences que l'on ne peut pas changer ?
- Quand la relation est-elle si destructrice et douloureuse qu'il vaut mieux s'en retirer *tout en gardant espoir ? Comment se sortir de la colère et du chagrin ?*

Le fait de comprendre comment la vie de notre mère l'a enchaînée, ou même détruite, ne nous donne pas la permission de nous servir de son comportement comme prétexte pour se complaire dans l'insatisfaction et la blâmer de tout. La première étape vers une réponse à ces questions est donc de commencer à *percevoir notre mère telle qu'elle est* au lieu de se contenter de réagir à son comportement.

5

La Victime

«J'aime ma mère. Mais honnêtement, je ne peux pas dire que nous ayons jamais été ce qu'on appelle amies : l'idée même d'amitié entre nous ne m'est jamais venue à l'esprit. C'est parce que c'est toujours moi qui me suis occupée d'elle. Ma mère réagissait à la vie par la maladie. Elle avait toujours quelque chose qui n'allait pas, mais elle n'était jamais vraiment malade. Je me souviens d'avoir assumé étant enfant des responsabilités bien au-dessus de mon âge. Une fois, mon père s'est gravement brûlé en faisant griller des côtelettes dans le jardin, et c'est à moi qu'il a demandé d'appeler une ambulance, parce qu'elle ne pouvait pas supporter ce qui se passait.»

Anne, trente-et-un ans

La Victime est la mère idéale... d'une autre époque. Selon les critères des années 30, elle aurait été considérée comme l'archétype même de la féminité, et son attitude lui aurait attiré des épithètes empreintes de la pensée préféministe : soumise; conciliante; fragile; douce. Dans son besoin d'être protégée par un homme grand et fort, elle n'était que poudre, fossettes et modestie, et ne devait surtout pas fatiguer sa jolie petite tête en réfléchissant à quoi que ce soit.

Mais de nos jours, en cette fin de XXe siècle, la mère Victime est... eh bien! gênante. Avec sa fragilité, elle n'aurait pas été déplacée à l'époque de sa mère à elle, où elle aurait pu vivre humblement à l'ombre de ses fourneaux, mais à l'époque de sa fille, elle constitue un anachronisme. Elle est incapable de contribuer en quoi que ce soit à une culture qui n'a jamais autant méprisé la ménagère que la nôtre.

La Victime est une femme d'une faiblesse et d'une dépendance navrantes, qui essaie tant bien que mal de faire ce que son mari et ses enfants attendent d'elle... si seulement elle arrivait à rassembler un peu de courage et de volonté ! En elle, nulle trace de rancœur : elle donne plutôt l'impression d'être la victime des caprices de la vie, une proie pour les requins, victime de tout ce qui arrive autour d'elle.

Douleur, chère douleur

Comment détester quelqu'un comme elle ? Comment juger une personne qui est tellement inoffensive ? Ce serait comme de donner un coup de pied à un agneau. Pourtant, beaucoup de filles de victimes détestent leur mère, mais elles ont une excuse. Lorsqu'on parle de leur mère avec ces femmes, les mêmes vilains mots reviennent comme une litanie faite à la fois de compassion et de condamnation : dépendante; dépressive; enfantine; terrifiée; pitoyable.

Mais la Victime semble avoir bien mérité cet impitoyable jugement : au cœur de l'ambivalence de sa fille, il y a le fait que sa mère a toujours été trop fragile pour qu'elle puisse compter dessus.

Voici comment Marion, trente-six ans, et Annette, quarante-trois ans, décrivent chacune leur mère Victime.

Quand Marion allait à l'école, elle redoutait de rentrer à la maison, car elle savait qu'elle trouverait sa mère en train de lire des romans-photo pendant que le linge sale s'accumulait, à moins qu'elle ne soit alitée avec une maladie (ou tout simplement par épuisement), enveloppée dans une robe de chambre fatiguée, murée dans son chagrin. Marion raconte :

Vous savez comment certains souvenirs de la petite enfance restent dans la mémoire comme des balises ? Mon premier souvenir de ma mère remonte à l'époque où j'avais trois ans; elle a eu une grippe qui a duré quelques jours. J'avais le sentiment que si je l'approchais de trop près, je risquais de me noyer dans ses malheurs. Elle avait constamment besoin qu'on s'occupe d'elle, qu'on lui remonte le moral, qu'on soit d'accord avec elle à propos de tout. J'ai su dès ce moment-là que j'avais devant moi quelqu'un qui avait besoin que je la materne. Quarante ans plus tard, c'est toujours pareil.

Quant à Annette, voici comment elle décrit sa mère Victime:

Ma mère est si fragile que la moindre critique la fait fondre en larmes. Elle a besoin que tout soit beau et gentil. Je n'ai jamais pu lui parler des problèmes que j'éprouvais avec elle : elle devenait comme floue; elle se mettait à regarder dans le vide, ou alors elle changeait de pièce. Une fois, elle m'a dit très sérieusement : "Je voudrais être à ta place ". Je ne l'ai pas pris comme un compliment. J'ai plutôt compris que c'était un avertissement, qu'elle voulait que je remplisse le vide de sa vie. J'ai eu une peur bleue.

Des cinq types de mères décrits dans ce livre, la Victime est la moins séparée de sa propre mère. Le tempérament joue souvent un rôle essentiel dans le manque de force morale de la Victime : comme nous l'avons vu plus haut, la timidité est souvent héréditaire.

Son histoire semble la diminuer encore plus : sous plusieurs aspects, elle est toujours une enfant incapable de grandir. Beaucoup des Victimes décrites ici ont grandi dans des familles nombreuses; laissées à elles-mêmes, elles n'ont pas reçu beaucoup d'attention en partage. D'autres ont été élevées dans une atmosphère de soumission maussade.

La plupart viennent de familles dominées par un père d'une sévérité extrême, où la mère se pliait sans discuter à ses impitoyables exigences. Mais quelques-unes d'entre elles viennent d'une famille dominée par la mère.

La grand-mère de Céline régnait en despote absolue sur sa famille. Quand Françoise, la mère de Céline, s'est mariée, le couple s'est installé dans la maison maternelle. Le mariage de Françoise étouffait sous les exigences étouffantes de sa mère. A quarante-deux ans, Céline raconte :

Ma grand-mère demandait à ma mère des choses que personne ne devrait *demander à qui que ce soit. Aujourd'hui encore, ma mère jure ses grands dieux que si elle ne sait pas faire la cuisine, c'est parce que c'était toujours grand-mère qui préparait les repas. J'avais des crises d'asthme pendant les repas; je suffoquais complètement. En fait, c'étaient des crises d'anxiété à cause de la tension que je sentais entre ma mère et ma grand-mère. La dernière bouchée n'était pas plus tôt avalée que grand-mère bondissait pour faire la vaisselle. Ma mère lui disait : "Maman, je veux fumer une cigarette et me détendre un peu. Attends." Mais ma grand-mère était incapable d'attendre. Et ma mère était son esclave.*

Céline décrit sa mère comme une "victime pathétique". Toujours gentille, prononçant des mots tendres comme "ma chérie", "mon chou" et "mon trésor", Françoise passait des heures au téléphone avec ses amies tous les après-midi. Mais ces relations ne semblaient aucunement la nourrir.

Dès qu'elle raccrochait, son visage perdait toute expression, raconte Céline. C'était comme si on avait claqué une porte. Quand elles raccrochaient, ses amies n'existaient plus pour elle.» Si Céline a elle aussi l'impression qu'elle n'existe pas pour sa mère, ce n'est pas parce que sa mère ne l'adore pas, mais parce qu'elle lui semble complètement épuisée.

«Quand je l'appelle, elle pousse de grands soupirs. Je n'arrive jamais à la dérider. Elle n'a pas de force. Je pense qu'elle a toujours été pleine de colère, mais qu'elle n'a jamais pu le montrer. Ma pauvre mère a une personnalité qu'elle n'a pas choisie: elle est incapable de supporter les épreuves de la vie.

Privées de la force intérieure nécessaire pour compenser les pertes de leur enfance, les Victimes traversent l'enfance, l'âge adulte et la maternité sans jamais être sûres de rien. Les Victimes n'ont pas un sens du Moi très développé; si elles étaient des personnages de bandes dessinées, leur contour serait fait d'une série de lignes brisées. Elles croulent sous le poids de leur propre malheur, comme si une seule blessure de plus menaçait de les réduire à néant. Essayer de les saisir, c'est comme essayer de clouer de la gélatine sur un arbre. Comme une éponge, la Victime absorbe toutes les humeurs des gens qui l'entourent, et surtout les critiques. En même temps, si on lui demande quoi que ce soit, elle ressemble à une hémophile du cœur, en grand danger de «saigner» à mort à la moindre égratignure produite par le mécontentement des autres.

Elle est si "dépersonnalisée" qu'elle est incapable de se défendre : elle occulte ses propres besoins et se punit constamment. Elle est persuadée que tout ce qui ne va pas dans sa famille est de sa faute; à la fois juge et jury, incapable de prendre sa propre défense, elle accepte sans discussion son propre verdict de blâme.

La Victime souffre en fait d'un handicap tragique : elle est incapable d'exprimer la colère. Ce n'est pas qu'elle ne l'éprouve pas, mais elle la retourne vers elle-même au lieu de la diriger vers les autres. Selon le Dr Lerner, dans un couple, «le ou la partenaire qui sacrifie le plus son Moi est aussi celui ou celle qui accumule le plus de colère et qui est particulièrement vulnérable à la dépression ou aux problèmes émotifs».

De tous les types de mère, c'est sans doute elle qui est la plus en colère. Mais dans son incapacité de faire quelque chose d'aussi peu féminin que de passer aux actes, elle implose : sa rage retenue, ne trouvant pas d'expression, risque alors de provoquer chez elle une dépression nerveuse ou une maladie grave (voir le chapitre 9).

Rester à sa place

La Victime bénéficie d'une série d'adversaires qui la maintiennent à sa place de martyre. A l'intérieur de la famille, le triangle contribue à consolider sa position de vulnérabilité : plus elle fait preuve de faiblesse, plus elle attire des gens qui rêvent d'être son héros, de "surfonctionner" par rapport à son "sous-fonctionnement", selon les expressions du Dr Murray Bowen. Mais son sauveteur nourrit souvent un désir plus profond : celui de devenir son bourreau. Sans le vouloir, elle lui fournit exactement ce qu'il cherche. Il n'est donc pas surprenant de constater que les Victimes épousent souvent des hommes dominateurs. Dans son livre Intimate Partners, Maggie Scarf écrit :

Si [...] j'étais une personne "jamais fâchée", je pourrais percevoir la colère comme venant uniquement de mon mari — et obtenir de lui qu'il participe à ma perception en le forçant à perdre patience et à exprimer ma colère à ma place. [...] Lorsqu'un membre du couple est toujours en colère et l'autre jamais, on est en droit de supposer que le partenaire qui est toujours en colère exprime la colère pour les deux à la fois.

La Victime est la cible toute désignée du mari alcoolique. Sharon Wesgheider, en écrivant sur l'alcoolisme, a forgé le terme "habilitante" pour désigner le rôle que joue souvent la femme d'un alcoolique. L'habilitante se caractérise par «la pseudo-fragilité, l'hypocondrie, l'impuissance, le doute de soi. Toutes ces postures défensives permettent à l'habilitante d'éviter de considérer honnêtement sa situation et de faire quelque chose pour y remédier.»

Il semble donc que le mari alcoolique soit également la cible toute désignée de la Victime elle-même. Car tant que quelqu'un la maintient sous son contrôle, elle est protégée de l'obligation d'avoir à faire face à sa colère : son destin est si sombre qu'elle n'évoque que la pitié. Et tant qu'elle reste dans l'impuissance, l'alcoolique est lui aussi protégé : elle exprime son impuissance à lui au lieu de faire face à la sienne, à elle.

Nancy, quarante-trois ans, se souvient très nettement d'avoir passé son enfance à supplier sa mère de quitter son père alcoolique :

J'ai toujours été la confidente de ma mère parce qu'elle n'avait pas beaucoup d'amies. Une fois, pendant mon adolescence, il s'est déchaîné et l'a menacée avec un fusil. Nous sommes parties chez une amie à elle chez qui nous sommes restées quelques jours... mais elle finissait toujours par rentrer à la maison. Quand je lui demandais pourquoi elle ne demandait pas l'aide de ses parents, elle répondait : "Oh non, je ne veux pas qu'ils soient mêlés à ça." Elle faisait tellement pitié; elle n'avait nulle part où aller. Ce n'est qu'une fois adulte que j'ai réalisé qu'elle aurait pu choisir de se protéger, et nous aussi, de tout ce malheur. Elle choisissait de rester parce qu'elle ne supportait pas d'être seule. Elle avait tellement été rejetée dans la vie qu'elle ne pouvait sans doute pas risquer de l'être encore.

Qu'il y ait ou non dans la famille un problème d'alcool, la Victime n'est pas sans aucun pouvoir, même s'il s'exerce de la façon la plus passive. En abdiquant toute force et en leur faisant savoir qu'ils ne peuvent pas compter sur elle, elle obtient des membres de sa famille qu'ils fonctionnent à sa place. Ses enfants participent au processus complexe qui la maintient dans sa position de victime. Eux aussi, ils savent "rester à leur place". Au moment même où ils ont le plus besoin d'être nourris émotivement, elle est vidée de toute énergie; ils apprennent donc très jeunes à se débrouiller seuls, la libérant de ses responsabilités de mère. Dès leur plus jeune âge, les enfants de la Victime se retrouvent donc dans l'obligation de la protéger de son mari dominateur, de la protéger d'elle-même ou de se protéger d'elle.

L'une des caractéristiques des parents psychologiquement abusifs est leur dépendance exagérée envers leurs enfants. Le plus souvent, ils ont eux-mêmes été psychologiquement maltraités dans leur enfance, et attendent de leurs enfants qu'ils viennent remplir le vide qu'ils ressentent et qui est la conséquence de l'incapacité de leurs parents à combler leurs besoins émotifs.

Mais les enfants de la Victime ont des problèmes bien à eux, qu'ils résolvent soit en se serrant les coudes pour se donner la chaleur et les conseils que Maman est trop faible pour leur offrir, soit en luttant les uns contre les autres (et parfois contre elle) avec une rage débridée qui risque fort de provoquer des éruptions.

Dans leur livre *The Sibling Bond*, Stephen Bank et Michael Kahn décrivent le sort d'une famille dont les parents sont incapable d'exprimer ou de tolérer toute forme de colère : «[...] la tête fermement plantée dans le sable, [ils] refusent de percevoir l'agressivité la plus évidente. Leur ignorance des batailles entre leurs enfants leur procure une béatitude provisoire : ils appellent "taquinerie" l'aggression, "plaisanterie" l'humiliation et "jeu" la violence physique. Dans l'espoir que les disputes entre leurs enfants vont finir par disparaître, ils protègent leurs propres blessures émotives en ne remarquant pas ce qui se passe autour d'eux.»

Pris dans la dynamique du triangle, les enfants de la Victime en viennent ainsi à mettre en actes la colère même que la Victime est incapable d'exprimer.

Comme nous le verrons dans la Troisième Partie, beaucoup de filles de Victimes finissent par devenir le soutien moral de leur mère. Mais d'autres, selon leur tempérament, et devant le puits sans fond de la famine émotive de leur mère, réagissent en prenant leurs distances. Elles risquent d'idéaliser leur père, de s'identifier à lui et de devenir tyranniques, comme la femme qui m'a raconté: «J'ai toujours pu brutaliser ma mère verbalement : elle n'a jamais levé le petit doigt pour se défendre.» D'autres encore, comme la femme de trente-cinq ans qui vit toujours avec sa mère, imitent sa faiblesse et s'infantilisent toujours plus.

Si c'est plus souvent les femmes que les hommes qui adoptent ce genre de besoin paralysant, c'est parce qu'elles sont élevées comme des personnes de deuxième catégorie, qui n'occupent pas dans leur famille une position importante. Le travail des femmes, surtout pour la Victime, consiste par-dessus tout à valider leur héritage social d'instabilité, à n'avoir aucune importance en dehors de leurs relations et à protéger celles-ci à tout prix , même au détriment de leur Moi.

Comment pensez-vous qu'elles contrôlent leurs enfants ? Par la culpabilité : pas celle que d'autres mères infligent à leurs enfants (voir le chapitre 7), mais plutôt celle qui ressemble à de la pitié, comme ce que l'on ressent quand la voiture que l'on conduit heurte accidentellement un petit lapin désorienté qui s'est aventuré sur l'autoroute.

Les filles de mères Victimes sont elles-mêmes prises au piège du dilemme compassion / instinct de conservation : soit se nier elles-mêmes, soit nier ce qu'est leur mère. Voici ce qu'en dit Annie, trente-sept ans :

Quand j'étais enfant, je faisais tout le temps le même rêve : Je cherche ma mère partout, mais je ne la trouve pas. J'ai peur, mais ce n'est pas pour moi : j'ai peur pour elle. Si je pouvais seulement la retrouver et lui dire : «je suis en sécurité, ne t'inquiète pas», tout s'arrangerait. Juste lui dire que je vais bien : voilà tout ce qui m'inquiète dans le rêve. Je me réveillais avec des sueurs froides.

Les nourritures de l'âme

La Victime a tout ce qu'il faut pour être obsédée par la nourriture et pour acquérir des habitudes alimentaires déséquilibrées. Elle est parfois obèse : elle «donne à manger à son cœur affamé», comme le décrit une experte en anorexie-boulimie. Manger des montagnes de nourriture semble être la manière dont la Victime tente de combler un vide et un besoin émotif qu'elle n'arrive pas à satisfaire, alors que le jeûne et les vomissements provoqués reflètent la négation et la haine de soi.

Comme on le sait, les désordres alimentaires ont pris des proportions épidémiques chez toute une génération de femmes conditionnées à l'impuissance. Dans son ouvrage *The Hungry Self*, Kim Chernin, qui considère ces comportements comme des «actes profondément politiques», écrit :

Il s'agit ici de générations entières de femmes qui souffrent d'un sentiment de culpabilité; de femmes incapables de materner leurs filles parce que leurs rêves et leurs ambitions légitimes n'ont jamais été reconnues; de mères qui savent qu'elles ont échoué dans leur rôle et qui n'arrivent pas à se pardonner leur échec; de filles qui se blâment d'avoir besoin de plus que ce que leur mère avait à offrir, qui ont vu et vécu dans toute son étendue la crise de leur aînée et qui ne se permettent pas de ressentir leur colère envers leur mère parce qu'elles savent à quel point elle a besoin qu'elles lui pardonnent.

De Charybde en Scylla

Les Victimes deviennent souvent complètement dépendantes de leur fille. Quand elles vieillissent, on assiste souvent à un renversement de rôles qui n'ont jamais vraiment été renversés : la fille, comme toujours, est encore la mère de sa mère. Les besoins et la sensibilité aiguë de la Victime sont souvent l'élément principal d'une vie entière où la fille a toujours été la mère de la femme.

Beaucoup de ces filles, comme le fait remarquer Lucy Rose Fischer dans *Linked Lives*, son étude sur les mères et leurs filles adultes, en veulent à leur mère âgée et infirme de sa dépendance, en partie parce qu'elles perdent le peu d'espoir qu'elles aient jamais eu d'être un jour ses filles : elles ne pourront jamais être l'enfant de leur mère.

Il y a une infinité de raisons de prendre en pitié la Victime, dont l'estime d'elle-même ressemble à une toile d'araignée qui se déchire au moindre contact. D'un certain point de vue, cela peut paraître injuste et même cruel de qualifier la Victime de destructrice; mais le dommage réside dans l'incapacité qu'ont ces mères de permettre à leurs enfants d'être des enfants, de les laisser exprimer leur propre anxiété, leur insécurité, leur besoin. La Victime se réserve le droit exclusif d'exprimer ce genre d'émotion.

Avoir ce genre de mère, c'est comme vivre avec un spectre qui risque d'être emporté par le moindre souffle de vent. Ces filles finissent par devenir enragées à force de ne jamais avoir eu leur sanctuaire à elles : elles ont toujours été obligées d'en donner un à leur mère incapable d'assumer toute forme de responsabilité maternelle. Les résultats sont souvent désastreux.

Voici la réaction d'une femme qui a senti pendant toute son enfance qu'elle devait veiller sur sa mère :

J'ai toujours su, même quand j'étais toute petite, qu'elle avait quelque chose qui n'allait pas, mais je n'arrivais pas à mettre le doigt dessus. J'étais très couvée; je n'avais pas d'amies avec qui jouer parce qu'elle avait peur que je me fasse mal. Alors il fallait que je reste à la maison, sauf quand j'allais à l'école. Je me sentais comme en prison à cause de cette interdiction de jouer dehors. Et quand je le faisais, je me sentais coupable de la laisser seule. Les rares fois où j'y allais, elle s'installait à la fenêtre ou sur le perron pour me surveiller.

En voici une autre :

Ma mère ne supportait pas les émotions négatives. Elle ne voulait jamais engager la discussion. J'ai toujours eu le sentiment que je ne l'intéressais pas vraiment. L'impression la plus forte qui me reste d'elle est qu'elle avait été trahie par la vie, que la vie avait en quelque sorte conspiré contre elle. Elle faisait tellement de choses pour se sentir impuissante; par exemple, elle n'a jamais appris à remonter le robot culinaire, parce qu'il finissait toujours par passer quelqu'un qui le faisait pour elle, et sinon, eh bien, tant pis...

Comme elles ne battent pas leurs enfants, qu'elle ne les humilient pas non plus, qu'elles sont souvent douces et affectueuses, ces femmes se croient souvent «aimantes". Mais elles sont pratiquement incapables d'offrir un soutien, à moins d'obtenir de l'aide extérieure. Leurs filles, douloureusement conscientes de la vulnérabilité de leur mère, restent donc enlisées dans la frustration de ne pas pouvoir exprimer leurs besoins propres.

Le marché que les mères Victimes font avec leurs filles ressemble à ceci : Si je renonce à mon Moi, tu en auras un. Mais ce qui se passe en réalité, c'est souvent que la fille forcée à devenir auto-suffisante longtemps avant d'en être vraiment capable a trop de peur ou de colère pour avoir un Moi, ou du moins un Moi à peu près sain.

Portrait d'une Victime

Assise dans mon salon par un bel après-midi d'été, Jocelyne sirote une tasse de thé glacé. A l'aide d'un mouchoir en papier, elle éponge la sueur de son front d'une main grassouillette : elle pèse au moins quinze kilos de trop. Ecartant de son front humide une mèche de cheveux blonds, elle m'explique pourquoi elle a répondu à mon annonce : «Ma fille refuse complètement de me voir, et j'essaie de comprendre pourquoi. Je me suis dit que si j'en parlais avec vous, j'arriverais peut-être à y voir plus clair.»

A cinquante-sept ans, Jocelyne est l'une des femmes les plus intelligentes et les plus articulées que j'aie rencontrées au cours de mes entrevues. Dans la candeur avec laquelle elle analyse sans pitié ses défauts de mère, je ne décèle aucune trace d'apitoiement sur elle-même. J'ai sincèrement pitié d'elle, sans doute parce qu'elle ne semble ni demander, ni avoir besoin de pitié; elle a un air de dignité un peu chiffonnée. On dirait qu'elle n'en revient pas de découvrir que toute son intelligence, toute son appréciation de l'ironie de la vie, toute sa tolérance pour l'ambiguïté intellectuelle ne lui ont été d'aucun secours avec sa fille.

Mais je ne suis pas sa fille.

Quand j'explique à Jocelyne les grandes lignes de la personnalité de la Victime, elle se reconnaît instantanément.

Elle a grandi dans une petite communauté rurale, l'aînée d'une famille de deux filles et un garçon. La mère de Jocelyne avait abandonné une carrière dans l'enseignement pour épouser un médecin et élever leurs enfants.

Mon frère et moi sommes d'accord pour dire qu'elle n'aurait jamais dû avoir d'enfants, dit Jocelyne en regardant d'un air absent par la fenêtre qui donne sur la mangeoire des oiseaux. *Elle n'était pas froide, mais je ne pense pas qu'elle avait ce qu'il faut pour répondre aux besoins des enfants. Bien malgré moi, je lui ressemble beaucoup plus que je l'aurais cru possible.*

La famille n'était pas riche : les services du père étaient souvent rétribués par des sacs de pommes de terre; mais sa mère était très fière de leurs manières impeccables et de leur position sociale. L'expression «ce ne sont pas des gens bien» revenait souvent dans la conversation familiale pour décrire les voisins qui ne se conduisaient pas «comme il faut».

Jocelyne a appris très jeune qu'on attendait d'elle qu'elle soit une petite fille sage, d'autant plus que son frère plus rebelle s'attirait la désapprobation glaciale de leur père. Etre "sage" convenait bien à sa nature conciliante : elle adopta le rôle sans trop de difficulté.

Le frère de Jocelyne en veut beaucoup à leur mère, mais elle lui répond par des phrases toutes faites du genre : «Si on n'a rien de bon à dire sur quelqu'un, qu'on n'en dise pas de mal». Cela l'amuse d'être à ce point incapable de réprimer ce genre d'expression banales apprises sur les genoux de sa mère, elle qui déteste les clichés et qui éreinte sans pitié les écrivains qui en utilisent. «Au moins, dans le domaine de la littérature, je ne me contente jamais de la médiocrité», fait-elle en riant. Mais les clichés faisaient partie de l'arsenal dont se servait sa mère pour tenir ses enfants en échec:

Elle détestait de façon absolue que les gens expriment leur colère. Si j'avais un problème et que je m'en plaignais, elle répon-

dait : "Ne fatigue pas ta jolie tête pour ça" , ou "Non, non, non, la colère, jamais, jamais, jamais" . Je ne pouvais pas lui montrer ma colère. Je n'avais pas le droit. Mon frère, oui, mais pas moi. Moi, tout ce que je pouvais faire, c'est la diriger vers l'intérieur: cela m'a rendu très concilante, trop même. Je n'exigeais jamais rien, parce que je ne voulais pas créer de conflits : je suis comme ça. Mais ma mère se servait de ces expressions pour me faire taire. Je ne pouvais absolument pas gagner, parce qu'elle me maintenait toujours dans une situation où elle était sûre de gagner en me guettant au tournant pour m'empêcher de sentir quoi que ce soit.

A la fin de ses études secondaires, Jocelyne entra à l'université munie d'une bourse pour étudier la danse classique, un talent que sa mère avait encouragé chez elle en l'inscrivant à des cours, sous prétexte que c'était "raffiné" et que cela améliorait le "maintien". Mais elle n'avait jamais prévu que sa fille en ferait une carrière, allant jusqu'à prendre un travail de nuit pour payer ses études.

Puis Jocelyne sortit de l'université et prit un petit appartement dans une grande ville où elle continua ses études de danse. Mais sa mère n'approuvait pas du tout qu'elle vive seule ainsi dans un quartier du centre-ville : Jocelyne prit un emploi de secrétaire à temps partiel tout en étudiant la danse le soir, mais la réprobation de sa mère la hantait.

Quand ma mère venait me rendre visite, elle s'arrangeait toujours pour descendre à l'hôtel. Elle n'a jamais mis les pieds dans mon appartement : elle trouvait toujours une excuse.

Puis je pose à Jocelyne la question que j'ai posée à toutes les femmes que j'ai rencontrées : «Que vous a coûté votre enfance ?»

Elle se tait un instant; un air de tristesse et d'épuisement jette une ombre sur les lignes douces de son visage. «Je n'ai pas appris à m'affirmer dans mes relations, finit-elle par déclarer. Et cela a eu des conséquences désastreuses, surtout quand j'ai choisi mon mari.»

Quand, à vingt-et-un ans, Jocelyne a rencontré Robert, un vendeur immobilier, elle avait hâte de trouver un rôle qui lui permettrait de concilier sa timidité et les demandes pressantes de sa mère qui voulait qu'elle se marie, qu'elle arrête de travailler, qu'elle abandonne la danse et qu'elle ait des enfants. La mère de Robert, que Jocelyne qualifie de "martyre", ressemblait beaucoup à Jocelyne elle-même. Le père de Robert, lui, était froid et tyrannique, tout comme Robert :

Il avait des opinions incroyables, des idées très arrêtées sur le comportement des femmes, surtout sur les jeunes filles. Il voulait des filles plutôt que des garçons, parce qu'il disait qu'il avait observé les autres familles et qu'il avait trouvé les filles plus obéissantes que les garçons. Il disait : "Les filles sont plus faciles à aimer." Ce qu'il voulait dire, c'est qu'elles étaient plus faciles à manipuler. Je ne l'ai jamais contredit.

En sa qualité de "fille", Jeannette était la cible d'une bonne dose de manipulation :

Il ne tolérait aucune critique de ma part. Il boudait, complètement renfermé pendant des jours. C'était toujours moi qui craquais la première et qui sortais le drapeau blanc. Et pendant tout ce temps-là, je voyais ce qui se passait; j'avais une petite voix qui me disait : "Tu fais une grosse erreur, cela ne donnera rien de bon", mais je me persuadais que c'était dans l'intérêt de l'harmonie du mariage et qu'à un certain niveau, j'étais en droit de me sentir supérieure à lui. Je me disais : "Bon, s'il veut se comporter comme un enfant, je vais le calmer comme on calme un enfant". Mais quand ça c'est centré sur notre fille, ça s'est mis à dépasser les bornes : il la contrôlait complètement, avec une rigidité inouïe.

Robert apprit le ski à leur fille unique, Béatrice, dès qu'elle eut cinq ans. Les hivers de la famille se mirent à tourner autour des pentes de ski. Chaque fin de semaine, et pendant deux semaines aux vacances de Noël, ils partaient à la montagne où ils louaient un petit chalet. Il inscrivait Béatrice à tous les concours de ski, et elle en vint à faire du ski acrobatique, puis à gagner des courses de vitesse. Mais avec l'arrivée de l'adolescence, elle finit par se rebeller contre les exigences de son entraînement et des compétitions, qui faisaient de la vie familiale un camp militaire. Voici ce qu'en dit Jocelyne :

J'ai honte de vous décrire comment cela se passait. Il nous réveillait tous les matins avec un sifflet, et à mon grand regret, ma honte et mon éternel chagrin, je participais à cela en ne disant rien. Il était le capitaine absolu du bateau, et moi j'étais son second. Il avait le contrôle total. Rachel devait littéralement sauter du lit et se précipiter sur les pentes. Elle avait beau me dire qu'elle détestait cela et qu'elle ne voulait plus jamais voir un seul ski de sa vie, je répondais : "Mais tu ne peux pas laisser tomber l'équipe, ni ton père". Je cherchais toujours à éteindre les incendies. Je croyais que c'était important qu'une enfant ne soit jamais témoin d'un conflit, que la pire chose à faire était de laisser voir à une enfant que ses parents n'étaient pas d'accord. On règle les difficultés derrière une porte fermée. Mais, bien sûr, nous n'avons jamais rien réglé : je finissais toujours par obéir à tout ce qu'il disait, en parfaite petite épouse. Je consentais toujours à tout. Au début, c'était parce que je voulais maintenir l'unité du couple, mais à la fin, j'étais tout simplement trop fatiguée, beaucoup, beaucoup trop fatiguée pour dire quoi que soit.

Avec les années, Jocelyne se mit à prendre du poids et à faire le ménage de manière, comme elle dit, «indifférente. C'était de la résistance passive : j'essayais vraiment d'exprimer quelque chose, parce que pendant les premières années de notre mariage, j'étais très ordonnée.» De temps en temps, elle s'objectait faiblement à l'autorité de plus en plus omniprésente de son mari. Robert entrait dans la chambre de sa fille et fouillait dans ses tiroirs, lisait son journal intime et la questionnait sans relâche sur ce qu'elle faisait après l'école. «Il se justifiait en disant : "De quoi te mêles-tu ? Tu ne sais pas qu'ils prennent tous de la drogue dans les écoles ? Tu n'aimes pas ta fille, ou quoi ?"»

Les rares fois où Béatrice se tournait vers sa mère pour lui demander de l'aide, Jocelyne soupirait : «C'est ton père, et il t'aime beaucoup». Béatrice se mit alors à rentrer en elle-même, comme une skieuse de course sur la ligne de départ qui rassemble toute son énergie avant de s'élancer. Elle devint une fille soumise, mais renfermée, ne se confiant jamais à ses parents, de plus en plus lointaine.

Comme Jocelyne quand elle était enfant.

Quand Béatrice eut dix-huit ans, elle partit de la maison. Elle n'est jamais revenue, sauf pour de rares visites pendant les vacances. Même ces visites se sont faites de plus en plus rares, pour finir par cesser complètement. Jocelyne n'a pas vu sa fille depuis cinq ans : Béatrice a cessé de venir la voir à peu près à l'époque où Robert l'a quittée pour une femme au début de la vingtaine, une femme qui ressemble beaucoup à ce qu'était Jocelyne : mince, gracieuse, timide, attentive, à la recherche d'un homme pour la guider dans la vie. Jocelyne et Robert sont maintenant divorcés.

Béatrice, elle, se bat toujours avec le fardeau de son enfance, essayant de se tisser une vie qui ressemble jusqu'à maintenant à une réaction ulcérée aux années où la dictature de son père et le silence douloureux de sa mère l'ont privée de l'espace nécessaire pour grandir. Béatrice a fait la preuve qu'elle est assez forte pour rester loin de la maison de sa mère, mais elle n'est pas encore arrivée à rétablir le contact avec sa mère. Sa propre force lui paraît sans doute si ténue qu'elle a peur de devenir comme sa mère. Elle a peut-être aussi le sentiment d'être incapable de répondre aux besoins émotifs de sa mère quand les siens sont encore assez confus. Sa mère n'a aucun moyen de le savoir. «Elle ne m'a jamais pardonné de ne pas l'avoir défendue, constate Jocelyne avec amertume. Un jour, peut-être...»

Jocelyne, chargée d'années, trahie par un corps encombrant et constamment fatigué, rendue anxieuse par la terrible prise de conscience des concessions excessives qu'elle a faites pour avoir la paix — avec sa mère, avec son mari, avec sa fille — fait maintenant face à ce qui reste de sa vie.

Vivant de l'héritage de ses parents et d'une petite pension alimentaire, elle tente actuellement de mettre de l'ordre dans sa vie. Elle a entrepris une thérapie, et il semble bien qu'elle a enfin le courage d'affronter les démons intérieurs qui l'ont poussée à négliger son instinct, ses passions, sa curiosité, pour un vaste monde qui lui donnait envie de danser sous les projecteurs.

6

La Critique

«Quand il s'agit de trouver des façons de me rabaisser, ma mère a du génie. Je suis avocate et je réussis très bien dans ma profession. Il y a quelque temps, j'ai perdu une cause pour la première fois depuis des années. Elle a immédiatement pris pour acquis que c'était de ma faute, que j'avais commis une erreur quelconque. A peu près en même temps, une avocate bien connue, qui est une bonne amie à moi, a elle aussi perdu une cause. Quand je l'ai annoncé à ma mère, elle n'en revenait pas. J'ai dit : "Tu sais, maman, ça arrive : on en perd une de temps en temps." Elle a répondu : "Oui, mais c'est différent : elle, elle est célèbre !" Voilà ma propre mère qui défend une parfaite inconnue, mais moi, elle me met en pièces.»

Marie-Hélène, quarante-deux ans.

Sans la Critique, les humoristes manqueraient de travail. Pour ne citer qu'une blague sur ce sujet : «Ma mère m'a donné deux chemises pour Noël. J'en mets une pour aller la voir. Elle me dit: "Qu'est-ce qu'il y a ? L'autre ne te plaît pas ?"»

Rassurons-nous, le monde ne manque pas de Critiques : j'ai même trouvé que c'était la catégorie la plus abondante de personnalités maternelles. Les filles de mères Critiques m'ont régalée d'anecdotes hilarantes illustrant l'attitude intransigeante de leur mère. «Quoi que je fasse, glousse l'une d'elles, ma mère trouve toujours un défaut. Je lui envoie un petit mot gentil : elle corrige mes fautes d'orthographe. Je lui envoie un bouquet de fleurs : le lendemain, elle m'appelle pour me dire qu'elles sont déjà fanées.»

Une autre femme rit aux éclats en me racontant ceci : «Je suis fille unique. J'appelle ma mère tous les jours. Tous les jours, je dis : Salut, m'man. Tous les jours, elle répond : Qui est à l'appareil ?»

L'histoire qui suit est ponctuée du petit rire argentin d'une troisième femme : «Elle a un cœur de comptable : elle marque tout le temps les points. Si j'utilise des tampons à récurer de marque Machin, elle est sûre que je fais exprès de ne pas utiliser la marque Truc, qui est sa préférée, pour la vexer.»

Tout cela est du plus haut comique.

Il est pratiquement impossible d'exagérer (ou de ne pas trouver ridicule) le talent illimité de la Critique pour proférer de graves remontrances sur des sujets d'une extrême trivialité. Prenons pour exemple le Cas des Rideaux de perles.

Pierrette a trente-deux ans. Récemment, avec son mari et leurs deux jeunes enfants, elle a quitté son petit appartement pour déménager dans sa première maison, qu'elle est en train de décorer :

Ma mère adore les rideaux de perles dans les salles de bain : elle en a depuis toujours. Moi, je les déteste. Mais comme je ne voulais pas lui faire de peine, j'ai voulu essayer de trouver un prétexte pour ne pas en mettre chez moi. Alors je lui ai raconté que j'avais peur d'en accrocher dans la salle de bains familiale, parce que les enfants risquaient de se mettre des perles dans la bouche et de s'étrangler. Elle a trouvé que c'était une sage décision. Mais elle ne voit pas pourquoi je n'en mettrais pas un dans la salle de bains de la chambre d'amis. Alors je suis coincée. Chaque fois qu'elle vient me voir, elle erre dans la maison en marmonnant : "Deux salles de bain, et pas un seul rideau de perles..."

Les Critiques peuvent prendre plusieurs formes : certaines sont des grandes dames, qui condamnent du haut de leur royauté les gens qui ne sont pas "de leur monde" et les écartent d'une petite moue méprisante.

Ma mère est passée maître dans l'art de jeter des grenades verbales et de quitter la pièce avant qu'on ait le temps d'exploser, raconte Caroline, quarante-et-un ans. Une fois, j'ai fait l'erreur de lui raconter que ma belle-mère a recouvert de vinyle les meubles de son salon. Elle a lancé : "Bien sûr, à quoi d'autre peut-on s'attendre avec ces gens-là ? Ils n'ont aucune éducation!" Puis elle s'est dépêchée de sortir de la pièce.

D'autres Critiques sont les reines de la repartie cinglante : «De quoi te plains-tu ? dit une mère Critique à sa fille qui lui raconte que sa machine à laver est en panne. Quand j'avais ton âge, on n'avait même pas l'eau courante, alors ne me parle pas de ta machine à laver.»

Là encore, éclats de rires garantis.

Mais il suffit de plonger un peu plus profondément dans l'histoire de ces filles pour voir leur sourire se figer. Sous le vernis comique des déclarations souvent bizarres de la Critique, se cache souvent une mère en perpétuelle opposition avec sa fille, quoi que fasse celle-ci pour tenter d'adoucir son implacable mère.

La Critique est souvent une femme très énergique à la personnalité tout aussi intense. Selon son histoire familiale et son tempérament, elle est parfois sujette à des emportements spectaculaires. Beaucoup de filles de Critiques évoquent les "hurlements" de leur mère ou les "disputes constantes", soit avec la fille elle-même ou avec l'homme de la maison.

D'autres Critiques sont capables de se murer dans un silence complet : «Ma mère peut passer des semaines sans m'adresser un mot quand elle est en colère contre moi, confesse une femme. Elle refuse de me répondre au téléphone.»

C'est le besoin qu'a la fille de plaire à sa mère qui peut pousser la Critique à surenchérir pour impressionner sa fille. La grâce enfantine est perçue comme de la faiblesse plutôt que d'inspirer la tendresse. Cette faiblesse devient à son tour la proie des critiques constantes de la mère.

La Critique semble guetter la moindre occasion d'être déçue de sa fille. L'une des filles que j'ai rencontrées m'a raconté que peu de temps auparavant, alors qu'elle avait la grippe, sa mère lui a proposé d'aller faire son épicerie à sa place. «Ma mère m'appelle depuis le magasin pour me dire : "Je suis prête à partir. Tu es sûre que tu as tout ce qu'il te faut ?" Moi, je lui réponds que j'ai peut-être besoin de mouchoirs en papier. Et là, elle me dit : "Tu sais, ça veut dire qu'il va falloir que je refasse la queue à la caisse, et il y a beaucoup de monde. Tu n'aurais pas pu me le dire avant ?"»

Mais où est Papa dans tout cela ? Caché derrière son journal, au bureau, ou en train de bricoler dans le garage. La Critique s'assure la plupart du temps qu'elle épouse un homme passif. A cause de sa personnalité plutôt malléable, il a toutes les chances de rester sous sa domination. Il n'a pas plus envie de la défier que ses propres enfants, ce qui le pousse à la soutenir dans son autorité. Il se retrouve souvent appelé à exécuter une punition que la Critique a promise à l'enfant lors d'une menace qui commence par: «Tu vas voir quand ton père va rentrer...» Mais il n'est pas toujours à la hauteur de sa lugubre tâche.

Voici ce que raconte Armelle, trente-cinq ans :

Quand j'avais cinq ans, j'ai oublié de promener le chien et il a fait pipi sur le tapis neuf du salon. Ma mère s'est mise à hurler: "Quand ton père va rentrer, je vais lui dire de te donner une fessée!" Et ce soir-là, dès son arrivée, mon père a exécuté les ordres et m'a donné une fessée... mais après, il a vomi tellement ça le retournait. Ça n'est plus jamais arrivé.

Quand la fille atteint l'âge adulte, c'est le père tout mortifié qui appelle sa fille pour lui dire : «Ta mère est fâchée. Elle veut savoir pourquoi tu n'es pas venue la voir.»

Comme nous le verrons plus loin dans ce chapitre, la Critique souffre d'une très forte insécurité. Les salles d'attentes des psychothérapeutes sont pleines de filles qui se plaignent que leur mère n'a jamais rien trouvé à dire de positif à leur sujet. Mais les thérapeutes savent que derrière l'arrogance de la Critique se cache une mauvaise estime de soi.

Mais cela ne fait ni chaud ni froid aux filles aux prises avec le besoin de se concilier les grâces de la Critique... ou pour le moins de se protéger contre sa censure. Car peu importe l'art avec lequel la fille tente d'échapper au mécontentement de sa mère, la situation est compétitive, et c'est toujours la Critique qui "gagne". La raison en est que la Critique sait très bien tendre à sa fille le piège dans lequel elle tombera. Les tactiques varient, mais d'après mes entrevues, les Critiques ont en commun certaines caractéristiques.

L'esprit de compétition

La famille de la Critique ressemble à une course de chevaux

où elle s'évertue à garder une longueur d'avance selon ses propres règles du jeu, qui changent avec son humeur.

Jouer pour gagner. Bernadette, soixante-sept ans, est persuadée qu'elle est une maman formidable parce qu'elle passait des heures à jouer au Monopoly avec Catherine, sa fille unique, quand elle était enfant.

Mais quand elle jouait, se remémore Catherine, on aurait dit qu'elle était un croupier de casino. Il fallait qu'elle gagne. Même quand je n'avais que sept ans, elle jouait chaque partie avec un sérieux meurtrier. Elle serrait les mâchoires et jouait le tout pour le tout. Elle ne savait pas s'amuser. Et si jamais elle perdait, pas moyen de lui parler : elle boudait pendant des heures.

La loi, c'est moi. Lorsque la Critique a plus d'une enfant, elle essaie de les monter l'une contre l'autre pour qu'elles ne puissent pas s'allier contre elle.

Sophie, trente-cinq ans, et sa sœur Caroline, trente-et-un ans, qualifient toutes les deux leur mère d'"impossible".

Selon Sophie, «Elle n'a aucun respect de la vie privée des gens. Quand elle est en visite chez moi, si elle veut me dire quelque chose, elle le dit sans faire attention à ce qui peut être en train de se passer. Une fois, mon mari et moi étions en train de nous mettre au lit; il était tout nu. Ma mère a fait irruption dans la chambre sans frapper pour me dire qu'elle n'aimait pas la marque de dentifrice que j'avais dans ma salle de bain. Quand j'ai suggéré qu'on pourrait peut-être parler de ça une autre fois, elle a regardé mon mari d'un œil furieux en disant : "Et alors ? J'en ai déjà vus avant lui !" Puis elle a continué à parler comme si de rien n'était.»

Caroline, elle, raconte : «Elle est d'un orgueil incroyable. Tout lui est un affront personnel. Quand j'étais à l'école secondaire, j'ai arrêté de participer aux activités étudiantes pendant une certaine période. Elle était hors d'elle. Elle hurlait : "Tu n'auras jamais de succès avec les garçons ! Tu ne trouveras jamais un fiancé ! Comment peux-tu me faire une chose pareille ?"»

Mais si Caroline est encore capable de tolérer sa mère, Sophie ne l'est plus. Cette différence de loyauté provient en partie de leur tempérament individuel : Caroline est plus circonspecte, et c'est elle qui est la plus détendue des deux. Sophie est volatile et se blesse facilement; elle avoue en se frappant la tempe de l'index : «Je n'oublie jamais rien : tout est là-dedans.»

Dès leur plus jeune âge, leur mère a toujours entretenu leurs différences de personnalité en disant à l'une du mal de l'autre. A Sophie, qui enseigne l'histoire au secondaire, elle dit que Caroline est une imbécile. «Elle m'a toujours appelée comme ça, dans mon dos ou en pleine face, soupire Caroline. Elle a payé des centaines de professeurs privés quand j'allais à l'école, et j'ai à peine réussi à obtenir mon diplôme. J'ai l'habitude.»

A Caroline, mariée et mère de famille, leur mère se plaint constamment que Sophie est "pincée" et "hypersensible". «Comment voulez-vous que je ne sois pas hypersensible ? intervient malicieusement Sophie. Tout ce qu'elle fait, c'est me faire remarquer à quel point je suis grosse... comme si elle n'avait pas quinze kilos de plus que moi !»

Bien que les deux sœurs me disent qu'elles ne laissent plus leur mère "diffamer" l'autre, elles avouent également qu'aujourd'hui, elles ne sont «pas très intimes». Leur mère n'a plus besoin de creuser un fossé entre elles deux : il est là depuis tellement longtemps... Alors, au lieu de se disputer avec leur mère (Caroline la dorlote, Sophie refuse de la voir), elles se disputent entre elles.

La D[re] Jane Abramson explique que quand une mère donne à ses enfants le rôle de "bonne fille" et de "mauvaise fille", c'est signe qu'elle est incapable d'accepter en elle-même la moindre imperfection : «Chaque enfant incarne les bons ou les mauvais aspects de la mère; il y a l'enfant qu'elle rejette et l'enfant qu'elle adore.»

Non seulement la mère Critique éloigne ses enfants les unes des autres, mais elle fait souvent de la "division", à la fois psychologique et réelle, entre elle et ses propres frères et sœurs. Beaucoup de Critiques entretiennent de longues vendettas avec une ou plusieurs de leurs frères et sœurs. Faciles à vexer, cataloguant chaque humiliation, elles attendent de leurs enfants qu'ils s'enrôlent à leurs côtés dans leurs guerres familiales.

Une fille m'a raconté les meilleurs moments de son enfance : «C'étaient ceux que je passais en compagnie de la jeune sœur de ma mère. Elle était toujours gentille avec moi, et je savais que je serais toujours la bienvenue chez elle pour prendre un morceau de tarte et lui raconter ma journée. Mais ma mère détestait sa sœur : elle avait toujours senti que ses parents la favorisaient. Elle a fini par ne plus lui parler du tout. J'avais interdiction formelle d'aller la voir.»

Dans sa croisade pour empêcher sa fille de ressentir le moindre sentiment d'estime de soi en tant que personne distincte, la Critique essaie souvent de saboter les amitiés de sa fille.

J'ai honte de ma mère à cause de la façon dont elle parle de moi aux gens, avoue Sandra, qui a une sœur aînée nommée Daphné. On dirait qu'elle fait des efforts particuliers pour m'humilier au yeux de mes amis. C'est très subtil. Une fois, j'étais malade et j'avais une amie qui était venue me voir. Ma mère a frappé à la porte de ma chambre, et quand mon amie lui a ouvert, elle s'est présentée en disant : "Bonjour, je suis la mère de Daphné". Pas "la mère de Sandra".

Les Critiques s'interposent souvent entre leur fille et son mari pour tenter de semer la discorde entre les deux. «Ma mère adore raconter à mon mari que j'ai passé l'après-midi dans les boutiques, raconte une femme. Ce n'est pas seulement qu'elle est bavarde; quand elle lui dit ça, sa voix dégouline de sarcasme, comme pour signifier que je néglige mes obligations de mère et d'épouse.»

Mais dès que le mari a le dos tourné, la même mère souffle à sa fille : «Cet homme te mène par le bout du nez; tu le laisses faire tout ce qu'il veut. Quand va-t-il trouver un emploi qui rapporte vraiment ?»

La meilleure maman. Condamner les autres mères constitue une autre expression de l'esprit de compétition de la Critique. Ses critères de comparaison sont parfois assez capricieux.

Un jour, quand Camille avait dix ans, elle jouait dehors avec une nouvelle amie qui s'appelait Nathalie. A six heures, Nathalie annonça qu'elle devait rentrer à la maison pour manger : c'était la consigne de sa mère. Mais comme le père de Camille rentrait tard, elle n'était pas obligée de rentrer avant sept heures, heure où la famille se mettait à table. Camille a maintenant trente-sept ans :

Ce jour-là, il n'y avait pas d'autres enfants avec qui jouer, alors quand Nathalie est partie, je suis retournée à la maison. Quand j'ai expliqué à ma mère pourquoi je rentrais plus tôt que d'habitude, elle a dit : "Ah oui ? Pas question que tu vives selon les règlements de sa mère. Elle doit être à la maison à six heures? Eh bien, à partir de maintenant, je veux que tu sois rentrée à cinq heures et demie."

Au bout du fil

La Critique contrôle sa fille au moyen d'une longue liste d'exigences qui s'allonge au fur et à mesure que la fille acquiert de la maturité et de l'indépendance. L'une des demandes qui revient le plus souvent est celle du coup de téléphone : si vous l'appelez une fois par semaine, elle est vexée que vous ne l'appeliez pas plus souvent. Si vous l'appelez tous les jours, elle vous demande pourquoi vous ne restez pas plus longtemps au bout du fil.

La différence entre ma mère et moi, m'a dit une femme dans la cinquantaine, c'est que le succès de la journée de ma mère dépend de mon coup de téléphone. Mais pour moi, ce n'est pas un succès personnel si ma fille m'appelle. Je suis contente, c'est tout.

L'impératif du coup de téléphone provient d'une sorte de calcul mental où la mère tente d'évaluer son pouvoir et sa valeur. A propos du besoin de la mère de constamment recevoir des nouvelles de sa fille, la psychiatre Marianne Goodman dit ceci : «La question que je me pose, c'est pourquoi la mère le souhaite tant. Pourquoi est-ce que la quantité est plus importante que la qualité à ses yeux ? Que cherche-t-elle à obtenir ? Ce qu'elle veut, c'est que quelqu'un vienne remplacer quelque chose qui manque dans sa vie.»

Ce qui lui manque, c'est d'avoir sa fille à la maison, sous son contrôle. Le téléphone se transforme alors en l'instrument avec lequel elle tente de contrôler sa fille à distance. Le cordon en spirale devient la métaphore du cordon ombilical.

La Critique ne se contente même pas de recevoir un appel de sa fille; si c'était le cas, la fille ne détesterait pas autant cette obligation. Si leurs échanges téléphoniques étaient agréables, si la mère était capable de s'ouvrir pour vraiment toucher sa fille ou se laisser toucher par elle, leurs conversations contribueraient à créer un lien affectif entre les deux.

Mais pour la Critique, le téléphone devient un instrument de pouvoir. La seule façon qu'elle connaisse de prolonger son autorité maternelle, c'est le contrôle. Incapable de laisser à sa fille la liberté de l'aimer (qui comprend la liberté de ne pas l'aimer), la Critique sabote toute possibilité d'intimité. Elle n'ose pas tenter d'établir une relation d'égale à égale, car elle ne supporte pas la vulnérabilité que lui fait ressentir la distance, même saine, pas plus qu'elle ne supporte d'être trop proche de l'autre et de lui révéler ses points faibles. C'est trop risqué : sa fille risque de s'éloigner, risque de la manipuler, elle, ou pire que tout, de la rejeter.

Toujours plus loin

Beaucoup de Critiques se plaignent que leur fille n'est pas assez affectueuse avec elles... mais en réalité, c'est la Critique qui est rarement capable d'exprimer physiquement son affection ou d'en recevoir; elle a tendance à ne pas aimer être touchée.

Ma mère me prenait dans ses bras quand j'étais petite, raconte Cécile, mais je n'ai jamais senti qu'elle me touchait avec affection : c'était plutôt rude. Quand elle me donnait un bain, elle me frottait si fort que j'en avais la peau à vif. Mais elle se traite elle-même comme elle me traite moi. Elle est dure avec elle-même physiquement : elle s'arrache la peau des mains jusqu'à ce qu'elles saignent. Elle n'arrive pas à se différencier de moi.

Quant à Eléonore, elle se rappelle que sa mère se rétractait quand elle essayait de l'embrasser :

Quand je venais vers elle pour la prendre dans mes bras, elle reculait; elle trouvait toujours quelque chose à critiquer : on aurait dit qu'elle se servait de sa désapprobation pour m'empêcher de m'approcher d'elle. Elle corrigeait ma grammaire, même quand j'étais au beau milieu d'une phrase. Ou elle me demandait si je n'avais pas des devoirs à faire. Quand j'étais petite, je courais partout et je tombais tout le temps; elle ne me relevait jamais. A la place, elle disait : "Tu n'auras jamais de jolies jambes". Tout ce qu'elle disait était une correction, jamais "Ça, c'est très bien". Jamais un mot d'encouragement. Elle ne m'a jamais dit : "Je suis fière de toi". Ce qu'elle disait, c'était "Ne me mets pas mal à l'aise".»

Si le pouvoir lui sert à éloigner d'elle sa fille, la culpabilité lui sert à l'empêcher de s'approcher de trop près. La culpabilité est la méthode avec laquelle elle établit et maintient son autorité. Voici ce qu'une femme de quarante-cinq ans qui vit à cinq minutes de chez sa mère m'a raconté :

Ma mère n'oublie jamais de me rappeler que le jour où je suis née, mon père a perdu son emploi. J'ai été élevée dans l'illusion qu'il était fragile émotivement et physiquement. Si j'avais une mauvaise note dans mon bulletin, par exemple, elle disait : "Je ne le dirai pas à ton père ce soir; j'aime mieux le laisser se reposer avant." Quand je suis partie étudier à l'université, elle a dit : "J'espère que ton père vivra jusqu'à la fin de l'année". Vous ne me croirez peut-être pas, mais mon père a quatre-vingts ans et il n'a jamais été hospitalisé une seule fois.

L'autorité suprême

La Critique est comme une ministre sans portefeuille. Elle a toutes les bonnes réponses, mais elles viennent souvent du besoin d'être indispensable plutôt que d'une réelle expertise.

Selon les filles de Critiques que j'ai rencontrées, au cours de leur petite enfance, leur mère dénigrait la moindre remarque anodine de leur part. L'une d'entre elles raconte :

Quand j'étais enfant, si je disais "J'ai faim", ma mère répondait : "Comment peux-tu avoir faim ? Tu as mangé il y a à peine trois heures". Si je disais "J'ai sommeil", ma mère répondait : "Comment peux-tu avoir sommeil ? Tu as bien dormi la nuit dernière." Si je disais que je ne savais pas quelque chose, elle répondait : "Comment peut-on être aussi ignorante ?"

Quand la fille devient adulte, la Critique étend la portée de son autorité. Si sa fille est célibataire, elle la presse souvent de se marier, mais pas avec n'importe qui. Elle veut que sa fille épouse l'homme le plus riche, le plus beau, le plus intelligent : de préférence quelqu'un de son choix plutôt que celui de sa fille. Voici ce qu'en dit Laurence, trente ans, institutrice :

Ma mère ne me laisse aucun répit à propos de mon célibat. Elle a même fait passer une petite annonce dans une revue, avec la liste des qualités qu'elle a en tête chez un mari pour moi. Elle ne fait aucune attention à mes plans de carrière. Elle répète tout le temps que si j'épousais un homme qui réussit, là, elle serait fière de moi.

Quand la fille de la Critique finit par se marier et par avoir des enfants, ses petits-enfants tombent dans la ligne de mire de Grand-maman, qui a toujours raison, et qui ne se retient pas d'offrir à sa fille un commentaire incessant sur sa manière d'élever ses enfants.

Denise a deux jeunes enfants et une adolescente. Lors d'une visite récente, sa mère a dit à la plus jeune de ses petites-filles, une enfant de cinq ans pleine d'énergie et de curiosité : «Tu n'est gentille que quand tu dors.» Denise raconte :

J'ai vu ma fille en larmes faire irruption dans ma chambre en courant pour me raconter ce qui s'était passé. J'ai dit à ma mère de ne plus jamais parler à ma fille de cette façon. En réaction, elle a déclenché une attaque contre ma plus grande : "Ses amis viennent ici et vident le réfrigérateur. Ils n'ont rien à manger à la maison ? Qu'est-ce que c'est ici, un restaurant ?" Alors j'ai répondu : "Maman, occupe-toi de ce qui te regarde." Il y a toujours quelque chose. Ça ne s'arrête jamais.

Lorsque la Critique n'est pas en train d'étourdir ses petits-enfants de conseils qu'ils n'ont pas demandés, elle met en doute la capacité de sa fille de tenir sa propre maison. Voici ce que raconte Francine :

Une fois, je sortais pour choisir des tapis et ma mère a insisté pour m'accompagner en disant qu'elle voulait s'assurer que je ne me faisais pas avoir. Elle a critiqué absolument tous les échantillons que le vendeur nous a montrés en l'accusant d'essayer de m'escroquer. C'était humiliant : elle faisait comme si je n'étais pas là. Finalement, nous avons choisi un tapis, et quand elle a eu le dos tourné, le vendeur m'a chuchoté : "Faites tout ce que vous voulez, mais ne revenez jamais ici avec votre mère." Quand nous sommes sorties, ma mère se portait comme un charme, mais moi, j'étais bonne à ramasser à la petite cuillère. Parfois, j'ai l'impression qu'elle n'est heureuse que quand elle trouve quelque chose à critiquer.

Aucun aspect de la vie de la fille n'est à l'abri des critiques de sa mère. Une romancière de trente-trois ans m'a raconté qu'à l'époque où elle travaillait sur son premier roman, elle avait fait l'erreur de confier à sa mère qu'elle traversait une période sèche. Sa mère lui rétorqua : «De toute façon, que peux-tu avoir à écrire d'intéressant ? Il faut avoir au moins quarante ans avant de pouvoir écrire un roman digne de ce nom.»

La dictature des petites vieilles dames

Dans son livre à la fois éloquent, poétique et raisonnable, intitulé *The View From 80*, Malcolm Cowley décrit sans pitié les personnes âgées autoritaires : «Si elles ont toujours insisté pour obtenir ce qu'elles voulaient, elles deviennent, avec l'âge, des despotes sans serviteurs, à l'exception parfois d'une fille dévouée, et des tyrans sans peuple. Si elles étaient d'éternelles insatisfaites, elles deviennent plaignardes et rouspéteuses, la terreur des foyers d'accueil.»

L'âge n'enlève rien aux ressources de la Critique.

Née en Europe, Claire a suivi ses parents en Amérique du Nord à l'âge de quatre ans avec ses cinq frères et sœurs. Il y a dix ans, quand le père de Claire est mort, sa mère âgée de soixante-quinze ans est venue s'installer chez elle. Comme les frères et sœurs de Claire avaient refusé de se charger de cette tâche rendue désagréable par le mauvais caractère de leur mère, c'est Claire, fidèle à son rôle d'aînée responsable, qui s'était portée volontaire. C'était, selon ses mots, «la pire erreur de ma vie».

Mes sœurs et moi, nous étions toujours censée la faire passer au premier plan, même quand nous sommes devenues adultes :

que nous soyons mariées et mères de famille, cela ne faisait aucune différence.

Elle n'appelait jamais mes sœurs. Elle disait : "C'est leur devoir; c'est à elles de m'appeler". Et quand l'une d'elles le faisait, elle disait : "Dis-lui que je dors". Ou elle leur raccrochait au nez. Quand elle se plaignait qu'elles ne venaient jamais la voir, je lui répondais : "Si tu étais plus aimable avec elles, elles viendraient peut-être plus souvent." Elle se mettait à hurler : "Tu devrais avoir honte ! Tu devrais être de mon côté, pas du leur !"

Elle a fait de ma vie un enfer. Elle restait assise dans sa chambre à attendre que je passe pour me dire : "Va me chercher un verre d'eau". Je répondais : "Tu ne peux pas y aller toute seule?" Elle répliquait : "Mes jambes ne peuvent pas me porter." Mais quand elle voulait quelque chose, comme de descendre écouter aux portes, ses jambes la portaient parfaitement.

J'aimais ma mère et je me suis occupée d'elle jusqu'au jour de sa mort. Je viens d'un pays où on doit aimer sa mère et s'occuper d'elle en toutes circonstances. Mais si j'étais jeune aujourd'hui, si je savais ce que je sais maintenant, je ne le referais jamais.

Qu'est-ce qui fait courir Maman ?

Vu de l'extérieur, tout ceci semble très transparent : la fille n'a qu'à cesser d'obéir aux demandes impossibles de sa mère; la mère devrait se rendre compte de l'aspect absurde et infantile du comportement de sa fille. Mais le problème, c'est que la Critique n'a aucune idée de la raison pour laquelle elle est si critique, si intransigeante, parce que ses défenses sont impénétrables. Elle est pratiquement incapable de les regarder avec l'introspection qui mène au changement.

Quant à ses filles, déséquilibrées par ses attaques répétées contre leur confiance en elles, elles demeurent souvent empêtrées dans leurs efforts pitoyables d'obtenir son approbation. Même adultes, elles sont souvent aveugles à l'insécurité qui les rend vulnérables à son sabotage : elles n'ont d'yeux que pour son mépris.

Incapable de percevoir la vulnérabilité de sa mère, la fille de la Critique est prise au piège de la ruse de guerre de sa mère : "Fais ce que je te dis... mais cela ne suffira pas à me satisfaire". La fille se sent dupée, car elle a l'impression d'avoir contribué à sa propre humiliation.

Ce que l'enfant (et plus tard, l'adulte dont l'auto-critique sans pitié et le doute constant de soi révèlent un cœur d'enfant) ne réalise pas, c'est que sa mère, la Critique impitoyable, a fort probablement été élevée exactement de la même façon.

C'est une tragique impasse; par son incapacité d'établir entre elle et ses enfants une affectueuse intimité, la Critique se maintient à l'écart de ce qui lui manque le plus : le réconfort de se sentir acceptable, la sérénité de savoir que l'on est aimée pour ce que l'on est, tout simplement.

La Critique est une petite fille sans défense qui a grandi, mais qui se sent toujours sans valeur. Ses souvenirs d'avoir été rejetée dans son enfance sont enfouis sous des années de négation, comme des strates géologiques empilées les unes sur les autres, pour masquer la source de son insécurité : son incapacité à satisfaire sa mère à elle. La raison des rebuffades constantes de la Critique est oubliée depuis longtemps, mais le feu du volcan est toujours aussi chaud.

Ce n'est pas qu'elle n'ait pas été une gentille enfant : les Critiques sont souvent des filles aînées qui ont contribué à l'éducation de leurs petits frères et sœurs. Mais elles n'étaient pas appréciées pour leur maturité. Au contraire, elles pouvaient même être punies sévèrement, quand il leur arrivait inévitablement de ne pas être à la hauteur des exigences impossibles qu'on avait à leur endroit.

La Critique est une femme qui vit dans un état de peur constante, une fugitive aux abois : elle est terrifiée à l'idée que quelqu'un va finir par découvrir qu'elle est vraiment aussi minable que ce qu'elle accuse tout le temps les autres d'être. Le zèle avec lequel elle rabaisse ses enfants constitue un effort désespéré de sauver, par comparaison, le peu d'estime d'elle-même qui lui reste. Elle dissimule cette anxiété derrière un mur de barbelés, de pointes, de remarques continuelles.

Si ce comportement est symptomatique de la mère psychologiquement violente, il est aussi symptomatique de l'enfant violentée qui survit dans la psyché de la mère. Pour décrire ce genre de mère dans son livre Mothermania, la D[re] Jane Abramson écrit : «Elle dissimule sa dépendance et son immense besoin des autres sous une façade indépendante et critique. Elle humilie les autres pour éviter de révéler à quel point elle a besoin d'eux; l'admettre l'exposerait une fois de plus au danger d'être exploitée ou abandonnée.»

Beaucoup de filles finissent néanmoins par se rendre compte que plus elles lui donnent, plus elle en veut, et plus il devient difficile de ressentir pour elle l'empathie dont elle est assoiffée.

Pour la Critique, le problème est toujours ailleurs; elle ne le perçoit jamais comme venant de l'intérieur. Prisonnière d'un comportement qu'elle ignore comment modifier, elle ne peut ou ne veut pas se libérer de son attitude dominatrice et critique. C'est que le changement la laisserait sans défense et entièrement vulnérable aux attaques même dont elle cherche à se protéger.

Ceci est au cœur de l'insatisfaction constante de la Critique : elle n'ose pas risquer de baisser sa garde parce que son tout petit Moi terrifié risque d'être dévoré.

Ainsi la Critique gagne, mais perd également. Parce que sa "victoire" exige la défaite de ses enfants, ses pires craintes (que son imposture soit découverte, qu'on ne l'aimera pas) se matérialisent. Ses filles l'abandonneront, resteront par devoir, mais sans se confier à elle, ou encore s'accrocheront à elle, trop faibles pour qu'elle puisse compter dessus. La Critique perd alors ce dont elle a le plus besoin : un sentiment de soutien émotif mutuel.

Portrait d'une Critique

Armande m'ouvre la porte de sa petite maison de banlieue et m'invite à m'asseoir dans son salon. Pendant qu'elle est partie préparer du café pour nous deux, j'observe la pièce remplie d'antiquités glanées au cours de nombreux voyages en Europe et en

Extrême-Orient. Il y règne une certaine tranquillité et une appréciation de la beauté.

Je suis donc surprise, quand elle revient et que j'ai la possibilité de la regarder vraiment, de me rendre compte que son visage de femme de soixante-seize ans est marqué de profondes rides verticales; aucune ride de rire n'égaie ses lèvres sèches à l'expression sévère.

Pourquoi a-t-elle répondu à mon annonce ? «Je me suis dit que je pourrais vous aider à vous rendre compte de ce que cela représente d'être mère, me dit-elle en croisant ses jambes minces. J'ai deux filles; je vois beaucoup l'une d'elles, mais pas l'autre.»

— Parlons un peu de votre enfance, lui dis-je pendant qu'elle verse dans ma tasse un café dont l'arôme emplit la pièce. Quelle était votre vie quand vous étiez jeune ?

En prenant de petites gorgées de café, Armande réfléchit soigneusement à ma question comme elle le fera chaque fois, elle qui m'a dit au téléphone qu'elle veut me répondre aussi sincèrement que possible.

— C'est difficile, dit-elle. Mes vrais souvenirs commencent à partir de l'époque où j'avais quatorze ans. Avant, tout est complètement obscur.» Pour me décrire ses origines, elle assemble des morceaux d'histoires et d'anecdotes que lui a racontées sa famille, tentant de combler le long sommeil de son enfance.

La mère d'Armande, Irène, était la quatrième de cinq enfants. Le père d'Irène étant mort alors qu'elle n'était qu'un bébé, sa mère s'était remariée avec un pharmacien. «Ma grand-mère était une femme très introvertie, raconte Armande, et son second mari était plutôt rigide. Il n'aimait pas particulièrement ma mère et la traitait comme une personne de deuxième classe. A son mariage, ma grand-mère ne connaissait rien à la psychologie ni aux enfants. Alors, quand ma mère est née, sa propre mère n'a pas été très gentille avec elle. Ma mère était une enfant très solitaire, elle n'avait pas d'amis.»

Mariée à dix-neuf ans, Irène eut trois enfants l'un après l'autre : deux garçons, puis Armande. «Ma mère ne manifestait pas facilement son affection, explique Armande. Elle était comme gelée. Elle disait qu'elle voulait s'intéresser à ma vie, mais qu'elle était très occupée avec trois enfants à élever.»

Mais Armande ne se rappelle aucun détail de ses premières années. L'un de ses premiers souvenirs est la mort de l'un de ses frères emporté par la polio. «Je me souviens d'être dans les bras de mon autre frère; nous sanglotions tous les deux. Nous n'avions pas le droit d'aller à l'enterrement.»

De son adolescence, Armande se souvient également des querelles incessantes de ses deux frères. Elle en impute la faute à sa mère.

Ma mère était le genre de personne à dire du mal de l'un de nous derrière son dos : c'est quelque chose que je me suis juré de ne jamais faire. Elle parlait aussi de mon père de cette manière. Elle était déçue qu'il n'ait pas une position sociale très élevée (il était vendeur dans un grand magasin), alors elle n'a jamais eu beaucoup de respect pour lui. Quand j'étais triste, il me donnait une pièce de monnaie en disant : "Je ne veux pas que tu sois malheureuse". Mais il ne m'a jamais défendue auprès de ma mère.

Armande se décrit comme une enfant docile et craintive, mais elle ajoute un commentaire incongru : «Je n'avais pas peur de ma mère. C'était comme si je regardais un spectacle dont je ne faisais pas partie. Il n'y avait entre nous aucun lien émotif, aucune relation. C'était une vraie despote. Quand elle est morte à l'âge de soixante-dix-huit ans, je n'ai ressenti que du soulagement.»

Je lui demande quel est le souvenir le plus fort qu'elle ait de sa mère. Sa réponse est instantanée : «Elle m'a appris à être complètement honnête, à dire la vérité malgré les conséquences possibles. Cela m'a apporté beaucoup d'ennuis. Tout le monde me dit que je manque de tact, et ils ont raison. Mais je sentais que je devais être à la hauteur de son idéal d'honnêteté.»

Devenue adolescente, Armande alla à l'école de commerce pour étudier la comptabilité. Quand elle eut son premier emploi, à l'âge de vingt ans, elle rencontra son mari, qui était banquier. «Il était très séduisant, mais très réservé. Il n'était affectueux qu'au lit. Je suis très dépendante, du moins avec les hommes, et il s'occupait de moi comme si j'étais une enfant. Je suis encore dépendante des hommes : parmi mes amis, il y a beaucoup d'hommes et presque pas de femmes.»

Leur relation amoureuse donna naissance à deux filles, Valérie et Céline, qui ont respectivement quarante et trente-sept ans. Quel genre de mère était-elle ?

Je n'avais pas la patience de jouer avec elles. Céline dit que j'étais toujours déçue d'elle. Elle aurait voulu que je sois une mère idéale. Mais j'étais trop occupée avec mes œuvres de charité et mes cours pour adultes. Céline dit que je préférais Valérie. Une fois, elle m'a dit : "Tu parles avec Valérie, mais c'est moi qui fais tout." On ne peut rien dire à Céline : elle monte tout de suite sur ses grands chevaux. Elle dit que je la critique trop, que je ne me suis jamais interessée à elle. Je ne suis pas très diplomate avec elle et elle n'aime pas du tout ça. Elle est trop sensible : elle ne supporte pas la moindre critique. Valérie, elle, me dit : "Tu es ma meilleure amie. Si j'avais pu choisir ma mère, c'est toi que j'aurais choisie." Elles ont toujours été la rivale l'une de l'autre.

Ses deux filles lui disent qu'elle s'est toujours plainte d'elles derrière leur dos. «Quand je disais à l'une quelque chose au sujet de l'autre, elle me répondait : "Dis-le lui à elle, pas à moi".»

Curieusement, à l'adolescence, c'est Valérie qui a causé à sa mère le plus de soucis : elle sortait avec des individus louches, fumait, ne rentrait pas de la nuit. «Elle avait toujours des ennuis: elle rentrait ivre à la maison, elle avait de très mauvaises notes à l'école. Céline était devenue sur-performante : elle était toujours au tableau d'honneûr.»

Aujourd'hui, Céline et Valérie illustrent les qualités contradictoires de dépendance et d'indépendance d'Armande. Valérie, mariée et physiothérapeute, est enjouée et volubile; Armande et elle parlent tous les jours au téléphone. Elle a beaucoup d'amies.

Céline, elle, a peu d'amies et pas de carrière : elle a les moyens de rester à la maison pour élever ses deux jeunes enfants. Extrêmement dépendante de son mari David, elle est incapable de prendre une décision sans lui demander son avis.

Cela m'inquiète chez elle, avoue Armande. C'est une femme

très intelligente, mais elle est incapable de prendre une décision. Quand nous allons dans les magasins, si elle voit une robe qui lui plaît, elle me dit : "Il faudra que je demande à David ce qu'il en pense." Elle ne me demande jamais mon avis, à moi. Je crois qu'elle a peur que je lui dise ce que je pense. Et c'est ce que je fais: je ne peux pas m'en empêcher. C'est mon honnêteté.

L'une des choses qu'Armande n'a pas pu s'empêcher de dire à Céline "en toute honnêteté", c'est qu'elle n'approuvait pas le mari qu'elle avait choisi. «La pire erreur que j'ai faite, ç'a été de lui dire que je ne pensais pas qu'elle doive l'épouser : elle est catholique, et lui, c'est un juif. Et il n'avait même pas d'argent. Je lui ai dit qu'elle courait à la catastrophe.»

Il y a maintenant deux ans que le mari d'Armande est mort. Depuis, elle a plusieurs hommes dans son entourage : elle ne manque pas de compagnons pour ses sorties. Mais comme elle n'a aucune relation intime avec une femme, elle se sent isolée.

Vous vous souvenez que je vous ai dit que je me sentais seule quand j'étais enfant ? Je me sens encore comme ça. Après la mort de mon mari, j'ai commencé une thérapie. Mon thérapeute m'a dit: " Vous donnez l'impression d'avoir confiance en vous, mais en profondeur, vous ne vous sentez pas à la hauteur." C'est drôle qu'il me dise ça; j'ai l'impression de pouvoir parler de tout. Mais la semaine dernière, il m'a dit : "Armande, vous parlez, vous parlez, mais nous ne touchons jamais au cœur de ce que vous êtes vraiment."

Armande me raccompagne jusqu'à ma voiture en me disant qu'elle espère m'avoir donné toute l'information dont j'avais besoin. «Une dernière question, lui dis-je. Seriez-vous moins seule si vous étiez plus proche de vos filles, surtout de Céline ?» La colonne vertébrale toute raide, Armande réplique :

Je ne veux pas être aussi proche d'elles que ça. Je veux avoir ma vie à moi. Je ne veux pas devenir leur gardienne d'enfants. Je ne veux pas être prise dans leur vie, trop impliquée dans ce qu'elles font. C'est très important pour moi de ne pas trop m'impliquer.

En m'éloignant, je suis frappée du vide des journées d'Armande et de la triste ironie de sa vie. Elle vient de me faire la chronique de quatre générations de femmes qui se sont toutes senties étrangères à la fois avec leur mère et avec l'une de leurs filles, qui ont grandi dans des maisons divisées de l'intérieur, et qui ont pourtant recréé la même chose avec leurs propres enfants.

Comme les femmes qui l'ont précédée et celles qui la suivront (à moins que ses filles ne parviennent à changer le cours de l'histoire familiale), Armande est porteuse d'un héritage de désaffection. Elle a hérité d'un scénario familial qui risque de se propager sans obstacle vers les futures générations.

Et même si sa vie en dépendait, elle serait incapable de dire pourquoi.

7

La Mère poule

«S'il y a une chose pour laquelle j'exagère avec mes enfants, c'est l'affection. Quand ils étaient petits, je leur disais : "Viens ici, je veux te croquer". Je le fais toujours, mais ils sont dans la trentaine maintenant. Je dévore ma famille, trop. Je suis extrêmement vulnérable : je cherche toujours à obtenir la faveur du monde, et je suis souvent blessée par les gens. J'ouvre grand ma poitrine et j'expose mon cœur. Je sais bien mieux donner que recevoir : mon plus grand bonheur, c'est d'être l'esclave de ma famille. Quand nous sommes ensemble, avec tous mes enfants et mes petits-enfants, je suis au paradis. Quand je remplis leurs besoins, les miens sont remplis.»

Anne-Marie, 64 ans

Aux yeux d'une femme qui a eu une mère critique et sévère, la Mère Poule a l'air d'une sainte. C'est elle, la mère qui passe des nuits blanches à taper les dissertations de sa fille. C'est elle, la mère qui a travaillé en cachette pendant des semaines avant l'Halloween pour fabriquer à sa fille un merveilleux costume de fée tout incrusté de paillettes et de brillants. C'est elle, la mère qui écrit toujours un mot d'excuse pour sa fille quand elle n'a pas fini ses devoirs ou qu'elle n'a pas envie d'aller à l'école.

Quand j'étais enfant, je bouillais de jalousie quand je voyais que certaines de mes amies avaient une mère comme cela. Les jours de pluie, elles attendaient en rang à la porte de l'école, les bras chargés de parapluies, d'imperméables et de bottes de caoutchouc, guettant la moindre goutte pour l'intercepter avant qu'elle ait pu toucher le corps de leur précieuse progéniture.

A la maison, elles étaient accueillies par des assiettes pleines de leurs mets préférés et de biscuits encore chauds. «Raconte-moi ta journée, ma chérie, roucoulait leur mère en les aidant à enlever leur imperméable. Tu peux *tout* me dire.»

Je détestais ces enfants. Contrairement à elles, je devais patauger sous l'averse, morose, avec pour seule compagnie le flic-floc de l'eau dans mes souliers et la jalousie qui m'emplissait le cœur.

Mon amie Murielle a eu une mère comme cela, *elle*, mais pas moi. Quand nous partagions un appartement au commencement de la vingtaine, elle me racontait les débuts de son adolescence et je buvais la moindre de ses paroles :

Quand je sortais avec un garçon, ma mère m'attendait jusqu'à ce que je rentre, même s'il était très tard, avec du jus d'orange fraîchement pressée et quelque chose à grignoter, pour m'écouter lui raconter en détail la merveilleuse soirée que j'avais passée. Elle se souvient du nom de toutes les amies que j'ai eues dans toute ma vie, du nom de leurs petits amis et de ce qu'elles portaient le jour de mon seizième anniversaire. Elle a des albums remplis de photos et les programmes de chaque pièce de théâtre et de chaque spectacle de danse que nous avons présenté à l'école.

Mais la vie avec une Mère poule n'est pas faite que d'albums de photos et de jus d'orange pressée à la main. Il suffit d'entendre Murielle aujourd'hui, quand elle contemple son enfance "idyllique" du point de vue de la femme de quarante ans qu'elle est devenue, pour se rendre compte de la face cachée de sa mère si aimante. Murielle est aujourd'hui une vedette de cinéma mondialement célèbre, dont l'âge n'est connu que de quelques privilégiés. Me faisant jurer le secret (*si tu révèles mon identité dans ton livre, je te casse les deux jambes*), elle me raconte ceci sur sa mère :

Sa vie est un désert parce qu'elle a tout sacrifié pour moi. Elle et mon père ont eu le pire mariage de toute l'histoire de l'humanité. Tout ce qu'elle a au monde, c'est moi. Elle vit de mon succès, de l'air que je respire, et nom de Dieu, ce n'est pas ça que je veux. Elle pense que je suis la plus grande actrice que la Terre ait portée, et Dieu sait que je n'en suis même pas près. Je n'ai jamais vu un seul de mes films : je ne pourrais pas le supporter, parce que je suis loin d'être aussi bonne qu'elle le prétend. Je suis le centre de son univers — c'est horrible de vivre avec cette pression. Horrible.

Mère martyre

N'importe quelle Mère poule vous dira : «Ma plus grande réussite, ce sont mes enfants.» Certaines femmes meurent d'envie d'avoir une mère qui voit les choses de cette façon, mais pas les filles de la Mère poule, qui savent bien qu'elles sont presque toujours la *seule* réussite de leur mère.

Lors de leur étude sur la relation mère-fille, les sociologues Grace Baruch et Rosalind Barnett ont divisé les mères, selon leurs réponses à un questionnaire, en deux catégories dont elles ont appelé la première "groupe dépendant". Ces mères vivent à travers leurs enfants et comptent particulièrement sur leurs filles pour qu'elles les confirment dans leur sentiment d'être les meilleures mères du monde.

Au contraire, dans l'autre catégorie de mères décrite par les deux sociologues, le groupe "autonome", les mères «perçoivent leur enfant comme une personne distincte douée de qualités individuelles, plutôt que de se concentrer sur leur propre lien avec l'enfant.»

Ces femmes ne vivent *pas* à travers leurs enfants.

Ce n'est pas seulement que les Mères poules s'identifient à leurs filles : dans une certaine mesure, toutes les mères le font. C'est plutôt que leur maternité leur apparaît comme un mandat pour faire correspondre leur fille à l'image idéale qu'elles ont d'une "enfance heureuse", et pour atteindre ce but, elles sont prêtes à se sacrifier avec une certitude morale absolue et une ferveur toujours renouvelée.

La Mère poule souhaite par-dessus tout augmenter les chances de sa fille d'être insouciante, populaire, en un mot la petite fille la plus heureuse du monde. Ce désir, partagé par beaucoup de parents, semble provenir d'un intérêt maternel tout à fait normal. Mais dans son zèle amoureux, à la manière d'une lentille de caméra, la Mère poule se précipite pour cadrer un gros plan sur son rôle de mère à l'exclusion de tout le reste du décor. Non seulement elle souhaite le meilleur pour sa fille, mais elle est la seule qui puisse le lui offrir : Quoi que tu veuilles, je te le donnerai. *Fais ce que je te dis*, parce que je ne te laisserai jamais tomber et que personne ne t'aime plus que moi. Abandonne-toi à moi, et je ferai de ta vie un paradis.

Mais c'est la Mère poule qui décide de ce que veut sa fille. Elle définit le bonheur de sa fille selon ses propres besoins et perceptions, au lieu de celles de l'enfant : «J'ai froid, dit-elle, va mettre un chandail.» Aveuglée par "l'amour", elle voit dans sa fille ce qu'elle-même voudrait être.

Les mères de ce type s'écrasent le nez sur la fenêtre de ce qu'elles croient être la vie heureuse et sans faille de leurs filles et disent : «Voilà. J'ai réussi. Sa joie est ma joie : c'est tout ce que j'ai jamais voulu, et cela vaut tout ce que cela m'a coûté.»

En bien des façons, la Mère poule ressemble par sa dévotion et son abnégation à la Victime décrite dans le chapitre Cinq. Mais contrairement à la Victime, qui perçoit son sacrifice comme une expiation de sa honteuse faiblesse et de son manque de valeur, la Mère poule brandit son cœur vulnérable et généreux comme une bannière ensanglantée. A l'instar de la Victime, elle a peu de frontières entre elle et sa fille, mais contrairement à la Victime, elle n'a aucun doute sur le bien-fondé de son obsessive croisade maternelle.

Au nom de l'amour, elle ne laisse même pas partir ses enfants avec le grand soupir déchirant que pousserait la Victime : au lieu de cela, elle s'y *aggripe.* Au propre comme au figuré, elle n'arrive pas à lâcher sa fille ni à se retenir de la caresser, de l'embrasser, de la dorloter, de la couver.

La Mère poule suit sa fille partout : à la salle de bains, pour voir si sa fille a ses règles ou pour laver ses sous-vêtements à la main; dans sa chambre, pour ranger les tiroirs de sa commode et, qui sait, y trouver un journal intime ou un paquet de lettres d'amour qu'elle se dépêche de lire; au salon, ou elle s'assoit parmi les amis stupéfaits de sa fille pour "faire partie de la bande".

A l'école de sa fille, elle ne lâche pas le personnel d'une semelle. Est-ce que le psychologue de l'école, interroge-t-elle en se tordant les mains, sait si sa fille se porte bien ? A-t-elle assez d'amis ? Son institutrice fait-elle particulièrement attention à la délicate sensibilité de sa petite chérie ? La directrice va-t-elle renvoyer le professeur qui a osé faire redoubler sa fille parce qu'elle n'avait pas remis un devoir digne de ce nom de toute l'année ?

La poursuite du bonheur

Une enfance de genre est-elle vraiment si dramatique ? Au moins, la mère *fait attention* à sa fille; au moins, elle *l'aime*. C'est certainement mieux que la négligence. Le "couvage" est-il vraiment si destructeur que cela ?

La réponse est oui.

La D[re] Harriet Goldhor Lerner décrit la Mère poule comme une "poursuivante" : elle "sent" à la place de ses enfants, un rôle qui lui vient naturellement parce qu'elle a été élevée à injecter toute son énergie dans sa famille. En fabriquant de toutes pièces le bonheur de sa fille, la Mère poule la prive de toute possibilité de vivre la tristesse, la frustration, l'empathie, émotions nécessaires à la maturité émotive, ainsi que de toute opportunité de régler toute seule ses problèmes, même les plus mineurs. Ses filles apprennent vite à ne jamais oser annoncer de mauvaise nouvelle à Maman : pour la rendre heureuse, elles *doivent être heureuses*.

L'étendue des dégâts commis par ce genre de mère dépend de la nature du couvage et de la façon dont il agit sur le tempérament de la fille. Alors que les personnalités de filles sont grandement influencées par le couvage de leur mère (ainsi que par les autres styles de maternage, comme nous le verrons dans la Troisième Partie), on distingue clairement deux principaux types de personnalités chez les filles de Mères poules.

L'enfant gâtée. Selon l'auteur et journaliste John Crewdson, le couvage est une forme de mauvais traitement infligé aux enfants: «L'enfant "couvé" par ses parents a [...] tendance à devenir un adulte narcissique. [...] Un enfant qui n'a jamais tort n'a jamais l'occasion d'adopter une perception réaliste de lui-même. Il reçoit tellement d'attention, d'affection et de louanges que son narcissisme, non seulement n'est jamais attaqué, mais n'est même jamais remis en question.»

Michèle, trente-cinq ans, est l'aînée des quatre enfants qu'a eus sa mère. Ce n'est que récemment qu'elle a pu prendre conscience du fait que les attentes de sa mère, qui «m'a aimée jusqu'à l'asphyxie», lui ont volé sa réalité :

Elle m'a dit récemment : "J'ai toujours voulu que tu aies une vie parfaite... c'est toi qui as toujours pris de mauvaises décisions." Elle m'a élevée comme une princesse. Elle me disait toujours que j'étais parfaite : si belle, si gentille, si douce, si sage... On aurait pu croire que je deviendrais une femme formidable sans un seul problème. Mais ce n'est pas le cas. J'ai toujours su qu'elle exagérait.

J'avais l'impression de porter le monde entier sur mes épaules. J'étais entièrement responsable de son bonheur. Une ou deux fois, j'ai fait quelque chose qu'elle ne voulait pas que je fasse, comme sortir avec un garçon qu'elle n'aimait pas. Elle me disait en pleurant : "Je t'aime tellement que quand tu fais des choses comme ça, je suis malade d'inquiétude." Ma punition, c'était de la rendre totalement malheureuse.

Si je n'ai pas pu réfléchir à tout cela plus tôt, c'est à cause de la culpabilité que je ressentais. J'ai des amies qui se plaignent que leur mère ne les a jamais aimées, mais que la mienne me vénérait: n'ai-je pas de la chance ? Que répondre ?

Alors j'ai du mal à savoir ce que je veux, ce que je crois : j'ai toujours été persuadée que je voulais ce qu'elle voulait pour moi. Mais je n'ai jamais été à l'aise comme ça. Je laisse les autres faire les choses à ma place; je fais preuve d'une inertie horrible dans mon travail.

Je n'ai jamais vraiment su qui j'étais jusqu'à ce que mon mari me quitte pour une autre femme il y a deux ans, ce qui m'a forcée à regarder en moi-même. La réalité m'est tombée dessus comme une tonne de briques : je ne suis pas la femme la plus merveilleuse du monde, et ma mère n'est pas la meilleure mère du monde.

L'enfant craintive. Le Dr James Gabarino, lui, ne définit pas le couvage maternel comme un mauvais traitement. Il m'a cependant expliqué que selon lui, c'est «une stratégie d'éducation qui manque de sagesse. Quand la mère veut trop d'intimité avec son enfant, elle crée des dommages psychologiques. Le couvage peut rendre un enfant incapable de vivre une vie normale à cause d'une anxiété très élevée.»

Maria est l'une de ces filles : technicienne en laboratoire, elle vit encore avec ses parents. Sa mère et son père, nés dans un petit village de la Grèce, ont déménagé au Québec en 1946. Après des années de dur labeur, son père a réussi à passer de laveur de vaisselle à propriétaire d'un restaurant grec et à économiser assez d'argent pour acheter une maison dans un quartier chic de Montréal. Selon Maria,

Ici, on est en Amérique du Nord, mais mes parents vivent toujours comme s'ils étaient dans leur petit village. Leur mariage a été arrangé par les deux familles. Quand j'allais à l'école secondaire, je n'ai jamais eu la permission de sortir avec un garçon. Ma mère est persuadée que tous les hommes ne pensent qu'à me violer. J'ai eu quelques amoureux, mais je suis incapable de garder longtemps une relation. Je suis très anxieuxe avec les hommes : j'ai terriblement peur du mariage parce que j'y perdrais toute mon indépendance. Je sais, je ne suis pas très bien placée pour parler !

Elle me protège tellement... Elle me dit toujours quoi faire, même pour les moindres petites choses. Par exemple, elle a une obsession. Elle est persuadée que ce n'est pas bon de sortir tout de suite après avoir pris une douche. Tous les jours, quand je sors de la salle de bains, je m'entends dire : "Tu vas attraper un rhume mortel !" Elle ne peut pas supporter que j'aie même ce peu de contrôle sur ma vie.

Je sais qu'elle m'aime, mais c'est d'un amour assez primitif. Parfois, elle frappe dans le mille : c'est presque surnaturel, c'est comme si elle était clairvoyante. Alors j'ai peur de faire quoi que ce soit sans son approbation.

Elle dit que je suis incapable de me débrouiller toute seule. Je commence à croire qu'elle a raison, mais j'ai de l'espoir : j'ai commencé une thérapie. Je n'ose pas lui en parler : elle aurait une crise cardiaque.

L'amour féroce

La Mère poule est tout, sauf passive; elle se bat coûte que coûte pour le bonheur et la santé de ses enfants : peu importe ce qu'en dit sa fille, peu importe ce que veut vraiment sa fille, peu importe ce qu'il peut en coûter de gêne à sa fille.

La Mère poule justifie son comportement par une supériorité de martyre : elle chante ses propres louanges et les souligne auprès de ses enfants («Tu as toujours eu *tout* ce que tu voulais !»). Sa conversation est parsemée de phrases à saveur psychologique empruntées aux livres à la mode : «Je fais trop confiance» ou «Je donne, je donne et je ne reçois rien en retour.» Et quand ses enfants la défient : *«Comment peux-tu me faire ça ? Après tout ce que j'ai fait pour toi ?»*

«Ma mère est passée maître dans l'art de réaliser ses propres prophéties, raconte une femme. Elle peut mettre en scène une situation où c'est elle qui va avoir mal, et on ne peut absolument rien faire pour l'en empêcher. Malgré soi, on se retrouve complice. Mon souvenir d'enfance le plus fort est de l'entendre me dire : "Est-ce que tu t'es levée ce matin en décidant de me rendre malheureuse aujourd'hui ?"»

L'embrassade de la Mère poule étouffe au lieu de réchauffer et ne laisse à l'enfant aucun espace, même pour respirer. Ses bras se resserrent sur l'enfant qui se tortille jusqu'à ne plus pouvoir bouger.

La dernière chose que veut une Mère poule, c'est un mari qui va lui dire quoi faire ou éclipser son autorité maternelle. Bien que la Mère poule exprime souvent une certaine exaspération envers son mari passif, distant ou bourreau de travail (ses filles décrivent souvent le mariage de leur mère comme "orageux"), ce type de conjoint remplit une fonction : en abdiquant son autorité parentale, ce que la mère encourage en disant : «Tu fais tout de travers. Je vais le faire *à ta place*», ce père laisse à la Mère poule plus de territoire à occuper. Elle règne en maître sur le champ de bataille familial.

La Mère poule entend bien être au centre de la vie de sa fille. Même quand la fille est adulte, la Mère poule veut faire partie de sa vie sociale, de ses amitiés, de ses sorties dans les boutiques et même de ses pensées les plus intimes. «Dis-moi ce que tu as, supplie-t-elle. Je *sais* que tu as un problème. Raconte-le moi.»

Je ne cherche qu'à t'aider

Il y a toujours un problème, même si la fille ne s'en est même pas rendu compte avant que la Mère poule n'éclaire sa lanterne. Par exemple, si la fille a le malheur d'être célibataire, sa mère est persuadée qu'elle se sent seule, abandonnée, déprimée. La fille peut très bien aimer sa vie de célibataire, ou même l'avoir *choisie*; mais au contact de l'anxiété de sa mère, elle risque d'en arriver à la ressentir elle aussi. La moindre anicroche prend alors les proportions d'une crise majeure.

La mère *a besoin d'un problème à résoudre* pour avoir le sentiment qu'elle est indispensable. Elle ne cherche qu'à aider... même si on n'a pas besoin de son aide. Selon le Dr Michael Kerr:

Si certaines personnes passent trop de temps à résoudre les problèmes des autres, c'est au nom de leur désir de les aider et à partir d'une perception selon laquelle les choses ne devraient pas se passer comme elles le font. Les "réparateurs" essaient de "corriger" la situation et de la ramener sur le "droit" chemin. Le tendon d'Achille du réparateur, c'est qu'il sous-estime les ressources des gens qu'il essaie "d'aider". Sans le vouloir, il risque de créer chez l'autre une dépendance qui l'empêchera de fonctionner.

Rose, fille aînée d'une Mère poule, gagne bien sa vie comme graphiste. Dans sa jeunesse, sa mère aurait voulu être dessinatrice de mode, mais elle a renoncé à ce rêve pour épouser le père de Rose et élever quatre enfants. Dans l'alchimie de la génétique et de l'environnement, Rose a hérité du talent et du tempérament artistique de sa mère. Mais elle a également reçu d'elle l'impression d'être une imposture, et que son succès professionnel n'est dû qu'à la chance plutôt qu'à ses propres qualités et à sa détermination :

Depuis l'école primaire, je réussis dans tout ce que ma mère veut que je fasse, mais elle a toujours triché. Quand j'avais neuf ans, elle a décidé que je serais présidente de classe. Alors elle a invité toute la classe au cinéma, puis au restaurant. Elle a littéralement orchestré l'élection... et j'ai gagné. Quand je suis entrée à l'université, elle a intrigué auprès de l'administration pour que je sois admise : elle connaissait un riche industriel qui venait juste de faire à cette université un don d'un million. Alors j'ai été acceptée, même si mes notes n'avaient rien d'extraordinaire.

Elle est tellement arriviste. Elle n'abandonne jamais. Elle me dit quand demander une augmentation et combien je peux demander; elle me montre les gens qui "complotent dans mon dos" au bureau. Elle me dit que la seule personne au monde à qui je peux faire confiance, c'est elle. Je ne supporte pas sa présence plus longtemps que le seul soir par semaine où je mange chez elle. Elle est sûre que nous sommes les meilleures amies du monde. Je vous jure que c'est faux.

La prison de l'amour

Le vœu le plus cher de la Mère poule, c'est que sa fille et elle soient unies pour toujours. Prise entre le doux piège de l'amour de sa mère et son propre besoin d'acquérir un sentiment distinct de valeur et de compétence, la fille oscille comme un pendule entre se laisser engloutir et prendre la fuite.

Il arrive souvent que la Mère poule et sa fille passent aux yeux du monde extérieur pour des âmes sœurs très unies. En fait, elles sont souvent *trop* unies, du moins pour la fille.

Dans son livre *Linked lives*, Lucy Rose Fischer décrit ce qui arrive lorsqu'une mère et sa fille adulte se retrouvent enchaînées dans une relation de "maternage mutuel", le scénario le plus répandu parmi les relations mère-fille qu'elle a étudiées : «Ces filles [...] écoutent les conseils de leur mère plus souvent que la plupart des autres. En fait, elles attribuent à leur mère une sorte de pouvoir magique. [...] Le maternage mutuel n'implique pas que la relation est harmonieuse ni que l'amour est présent.»

Il s'agit de relations intenses, mais loin d'être sereines : en fait, les prises de bec font partie de la routine. Enfermées dans les bras l'une de l'autre, elles luttent dans une ronde sans fin où chacune à son tour se retrouve au-dessus de l'autre au lieu de lâcher prise; chacune lutte également avec sa propre rage intérieure. L'"amour" qu'elles se manifestent ainsi ressemblerait plutôt au baiser de la mort.

La libération

Que se passe-t-il quand la fille tente de se détacher ? Selon la D^re^ Louise Kaplan, «[La mère] s'écroule dès que son enfant lui dit non. [...] Elle ne relâche jamais sa vigilance, mais reste constamment sur ses gardes, au cas où sa fille esquisserait un mouvement dans une direction inattendue et échapperait à son contrôle.»

Ginette, vingt-neuf ans, est la fille unique d'une Mère poule qui l'a extrêmement couvée dans son enfance, allant jusqu'à lui interdire le plus souvent d'aller jouer dehors. Mais de temps en temps, comme le père de Ginette aimait la voile, la famille allait passer la journée au bord d'un lac des Laurentides.

Quand nous arrivions sur la plage, ma mère était épuisée et irritable. Elle avait passé toute la journée de la veille à préparer du poulet frit et de la salade de pommes de terre, et à mettre des tartes au four. Elle était à bout de nerfs. Je n'ai jamais beaucoup aimé sa cuisine, alors je ne mangeais pas. Elle fondait en larmes. Elle me parle encore de ces sorties et de tout le temps qu'elle passait à préparer les pique-niques. Elle dit : "J'essayais toujours de préparer les plats que tu aimais, pour que ce soit spécial, et tu n'appréciais jamais ce que je faisais pour toi." Et moi, je hurle : "Mais c'était ton obsession à toi ! Ce n'était pas pour nous que tu le faisais, c'était pour toi. Moi, tout ce que je voulais, c'était un hot dog !"

Judith, quarante-et-un ans, s'est toujours disputée avec sa mère, toujours à propos de ce que fait la mère parce qu'elle se "soucie" de sa fille. Elle frissonne en se remémorant le manque de discrétion de sa mère :

Même quand j'étais à l'université (j'ai honte de vous raconter ça), ma mère me demandait tous les jours si j'étais "allée aux toilettes". Elle m'interrogeait constamment sur mes fonctions corporelles. Alors, évidemment, je ne le lui disais pas. Pourquoi est-ce que cela me semblait si menaçant ? J'avais l'impression d'être acculée au pied d'un mur et qu'elle allait me dévorer. Je ne peux même pas dire que son souci venait de l'amour : c'était plutôt pour satisfaire son sens du devoir, pour s'assurer qu'elle faisait bien tout ce qu'une mère est censée faire. Je ne voulais pas de ce genre de souci : je voulais qu'elle ait confiance en moi. Et je ne l'ai jamais obtenu. Alors je me suis éloignée d'elle.

Plus la fille lutte pour se libérer, plus la Mère poule se sent poussée à envahir d'une manière de moins en moins subtile la vie de sa fille.

Catherine, vingt-sept ans, mère de deux jumeaux nouveau-nés, vit avec son mari dans une petite ville située à quelques heures de trajet de la métropole où habite sa mère. «Ma mère connaît par cœur l'horaire des trains entre ma ville et la sienne», soupire-t-elle.

La grossesse de Catherine ne s'est pas déroulée sans complications; un jour, elle a annoncé à sa mère qu'elle avait rendez-vous chez le médecin le lendemain. Sa mère a offert de l'accompagner, mais Catherine a répondu : «Maman, j'ai un mari; c'est à lui de m'accompagner.» Puis, raconte Catherine:

En arrivant chez le médecin, devinez qui j'ai vu dans la salle d'attente ? Ma mère ! Elle avait téléphoné pour savoir l'heure de mon rendez-vous. Le docteur a dit : "Puisque votre mère est là, elle peut entrer, elle aussi." Et le voilà qui pose des questions à mon mari sur nos relations sexuelles pour s'assurer que les fœtus ne sont pas perturbés : il avait peur que je fasse une fausse couche. Et ma mère, bien assise sur sa chaise, hochait la tête et posait des questions comme si c'était elle qui était enceinte, et pas moi. Mon mari était furieux : notre vie sexuelle ne la regarde pas.

Quand elle fait des choses comme ça, elle me perd complètement. Après cette histoire, j'ai refusé de lui adresser la parole pendant un mois.

Si les Mères poules sont incapables de se retenir de s'inquiéter et de couver leur fille, c'est, selon elles, par amour. N'est-ce pas une obligation pour toutes les mères d'agir de cette façon ?

«Pour ceux d'entre nous qui sont persuadés que notre mission divine sur la Terre est de venir au secours des autres et de les remettre sur le droit chemin, écrit le Dr Lerner dans *The Dance of Anger*, la chose la plus difficile au monde est de *cesser* d'essayer de leur venir en aide.»

Et c'est ainsi qu'elles continuent, parce qu'elles ne savent pas s'arrêter.

L'amour conditionnel

C'est la Mère poule qui décide des conditions de sa relation avec sa fille : «Laisse-moi t'aimer comme je le veux et je t'offrirai le monde, à condition que tu m'aimes toi aussi comme je le veux, moi».

Mais les conditions sont bien trop exigeantes, les liens trop serrés, et la mère finit par perdre exactement ce qu'elle a essayé si fort d'obtenir : l'amour inconditionnel de sa fille.

Elle aime comme une enfant désire être aimée; elle n'aime pas comme *son enfant* désire qu'on l'aime.

A la fin, la fille en vient à reculer devant les invasions de sa mère. Et si elle parvient à ne pas le faire (si la fille devient plus dépendante que ce que la mère avait imaginé), c'est la *mère* qui risque de reculer, exactement comme sa mère à elle a sans doute reculé dans le passé.

Selon le Dr Kerr:

La mère se dit sans doute : "Je vais donner tellement à cette enfant qu'elle deviendra une personne saine en grandissant." Alors elle donne, elle donne, mais selon sa propre définition, et la fille grandit avec l'amour de sa mère comme une drogue, mettant toujours plus de pression sur la mère pour qu'elle continue à lui en donner. Jusqu'à ce que la mère commence à se refermer. La fille se sent alors rejetée et privée d'amour, et la mère ressent de la colère et de la culpabilité.

Dans cet arrangement, personne n'est heureux, surtout pas la Mère poule, car elle n'a pas d'identité en dehors de sa fille. La mère aussi bien que la fille finissent par ressentir qu'il leur manque quelque chose : quelque chose de plus, quelque chose de moins, quelque chose *d'autre* que ce qu'elles ont entre elles deux.

Portrait d'une Mère poule

Madeleine, cinquante-huit ans, me montre où brancher mon magnétophone dans sa cuisine immaculée. Sur la table recouverte d'une jolie nappe aux couleurs gaies, elle a disposé des assiettes pleines de biscuits au beurre et de gâteaux appétissants, des bols débordants de fruits et une cafetière de café parfumé à la cannelle: de quoi nourrir un régiment, bien que nous ne soyons que deux.

Elle est ronde de partout : ses hanches et sa poitrine, sa bouche généreuse, ses grands yeux expressifs adroitement maquillés, jusqu'à son costume de toile bleue agrémenté de brillants arrangés en dessins circulaires. Dès que j'ai fini ma part de gâteau, elle m'en coupe tout de suite une deuxième et insiste pour que je l'accepte. Sans plus de résistance, je l'engloutis docilement tout en lui avouant à voix basse, entre deux bouchées : "Je suis incapable de résister."

«Vous n'êtes pas comme ma fille, alors, fait-elle avec un geste de la tête vers la photo d'une ravissante jeune femme plutôt mince qui orne le mur. Elle me crie tout le temps que je lui sers trop à manger. Elle me dit : "Tu n'as jamais entendu parler de la modération ?" Elle est trop maigre. Squelettique.»

Madeleine vient d'une famille de quatre enfants, trois filles et un garçon. Son père, qui est mort récemment, était un prospère bijoutier. Sa mère tenait la maison.

Le mariage de ses parents n'allait pas très bien, raconte Madeleine. «Ma mère traitait mon père plus bas que terre, pire qu'un tas de saletés, même s'il travaillait comme un chien pour elle. Elle trouvait ses parents communs. Il n'était pas assez bien pour elle.»

Alors que son frère réussit assez bien dans l'industrie du cinéma, Madeleine, elle, n'a jamais travaillé. C'est-à-dire pas dans une "vraie carrière", précise-t-elle : elle a travaillé comme infirmière avant d'épouser son mari Pierre, qui est détective privé, et aussi comme infirmière privée à temps partiel à l'époque où ses enfants allaient à l'école primaire. Je lui ai demandé de me décrire sa mère :

Ma mère était la prunelle des yeux de ses parents; elle me racontait qu'elle avait beaucoup été gâtée, surtout par son père. Sa mère était une femme nerveuse et maladive. Ils ont vécu dans le luxe jusqu'à la Crise de 1929, durant laquelle mon grand-père a tout perdu. Ma mère a toujours été égoïste; rien n'était jamais assez bien pour son fils, le petit prince, mais elle me traitait comme un rebut. Je me sens constamment blessée par elle, parce qu'elle n'arrête pas de comparer ce que j'ai à ce qu'a mon frère. Sa maison à lui est un vrai musée. J'essaie de rendre la mienne aussi attrayante que possible, mais je n'ai pas des ressources illimitées. Vous savez ce qui me fait rire ? C'est que j'ai le même goût qu'elle. Je me vois tout le temps en elle, et j'apprécie beaucoup son sens de l'esthétique. Mais ce que je n'apprécie pas, c'est sa méchanceté.

Pendant son adolescence, Madeleine n'avait pas le droit de porter quoi que ce soit si sa mère ne l'avait pas choisi auparavant. «Je me souviens que nous étions parties acheter des manteaux d'hiver et que j'en voulais un vert pâle. "Pourquoi veux-tu porter ça ? m'a-t-elle dit devant la vendeuse. Tu as l'air d'une pastèque là-dedans."»

«J'ai mon caractère, reprend Madeleine. Une fois, j'ai répondu à ma mère; elle a levé la main et j'ai volé jusqu'à l'autre bout de la pièce. Je me suis relevée, j'ai couru sur elle et je l'ai mordue à l'épaule. Elle ne l'a jamais oublié. Moi non plus. Ça m'avait fait du bien.»

Cependant, leurs disputes ne se sont pas atténuées avec le temps. Quand Madeleine s'est fiancée avec Pierre, il lui a offert une bague avec un diamant de taille modeste. «Ma mère a déclaré qu'elle n'avait jamais rien vu d'aussi laid. Elle a forcé mon père à emmener Pierre dans un magasin pour m'en acheter un plus volumineux au prix du gros. Et en plus, ce sont eux qui lui ont prêté l'argent.»

Et pourtant, d'après Madeleine, sa mère n'est pas une personne particulièrement généreuse ni aimante. «Elle trouve que je me suis mariée au-dessous de ma condition. Elle se moque de moi, de toute la nourriture que j'ai chez moi, du soin que je prends à préparer les repas de mon mari, du souci que je me fais à propos de son cholestérol et des nuits blanches que je passe quand il rentre tard. J'ai peur qu'il se fasse tirer dessus.»

Si Madeleine parvient à rire de son éternelle inquiétude à propos de son mari, son sourire disparaît quand elle me parle de ses enfants.

Madeleine et son mari ont adopté deux filles, Lucie, trente ans, et Marie, vingt-huit ans. Lucie est partie vivre avec son mari dans une petite ville où elle travaille pour une compagnie d'assurances. «Ils n'ont pas d'enfants», dit-elle amèrement. Marie, elle, est célibataire et a repris la bijouterie de son grand-père.

Quel genre de mère est-elle ? A cette question, les larmes se mettent à rouler le long de ses joues. «Je m'excuse, renifle-t-elle en attrapant un mouchoir. C'est un sujet difficile.»

Je sens les choses de la même façon que ma mère, et si je ne faisais pas attention, je serais exactement comme elle. J'essaie de tout faire à l'inverse d'elle. Je me restreins constamment avec mes filles parce qu'elles trouvent que je me mêle de ce qui ne me regarde pas. Elles disent que je parle trop d'elles à mes amies. Je trouve ça difficile parce que je pense tout le temps à elles, je me fais du souci pour elles. Marie est capable de se couper de moi complètement. Elle n'a pas eu de mal à se différencier de moi... elle me dit : "Tu sais ce qui va t'arriver si tu répètes ce que je vais te dire ?" Je réponds : "Tu ne me parleras plus." Alors elle me parle d'elle.

Mais Lucie, elle, ne me dit rien. Elle me cache des choses, comme moi avec ma mère... et ça me fait beaucoup de peine.

Mes filles me font mal : elles ne m'acceptent pas comme je suis. Je ne sens pas beaucoup qu'elles sont là quand j'ai besoin d'elles. Je les trouve très égoïstes; elles ne pensent qu'à elles-mêmes. Moi aussi, j'essaie de ne penser qu'à moi, mais je trouve ça dur. J'ai tout fait pour ces enfants, tout. J'ai vidé des bassines de malades quand elles étaient enfants pour qu'elles aient de beaux vêtements.

Quand on est aussi blessée que moi, on ne peut pas se laisser aller parce qu'on a trop peur de se refaire blesser encore une fois.

Je n'arrive pas à pardonner à qui que soit... sauf à mes filles. Je trouve ça très dur de me séparer de ce que je ressens pour mes filles.

Voilà ce que je ne comprends pas : quand on a des enfants, on devrait les aimer inconditionnellement, non ? Mais ma mère ne m'a jamais aimée comme ça, et maintenant, mes filles non plus.

Je leur ai donné vingt-cinq ans de soins, d'amour et de soutien; et maintenant, tout ce travail m'est enlevé, et c'est très douloureux, même si on souhaite que ses enfants soient indépendantes. C'est très dur d'avoir fait quelque chose pendant vingt-cinq ans, puis d'être rejetée parce qu'on fait ce qu'on a toujours fait, pendant tout ce temps-là.

Madeleine se tait brusquement, hors d'haleine d'avoir tant pleuré et d'avoir éprouvé si intensément toute sa tristesse. Nous restons silencieuses pendant quelques minutes; on n'entend que le doux tic-tac de l'horloge.

Elle s'essuie les yeux et la bouche, se lève pour aller jeter le tas de mouchoirs froissés dans la poubelle de la cuisine, puis se rasseoit avec un soupir et prononce d'une voix éteinte : «Mon plus grand problème, c'est que j'ai échoué en tant que mère et que je ne peux rien y faire. J'ai toujours cru que je faisais ce qu'il fallait faire.»

Elle se tait : sans son maquillage effacé par les larmes, elle a l'air d'une enfant. Les yeux hagards, les lèvres tremblantes, elle souffle : «Je crois que je me suis trompée.»

8
La Tortionnaire

«Ma mère avait une cruauté imprévisible qu'elle ne montrait qu'à ses enfants. Je me souviens qu'un jour, quand j'étais enfant, je m'étais coupé le pied sur un tesson de bouteille en jouant près de la maison d'une amie; j'étais terrifiée à l'idée de rentrer à la maison. La peur que je ressentais était intolérable. Le morceau de verre était passé à travers ma chaussure et il y avait du sang partout, mais je ne ressentais aucune douleur. Je ne pouvais pas penser à autre chose qu'à ce qu'elle allait me faire pour me punir de m'être blessée et d'avoir tout sali. J'étais conditionnée à ne rien éprouver d'autre que de la peur.»

Olivia, 34 ans

Nous la connaissons toutes pour l'avoir vue ou entendue des centaines de fois.

C'est la femme qui secoue son enfant par le bras en plein milieu d'un magasin en lui criant : «Je t'ai déjà dit de ne toucher à rien ! Encore une fois et je te laisse ici !»

C'est la femme qui, assise à la table voisine de la nôtre au restaurant, sermonne ainsi une adolescente toute penaude : «Tu me donnes du mal depuis le jour de ta naissance. Tout le monde sait que tu fais exprès de me ridiculiser en me désobéissant tout le temps !»

Après l'Absente (voir le chapitre suivant), cette forme de comportement maternel est le plus destructeur; en effet, c'est ici que l'attitude d'une mère envers ses enfants dépasse la subtile limite, honorée par la plupart des parents, qui sépare l'autorité de la cruauté délibérée.

Il s'agit de la Tortionnaire, débordante d'un fardeau de honte qu'elle décharge sur ses enfants. Elle ne veut pas seulement entraver la liberté de sa fille, que ce soit en la critiquant, en l'engloutissant ou en s'appuyant trop sur elle : elle tente de l'écraser sous une domination bien plus grande que celle de toutes les autres mères décrites dans ce livre.

Les Tortionnaires sont comme des fusées lancées à toute vitesse et sur lesquelles on aurait perdu tout contrôle : elles sont rarement capables d'appliquer les freins sur leur comportement. Ce qui déclenche leur agressivité ou leur rage est rarement prévisible, et les ondes de choc se répercutent sur toute la famille.

Parmi l'arsenal des armes dont se sert la Tortionnaire contre sa fille, citons l'exploitation, l'éloignement affectif, la dégradation, la terreur, sans compter la violence physique; aggravée par sa propre vanité et sa jalousie, sa fureur se déclenche le plus souvent lorsqu'elle a l'impression que sa fille lui désobéit ou qu'elle a un comportement sexuel pervers.

Malheureusement, dans notre société, beaucoup d'enfants sont battus par leurs parents, mais ce n'est pas toujours considéré comme un acte criminel aux termes de la loi. Du point de vue strictement juridique, peu des mères décrites dans ce chapitre seraient considérées comme des criminelles ou des psychopathes. Aucune d'entre elles n'est un bourreau d'enfants; aucune n'a mutilé ni tué son enfant : leurs tortures sont bien plus subtiles. Comme nous le verrons, beaucoup d'entre elles souffrent de ce que les psychologues appellent un "désordre narcissique de la personnalité".

Selon le Dr James Gabarino, «il est évident que beaucoup de gens qui sont loin d'être fous maltraitent psychologiquement leurs enfants. S'ils semblent fous à la lecture d'une situation particulière, c'est parce qu'ils sont pris dans un cercle vicieux avec leur enfant ou qu'ils ont construit avec lui un système idiosyncrasique qui semble insensé au yeux du monde extérieur. Mais si on pouvait imaginer de faire passer à l'envers un enregistrement vidéo de leur vie jusqu'au commencement, on verrait des gens relativement normaux s'emprisonner dans une manière insensée d'entrer en relation avec leurs enfants.»

Non, la Tortionnaire n'a pas perdu la tête... mais il semble souvent qu'elle soit née privée de cœur.

L'une des filles de Tortionnaire que j'ai rencontrées, une psychiatre qui a derrière elle des années de thérapie personnelle, m'en a clairement décrit la variété la plus courante :

Leur maladie mentale, c'est un manque total de contact avec la réalité. Les mères comme la mienne ont un mécanisme de défense à toute épreuve : elles justifient toutes les horreurs qu'elles infligent à leurs enfants en se disant que l'enfant l'a bien mérité. Les perceptions de ma mère sont tellement déformées qu'elle perçoit la moindre remarque innocente comme une attaque. Quand mon père est mort, je lui ai dit : "Je ne l'ai jamais vraiment connu". Sa réponse : "Comment peux-tu dire une chose pareille, après tout ce qu'il a fait pour toi ?" Il n'y avait aucun lien logique avec ce que je venais de dire.

Une fois, je lui ai demandé pourquoi elle me tyrannisait ainsi. Elle m'a répondu : "Il y a en moi quelque chose qui m'y pousse et que je ne sais pas comment arrêter." C'est la seule fois qu'elle a dit quelque chose qui ressemblait à une prise de conscience de la façon dont elle me traitait. A l'extérieur de la maison, elle pouvait se conduire normalement. Mais chez nous, elle ne faisait que provoquer scène après scène.

Le dénominateur commun des Tortionnaires est qu'elles se vengent sur leurs enfants des crimes dont leur âme a été victime au cours de leur propre enfance, décrite plus loin dans ce chapitre. La Tortionnaire éprouve un tel besoin de contrôler sa famille (un besoin plus fort que les autres types de mères) que le fragile équilibre entre la rage et la raison est à la merci de la moindre brise de contrariété.

A commencer par son mariage.

Le chaos conjugal

La drogue de la Tortionnaire, c'est la discorde. Une scène se fond dans la suivante en un interminable crescendo et diminuendo de querelles domestiques. Sa première victime est son conjoint, qui, pour des raisons bien à lui, semble également drogué à la tension qui caractérise leur union. Son mariage reproduit souvent sa relation avec une autre Tortionnaire : sa mère ou parfois son père.

Assez curieusement, dans la majorité des mariages dont j'ai entendu parler au cours de mes entrevues, les maris restaient auprès de leur femme en dépit de son caractère explosif. Beaucoup de ces hommes avaient été tout d'abord attirés par la vivacité et la séduction de la Tortionnaire : les filles avec qui j'ai parlé m'ont souvent décrit leur mère comme une femme jolie, intelligente, animée. Mais en privé, le masque de la Tortionnaire tombe pour révéler un visage déformé par la colère.

La vie conjugale de la Tortionnaire se caractérise par une lutte de pouvoir de tous les instants, dont la Tortionnaire sort le plus souvent gagnante. Lorsqu'elle sent que son conjoint risque de riposter avec une force égale à la sienne (une minorité de maris de Tortionnaires finissent en effet par ruer dans les brancards), elle le rabaisse. La D^re^ Louise Kaplan a écrit au sujet des maris qui représentent la version masculine de la Tortionnaire quelque chose qui peut très bien s'appliquer à la Tortionnaire elle-même : «La meilleure tactique est de s'assurer que la personne frustrante est privée de tout pouvoir. Il est bien plus facile de dénigrer [sa femme] et de la percevoir comme une minable dénuée de toute valeur.»

«Ma mère avait complètement castré mon père, se rappelle une femme. Je me souviens qu'une fois, quand j'étais petite, j'ai vu ma poupée passer à travers un carreau : elle venait de la lui lancer comme un projectile. Ils se disputaient tout le temps et c'était toujours ma mère qui commençait. Aujourd'hui encore, quand quelqu'un élève la voix, je me mets à trembler parce que cela me rappelle toutes les horribles disputes de mon enfance, les cris, les hurlements, les injures.»

Quand l'enfant paraît

Avec la venue d'un enfant, l'agressivité de la Tortionnaire trouve un nouvel exutoire. Alors que, dans son propre intérêt, elle *pourrait* tenter de freiner ses attaques contre son mari, elle n'a aucune raison de se retenir avec ses enfants, puisqu'ils dépendent complètement d'elle. Si l'un de ses enfants a le malheur d'être une fille, on peut habituellement s'attendre à ce que soit elle qui subisse le sort le plus cruel, car aux yeux de la Tortionnaire, bien qu'elle ne soit qu'une enfant, une fille représente "l'autre femme".

Une fille sert souvent de havre de douceur et de paix pour le mari de la Tortionnaire; on comprend en effet qu'elle prenne dans son cœur une place particulière, car elle lui offre toute l'adoration qu'il ne trouve pas chez sa femme. Mais, au mieux, leur relation est condamnée à la clandestinité. En effet, les Tortionnaires ne voient pas d'un bon œil l'affection entre le père et la fille et font de leur mieux pour la saboter.

S'il y a plus d'une fille dans la famille, c'est souvent celle qui semble être le plus près du père qui devient la victime favorite de la Tortionnaire, ce qui permet à l'autre de devenir son acolyte, comme nous le verrons dans la troisième partie. Un certain nombre de filles m'ont raconté qu'elles avaient été traitées par leur mère comme un bouc émissaire et que leurs sœurs, par contre, avaient reçu le rôle d'enfants loyales, de chouchous de Maman.

C'est l'enfant "déloyale" qui évoque particulièrement la cruauté de la Tortionnaire, et quand elle grandit, elle est parfois mise à la porte de la maison.

Estelle, 26 ans, n'a pas vu sa mère depuis trois ans : c'est sa mère qui a pris cette décision. Tout au long de l'enfance d'Estelle, sa mère a tout fait pour détruire la relation d'Estelle avec son père. «Elle m'a déjà dit que dès l'heure de ma naissance, elle s'est mise à regretter que je sois née. Quand elle a vu mon père me prendre dans ses bras, cela lui a rappelé son père à elle, qui ne l'a jamais aimée. Mon père m'adorait, mais il était intimidé à cause d'elle. Je ne devais pas être aimée, tout comme elle n'avait pas été aimée.»

Dans ce but, la mère d'Estelle a alors entrepris d'isoler sa fille de l'affection de son père. L'été de ses six ans, elle l'a envoyée en colonie de vacances, «malgré mes larmes et mes supplications pour qu'on me ramène à la maison.» A dix ans, elle partit au pensionnat.

Lorsqu'elle rentrait à la maison pour les vacances, sa mère ne tolérait aucune démonstration d'affection entre le père et la fille. Au cours de l'adolescence d'Estelle, la mode chez les filles de son âge étant aux vestes d'hommes trop grandes, son père lui avait donné son vieux gilet usé. Quand la mère d'Estelle découvrit le cadeau, elle le jeta à la poubelle.

Estelle se maria à l'âge de vingt-et-un ans, mais son mariage se termina cinq ans plus tard, à la naissance de son fils :

Après mon divorce, ma mère a décidé qu'elle ne voulait plus me voir parce que j'avais plus de temps à passer avec mon père. Elle s'est mise à lui interdire de me voir, moi ou mon fils. Pour m'exclure comme cela, elle a prétexté que j'étais "sexuellement dissolue" : pour qu'il ne m'aime plus, elle inventait des histoires selon lesquelles j'étais une putain et je vivais dans la promiscuité. Je lui écrivais des lettres la suppliant de me voir, et elle ne répondait rien. Quand je la croisais dans la rue, elle faisait semblant de ne pas me voir.

Mais la plupart des Tortionnaires ne renient pas leurs filles de cette façon, car cela signifierait en même temps de renoncer à tout contrôle sur elles : une fille absente échappe au contrôle de sa mère. De plus, comme l'a dit une Tortionnaire à sa fille : «La seule raison pour laquelle je t'ai eue, c'est pour avoir quelqu'un qui s'occupera de moi quand je serai vieille». Et, en attendant, quelqu'un pour la servir. Le mécanisme de contrôle de beaucoup de Tortionnaires consiste soit à exiger constamment de leur fille qu'elle se conduise avec elles de manière obséquieuse, soit à l'écraser d'un flot incessant de directives.

«Je devais tout le temps servir ma mère, se souvient Sophie. Je ne pouvais pas traverser une pièce sans qu'elle me demande de faire quelque chose : aller lui chercher une cigarette, lui verser une tasse de café, lui apporter une revue. Je n'avais jamais le droit de me détendre : elle n'arrivait pas à me laisser vivre. C'était comme un réflexe conditionné : je bougeais, elle ordonnait. Alors j'ai appris à rester très, très tranquille.»

En démolissant le Moi de son enfant, la Tortionnaire s'assure que son enfant ne l'abandonnera jamais. Elle a un atout majeur : le besoin inextinguible qu'a sa fille d'être aimée par la personne la plus importante de sa vie. A moins que la fille ne possède une force de caractère hors du commun ou qu'elle trouve ailleurs le soutien qui l'aidera à se sentir bien dans sa peau (ce que certaines filles parviennent à faire), elle n'a pas la volonté nécessaire pour échapper à la tyrannie de sa mère. (Les mentors jouent un rôle important dans la survie de ces enfants; voir le chapitre 10).

Le devant de la scène

L'aspect le plus frappant du caractère de la Tortionnaire est son besoin d'être constamment le centre d'attention; elle fait tout ce qu'il faut pour que les projecteurs soient constamment pointés sur elle.

Les Tortionnaires sont souvent extrêmement vaniteuses; elles dépensent une énergie incroyable pour avoir l'air jeunes, minces, pour être impeccablement coiffées, habillées et maquillées. Il n'est pas anormal qu'une femme se préoccupe de sa beauté, mais chez la Tortionnaire, cela prend des proportions extrêmes.

Lorsque Catherine a eu dix-huit ans, sa mère a cessé de la présenter aux gens comme sa fille :

Quand j'ai fini mes études secondaires, ma mère est retournée sur le marché du travail et elle s'est mise à raconter aux gens qu'elle n'avait pas d'enfant. A moi, elle disait qu'elle faisait cela parce qu'elle avait peur de perdre son emploi si les gens se rendaient compte de son âge. Mais pendant plusieurs années, elle a eu des amitiés avec des gens qui n'ont jamais su que j'existais. Elle me reniait complètement. Maintenant, si elle me rencontre avec mon fils et qu'elle est avec une amie, elle me présente en disant : "Voici ma nièce Catherine". Elle ne veut pas qu'on sache qu'elle est mère, encore moins grand-mère !

Si la fille de la Tortionnaire est plus jolie que sa mère, la beauté de la fille est souvent rabaissée.

Viviane est une très belle femme de trente ans. Le matin de son mariage, il y a maintenant deux ans, elle est allée chez la coiffeuse se faire remonter les cheveux, qu'elle a longs et bouclés, en un charmant chignon qui allait à ravir avec sa robe de mariée à l'ancienne :

Quand je suis arrivée à la maison, ma mère m'a à peine jeté un regard, puis elle a dit : "Que tu es laide ! Mais qu'as-tu fait à tes cheveux ?" Toute ma vie, dès qu'on faisait un peu attention à moi, elle s'est arrangée pour me pousser dans l'ombre. Une fois, elle m'a même dit que l'un de mes anciens amoureux était secrètement épris d'elle. Pendant la réception, ma cousine m'a dit : "Ta mère a besoin d'être le centre d'attention. Elle ne te laisse pas de place, même le jour de ton mariage." Elle avait raison.

L'insatiable besoin qu'éprouve la Tortionnaire d'être le centre d'attraction envahit parfois d'autres domaines de la vie de sa fille.

Depuis sa plus tendre enfance, Johanne rêvait de devenir artiste : elle avait toujours eu du talent et passait des heures à l'école à peindre et à sculpter. Une fois, elle rapporta à la maison une statuette représentant un nu de femme enceinte sur laquelle elle avait travaillé pendant des mois. «Ma mère l'a jetée à la poubelle en disant que c'était dégoûtant et qu'elle ne voulait pas de "ce genre de pornographie" dans sa maison.»

Puis Johanne obtint une bourse pour étudier à l'école des Beaux-Arts de Montréal et s'y inscrivit en dépit des protestations constantes de sa mère, qui lui répétait sur tous les tons qu'«elle n'allait rencontrer que des tapettes là-dedans». Au cours de la première année, le père de Johanne mourut. Elle prit l'avion pour aider sa mère à préparer les funérailles, et au cours de cette visite, sa mère lui arracha la promesse que si elle décidait de vendre la maison pour s'acheter un appartement, Johanne reviendrait l'aider.

Au cours de sa deuxième année d'études, Johanne fit des arrangements pour aller passer l'année suivante dans une école d'art italienne. Un mois avant la date prévue pour son départ, sa mère l'appela pour l'informer qu'elle avait décidé de mettre la maison en vente. Fidèle à sa promesse, Johanne renonça à son séjour en Italie pour rentrer auprès de sa mère et l'aider à préparer la maison pour les acheteurs éventuels.

Deux semaines plus tard, alors qu'elle était en train de laver les carreaux, sa mère entra dans la pièce et annonça : «J'ai retiré la maison du marché. De te voir ici comme ça, ça me fait réaliser à quel point j'aime avoir tout cet espace.»

Elle m'a avoué qu'elle n'avait jamais eu l'intention de vendre. C'est la goutte d'eau qui a fait déborder le vase. J'ai fait quelque chose que je n'avais jamais fait de ma vie : je suis devenue folle de rage. J'ai jeté des choses par les fenêtres, j'ai cassé des miroirs, j'ai détruit tout ce qu'il y avait dans ma chambre. J'ai complètement perdu la tête. Elle m'avait toujours empêchée de vivre mes rêves, mais cette fois-ci, j'étais brisée. Tout ce que j'avais travaillé si fort pour réussir, elle l'avait balayé d'un revers de la main.

Laurette, elle aussi, a vécu avec sa mère une expérience de ce genre. Lorsqu'elle avait douze ans, son père pilote de ligne se sépara de sa mère. Comme le dit Laurette : «Je suis devenue pour ma mère un substitut de mari. Elle m'a dit que c'était mon devoir de l'aider à élever mes jeunes frères; je faisais tout ce qu'elle ne voulait pas faire : la cuisine, les courses, le ménage.»

A l'époque où elle fréquentait l'école secondaire, Laurette obtint un emploi à temps partiel à la bibliothèque municipale. «Cela a changé ma vie. Je me suis mise à lire tout ce qui me tombait sous la main. La directrice de la bibliothèque m'avait prise sous sa protection; nous pouvions passer des heures à discuter de littérature. Elle m'encourageait à écrire.»

La mère de Laurette la força à quitter son emploi.

Elle m'a dit : "Cette femme cherche à t'éloigner de moi. Qu'est-ce que tu veux faire, abandonner ta mère ?" Chaque fois que j'ai voulu entreprendre quelque chose de créatif, elle m'a mis des bâtons dans les roues : pas de leçons de danse ni de musique, et elle ridiculisait les textes que j'écrivais pour le journal de l'école. Elle dénigrait tout ce qui avait de l'importance pour moi. Il fallait que je m'en aille.

Alors j'ai pris un second emploi en plus du premier; je travaillais même la nuit. J'ai fini par économiser assez d'argent pour payer mes études à l'université de la région. Quand j'ai eu mon diplôme, on m'a offert un emploi à Québec et ma mère a perdu la tête. Elle m'a dit : "Tu ne peux pas nous laisser tomber comme ça, moi et tes frères. Je te défends d'y aller." C'était la seule manière dont elle pouvait m'empêcher de partir. J'avais tellement besoin d'être importante pour elle, à n'importe quel prix, que le fait qu'elle ait "besoin" de moi sapait ma capacité de m'éloigner d'elle. Je ne savais pas que j'avais le droit de vivre ma vie. Je ne savais pas que j'avais le droit de dire non. Ce n'étaient pas mes enfants. J'aurais dû répondre : "Je m'en vais". Mais je suis encore restée cinq ans.

«Le sexe, c'est laid»

Plusieurs filles de Tortionnaires que j'ai rencontrées m'ont décrit l'encouragement et l'intérêt inexplicable de leur mère pour leur sexualité, paradoxalement doublé d'accusations de perversion sexuelle.

Ne nous étonnons donc pas si beaucoup de ces filles ont (ou ont eu) des problèmes sexuels à l'âge adulte; elles font souvent remonter l'origine de leurs conflits à leur mère, qui non seulement les accusait de promiscuité sexuelle, mais éprouvait également une curiosité malsaine et envahissante pour le corps et la vie amoureuse de leur fille.

Une femme se rappelle que durant son adolescence, elle sortait avec un garçon qui s'appelait Paul. Le visage crispé, elle raconte :

Chez nous, la cuisine était en forme de L. Ma mère pouvait voir ce qui s'y passait quand elle était dans sa chambre. Paul et moi, nous étions en train de laver la vaisselle; il m'a prise dans ses bras et il m'a embrassée. Quand il est rentré chez lui, ma mère a surgi de sa chambre en hurlant : "Espèce de dévoyée, je te surveillais, j'ai tout vu, la manière dont tu t'es mise à onduler, c'est dégoûtant. Tu vas finir dans la rue. Il ne te respectera jamais. Que vont dire les voisins ? La réputation de la famille est gâchée, et c'est de ta faute !" J'étais hors de moi : c'était quelque chose de tellement naturel, plein d'amour et d'innocence, et elle en faisait une ignominie.

L'été où Marianne avait sept ans, sa mère avait pris l'habitude d'installer une grande bassine dehors pour qu'elle puisse jouer dans l'eau avec ses amis. «Une fois, ma mère est sortie pour m'enlever mon maillot de bain. Elle a dit : "Pourquoi ne te baignes-tu pas toute nue ?" Je me suis mise à hurler. Elle m'avait littéralement mise à nue devant mes amis.»

Puis, à l'adolescence, Marianne s'est mise à détester faire des courses avec sa mère parce qu'elle faisait toujours des commentaires sur ses formes auprès des vendeuses ou des autres clients. «Une fois, j'étais dans la cabine d'essayage en train d'essayer une robe sans bretelles pour aller à une fête. Ma mère m'a tirée jusqu'au milieu de la boutique et elle a dit à un homme qui passait par là : "Elle est complètement formée : regardez comment sa poitrine remplit le corsage de cette robe."» Le voyeurisme de sa mère était sous-tendu par un flot ininterrompu d'avertissements sur le manque de scrupules des hommes. «Elle m'a toujours dit : "Les hommes ne pensent qu'à une chose : le sexe. Dès qu'ils l'ont eu, ils s'en vont."»

Certaines Tortionnaires cherchent à purifier leur filles d'une corruption morale imaginaire. Lorsque Denise avait six ans, elle aimait aller jouer chez son amie Nicole «parce sa mère était gentille avec moi». Un après-midi, elles décidèrent d'enlever leurs sous-vêtements pour jouer au docteur. Au même instant, la mère de son amie entra dans la pièce, se mit en colère et renvoya Denise à la maison. Sa mère l'attendait à la porte. Dès qu'elle la vit, elle se mit à hurler : «La mère de Nicole vient de m'appeler pour me raconter ce que tu as fait, petite dégoûtante !» Puis, poursuit Denise :

Ma mère a baissé ma culotte et elle m'a donné une fessée en hurlant : "Ne fais plus jamais une chose pareille !" Puis elle m'a envoyée dans ma chambre. Elle a refusé de m'adresser la parole pendant une semaine. Ç'a été la pire période de ma vie : je me sentais tellement humiliée, tellement avilie.

Le règne de la terreur

Pratiquement toutes les filles de Tortionnaires disent qu'elles ont toujours eu peur de leur mère, une peur qui remonte à leur enfance. Beaucoup de Tortionnaires savent faire peur à leurs filles sans même lever la main : elles utilisent l'arme de la terreur.

Quand Sonia était petite, sa mère aimait l'emmener voir des films d'horreur :

Je détestais ça, mais elle me forçait à venir. C'était une façon de me contrôler : la peur me faisait rester dans le rang. J'étais terrifiée à l'idée de rentrer dans notre immeuble. J'imaginais qu'il y avait des monstres partout : dans l'ascenseur, dans le couloir, dans mon placard. Ma mère entretenait mes peurs en me disant : "Si tu n'es pas sage, le loup va venir te manger."

La première image dont Laure se souvienne, c'est le visage de sa mère, la bouche ouverte, déformée par la colère. Quand elle était petite et qu'elle jouait avec sa sœur, leur mère se précipitait dans la pièce en criant : «Vous ne pouvez pas faire moins de bruit?» Quand elle était adolescente, sa mère se mettait à hurler dès qu'elle avait dix minutes de retard.

Elle me raconte la dernière fois qu'elle a vu sa mère.

J'étais au lit avec une pneumonie et ma mère est passée me voir sans prévenir. Je lui ai ouvert la porte, puis je me suis traînée jusqu'à mon lit et je me suis endormie comme si on m'avait assommée. Brusquement, j'ai entendu du bruit dans le couloir, puis le moteur de l'aspirateur. J'ai titubé jusqu'au salon et elle s'est lancée dans une tirade : "Comment fais-tu pour vivre dans un désordre pareil ? Comment peux-tu laisser ton appartement dans cet état ?" J'ai répondu : "Tu sais, Maman, j'ai quarante ans. C'est moi qui paye le loyer ici. Je pense qu'il est grand temps que tu arrêtes de me tyranniser." Elle est restée figée de surprise pendant une seconde, puis elle est partie en claquant la porte.

La mère de Sarah ne la laisse jamais savourer un instant de paix. Elle la poursuit de coups de téléphone quotidiens durant lesquels elle énumère sans fin de longues listes d'accusations. Agée de 28 ans, voici ce que Sarah raconte :

La dernière fois que je me suis disputée avec elle, c'est quand elle m'a appelée pour me démontrer que j'étais en train de tuer mon bébé en ne le nourrissant pas comme il faut. Ce n'est pas seulement qu'elle se faisait du souci, ou même qu'elle me harcelait de reproches; c'était au-delà de tout comportement normal.

Ce qui m'a frappée, c'est à quel point elle était implacable. Elle ne voulait pas lâcher prise. Il y avait quelque chose d'empoisonné dans la manière dont elle continuait à répéter la même chose: que mon fils était en danger, que j'étais une mauvaise mère. Elle ne pouvait pas s'arrêter de m'agresser.

Attaque surprise

Dans les cas les plus extrêmes, les Tortionnaires utilisent la force physique pour s'assurer d'être obéies. Il suffit alors de presque rien pour les faire basculer dans la violence.

Olivia a grandi entre sa mère Tortionnaire et un père placide et joueur, qui tenaient tous les deux une petite épicerie. La grand-mère d'Olivia vivait avec eux depuis son veuvage, ce qui leur permettait de s'occuper de leur magasin. Voici ce que raconte Olivia :

Quand ma mère rentrait du travail, ma grand-mère lui sautait dessus pour lui raconter à quel point mon frère et moi étions paresseux. Puis ma mère entrait dans le salon et nous battait tous les deux.

La dernière fois qu'elle m'a frappée, c'était une attaque surprise quand j'avais seize ans. J'étais dans la salle de bains en train de me mettre du rouge à lèvres, puis je suis vite allée chercher quelque chose dans ma chambre. Elle avait une obsession : il fallait toujours éteindre la lumière. Pendant les cinq secondes où j'ai été partie, elle a vu que j'avais laissé la lumière allumée et elle a explosé. Quand je suis revenue, elle m'a giflée si fort que mes lunettes se sont retrouvées dans la baignoire.

Je lui ai dit : "Si ça te fait du bien de taper sur ta fille, salope, tu as intérêt à le faire jusqu'au bout. Parce que la prochaine fois que tu me touches, je te tue." Je n'avais rien à perdre, et elle le savait. Elle est sortie de la pièce, j'ai ramassé mes lunettes et elle ne m'a plus jamais touchée.

Chez beaucoup de filles, ce genre de traitements se retrouve enfoui dans leur subconscient, car il est trop douloureux pour elles de s'en souvenir. L'amour et la douleur se retrouvent alors inextricablement mêlés. C'est pourquoi il n'est pas rare de retrouver ces filles dans des relations avec des hommes physiquement menaçants.

Sandra, trente-deux ans, a entrepris une thérapie pour se guérir de ce genre d'attirance morbide. Elle se remémore l'instant où, comme une bulle qui vient crever à la surface de l'eau, elle en a compris la raison :

J'étais en train de raconter à ma thérapeute que j'ai pleuré pendant toute mon enfance. Brusquement, elle m'a demandé : "Que fait-on avec une enfant qui pleure ?" J'ai répondu sans réfléchir : "On la frappe. On ne la prend pas dans ses bras pour lui dire pauvre bébé." C'était une association automatique, irraisonnée. Je me suis alors souvenue que c'est exactement ce que faisait ma mère. Les seules fois où elle me touchait, c'est quand elle était en colère. Si je tombais et que je pleurais, elle me frappait en me criant de me taire.

La genèse d'une Tortionnaire

Quelle est l'origine du manque de sensibilité et de compassion de la Tortionnaire ? En fait, de tous les styles de mères, elle est souvent la plus terrorisée intérieurement, et dans un sens, la plus tragique, car elle est si destructrice qu'il est difficile d'éprouver la moindre pitié pour les événements de son enfance qui ont doné naissance à sa peur. De tous les types de mères, c'est la Tortionnaire qui est le plus souvent rejetée par ses enfants.

La Tortionnaire fait mentir le mythe qui veut que les tyrans soient toujours du sexe masculin. Selon une entrevue avec le Dr Leonard Eron parue dans le *New York Times* : «L'une des façons dont les femmes manifestent leur agressivité, c'est en punissant leurs enfants. Les petites filles les plus agressives deviennent des femmes qui punissent sévèrement leurs enfants.»

Ce faisant, a découvert le Dr Eron, elles répètent un scénario familial qui se transmet de génération en génération : le parent tyrannise son enfant, qui grandit et devient un parent qui tyrannise à son tour ses enfants, *ad nauseam.* Mais les tyrans n'ont pas seulement été brutalisés au cours de leur enfance : ils ont souvent aussi été ignorés. Comme leurs parents avaient avec eux une attitude contradictoire faite de trop peu de présence et d'une surabondance de punitions, ils deviennent en grandissant un cocktail de discipline et d'indifférence.

La grande majorité des Tortionnaires ont elles-mêmes été des enfants physiquement ou affectivement maltraitées. On sait que les enfants maltraitées ont six fois plus de chances que les autres de maltraiter leurs enfants à l'âge adulte que celles qui n'ont pas été maltraitées.

La revue américaine *Newsweek* a récemment publié un exemple de ce genre d'héritage maternel dans un article sur les enfants affectivement maltraités. On y racontait l'histoire d'une femme qui a puni son enfant d'avoir volé quelque chose en l'attachant à une chaise devant sa maison et en suspendant à son cou une pancarte où elle avait écrit : «Je suis un cochon stupide. Quand on ment et qu'on vole comme moi, on devient laid comme moi. [...] J'ai les mains attachées parce qu'on ne peut pas avoir confiance en moi. [...] Regardez. Riez. Voleur. [...]» Cette mère reproduisait de façon tragique une punition identique que lui avaient infligée ses parents dans son enfance.

Pourtant, bien des mères qui ont grandi dans un environnement psychologiquement destructeur — et même quelques-unes qui ont été victimes de la brutalité la plus révoltante — sont capables de décider consciemment de ne pas répéter avec leurs propres enfants le cercle vicieux de leur enfance. Mais la Tortionnaire n'est pas de celles-là. Elle répond plutôt à la définition du parent psychologiquement abusif décrite par le Dr James Gabarino, qui fait autorité en matière d'enfants maltraités : elle rejette, isole, terrorise, ignore ou corrompt son enfant. Ces comportements sont en grande partie issus de ce qu'elle a appris en observant ses propres parents. Ce genre de parents, écrit le Dr Gabarino, «perçoit l'enfant comme "très vilain", "beaucoup trop exigeant", "provocateur". [...] Typiquement, l'enfant [...] est également perçu comme ayant déclenché ou encouragé les mauvais traitements par son comportement et sa personnalité.»

D'autres Tortionnaires ont été "maltraitées" d'une autre manière : elles étaient le centre de l'univers de leurs parents. Leurs parents n'opposaient pratiquement jamais aucune limite à leurs exigences incessantes; ils cédaient à leurs moindres caprices, nourrissaient tous leurs appétits et, en les absolvant des conséquences négatives de leur comportement, les privaient d'occasions de tirer les leçons découlant de leurs propres erreurs. Elles ne faisaient jamais rien de mal.

Dans *Oneness and Separateness*, la D[re] Louise Kaplan écrit :

Un tel enfant grandit alors avec l'idée qu'il risque de perdre son identité et son Moi dès qu'il se retrouve incapable de contrôler tout ce qui l'entoure. [...] L'enfant à qui on donne tout dès qu'il le demande ne peut devenir ni confiant, ni courageux. Il traverse la vie avec la hantise perpétuelle d'être démasqué et perçu tel qu'il est : un enfant monstrueux, entièrement mauvais, dont l'avidité et l'agressivité sans limite peuvent engloutir sa mère, son père, ses frères et sœurs, ses amis, ses partenaires et ses enfants.

Beaucoup de Tortionnaires souffrent de ce que les psychologues nomment un "désordre narcissique de la personnalité". Typiquement, ce type de personne a tendance à s'attribuer une importance grandiose et à se comporter comme si, du seul fait de son existence, elle était plus importante que tout le monde. Elles sont hypersensibles, mais seulement au sujet de ce qu'on inflige à leur propre personne, en réalité ou dans leur imagination.

Les personnes narcissiques sont dépourvues d'une qualité essentielle et extrêmement importante : la faculté de se mettre à la place des autres. S'il "manque une case" à leur personnalité, c'est celle de l'empathie pour ce que ressentent les autres. C'est pourquoi toute conversation avec elles semble souvent décousue et illogique : elles sont passées maîtres dans l'art du coq-à-l'âne... pour ramener constamment le sujet de conversation à leur petite personne. Pour les psychothérapeutes, ce manque d'empathie rend la tâche de les aider extrêmement difficile, quand ce n'est pas totalement impossible.

La Tortionnaire n'est en fait qu'une enfant terrorisée, dissimulée derrière la façade en carton-pâte d'une adulte vaniteuse, égocentrique, affligée d'une véritable boulimie affective, prête à tout pour protéger son Moi blessé. Elle est comme un pneu percé qui perdrait constamment un mince filet d'air : pour rester gonflée, elle a constamment besoin des louanges, de la flatterie et de la servilité de son entourage. Sans cela, elle se gonfle de rage, et dans les cas extrêmes, de fureur meutrière.

Quelque part au fond de son cœur, la Tortionnaire a douloureusement conscience de ne pas être digne d'être aimée et de n'être en fait qu'une imposture. Les racines de son désespoir sont si profondes que dans sa panique, elle ne peut que tenter de les cacher, aux autres et surtout à elle-même, derrière sa façade tyrannique et colérique.

Comme la Tortionnaire n'est pas l'enfant parfaite qu'elle a déjà essayé d'être (ou qu'on lui a dit qu'elle était), elle décharge sa haine d'elle-même sur sa propre enfant, qu'elle considère comme une extension de sa personne. En rendant son enfant imparfaite et terrifiée, elle évite de percevoir son propre Moi profondément imparfait et terrifié.

Lorsque, plus haut, une Tortionnaire avouait : «Il y a en moi quelque chose qui me pousse et que je ne sais pas comment arrêter», elle était en fait, sans s'en rendre compte, très près de révéler la peur profonde qui la domine : celle d'être perçue comme l'enfant sans valeur qu'elle est persuadée d'être.

Selon Alice Miller, les parents de ce genre qui battent leurs enfants «luttent pour regagner le pouvoir qu'ils ont perdu aux mains de leurs propres parents. Pour la première fois, ils voient reflétée dans leurs enfants la vulnérabilité de leur première enfance, qu'ils sont incapables de se rappeler. [...] Ce n'est que maintenant, alors qu'ils ont en face d'eux quelqu'un de plus faible qu'eux, qu'ils ripostent enfin.»

Portrait d'une Tortionnaire

Quand Irène a répondu à mon annonce, j'ai offert d'aller la rencontrer chez elle. «Oh non, a-t-elle répondu en riant. Ma mère vit avec moi. Vous ne croirez jamais mon histoire : je doute que vous en trouviez une meilleure.» Puis elle a accepté de me rencontrer dans un restaurant.

A mon arrivée, Irène est déjà installée à table. A soixante-deux ans, elle est petite, mince, avec quelque chose d'enfantin; entre deux gorgées de thé, elle s'essuie délicatement les lèvres du coin de sa serviette. Je suggère d'attendre la fin du repas pour commencer l'entrevue, mais dans sa hâte de partager une histoire aussi unique et tragique qu'elle me l'a promise, elle préfère commencer tout de suite.

Elle est la plus jeune de trois enfants, deux filles et un garçon, et a grandi dans un petit village. Son père agriculteur avait, comme elle dit, «mauvais caractère, comme moi : il éclatait, puis c'était terminé.» Sa mère, cependant, pouvait garder sa rancune «pendant des jours, des semaines. Quand elle était mûre, elle pardonnait.» Il arrivait souvent que sa mère la corrige à coups de ceinture. «Elle m'a fouettée en masse», dit-elle.

Irène se décrit comme ayant été «une enfant sage. Je ne lui ai jamais causé d'ennuis. On pouvait m'emmener partout. Je savais rester assise sur un divan sans jamais mettre les pieds dessus. Je ne parlais que quand on m'adressait la parole. Mais je n'étais pas assez parfaite pour ma mère.»

Si sa mère ne lui a jamais manifesté d'amour, c'est que, comme me l'explique Irène, sa grand-mère est morte quand la mère d'Irène n'était encore qu'un bébé; son grand-père envoya alors l'enfant chez une tante. Il lui rendait visite à l'occasion, mais la mère d'Irène parlait peu de lui, sauf pour dire qu'il la battait. «De toute façon, ajoute Irène, elle n'a jamais vraiment voulu de moi : elle voulait un autre garçon.»

Quand Irène avait cinq ans, sa sœur aînée est morte de la leucémie. Son nom ne fut plus jamais prononcé dans la maison : dans la famille, on ne parlait pas de ses émotions. Irène et son frère furent élevés très sévèrement : règlements inflexibles et interdiction de danser et d'écouter de la musique, même pendant l'adolescence.

Le frère d'Irène entra dans l'armée à l'âge de dix-huit ans. Quant à elle, elle se maria à vingt ans et suivit son mari à Montréal où il travaillait dans une imprimerie. Son mari, dit-elle, ressemblait beaucoup à sa mère : une alternance de froideur et de crises de rage, mais sans violence physique. Ils ont eu deux filles. «Je les ai élevées comme mon père m'a élevée», dit-elle.

(Il semble ici qu'Irène mélange ses souvenirs : c'est sa mère qui la battait, pas son père. Sa manière de discipliner ses enfants semble avoir été un mélange de ses deux parents.)

Irène doit les meilleurs souvenirs de son enfance à sa grand-tante, celle qui a élevé sa mère. «Elle était la personne la plus gentille que j'aie jamais connue; quand j'avais cinq ans, elle m'a acheté une poupée, raconte Irène, les yeux soudain emplis de larmes. C'est la seule poupée que j'aie jamais eue; elle avait de vrais cils, des yeux de verre qui s'ouvraient et se fermaient et des dents de nacre.»

Il y a quinze ans, à la mort de son père, Irène a invité sa mère à venir vivre avec elle. Irène était en plein divorce, rendu nécessaire par le caractère devenu insupportable de son mari. Travaillant comme réceptionniste, elle luttait pour joindre les deux bouts tout en faisant vivre ses deux enfants. Sa mère vendit la maison familiale et partit rejoindre Irène à la ville.

Les deux femmes signèrent devant le notaire l'entente suivante : la mère paierait la petite hypothèque d'Irène, en échange de quoi Irène lui verserait un loyer modique. Irène respecta sa partie du contrat pendant plusieurs années, mais son revenu se révéla insuffisant pour défrayer les coûts que lui occasionnait sa mère en plus du loyer. Elles en vinrent donc à une deuxième entente, mais verbale celle-là : Irène habillerait sa mère et paierait ses dépenses médicales, en échange de quoi sa mère renonçait au loyer; elle ne devait acheter que sa nourriture, ce à quoi suffisait largement sa pension de vieillesse.

Il y a deux ans, la mère d'Irène lui a intenté un procès pour obtenir d'elle les paiements de loyer qu'elle n'a pas versés depuis treize ans. Lorsqu'elle lui a rappelé l'entente verbale qu'elles avaient prise, sa mère a répondu : «As-tu un papier pour prouver ça ? Tu me dois vingt-cinq mille dollars. Mais je vais te faire une faveur : je réduis ta dette à cinq mille dollars.»

«J'ai voulu me tuer, raconte Irène. Je n'avais pas cette somme. Je sais que ma mère ne m'aime pas, mais je ne l'aurais jamais crue capable de me faire une chose pareille.» Elle n'en a pas non plus cru ses oreilles quand elle a appris récemment que sa mère avait donné aux enfants d'Irène diverses sommes d'argent prélevées sur le fonds d'assurance-vie que son mari lui a laissé et auquel elle n'avait pas touché jusqu'alors.

Irène soupçonne que l'une de ses filles, avec lesquelles elle prétend pourtant être en bons termes, doit être à l'origine du revirement d'attitude de sa mère. «L'argent est la racine du mal, soupire-t-elle. Personne ne veut froisser Grand-mère, parce qu'on ne sait jamais : elle pourrait exiger qu'on lui rende son argent. Elle n'aurait jamais pensé à me poursuivre en justice si quelqu'un ne lui avait pas soufflé cette idée. Je suis très prudente avec mes filles: j'attends de savoir qui est la coupable, et jusqu'à ce que je le sache, je ne leur dis plus rien.»

«Je ne me mets pas en colère, reprend-elle au bout d'un instant, mais je rends les coups.» Elle a donc fait envoyer à sa mère par son avocat une lettre lui signifiant que le loyer de sa chambre est de 250 dollars par mois et que si elle ne les paie pas, elle devra s'en aller.

Je lui demande pourquoi sa mère a bien pu penser à poursuivre sa propre fille. Elle répond :

Je lui ai posé la question, une fois. Tout ce qu'elle a répondu, c'est que j'étais méchante et mauvaise, comme mon père. Mais je m'occupe d'elle depuis tant d'années ! Quand elle est allée à l'hôpital, je suis allée la voir tous les jours.

Je ne suis pas une femme amère; je suis même plutôt je-m'en-foutiste. Mais je suis devenue si amère, maintenant... Elle est tellement mesquine. Dans sa chambre, elle a un frigidaire où elle garde sa nourriture. Mais la nuit, elle descend me voler de la nourriture pour ne pas avoir à dépenser son argent. Dès ma plus tendre enfance, ma mère lisait mon journal, fouillait dans mes tiroirs, et maintenant c'est mon frigidaire. Alors j'ai fait poser un cadenas sur la porte de ma chambre et un autre sur celle de la cuisine. Et elle, elle a un cadenas sur la porte de sa chambre.

Voilà donc aujourd'hui deux femmes prisonnières l'une de l'autre dans la maison qu'elles partagent. Chacune dans son coin, elles attendent que la justice vienne trancher dans leurs disputes financières et décider de l'avenir de leur relation. Deux générations de femmes dont chacune se venge sur l'autre des pertes subies dans sa propre enfance. Chacune est une survivante du perfectionnisme et des punitions sévères de ses parents. Chacune cache derrière une porte fermée à clef sa nourriture, ses possessions, son cœur blessé.

Avant de la quitter, je demande à Irène si elle a pensé à profiter des consultations psychologiques gratuites qu'offrent certains organismes de services sociaux. Elle me coupe la parole avant que j'aie pu ajouter qu'elle pourrait en retirer un soutien affectif qui la soulagerait du stress qu'elle vit chez elle.

«Je n'en ai pas besoin, dit-elle vivement. C'est ma mère qui en a besoin, pas moi.» Elle se retourne pour entrer dans sa voiture, dont la banquette arrière est couverte d'enveloppes pleines de documents juridiques, dérisoires pièces à conviction de la rage et de la solitude de deux femmes, l'une âgée de soixante-deux ans et l'autre de quatre-vingt-cinq, liées par le vide affectif et la persécution réciproque.

9

L'absente

«Les souvenirs sont comme de petites pièces où l'on peut entrer et visiter ce qu'il y a dedans. Sur la porte de celle de ma mère, il y a un écriteau avec écrit en grosses lettres le mot «schizophrène» : je n'y entre presque plus maintenant. Quand j'ai appris qu'elle souffrait de maladie mentale, j'ai pleuré toutes les larmes de mon corps. Il fallait que je renonce à tout l'espoir que j'avais qu'elle serait jamais une mère normale. Peu importe ce que je pourrais faire pour lui venir en aide, la situation n'allait jamais s'améliorer. Je suis toujours très triste à l'idée qu'elle ne sera plus jamais là pour moi.»

Carole, vingt-neuf ans

Il existe une petite minorité de mères pour lesquelles la responsabilité de la maternité est tout simplement au-dessus de leurs forces. Ces mères représentent des versions exagérées de toutes les mères décrites jusqu'ici : elles poussent la dépendance, les critiques, le couvage et les persécutions jusqu'au point de non-retour.

L'Absente est une mère qui, pour un certain nombre de raisons, est incapable d'établir avec ses enfants le moindre lien.

«Les grandes douleurs sont muettes», dit le proverbe. Pour les enfants de l'Absente, la plus grande douleur est justement le silence de leur mère, qui peut prendre plusieurs visages (alcoolisme, folie, abandon). Dans tous les cas, l'enfant se sent complètement abandonnée car, affectivement, la mère est incapable de "parler" à son enfant.

Dans certaines situations, elle en est même matériellement incapable. Il s'agit ici d'une forme superlative de silence maternel : la Mauvaise Mère qui meurt au cours des premières années ou de l'adolescence de sa fille, la laissant éternellement seule dans les limbes d'une relation mère-fille inachevée.

Quand l'Absente devient mère, son passé renferme tant d'instabilité et de vulnérabilité que la majeure partie de sa sensibilité y a déjà sombré. Ses émotions sont si profondément enfouies qu'elle renonce à ses enfants pour battre en retraite et lécher ses blessures.

Contrairement aux Tortionnaires, ces femmes ont une excuse qui justifie leur «silence» et qui permet à leurs filles, plus tard, de comprendre, ne serait-ce qu'intellectuellement, que leur mère ne peut pas être blâmée de son comportement.

Car s'il existe une caractéristique commune à toutes les Absentes, c'est d'avoir été affectivement indisponibles pour leurs enfants. Ce manque de disponibilité peut prendre quatre formes différentes :

la mère psychotique;
la mère alcoolique ou toxicomane;
la mère insensible;
la mère décédée.

La mère psychotique

Ce n'est qu'à partir de l'âge de dix-huit ans que Carole, citée plus haut, a pu mettre un nom sur les épisodes psychotiques de sa mère.

Carole est née dans une région rurale du Québec. Quand elle avait dix ans, son père, qui travaillait pour une compagnie pétrolière, a été muté en Californie, puis s'est mis à s'absenter de plus en plus souvent pour le compte de son entreprise. Sa mère devait rester seule pendant des semaines entières à s'occuper de la maison et de sa famille. Elle n'était pas équipée pour ce genre de rôle : mariée à seize ans, elle avait déjà quatre enfants à son vingtième anniversaire. De plusieurs façons, elle était elle-même encore une enfant qui n'avait que très peu de force psychologique.

«L'enfance de ma mère n'a pas été une partie de plaisir, raconte Carole. Elle faisait partie d'une famille de dix enfants; il n'y avait jamais assez à manger pour tout le monde. Elle m'a déjà raconté que l'hiver, la neige entrait par les lézardes des murs de la maison familiale, au Québec. Mais c'est là qu'elle avait ses racines. Elle ne s'est jamais acclimatée à la Californie. Tout lui était étranger : la culture, la langue, les gens.»

Jusqu'à cette époque, elle n'a pourtant de sa mère que des souvenirs heureux, bien que, de son propre aveu, «je suis très douée pour me cacher la vérité». Sa mère était «obsédée par la propreté : elle passait son temps à astiquer les planchers et à laver les murs. Pourtant, elle savait aussi s'amuser : nos meilleurs moments se passaient autour de la table, quand elle faisait du pain, des biscuits et des gâteaux formidables. C'est peut-être pour cela que j'ai un problème de poids», ajoute Carole avec un petit sourire.

Mais deux événements tragiques vinrent ébranler pour toujours l'harmonie relative de la famille. Tout d'abord, le frère aîné de Carole fut tué à la guerre du Vietnam. Puis, quand elle eut dix-huit ans, son père fut opéré d'un cancer du poumon :

Ma mère s'est littéralement désintégrée. Elle est devenue un spectre ambulant. Elle ne s'habillait plus le matin, elle ne se coiffait plus, elle n'allait même plus voir mon père à l'hôpital; la vaisselle sale s'empilait dans l'évier. Elle restait assise devant la télévision à regarder la mire comme si c'était une manifestation surnaturelle. Elle disait qu'elle recevait des messages en code de mon frère, qu'il était en mission secrète et qu'il n'était pas vraiment mort.

Carole emmena sa mère consulter un médecin qui annonça qu'elle devait être internée. «J'étais terrifiée, raconte Carole, parce que je ne savais pas ce qui allait se passer. Je ne savais pas si elle allait jamais revenir à la vie. Le pire aspect de tout le processus de la faire admettre à l'hôpital psychiatrique a été quand les médecins m'ont dit : "Ne venez pas la voir. Nous vous appellerons quand vous pourrez lui rendre visite."»

En parlant de sa famille, Carole se remémore les années qu'elle a passées au Québec. Certains pans de son enfance semblent lui revenir à la mémoire. Elle se rappelle que sa mère s'enfermait dans sa chambre pendant des heures; que, comme sa mère avait une phobie de la conduite automobile, elle allait une fois par mois avec son père acheter des quantités énormes de nourriture;

que dans l'album de famille, toutes les photos où apparaît Carole la montrent à côté de sa mère, en larmes.

Ma mère et moi, nous avions des conversations bizarres : elle me racontait que mon père était communiste ou qu'il avait une maîtresse. Je marchais constamment sur des œufs. Je me souviens qu'une année, à l'école secondaire, j'ai échoué dans toutes les matières, sans exception. Je ne pouvais pas lui parler de quoi que ce soit : elle vivait dans son monde à elle, hors d'atteinte. Elle avait des fantasmes paranoïaques. Je ne savais pas qu'elle avait un problème. Je ne pouvais que m'éloigner d'elle.

Aujourd'hui, Carole vit sur la côte Est des Etats-Unis, où elle travaille dans une agence de voyages. Une fois par an, elle prend l'avion pour aller en Californie voir sa mère, qui vit dans un état de terreur telle qu'elle ne quitte jamais la petite maison où elle vit en compagnie de la sœur de Carole. «Je repars toujours avec un affreux sentiment de tristesse, avoue Carole; le sentiment de laisser derrière moi quelque chose d'inachevé. Nous n'avons pas de relation parce qu'il n'existe aucun remède pour sa maladie. Elle ne peut rien faire pour s'en sortir. Elle n'a pas de vie. J'ai beaucoup lu sur la schizophrénie, mais cela n'arrange rien. Je me sens moins seule, c'est tout.»

C'est ce genre de mère Absente que les spécialistes décrivent comme étant "affectivement indisponible". Détachée de ses enfants, barricadée derrière sa dépression, elle est incapable de les consoler, de leur donner de l'affection quand ils sont malheureux ou même de réagir à l'amour que lui manifestent ses enfants. Elles sont murées derrière un rempart de silence.

La mère toxicomane

Cette catégorie de mères Absentes est la plus nombreuse et la plus complexe, car elle comprend une grande quantité de gens souffrant de dysfonctions diverses.

Lorsqu'une famille est affectée par l'alcoolisme ou la toxicomanie, elle est souvent affligée également de violence de la part du père envers la mère et d'abus physiques et sexuels sur les enfants. Quand la violence se manifeste, c'est souvent dans une soudaine éruption de rage induite par la substance qui est en cause, mais pas toujours. Dans bien des cas, le comportement alcoolique se limite à l'ivresse et à ses compagnes : négligence et mélancolie.

Marion, quarante ans, programmeuse en informatique, est la fille unique de deux parents que l'alcool a fini par tuer. «Ma mère a passé sa vie dans une espèce de brouillard, raconte-t-elle. Sa présence était complètement amorphe; je ne me souviens d'aucun détail net de sa personnalité.»

Sa mère, douée dans sa jeunesse d'une beauté hors du commun, était partie à Paris étudier les Beaux-Arts; elle voulait devenir peintre. Elle y rencontra «un saltimbanque : mon père, d'une intelligence exceptionnelle, aspirait à devenir écrivain. Il la fascinait littéralement. Mais il était très distant et complètement irresponsable.» Ils se marièrent et se mirent à mener dans un petit appartement du Quartier Latin une vie plutôt excentrique, rendue plus précaire encore par le salaire de misère que gagnait le père de Marion en publiant de maigres volumes et en donnant des cours de français.

«Je ne sais pas comment il faisait pour garder ses emplois, raconte Marion : il avait toujours besoin d'un certain niveau d'alcool dans son sang pour ne pas trembler violemment. Ma mère et lui, ils mettaient du cognac dans leur café du matin.»

Pourtant, quand Marion rentrait de l'école, sa mère était toujours à la maison pour lui demander comment elle avait passé la journée. «C'était charmant : j'avais toujours l'impression qu'elle m'attendait à ne rien faire jusqu'à ce que je rentre de l'école. Je croyais qu'elle voulait être là pour moi… mais en fait, c'était le contraire.»

Les familles alcooliques ont souvent une histoire d'abus d'alcool qui remonte à plusieurs générations. C'était vrai dans le cas de la famille de Marion : sa grand-mère maternelle était alcoolique, tout comme le père et tous les frères et sœurs de son père. Il a fallu des années à Marion pour se rendre compte de cet aspect de leur maladie.

La famille alcoolique est liée par des pactes tacites, parmi lesquels le principal exige que l'on ne parle jamais à qui que ce soit de ce qui se passe dans la famille. «C'est ma mère qui m'a enseigné les règles du jeu, explique Marion : N'aime personne en dehors de la famille; ne t'attache à personne d'autre que moi, parce que cela me détruirait.»

C'est ainsi que Marion fut emportée par le courant de honte et de culpabilité lié à l'alcool : son père réprimandait sa mère lorsqu'il la trouvait sans connaissance à son retour, lui reprochant de ne plus être que l'ombre de ce qu'elle était avant leur mariage. Sa mère, quant à elle, mettait sur le compte de l'alcoolisme de son mari le fait qu'elle était si malheureuse qu'il ne lui restait qu'à boire, elle aussi. Marion était déchirée entre ses deux parents.

Quand je me levais la nuit pour aller à la salle de bains, je la trouvais sans connaissance sur le divan du salon. J'épiais sa respiration pour être sûre qu'elle vivait toujours, puis je la recouvrais d'une couverture. Mon père, lui, était dans leur chambre, ivre mort. Depuis mon plus jeune âge, j'ai reçu comme message que j'étais si sage, si grande, si bonne qu'elle n'avait jamais besoin de s'inquiéter pour moi. Elle disait qu'elle m'admirait. Une fois, je lui ai posé le genre de question que posent les enfants: "Qu'est-ce que tu ferais si je me noyais ?" Je croyais qu'elle allait répondre : "Bien sûr que je te sauverais, ma chérie." Mais elle a dit : "Je me noierais avec toi."

Bien que l'enfance de Marion ait été très précaire et d'une tristesse intolérable, elle n'a pas été victime de violence physique. Mais ce n'est pas le cas de Léa, une assistante sociale de trente-huit ans dont la mère était elle-même une femme battue.

Aînée d'une famille de cinq enfants, Léa a grandi dans un manoir situé à Westmount, un quartier très chic de Montréal. Son père avait hérité d'une fortune qui se chiffrait en millions de dollars et qu'il gérait depuis un bureau situé dans un édifice prestigieux du quartier des affaires. Sa mère, qu'il avait épousée quand elle avait dix-huit ans, venait elle aussi d'une famille très riche et avait pratiquement été élevée par la femme de ménage. «On m'a raconté qu'à l'âge de six ans, ma mère ne savait même pas se servir d'une fourchette : elle a dû être horriblement négligée», raconte Léa. Puis, revenant à l'alcoolisme de ses parents, elle remarque avec un sourire désabusé : «La différence entre boire en société et prendre une cuite, c'est l'argent. Mes parents ne buvaient qu'en société... de dix heures du matin à dix heures du soir.»

Elle croit que si sa mère buvait, ce n'est pas seulement à cause de son enfance malheureuse, mais également parce qu'elle était très seule : son mari ne rentrait pratiquement jamais avant dix heures du soir; il mangeait presque tous les soirs en compagnie de ses associés ou de ses copains. «Elle avait tous ses enfants pour lui tenir compagnie», ajoute Léa. Chaque enfant fut ainsi materné jusqu'à l'âge d'environ deux ans, puis, quand il se mettait à faire preuve d'un esprit de contestation tout à fait normal, la mère de Léa perdait tout intérêt pour lui :

Vous ne croiriez jamais tout ce qu'une jeune enfant peut faire quand elle n'a pas le choix. Quand j'avais quatre ans, mon travail consistait à préparer le café, puis à le lui monter dans sa chambre. Un jour, je suis tombée dans l'escalier et le café brûlant s'est répandu sur moi. J'ai eu des brûlures au troisième degré. Après cela, c'est ma sœur qui a hérité de ma tâche. Elle avait trois ans.

Mais les blessures de son enfance ne faisaient que commencer. Son père ne leur permettait pas de manger en son absence; il s'écoulait parfois deux jours entiers où les enfants ne mangeaient rien. Mais il lui arrivait parfois d'être de bonne humeur quand il rentrait du bureau. Il se mettait alors à «jouer» avec ses enfants : il les faisait allonger sur le plancher, puis leur jetait des allumettes enflammées, promettant dix dollars à celui ou celle qui ne broncherait pas.

Ma mère nous regardait, assise dans un fauteuil, et tout allait bien, puisque son mari était heureux et que ses enfants riaient : toutes nos réactions étaient bizarres. D'autres fois, toujours assise dans un fauteuil, elle le regardait nous battre comme plâtre. Si nous n'étions pas là, c'est elle qu'il battait. Si jamais quelqu'un s'en est rendu compte (il faisait très attention de ne pas laisser de marques), personne n'est jamais intervenu. Nous, nous n'en avons jamais parlé à personne. Il ne faut pas oublier que nous faisions partie de la "bonne société". Ma mère n'est jamais allée chercher de l'aide, ni pour elle, ni pour nous. Il fallait préserver les apparences.

Selon Sharon Wegscheider, qui fait autorité en matière d'alcoolisme, l'alcoolique noie dans une mer d'alcool son angoisse et son sentiment d'abandon. Malheureusement, les sentiments positifs comme l'amour et la compassion, c'est-à-dire les émotions sur lesquelles se fondent les relations humaines, se retrouvent noyées avec le reste.

La mère de glace

Dans son livre *Every Child's Birthright*, la psychologue Selma Fraiberg plaide de manière éloquente pour la masse croissante d'enfants qui, victimes de la société, grandissent dans la misère affective, économique et psychologique. Si les parents de ces enfants sont incapables de former avec eux des liens affectifs aimants, c'est qu'ils n'en ont eux-mêmes jamais connus dans leur enfance. Elle appelle cette calamité «la maladie du non-attachement».

«Lorsqu'on rencontre ce genre de personne en chair et en os, écrit-elle, on a une sensation presque palpable de décalage, de distance, d'absence de contact. [...] Il n'y a ni joie, ni peine, ni culpabilité, ni remords.» Du fait de leur manque total de capacité à former quelque forme de lien que ce soit, ces gens ne sont ni psychotiques au sens médical du terme (bien qu'on en compte parmi les effectifs des hôpitaux psychiatriques), ni névrosés. Ils sont en quelque sorte en faillite morale et affective.

Bien que beaucoup des femmes et des hommes décrits par la D^re^ Fraiberg soient des habitués des quartiers à taudis et des registres de la police (d'après elle, les gens qui tuent sans raison apparente appartiennent à cette catégorie), ils ne viennent pas tous des couches défavorisées de la société. Ni Hedda Nussbaum, ancienne éditrice de livres pour enfants à New York, ni son amant, l'ancien avocat Joel Steinberg, qui a été rayé du Barreau américain, ne venaient de familles défavorisées. Pourtant, il a matraqué à mort la petite Lisa, leur fille illégalement adoptée. Leurs vies s'étaient progressivement enfoncées dans un tourbillon de drogue, de paranoïa, d'abus révoltants envers leur enfant et de sauvagerie inouïe.

L'enfance d'Isabelle a elle aussi été marquée par une horreur de bonne famille. Elle aussi a grandi dans une famille riche, mais sa mère n'était intoxiquée ni à l'alcool, ni aux drogues. C'est une autre maladie qui a anéanti l'enfance d'Isabelle : l'inceste.

Sa mère avait subi l'inceste de la part de son propre père et de son grand-père, et la grand-mère d'Isabelle n'avait rien fait. Dans l'inévitable contagion causée par la répétition des scénarios de l'enfance, la mère d'Isabelle épousa ensuite un homme qui allait violer sa fille de façon répétée pendant toute son enfance.

Quelque part au cours de sa propre enfance, la mère d'Isabelle avait perdu toute capacité de ressentir la douleur des autres et même de croire à l'évidence qu'elle avait sous les yeux. On aurait dit qu'au cours de son enfance, en même temps qu'elle avait perdu de façon si horrible sa dignité, elle avait été excisée de tout vestige de compassion humaine normale. Elle était alors devenue une réplique exacte de sa propre mère. Comme le raconte Isabelle :

Ma mère déteste sa mère parce qu'elle n'a jamais empêché son père de faire quoi que ce soit. Ma grand-mère avait toujours une excuse pour son mari; elle n'a jamais rien vu de mal dans ce qu'il faisait. Qu'il mente, qu'il la trompe, qu'il vole, qu'il viole sa fille, peu importe : elle l'a toujours défendu. A ses yeux, il incarnait la perfection. Il était le Bon Dieu en personne.

Isabelle, qui était l'aînée de quatre filles, devint la protectrice de ses petites sœurs. Tant qu'elle subissait les outrages de son père, elles semblaient en être épargnées. Si elle n'avait jamais parlé à personne de l'inceste qu'elle subissait, c'est que le jour où elle l'avait menacé d'en parler, il l'avait prévenue qu'il la tuerait. Mais quand elle fut en âge de quitter la maison pour poursuivre ses études, elle se rendit compte que la deuxième des filles était vouée à subir la même invasion nocturne de son lit et de son corps. C'est alors qu'elle décida de mettre sa mère au courant de l'inceste qu'elle avait enduré pendant toutes ces années.

Je lui ai dit que la seule raison pour laquelle je venais la trou-

ver, c'était pour protéger ma sœur et qu'il fallait qu'elle fasse quelque chose. Ma mère était en robe de soirée; elle se préparait à partir pour une soirée de charité prestigieuse. Moi, je pleurais toutes les larmes de mon corps, tellement j'étais bouleversée à l'idée de lui apprendre ça. Elle m'a dit d'une voix si glaciale que j'en frissonne encore : "Est-ce que tu te rends compte de ce que tu est en train de faire à mon mariage ?" Et elle est sortie. Elle, elle n'a jamais été victime de la violence de mon père. C'est parce qu'elle sait parfaitement bien comment s'arranger pour que ce soit ses filles qui la subissent à sa place. Elle n'a qu'à le laisser faire.

La mère morte

Pour n'importe quel enfant, la mort de l'un des deux parents est une perte si totale que le vide laissé dans sa vie demeure à jamais une plaie ouverte. La fille littéralement abandonnée par sa mère décédée subit à peu de chose près le même sort que sa mère: du point de vue de la fille, rien ne ressemblera jamais autant à l'abandon qu'elle subit que la mort elle-même.

Néanmoins, un grand nombre d'enfants dont la mère est morte prématurément finissent par émerger de leur terrible deuil avec leurs facultés d'amour et d'espoir à peu près intactes — à condition que lors de son vivant, leur mère ait eu avec eux une relation affectueuse et sécurisante. Mais si la relation était ambivalente ou malheureuse, l'enfant se retrouve déchirée entre la peine et la colère. Dans ce cas, la fille qui perd sa mère tôt dans sa vie est condamnée à vivre perpétuellement dans les limbes d'une relation suspendue, comme une symphonie inachevée. Il ne lui reste que le douloureux héritage d'une féminité qu'elle doit modeler sur un souvenir et d'une séparation qu'elle doit effectuer à partir de la personne qui, bien que sans le vouloir, l'a totalement abandonnée.

Pour se définir elle-même, elle n'a pas d'autre recours que de puiser dans le mythe et les théories, dans les faits comme dans ses fantasmes. Si elle en veut à sa mère de l'avoir abandonnée avant que la tension de leur relation ait pu être résolue par le temps et la compréhension mutuelle, sa vie sera toujours en forme de point d'interrogation.

L'enfance de Francine a été marquée par ce genre de perte. Avant sa naissance, sa mère avait eu deux fausses couches. Après sa naissance, elle accoucha de trois autres bébés morts-nés. Même si elle adorait sa mère, elle était dans une situation intenable. «Je n'avais aucun moyen de remplacer tous ces bébés morts, dit-elle. J'étais condamnée à décevoir constamment ma mère. J'étais vouée à l'échec.»

La mère de Francine était une Mère poule. «Dans les périodes difficiles, elle était merveilleuse. Quand j'étais malade, elle me soignait avec une ténacité et une anxiété incroyable. Mais dès que j'étais guérie, elle était épouvantable. Si j'oubliais son anniversaire, elle disait que c'était sûrement Dieu qui l'avait punie en lui envoyant une fille aussi égoïste et sans-cœur. Quand je suis entrée dans la puberté et que je me suis mise à vouloir vivre ma vie et à la défier, elle a vraiment eu beaucoup de mal.»

Quand Francine avait quinze ans, sa mère est morte brutalement d'une rupture d'anévrisme. Maintenant âgée de quarante-quatre ans, heureuse de son mariage et mère de trois enfants adultes, Francine peut plaisanter sur l'anxiété qui, selon elle, est l'héritage de ce qu'elle n'a pas réglé de son enfance : «J'ai toujours eu peur de *tout*. C'est une victoire pour moi de me lever le matin.»

Quand sa mère est morte, leur relation complexe est entrée dans un état d'hibernation éternelle accentuée par le fait que Francine a avec son père une relation à peu près inexistante, car c'est un homme froid, sévère et distant.

Ma mère est morte beaucoup, beaucoup trop tôt, pour elle comme pour moi. Quand je me suis mariée, si vous saviez comme j'ai regretté qu'elle ne puisse pas être là. Quand ma fille a été admise à l'université, j'ai tellement regretté de ne pas pouvoir l'appeler pour le lui annoncer; elle aurait été si fière.

Personne ne m'aimera jamais autant que ma mère : c'est une arme à double tranchant. Elle voulait être mon amie; moi, j'avais besoin d'une mère.

La mère de Francine est morte au moment même où la plupart

des mères et des filles entreprennent de renégocier leur relation pour passer de l'état de dépendance de la fille à sa maturité et à leur séparation. Un pied dans la porte, Francine est toujours en train de franchir le seuil affectif de son autonomie, comme si la pendule s'était arrêtée à la mort de sa mère, il y a vingt-neuf ans.

Les relations ont toutes un ordre du jour, et je n'ai pas fini le mien avec ma mère. Je suis terriblement en colère contre elle, et en même temps, elle me manque atrocement. Il y a une saison pour chaque chose, et je n'étais pas mûre pour la perdre. Je n'aurais jamais imaginé toutes les répercussions qu'aurait sa mort dans ma vie. J'avais toujours cru qu'il viendrait un temps où nous aurions l'occasion de régler beaucoup de choses ensemble. Mais nous n'avons pas eu le temps. Je n'ai jamais eu le choix de me séparer d'elle, je n'ai pas pu le faire à mon rythme. Je n'ai jamais pu atteindre un état d'équilibre avec elle. Depuis sa mort, on dirait que je suis suspendue dans le temps. Si elle revenait aujourd'hui, je lui dirais : "Je ne comprends pas pourquoi je te décevais tant, parce que j'étais une bonne enfant. Veux-tu bien m'expliquer ça?"

Lily Singer, qui fait autorité en matière de deuil, décrit ainsi le fardeau de ce genre de situation :

Si la fille n'a pas eu le temps de résoudre son ambivalence avant la mort de sa mère, c'est très dur pour elle parce qu'elle ne peut rien réparer, rien revivre, rien recommencer. Elle n'a pas obtenu ce dont elle avait besoin, à l'époque où elle en avait le plus besoin, de la part de la personne qui l'a mise au monde.

Pour résoudre les problèmes qu'on a eus avec un parent, il vaut mieux que ce parent soit encore en vie. Sinon, s'il ne vit que dans nos souvenirs, la douleur que l'on éprouve se change en rancœur qui risque d'être reportée sur les autres.

Le deuil, finalement, consiste à faire la paix avec les émotions que l'on éprouve pour la personne disparue. Si l'on vivait avec l'espoir de tout régler un jour avec sa mère, de l'entendre avouer un jour son amour pour nous, même cela, on l'a perdu. La fille vit le reste de sa vie avec la douleur de ne pas avoir sa mère à ses côtés pour l'accompagner durant sa croissance.

L’héritage de l’Absence

Dans une famille instable, l’équilibre est souvent préservé lorsqu’un des membres “absorbe” l’anxiété pour tous les autres; cette personne devient une sorte d’agneau du sacrifice dont la fonction est de protéger un semblant d’ordre, même si “l’ordre” à protéger coûte horriblement cher à toute la famille. L’Absente prend ce rôle soit en devenant glacée intérieurement, soit en devenant une éponge docile; elle se protège en plongeant dans la toxicomanie ou dans la désintégration de sa personnalité.

«La façon dont une personne tente de compenser la perte de son Moi au profit de son système de relations, écrivent les psychiatres Kerr et Bowen, peut jouer un rôle déterminant dans l’évolution d’une maladie physique, affective ou sociale. [...] La psychose et la dépression chronique peuvent donc être vues non seulement comme des maladies, mais comme des *symptômes* d’un renoncement à soi excessif.»

Dans un certain sens, toutes les Absentes sont hors d’atteinte pour leurs enfants, et cette indisponibilité fait d’elles des mères abusives, même si elles n’ont jamais fait mal à leur enfant sexuellement ou physiquement, même si elle n’ont jamais été toxicomanes.

Prenons, par exemple, une Absente qui ne boit pas, mais mariée à un alcoolique. Comme nous l’avons vu plus haut, elle est une Habilitante qui permet à son conjoint de continuer à boire grâce aux excuses qu’elle lui fournit et à son aveuglement. Pour survivre, elle risque d’adopter plusieurs des caractérisques de son conjoint, y compris, écrit la D[re] Wegscheider, «la négation. L’erreur la plus tragique, c’est l’incapacité de l’Habilitante à percevoir le pouvoir qu’elle a de changer les choses.» L’alcoolique comme l’Habilitante font taire tout à fois leur conscience, leurs émotions et leur capacité d’assumer leur souffrance.

Selon une étude britannique, c’est chez les enfants de parents psychologiquement indisponibles que l’on trouve «la plus grande quantité de troubles du comportement. [...] Les effets de l’indisponibilité psychologique sur le développement de l’enfant sont aussi graves que ceux des mauvais traitements ou de la négligence.»

Portrait d'une Absente

Quand Marthe m'a ouvert la porte de sa très belle maison cachée dans un parc, par un bel après-midi de juillet, je n'ai pas pu m'empêcher de sursauter : Marthe est une journaliste bien connue, correspondante régulière à la télévision, et dont j'ai lu et admiré les livres. C'est l'une de mes amies qui s'occupe de toxicomanie qui m'a mise en contact avec elle, mais elle ne m'a rien dit de Marthe, sauf son nom de femme mariée et qu'elle acceptait d'être interviewée pour les besoins de mon livre.

«Mais je vous connais !» lui dis-je alors qu'elle m'emmène derrière la maison et que nous nous installons sous l'ombre fraîche d'un chêne centenaire.

Elle m'annonce que son prochain livre, sur lequel elle est en train de travailler, portera sur l'alcoolisme. Je ne peux réprimer ma curiosité : je croyais qu'elle voulait seulement me parler d'une relation difficile avec sa mère. Elle me dit alors que la relation était plus que “difficile” : ses deux parents étaient alcooliques. Elle aussi, dit-elle en soutenant mon regard; c'est un détail de sa vie privée qui, avec la parution de son livre, sera rendu public pour la première fois.

«Alcoolique *en voie de guérison*», se corrige-t-elle aussitôt avec un petit sourire en faisant allusion à cinq ans d'une consommation d'alcool intense qui a mis fin à sa carrière à la télévision, il y a de cela dix ans. Elle a aujourd'hui cinquante ans.

Comme la plupart des enfants d'alcooliques que j'ai interviewées, Marthe est issue d'une famille nombreuse : elle est la plus jeune de quatre enfants. Le père de Marthe, qui était comptable, n'était pas violent, mais sa mère l'était.

«Pendant toute mon enfance, j'ai ignoré qu'elle était alcoolique», raconte Marthe. Sa mère ne buvait que lorsqu'elle allait à une réception. On ne parlait jamais des conséquences de sa consommation d'alcool, même les plus chaotiques. Une nuit, Marthe a regardé sa mère briser sur le carrelage chaque assiette de l'armoire de la cuisine, puis arracher l'armoire du mur et sauter dessus jusqu'à ce qu'elle soit en morceaux. Personne ne fit même allusion à l'événement, ni sur le coup, ni plus tard. «On aurait dit que cela n'était jamais arrivé.»

Sa mère changeait d'humeur constamment. «Une minute, elle était adorable, et la minute d'après, elle devenait démoniaque.» Une fois, elle attacha Marthe et son frère au pied de l'évier de la cuisine et partit chercher une voisine pour en rire avec elle. «Ma mère trouvait cela très drôle», ajoute Marthe.

Elle fait remonter la toxicomanie de sa mère à sa fuite de l'Allemagne nazie à l'âge de dix-neuf ans. Sa mère arriva seule aux Etats-Unis en 1936, sans amis, sans argent, sans aucune connaissance de l'anglais. «On dit que les Juifs ne boivent pas, dit Marthe. Mais ma mère le faisait. Je crois que c'était pour noyer le désespoir qu'elle éprouvait d'avoir perdu toute sa famile dans l'Holocauste.»

Comme bien des enfants d'alcooliques, poussée par sa nature énergique et extravertie, Marthe devint ultra-performante. Vers la fin de ses études primaires, elle eut la chance de trouver une protectrice en la personne de son institutrice. «Elle s'intéressait à moi... elle disait que c'était parce que j'étais douée pour l'écriture, mais je soupçonne qu'elle avait deviné ce qui se passait à la maison.» Marthe restait après la classe presque tous les après-midi pour aider son institutrice à laver les tableaux noirs ou pour parler de ses devoirs. Il arrivait que l'institutrice l'emmène prendre une petite collation avant de la raccompagner chez elle. «Je crois qu'elle m'a sauvé la vie : elle me faisait sentir que je comptais pour elle.»

«J'ai beaucoup d'ambition, et j'ai passé toute ma vie à courir après le succès pour tenter d'effacer mon passé, poursuit-elle. J'ai eu des occasions en or... et puis j'ai tout gâché.»

A l'âge de vingt-cinq ans, elle signait la chronique criminelle d'un grand quotidien. Elle épousa un homme doué de grandes qualités de cœur, qui ne pouvait s'empêcher de s'inquiéter pour elle lorsqu'elle plongeait dans des situations dangereuses pour ses reportages. A trente ans, elle eut une fille. A trente-cinq ans, elle était correspondante pour la télévision.

«Je jonglais avec plein de rôles différents : la journaliste qui remportait des prix, la mère parfaite, l'épouse parfaite, l'hôtesse parfaite, l'amie parfaite, dit-elle. Le mot-clé, ici, c'est "parfaite". Tout le monde échoue de temps en temps, et j'en avais plus le droit que d'autres, étant donné mes origines. Mais j'étais persuadée qu'il fallait que je sois plus parfaite que tout le monde.»

Incapable d'atteindre la perfection qu'elle exigeait d'elle-même, elle se mit à boire. Quand sa fille n'était encore qu'un bébé, elle était tellement convaincue qu'elle était incapable de s'en occuper qu'elle appelait le pédiatre deux et même, parfois, trois fois par jour. Plus elle buvait, plus elle se sentait incapable et désespérée. Elle se mit à arriver en retard au travail; d'autres correspondants devaient la remplacer au pied levé. Finalement, trop soûle pour aller travailler, elle fut renvoyée.

Mais là où elle a le plus échoué, dit Marthe, c'est dans sa relation avec sa fille.

La souffrance et l'égocentrisme qui accompagnent l'alcoolisme sont tellement personnels qu'il est impossible de les partager avec les gens qu'on aime. On ne peut pas les leur faire comprendre, naturellement, alors dans un certain sens, on les abandonne. Dans mon cas, je les abandonnais dans la dépression, l'alcool et le sommeil. Je me regardais devenir comme ma mère. C'était horrible, et je ne pouvais rien faire pour m'arrêter.

Avec l'aide et l'encouragement de son mari, Marthe a appris à comprendre sa mère, dit-elle, en s'inscrivant à un programme de réhabilitation et en entrant dans les Alcooliques Anonymes. Bien qu'il lui ait fallu plusieurs années supplémentaires de thérapie et de douloureuse introspection avant de pouvoir cesser de boire pour de bon, elle est maintenant sobre depuis six ans. Durant ce temps, elle a abandonné le mode de pensée magique qui l'avait poussée à boire :

Quand j'étais enfant, j'aurais fait n'importe quoi pour maintenir la paix : je tenais lieu de parent, j'appelais le bureau de mon père quand il était trop soûl pour aller travailler. Je pensais : "Si seulement je pouvais être encore plus sage, ils changeraient et tout irait mieux." Mais j'aurais pu être sage jusqu'au Jugement Dernier et rien n'aurait changé, parce qu'ils n'allaient pas chercher de l'aide. C'est épuisant de traîner toute cette colère derrière soi. C'est comme une énorme valise qu'on peut à peine soulever et qu'on traîne partout avec soi. Jusqu'à ce que quelqu'un finisse par dire : "Tu peux lâcher ce fardeau maintenant. Tu n'en as pas besoin. Tout ce que tu as à faire, c'est ouvrir les mains et le laisser tomber." Mes parents en étaient incapables. Moi, j'ai eu la chance de pouvoir le faire.

Marthe a parlé de tout cela avec sa fille, qui a maintenant vingt-et-un ans. Ensemble, elles sont allées consulter : sa fille est entrée dans un groupe de soutien pour enfants de parents alcooliques nommé Al-Anon. «Aujourd'hui, nous avons une relation formidable, dit-elle, les larmes aux yeux. J'ai essayé de me racheter. Je lui ai demandé pardon pour toutes les années perdues. J'en ai pris l'entière responsabilité, et je crois qu'elle m'a pardonné.»

Marthe, elle aussi, a pardonné à sa mère. La dernière fois qu'elle l'a vue, peu avant sa mort survenue il y a un an, elle était dans un foyer d'accueil. Sa conscience avait été engloutie par la psychose. «Elle ne m'a pas reconnue du tout, raconte Marthe d'une toute petite voix. Sa vie a été si triste, et sa mort aussi. C'est la relation la plus complexe de toute ma vie. Mais moi, au moins, j'ai été aimée. Elle, je ne crois pas qu'elle se soit jamais sentie aimée.»

Le lendemain de l'enterrement, Marthe, envahie par une douleur à laquelle elle ne s'attendait pas, est retournée voir son thérapeute. «J'étais stupéfaite d'être si affectée par sa mort : je croyais que c'était derrière moi, tout ça. Je lui ai dit : "Pourquoi est-ce que j'ai si mal ? Pourquoi est-ce que j'ai l'impression de l'avoir trahie ?

— Ce n'est pas vous qui l'avez trahie, m'a-t-il répondu, c'est elle qui vous a trahie. Mais vous, vous avez eu le courage de ne pas vous trahir."»

Acronyme de White Anglo-Saxon Protestant: Blanc, Anglo-saxon et protestant, c'est-à-dire la culture dominante américaine. (NDT)
La génération du Moi. (NDT)
Tiré d'une entrevue avec le Dr David Lykken.
Étude publiée par les Drs Ellen Farber et Byron Egeland.

Troisième partie

La rébellion

10

Les funambules

«Il paraît que quand on choisit un mât pour un voilier, il doit venir d'un arbre qui n'a pas été exposé à des vents forts venant tout le temps de la même direction, parce qu'un arbre de ce genre peut pousser très haut, mais jamais tout à fait droit. C'est la même chose avec les gens. On grandit comme on peut, mais on lutte constamment contre quelque chose qui s'est passé quand on était très jeune. On a beau faire un grand bout de chemin, on n'arrive jamais à s'en débarrasser complètement : on reste toujours un peu déformée.»

Jeannette, quarante-et-un ans

L'une des grandes idées fausses de notre époque est celle qui veut qu'à l'âge magique de dix-huit ans, la vie d'une personne prenne sa tournure définitive, que tous ses rêves soient cristallisés et qu'elle soit prête à laisser son enfance derrière elle pour affronter le monde des adultes. Tout en nous poussant hors du nid familial, le monde entier semble dire : *Voici venu le jour où ton vrai moi peut enfin ouvrir ses ailes; envole-toi.* A en croire ce mythe, tout ce qui nous manque, c'est l'expérience. Mais en réalité, il manque autre chose à beaucoup d'entre nous : un passeport psychologique pour l'âge adulte.

Même la fille qui a eu une mère aimante et positive peut trouver que le passage à l'âge adulte est plus difficile que prévu. Premièrement, le cours de sa vie risque souvent de se démarquer de façon radicale de ce que vivait sa mère à son âge. Deuxièmement, elle a alors la possibilité de devenir elle-même mère.

Comme elles sont loin de la plupart des mères de la génération des aînées, nos incursions dans le territoire des carrières réservées aux hommes, nos revendications féministes d'être enfin considérées comme autre chose que des bibelots et des reproductrices !

Même si nous suivons ses traces et que nous choisissons de rester à la maison, la mère qui a calmement subi nos crises d'adolescence et qui a su apprendre à lâcher prise sur notre vie peut se sentir bousculée quand nous devenons mères à notre tour. Notre maternité éveille en elle l'écho nostalgique de son rôle maintenant révolu et de l'époque où elle était elle-même la mère de jeunes enfants. *Elle meurt d'envie de reprendre ce rôle.*

Grâce à l'amitié qu'elle a sans doute établie avec nous, de femme à femme, elle a pu se sentir dédommagée de n'être plus indispensable. Mais maintenant que nous élevons des enfants, elle a la possibilité de reprendre le rôle de la mère. Si elle ne peut plus nous avoir comme enfant, *elle peut au moins rallumer la flamme de son autorité maternelle en tant que grand-mère* et nous dire comment remplir notre rôle. C'est là que même une relation pratiquement sans tension risque fort de devenir difficile.

Pour être juste, les filles contribuent beaucoup au retour de leur mère à son rôle traditionnel. Il faut tenir compte du fait que même dans la vingtaine, on n'est pas souvent aussi adulte qu'on aimerait bien le croire. L'adolescence prolongée est une conséquence inévitable du phénomène du Baby Boom. De plus en plus, les femmes retardent leur émancipation en prolongeant leurs études universitaires et en reportant à plus tard la décision de se marier et d'avoir des enfants.

Parallèlement, à cause de l'augmentation du coût de la vie, un nombre croissant de jeunes adultes retournent vivre chez leurs parents : c'est ce qu'on a appelé aux Etats-Unis la “génération boomerang”. Ceux qui s'en abstiennent font néanmoins appel à leurs parents pour obtenir un soutien financier dans les périodes difficiles.

«Le processus de la séparation affective prend beaucoup plus de temps qu'on ne l'aurait cru au départ, dit la Dre Jane Abramson. Beaucoup de femmes ne résolvent pas vraiment les questions de séparation avant d'avoir atteint la quarantaine. Dans le monde du travail, on voit beaucoup de “petites filles” qui réussissent brillamment dans leur carrière, mais qui n'ont toujours pas fini de grandir.»

Mais qu'advient-il des filles que leur mère a *toujours* eu du mal à laisser grandir ? Leur "manuel de vol" souffre de graves lacunes, dont la principale est que leurs efforts infructueux pour se séparer de Maman les maintiennent prisonnières de leur passé. Pour elles, devenir adultes ressemble à faire de l'équilibre sans filet sur une corde raide. Posant timidement un pied après l'autre, elles puisent dans les seules directives qu'elles aient jamais reçues: *ce que Maman veut qu'elles soient.*

Ce sont les funambules de la vie : faisant tout ce qu'elles peuvent pour ne pas être déséquilibrées par les carences de leur enfance, elles avancent lentement vers le refuge que leur offre la plate-forme de leur identité d'adulte. Certaines y réussissent; d'autres, incapables de risquer la traversée, repartent en arrière vers leur point de départ. D'autres encore s'arrêtent à mi-chemin, luttant contre les bourrasques de leur passé, battant des bras pour retrouver l'équilibre. Quelques-unes d'entre elles perdent pied et tombent dans le vide.

Le prix que paye l'enfant "inacceptable", c'est de n'avoir aucun sens de son identité propre : elle ne se connaît qu'en relation avec sa mère. Elle est toujours aux prises avec son "moi factice", son interprétation de ce que sa mère voulait qu'elle soit. Son "Moi réel" (sa nature génétique, sa personnalité authentique) est enfoui profondément, et avec lui, ses talents, ses besoins, ce qu'elle aime et aussi ce qu'elle n'aime pas.

Balayées par le courant de la désapprobation maternelle, certaines filles s'obstinent dans leurs efforts frénétiques pour être à la hauteur coûte que coûte. D'autres évitent la compagnie de leur mère, mais restent reliées à elle par le cordon de la colère, prises dans le filet de l'ambivalence, suspendues au gibet de ses manipulations.

Qu'elles restent collées à leur mère ou qu'elles cherchent le salut dans la fuite, ces filles restent prisonnières de leurs *réactions.* La plupart de leurs décisions sont prises à travers la grille de l'éternelle question inconsciente : est-ce que Maman approuverait ce que je fais ?

Sans le gyroscope que représentent la confiance de leur mère et son amour inconditionnel, elles n'ont pour guide que le sentiment obsessif d'être *encore* dans le tort et de ne pas pouvoir s'en sortir toutes seules. Sous le masque de la femme, même la plus compétente, la plus agressive et la plus forte, se cache souvent une petite fille qui pose toujours la même question : «Est-ce que quelqu'un m'aime pour ce que je suis ?»

L'image de la mère impossible à satisfaire accompagne partout la fille inacceptable. Comme un oiseau de malheur, elle assiste à chacun de nos échecs. Elle vit dans nos pitoyables tentatives pour la rendre meilleure et dans notre incapacité de renoncer à ce que nous espérons d'elle. Elle vit dans nos collègues de travail. Elle est inscrite dans chacun des gestes que nous faisons pour materner nos enfants.

A moins d'avoir eu de l'aide professionnelle ou d'être remarquablement douée pour la survie, notre Moi authentique ne réussit pas à supplanter cette image : nous avons les ailes coupées.

La *façon* dont nous trébuchons, bien entendu, est le résultat d'une combinaison entre la version maternelle de ce que nous sommes et notre tempérament personnel. On ne grandit pas dans le vide. Différentes variables, comme les victoires ou les humiliations vécues dans la cour d'école, la gentillesse ou la sévérité de nos professeurs, les caprices de la fortune et de la santé, les unions plus ou moins heureuses et la chance pure et simple entrent toutes dans la composition de notre personnalité.

Les «mères adoptives». Pour remplir le vide leur vie affective, les enfants font souvent preuve d'une invention extraordinaire. Au cours de leur enfance, beaucoup des filles que j'ai interviewées ont «adopté» une autre mère pour obtenir un substitut au maternage qu'elles ne recevaient pas chez elle. Ces filles bénéficiaient ainsi d'une sagesse innée qui les poussait à chercher de l'aide au bon endroit. Pour ces femmes, la quête d'un substitut de mère figurait également en bonne place parmi les facteurs motivant le choix de leurs amies... et même de leurs partenaires amoureux.

Denise, trente-deux ans, a pour mère une femme obsédée par la peur du Mal. La mère de la meilleure amie de Denise, par contre, n'avait rien d'une puritaine. A l'époque où Denise, qui n'avait jamais eu d'amoureux, commençait ses études universitaires, la mère de son amie lui a dit : «Pourquoi ne t'amuses-tu pas un peu, pour l'amour du ciel ? C'est maintenant ou jamais !»

«Je l'appelais Maman, évoque Denise. Quand j'avais un problème, c'était toujours elle que j'allais voir. Je me suis juré que si jamais j'avais des enfants, c'est à elle que je demanderais conseil. Elle représente le genre de mère que j'aimerais être.»

Rébecca, trente-quatre ans, se lie parfois d'amitié avec des femmes pour qui elle n'éprouve qu'une affection relative, mais «si j'aime leur mère, alors là, je m'attache à elles comme un vrai pot de colle.»

Ces tierces personnes décisives se trouvent souvent dans la famille élargie de la fille. Ingrid, quant à elle, est intimement persuadée qu'elle doit sa survie à sa tante :

J'allais tout le temps la voir : je pouvais lui parler de ce que je sentais. Elle était toujours prête à m'écouter, à me donner des conseils, à remettre les choses en perspective, à me dire qu'elle m'aimait. Je me suis rendu compte assez jeune que je n'obtiendrais jamais cela de ma mère, qu'il fallait que j'apprenne à me passer d'elle ou du moins qu'elle ne m'accompagnerait jamais dans la vie. Avec ma tante, je pouvais parler.

Les mères adoptives ont le pouvoir d'aider une enfant gravement blessée et dépressive à reprendre espoir et même à retrouver le goût de vivre.

Christina Crawford, dont le livre *Mommie Dearest* relate l'enfance extrêmement pénible qu'elle a vécue et qui défend depuis des années la cause des enfants maltraités, raconte qu'elle a trouvé dans certaines gouvernantes et institutrices des mères substituts "extraordinaires".

Ce sont elles qui m'ont servi de miroir positif. Sans elles, je crois que je ne serais pas ici pour vous parler aujourd'hui. Chaque enfant, pendant ses premières années, a besoin d'au moins une personne qui croie en elle, qui ait confiance en elle et qui l'encourage. L'enfant abusée qui n'a pas trouvé cette personne ne peut voir le monde qu'avec les yeux de son agresseur;

elle ne voit que le chaos, la colère et le mal. Mais si elle eu la chance de la rencontrer, elle a pu apprendre à se percevoir d'une façon plus positive.

Toutes ces femmes parlent de leur "mère adoptive" avec des émotions intenses de gratitude et d'idéalisation. Lorsqu'on est une enfant mal aimée ou négligée, la simple gentillesse prend des allures de miracle. Quand on ne connaît que les mauvais traitements, il suffit que quelqu'un nous traite affectueusement pour que nous en fassions une idole.

Ces femmes sont capables de décrire sans verser une seule larme les mauvais traitements que leur infligeait leur mère. Mais quand elles évoquent la *gentillesse* de leurs parentes ou de leurs protectrices, les larmes leur montent aux yeux. Dans son livre *An Unknown Woman*, Alice Koller écrit : «Quelle meilleure preuve puis-je trouver de mon manque total de connaissance des émotions que ceci : je pleure quand on m'aime ?»

Mais les mères adoptées ne suffisent pas complètement à nourrir le besoin qu'éprouve l'enfant d'être aimée et soutenue par sa mère. Notre mère a sur notre résistance aux intempéries de la vie un impact incalculable. La mère nous tire dans une direction, et nous, nous tirons souvent dans la direction opposée. C'est l'*intensité* de la tension présente dans cette lutte entre mère et fille qui détermine leur manière de fonctionner dans le contexte plus vaste de la famille.

Les systèmes familiaux

Comme nous l'avons vu dans le chapitre Quatre, l'une des influences les plus marquantes sur l'estime de soi réside dans la manière dont la mère et la fille "s'accordent". Lorsqu'elles ne dansent pas sur le même rythme affectif, leur relation est souvent houleuse : elles sont en "dés-accord".

Les manipulations que subit l'enfant quand la famille traverse une crise font également partie des facteurs qui influencent l'évolution de son Moi. Le phénomène du triangle, décrit plus haut, sert à évacuer la tension accumulée lorsque se produisent un désaccord, une différence d'opinion ou une épreuve qui vient ébranler la paix familiale. Si Papa et Maman ne s'entendent pas, par exemple, l'enfant est entraînée dans leur tourbillon lorsque les parents se soulagent sur elle de leur irritation.

«Va ranger ta chambre !» hurle brusquement Maman à son enfant, la faisant sursauter, alors que Papa vient de sortir en claquant la porte à la suite d'une scène de ménage. «Heureusement que je t'ai, toi», lui murmure-t-elle tendrement après s'être calmée. Ce genre de double message soulage sans doute la mère, mais a sur l'enfant l'effet opposé, car elle se retrouve ballotée par les émotions de sa mère sans avoir rien fait pour les provoquer directement.

Le triangle fonctionne également d'une autre manière : la mère peut être tourmentée par les fantômes de son passé à elle. Voici comment Louise décrit son enfance dans une famille qui comprenait son grand-père, un homme au tempérament colérique:

Ma mère avait très mauvais caractère, mais dès qu'il s'agissait de mon grand-père, c'était encore pire. Si je n'étais pas assez polie avec lui ou que je ne montais pas lui dire bonjour dès mon retour de l'école, elle me grondait.

En grandissant, j'ai fini par me rendre compte que c'était comme une réaction en chaîne : mon grand-père se fâchait contre ma mère, puis elle se fâchait contre moi. Ensuite mon père se fâchait contre moi, parce que ma mère était fâchée contre lui, parce que mon grand-père était fâché contre elle. Comme ça, personne n'avait à prendre la responsabilité de son comportement: c'était toujours la faute de quelqu'un d'autre.

La réaction en chaîne que décrit Louise est ce que le Dr Murray Bowen appelle un "système familial". Selon sa théorie, la cellule familiale constitue un «réseau de relations imbriquées les unes dans les autres». En réagissant à d'autres membres de la famille et en prenant la responsabilité du comportement de tout le monde, sauf du sien propre, on se rend incapable de se percevoir indépendamment des autres, qui sont eux aussi dans la même situation. Chaque membre de la famille devient ainsi complètement dépendant de l'opinion des autres.

Le triangle est à l'origine des vendettas qui divisent des

familles entières à propos de peccadilles. Voici le témoignage d'Isabelle, vingt-huit ans :

Cela fait maintenant huit ans que ma mère n'a plus adressé la parole à sa sœur. Elles se trouvaient à une noce. Ma tante est entrée dans la salle et s'est mise à s'arrêter à toutes les tables pour dire bonjour aux gens et les embrasser avant d'aller embrasser ma mère, qui se trouvait au fond de la pièce. Ma mère était furieuse de ne pas avoir été embrassée la première. Après cet incident, nous n'avons plus eu le droit de voir notre tante.

Pour la mère, l'enjeu de la brouille n'est sûrement pas l'ordre particulier dans lequel sa sœur distribue ses embrassades lors d'un événement social : il s'agit plutôt d'une blessure enfouie très profondément dans le passé de la mère, à l'époque où elle sentait que sa sœur était la préférée de leur mère. Mais plutôt que de confronter l'origine de sa rage, elle l'amplifie en impliquant toute sa famille dans la bataille.

Cette anecdote illustre bien la façon dont on peut se faire manipuler par un triangle. Le prix que paie l'enfant qui doit prendre parti dans les querelles de sa mère est que plus tard dans sa vie, elle se retrouvera impliquée dans *des triangles du même genre.* (La façon de s'extirper d'un triangle est décrite dans le chapitre 17.)

Dans une famille qui se lance les difficultés comme autant de patates chaudes, chaque membre rejetant le blâme sur quelqu'un d'autre, il n'est pas rare que les problèmes se transmettent d'une génération à l'autre, comme dans le cas de Louise et de son grand-père.

Pour une mère qui n'a pas résolu sa relation avec ses parents, ses enfants lui fournissent l'exutoire qui lui manquait jusqu'alors. Pour la fille qui tente de traverser la corde raide de la vie, le triangle représente un danger supplémentaire.

L'ordre de naissance

Dans la chorégraphie de notre vie, d'autres facteurs incontrôlables entrent également en jeu. L'un d'entre eux est l'ordre dans lequel nous faisons notre entrée dans notre famille et constitue dans la vie d'une enfant un fait immuable. Beaucoup de sociologues s'opposent néanmoins à toute généralisation sur le comportement des aînés, des deuxièmes enfants et des enfants uniques. Leur argument est que la façon dont une mère traite son enfant est beaucoup plus déterminante que sa position dans un ordre numérique.

Par exemple, à certaines époques de sa vie, une mère peut vivre des événements difficiles qui se répercuteront sur ses jeunes enfants, mais qui toucheront moins ses enfants plus grands et donc moins vulnérables. Selon le Dr Allan Stempler, «certains enfants naissent au mauvais moment. Par exemple, la mère peut avoir des difficultés avec son mariage.»

La mère peut également traverser la ménopause. Même la mère la plus douce peut perdre son calme quand elle est soumise à une tempête d'hormones. Si sa fille est ignorante des changements que vit sa mère, elle peut avoir l'impression que sa mère est devenue un peu folle ou qu'elle est en colère contre elle. Ajoutons à cela le fait que, dans une erreur de planification, la nature a voulu que beaucoup de mères traversent la ménopause au moment même où leurs filles entrent dans l'adolescence. A cause des profondes transformations que subit leur corps et leur personnalité, la mère comme la fille peuvent alors se retrouver à court de patience et de compréhension.

«J'aurais bien voulu que quelqu'un m'explique ce qui se passait, me dit une jeune femme. Ma mère était si vaniteuse qu'elle racontait à tout le monde qu'elle avait vingt-six ans et que j'étais son amie au lieu de sa fille. Quand elle a eu sa ménopause, le ciel lui est tombé sur la tête. Elle n'arrivait pas à accepter de vieillir. Moi, je pensais qu'elle ne m'aimait pas.»

Mais malgré tout cela, l'ordre dans lequel nous naissons constitue un ingrédient essentiel de notre personnalité. Comme l'écrit la Dre Harriet Goldhor Lerner, il «influence fortement notre manière de négocier nos relations». Selon elle, comme ils sont les chefs de la division junior de la hiérarchie familiale, les aînés ont tendance à être des leaders naturels.

Les deuxièmes enfants sont parfois déchirées entre leur désir d'être les premières et celui d'être prises en charge. La deuxième apprécie souvent le fait de ne pas avoir à donner l'exemple aux autres par les punitions qu'elle reçoit et d'avoir l'occasion de tirer des leçons des erreurs de son aînée. Mais si elle est une “enfant du milieu”, elle se sent souvent isolée entre l'aînée, qui a eu pour un temps ses parents pour elle toute seule, et la plus jeune, le bébé de la famille.

Quant à la benjamine, elle est souvent dorlotée et traitée comme un bébé.

L'ordre de naissance peut entraîner une perception très différente de la mère et de soi-même : l'aînée perçoit la mère comme “exigeante” et la benjamine la voit comme “me traitant comme un bébé”, alors que pour l'enfant du milieu, elle est “indifférente”.

Mais la relation entre frères et sœurs comporte d'autres aspects que leur ordre d'apparition dans la vie.

La rivalité. Dès que la mère montre une préférence claire pour l'un de ses enfants au détriment des autres, elle donne naissance à de graves problèmes. Dans sa partialité parfois inévitable, la ressemblance joue un rôle indéniable : une mère placide, par exemple, trouve une complice chez l'enfant qui partage son goût pour la tranquillité plutôt que chez celle qui saute sur place à la moindre joie ou la moindre contrariété.

Mais le favoritisme peut prendre un visage plus sinistre. «Si la mère n'est pas séparée de ses enfants, dit la psychothérapeute Ann Gordon, elle aura tendance à préférer les plus malléables et de traiter plus sévèrement l'enfant rebelle qui veut décider de sa vie toute seule.»

Tout cela dépend beaucoup du degré auquel la mère tolère les différences de ses enfants. La façon dont elle exprime son amour peut être très inégale et même injuste, ce qui créera chez eux d'énormes rancunes.

Adèle Faber, auteure avec Elaine Mazlich du livre *Siblings Without Rivalry*, raconte qu'elles ont été invitées à la télévision américaine pour parler de leur ouvrage :

Une femme a téléphoné au studio pendant l'émission pour raconter que sa mère lui avait toujours dit : “Tu es merveilleuse, tu es la meilleure petite maman du monde", parce qu'elle la remplaçait souvent auprès de ses deux jeunes sœurs. Depuis la mort de sa mère, ses sœurs ne lui ont plus adressé la parole, la laissant dans un deuil total. Elle m'a dit : "En perdant ma mère, j'ai aussi perdu mes sœurs. La seule chose qui nous liait, c'était notre mère."

Quand la mère meurt, les rivalités entre frères et sœurs pour obtenir sa faveur se perpétuent dans les disputes de succession. Lorsqu'une grande fortune est en jeu, les médias s'emparent des procès que s'intentent mutuellement les enfants pour tenter d'arracher à leur mère une dernière preuve d'amour sous forme de biens matériels. Si la mère ne laisse pas grand-chose, ses enfants se piétinent parfois les uns les autres dans leur effort pour en recevoir le plus possible.

Les rôles. En projetant sur leurs enfants certaines parties de leur être, les parents leur assignent des rôles qui n'ont quelquefois pas grand-chose à voir avec la nature véritable de l'enfant. Par exemple, une mère peut se faire du souci à propos d'un problème entièrement imaginaire. Disons qu'elle s'inquiète parce que sa fille n'a pas beaucoup d'amis. La fille finit par s'inquiéter elle aussi, par remarquer qu'on ne l'appelle pas souvent pour sortir et par trouver cela *dramatique*.

La fille, qui est sans doute solitaire de nature, peut alors tenter de rassurer sa mère en faisant des efforts pour être plus populaire, mendiant l'amitié de ses camarades parce qu'elle sent confusément qu'elle n'est pas à la hauteur. Mais comme la sociabilité n'est sans doute pas son fort, elle risque d'échouer.

Et la mère, naturellement, de s'inquiéter encore plus.

Comme nous l'avons vu au cours du chapitre Trois, c'est parfois de cette manière qu'une enfant acquiert un Moi factice. Au lieu de se demander ce qui lui est agréable, *à elle*, la fille se déforme pour être agréable aux yeux de sa mère. Elle modèle ses qualités innées, ses talents, son instinct et ses intuitions sur la vision qu'a d'elle sa mère. L'enfant finit par se sentir mal dans sa peau. (Comme nous le verrons dans le chapitre Quatorze, il arrive également qu'elle "plaise" à sa mère en devenant difficile.)

Le Moi factice a donc pour fonction de prouver que le parent avait raison. Voici ce que raconte la psychiatre Marianne Goodman :

J'ai vu dans le New Yorker une merveilleuse bande dessinée dans laquelle un homme partait s'acheter un complet. Le tailleur lui faisait prendre toutes sortes de positions biscornues pour essayer de le faire entrer dans un complet. L'homme s'adaptait au complet au lieu du contraire.

Eh bien, c'est ce que font les enfants. Ils adoptent toutes sortes de postures déformées pour essayer de plaire à leurs parents.

Mûs par leur instinct de survie, agissant "comme si" ils étaient vraiment ce leur mère veut qu'ils soient, les enfants adoptent des rôles qui, s'ils solidifient leur attachement envers elle, détruisent progressivement la perception authentique qu'ils ont d'eux-mêmes, leur vrai Moi.

Au cours de sa vie, une fille essaie souvent une variété de rôles comme autant de vêtements dans son effort pour concilier sa propre croissance personnelle et les demandes de sa mère.

Dans son enfance, l'une des femmes que j'ai rencontrées était assez craintive et avait tendance à éviter à tout prix les disputes. Pendant son adolescence, elle est devenue la copie conforme de sa mère compétente, exigeante, dominatrice. Dans la vingtaine, elle a sombré dans la dépression, victime des exigences et des critiques incessantes de sa mère. En atteignant la trentaine, elle a commencé à se détacher de sa famille et à servir à sa mère de bouc émissaire. Pour finir, sa relation avec sa mère est devenue tellement douloureuse qu'elle a dû cesser complètement de la voir.

Le Moi factice est fluide et s'adapte de façon différente aux étapes de la vie. Mais tout le monde ne passe pas par autant de rôles que cette femme. La plupart des gens élaborent des variantes du rôle qui leur a été attribué dans leur enfance.

Ce rôle est particulièrement visible lors des réunions de famille. C'est ce que j'appelle le "syndrome du repas de Noël". Dans le monde extérieur, vous êtes sans doute une adulte parfaitement compétente douée d'une excellente maîtrise de soi. Mais dès que vous mettez le pied chez votre mère pour un repas en famille, toutes les vieilles défenses, les disputes familiales et les anciennes habitudes vous sautent dessus. Le "bébé" de la famille est traitée, et se comporte, comme le "bébé" qu'elle était dans son enfance. Mademoiselle je-sais-tout tente d'en imposer à tout le monde… et de se servir le plus gros morceau de bûche. Le comportement que vous adoptez au sein de votre famille d'origine en dit long sur le rôle qui était le vôtre quand vous étiez enfant.

Il n'est pas rare que les rôles que nous jouions enfant nous suivent tout au long de notre vie. Voici ce qu'en dit la psychothérapeute Ann Gordon :

Si, pour survivre affectivement ou même physiquement, une jeune fille doit apprendre à devenir "obéissante", son inconscient aura tendance à la pousser à rester "obéissante" en grandissant, même si ce n'est pas une très bonne tactique. C'est un comportement qui met souvent les femmes en danger d'être victimisées. Ce n'est que lorsqu'il lui arrive quelque chose de grave (un viol, par exemple) qu'elle risque de se rendre compte que quelque chose ne va pas et d'entreprendre une thérapie.

Ce sont ces rôles qui nous maintiennent dans la posture difforme que nous avons adoptée pour *essayer* d'obtenir l'amour de notre mère et qui nous empêchent de nous rendre compte de nos vraies qualités en déformant la perception que nous avons de nous-même. Une artiste peintre de trente-huit ans m'a raconté ceci :

Ma mère est venue me voir l'autre jour et je lui ai montré le tableau sur lequel je suis en train de travailler. Après son départ, mon mari m'a dit : "Est-ce que tu as vu l'expression sur son visage ? Cette envie incroyable ? Cet esprit de compétition ?"

Je n'en suis pas revenue.

"Non, ai-je répondu. J'étais bien trop occupée à quémander son approbation."

C'est ainsi que la fille adulte continue la traversée de sa corde raide, constamment déséquilibrée par ses tentatives de remporter l'appui de sa mère. «La mère qui a besoin de garder sa fille auprès d'elle est motivée par son propre besoin de sécurité, dit la D[re] Ann Caron, qui anime des ateliers mère-fille. Mais elle *in*sécurise sa fille, qui ne parvient jamais à croire complètement en ses capacités parce qu'elle n'a jamais la possibilité de les tester. Moi, je dis aux filles : "Rêvez vos rêves à vous".»

L'éclaboussure

A l'âge adulte, la fille qui souffre d'insécurité ressemble à un navire qui a perdu sa route. Sa relation non résolue avec sa mère éclabousse tous les autres aspects de sa vie. Le problème, c'est que c'est sa mère intérieure qui tient le gouvernail.

On a beau *affirmer* qu'on voit clair dans les manipulations de Maman, *affirmer* qu'on ne veut plus jouer son jeu, la plupart d'entre nous le font tout de même *en répétant le passé dans nos relations d'adultes.*

C'est ce phénomène qu'on nomme "répétition compulsive". Inlassablement, nous reproduisons les réactions de notre enfance, déformant chaque nouvelle relation pour qu'elle entre dans le vieux moule comme nous nous sommes déformées pour entrer dans le moule des attentes de notre mère. Dans notre effort perpétuel pour dompter les démons de l'enfance, nous faisons tout ce que nous pouvons pour que nos nouvelles relations prennent le visage de la relation mère-fille *pour avoir une nouvelle chance de la régler.*

Le but inconscient ressemble à ceci : rendre la relation reconnaissable de façon à savoir comment s'y comporter. Même si la seule chose reconnaissable est la douleur que cause la relation, on y trouve au moins quelque chose de familier, sans aucune incertitude. On a bien en main le scénario; toutes ses répliques sont soulignées en rouge. Et on les dit, que ce soit avec ses collègues, ses amies, ses partenaires amoureux ou même ses enfants.

La moindre remarque du patron vous rappelle les rebuffades de votre mère quand vous étiez enfant. «Je trouve difficile de recevoir des critiques et même des compliments de la part de ma supérieure, raconte Diane, vingt-huit ans, téléphoniste. Cela ressemble trop à la façon dont ma mère passait son temps à me féliciter ou à me réprimander. Quand elle me dit : "Vous êtes une excellente employée", je traduis : "Oh la la, si je ne travaille pas encore plus, elle va me détester".»

Même les gens qui travaillent *pour nous* peuvent évoquer des aspects de notre relation avec notre mère. Estelle, trente-neuf ans, est directrice du personnel d'une grande entreprise. Elle a une nouvelle secrétaire âgée de vingt-quatre ans nommée Madeleine et que tout le monde autour d'elle considère comme une perle. Pourtant, elle énerve Estelle :

Quand j'essaie de comprendre ce qui ne va pas, je me rends compte qu'elle joue exactement sur ma corde la plus sensible : j'ai du mal à m'organiser. Alors quand elle me fait remarquer que ça fait deux jours que je n'ai pas lu mon courrier, ça me rend folle. Je me sens réprimandée, comme avec ma mère. Maman était obsédée par la propreté et elle passait son temps à se plaindre; quand Madeleine se met à ranger les papiers qui traînent sur mon bureau en petites piles parfaites, je vois rouge.

Me voilà en train de me rebeller contre mon employée, ça n'a pas de bon sens ! Je n'ose pas la renvoyer. Je ne peux tout de même pas lui dire : "Voyez-vous, ma petite, c'est que vous me faites trop penser à ma mère."

Les amies. «De toute façon, je n'ai pas besoin d'elle, se dit la fille à propos de sa mère. Je vais me fabriquer une nouvelle famille avec mes amies : des gens qui m'aimeront, m'accepteront comme je suis et me donneront ce que je n'ai jamais reçu d'elle.»

Mais il y a un hic : au lieu de choisir des amies différentes de sa mère, la fille blessée a très souvent tendance à choisir la réplique exacte de sa mère. Elle est attirée par des femmes qui renforcent l'expérience qu'elle a vécue avec sa mère en lui retirant leur affection, en la manipulant, en exigeant d'elle plus que ce qu'elle a envie de donner, en la punissant. Ou des parasites. Ou des femmes possessives. Ou même des amies qui l'abandonneront un jour.

La plupart de ces filles se sentent mal à l'aise en société, comme si elles avaient été jetées à l'eau sans savoir nager. Pour elles, tisser des liens est une opération douloureuse et difficile. Anne, vingt-sept ans :

J'ai du mal à me faire des amies parce que je ne sais jamais à quoi m'attendre. Si une femme ne veut rien obtenir de moi, je me demande souvent pourquoi elle cherche à devenir mon amie. Je crois que ça vient de mon enfance : ma mère ne faisait attention à moi que si j'avais de bonnes notes ou si je remportais des prix. Son amour était conditionnel. Je devais gagner son amour. Alors j'attends la même chose de mes amies.

Mues par le besoin d'affection, beaucoup de ces filles ont tendance à se lier très vite d'amitié au lieu de prendre le temps de construire une relation basée sur le respect de soi, l'estime mutuelle et des intérêts partagés. Annette, trente-neuf ans :

Il n'y a pas d'équilibre dans ma vie. J'ai toujours autant de besoins que quand j'étais enfant. Je passe mon temps à me faire de nouveaux amis et à me demander s'ils vont me rejeter. J'ai toujours l'impression de passer en dernier dans leurs priorités. Je tolère beaucoup de la part de gens qui, comme ma mère, ne me traitent pas gentiment. C'est parce que j'ai très peur d'être abandonnée.

D'autres filles ont du mal à faire confiance à qui que ce soit. Leurs amitiés ne durent jamais très longtemps. Ginette, trente-deux ans :

C'est réglé comme du papier à musique. Je rencontre une nouvelle amie, puis elle fait quelque chose qui me déçoit et je me dis : "Encore une". Je cherche tout le temps les défauts des gens. Dans un sens, je suis soulagée quand j'en trouve un. Quand je n'arrive pas à trouver le mauvais côté de quelqu'un, cela m'insécurise beaucoup. Je n'arrive à être amie avec quelqu'un que quand je connais ses points faibles.

D'autres encore ont plusieurs amies avec qui elles ne deviennent jamais vraiment intimes. La dernière chose dont Sylvie, trente-huit ans, a envie dans sa vie, c'est bien d'une amie affectueuse et trop démonstratrice, parce que cela lui rappellerait trop sa mère qui était charmante en public, mais qui se transformait en marâtre en privé.

L'une de mes collègues m'a dit récemment : "Tu as toujours l'air d'en vouloir au monde entier." On me dit ça depuis des années. J'ai une amie que tout le monde aime parce qu'elle est toujours charmante. Mais moi, je n'aime pas ça parce que je ne sais jamais ce qu'elle pense vraiment de moi. Les gens comme ça sont difficiles à déchiffrer. Ma mère souriait toujours à tout le monde, sauf à moi. Alors je ne fais confiance qu'aux visages renfrognés, jamais aux visages souriants. J'ai très, très peur de me mettre à nu devant quelqu'un. Il y a des fois où c'est tellement agréable de reprendre mon expression renfrognée et de me dire: "Qu'ils aillent tous au diable. Moi d'abord."

Les relations amoureuses. Les hommes de notre vie sont souvent des variations sur le thème de notre mère. Si nous avons eu une mère aimante et positive, il y a de grandes chances pour que nous choisissions un partenaire qui a les mêmes qualités.

Mais pour la plupart des filles que j'ai interviewées, le modèle de la mère impossible à satisfaire a des conséquences parfois désastreuses sur leur choix de partenaire.

Ce n'est pas que nous faisions ce choix *consciemment*. Mais de bien des façons, il est *inévitable*. Car si ce que l'on sait de l'amour est ce que l'on a appris dans l'enfance, si l'on a eu pour professeur une mère qui ne savait pas donner ou qui exigeait trop de nous, alors, n'ayant rien appris d'autre, on répète la leçon une fois adulte.

Si, par exemple, on a eu une mère Critique, l'homme «trop gentil» ne nous inspire aucune confiance. Mais un homme arrogant, qui trouve toujours quelque chose à redire, devient rapidement la plus désirable des créatures, tout simplement parce que, *ayant de nous une mauvaise opinion, il n'a pas besoin de nous pour vivre.*

Il y a souvent quelque chose de presque surnaturel dans la façon dont on s'amourache d'une réplique de sa mère. Dolores, quarante et un ans :

Ma mère ne voulait pas d'enfant, et elle ne s'est pas fait faute de me le répéter sur tous les tons. Bizarrement, j'ai épousé un homme comme elle. Lui non plus ne s'est pas fait faute de me dire qu'il ne voulait pas d'enfant, puis de le dire aux enfants que nous avons tout de même eus. Quand j'ai reconnu la ressemblance qu'il y avait entre les deux, ç'a été un moment décisif dans ma thérapie : bien sûr que j'avais attiré un homme méchant et hypercriti-

que. A quoi pouvais-je m'attendre d'autre, moi dont la mère maudit le jour de ma naissance ?

Lorsqu'on n'a jamais été aimée sainement, on ne sait souvent que recevoir, que ce soit la soumission, le besoin, la négligence ou le rejet. On ignore souvent comment entretenir une relation d'échange entre personnes égales. Une femme de vingt et un ans m'a dit :

A une certaine époque, je sortais avec un avocat qui représentait tout ce que ma mère approuvait chez un homme : il était beau, il venait d'une famille riche et il exerçait une profession libérale. Alors je me suis faite aimer de lui. C'est tout ce qui m'importait: il satisfaisait mon besoin de me faire aimer d'un homme qui plairait à ma mère. Je fais souvent ça : j'obtiens d'un homme qu'il s'engage envers moi, et puis adieu. Je ne vais pas jusqu'au bout. Je joue beaucoup avec les sentiments des hommes.

Lorsqu'il arrive, par miracle, qu'on tombe sur quelqu'un de bien dès la première tentative, *on s'arrange alors par tous les moyens pour que la relation tourne mal* — pour que notre partenaire ressemble de plus en plus à notre mère. Nancy, quarante ans, raconte:

Quand j'ai épousé mon mari, je me suis dit : "Comme il est bizarre : toujours affectueux, toujours d'accord avec moi." Je lui disais des choses comme : "Pourquoi n'exprimes-tu jamais ta colère ? Allez, ne me dis pas que tu n'es pas en colère." Je provoquais des disputes absurdes. C'était parce que je n'étais pas à l'aise dans une relation tranquille. Je ne savais que faire de son amour inconditionnel.

Ces femmes tentent toutes de résoudre leur relation mère-fille avec un homme qui n'a sans doute pas la moindre idée qu'elles lui demandent de «corriger» un problème qui n'a rien à voir avec lui.

Les enfants. Les enfants sont le dernier, mais non le moindre, des domaines de la vie qui reçoivent les éclaboussures des problèmes non résolus de la relation mère-fille. Devenir mère ou non, voilà la question, et si oui, quel genre de mère ?

J'ai posé la question suivante à toutes les filles que j'ai rencontrées : «Quand vous étiez enfant, qu'est-ce que vous vous êtes juré de ne jamais, *jamais* faire en grandissant ?» La crainte majeure que partageaient sans exception toutes les filles que j'ai interviewées était celle de devenir de mauvaises mères : la peur, à cause des carences affectives de leur enfance, de ne pas pouvoir s'empêcher de reproduire les erreurs de leur mère.

Pour éviter cela, certaines de ces femmes ont décidé de ne jamais avoir d'enfants. Béatrice, quarante-deux ans, n'avait pas encore vingt ans lorsqu'elle a décidé de ne jamais devenir mère :

Une fois, au cours d'une dispute sanglante entre ma mère et moi, quand j'avais quinze ans, ma mère a hurlé : "J'espère qu'un jour tu auras une fille qui te donnera autant de problèmes que tu m'en as donnés !" Tout ce qu'elle m'avait toujours dit sur la maternité m'en avait donné une image atroce : les enfants sont comme une prison; en plus de faire du bruit et de tout salir, ils gâchent la vie de leur mère.

Alors je me suis dit : "Pas question. Je ne vais pas mettre au monde un petit être pour lui infliger ce que j'ai vécu. Je ne veux pas risquer d'éprouver à son égard ce que ma mère éprouve envers moi." Et je n'ai jamais eu d'enfant.

Christina Crawford, quant à elle, estime que le choix de ne pas avoir d'enfant est «la meilleure décision que j'ai prise de ma vie. On est responsable d'un enfant pour la vie, du moins de la relation qu'on a avec l'enfant. Ma vie a été tellement difficile que j'ai mis très longtemps à résoudre mes problèmes psychologiques. C'est pourquoi je suis très heureuse d'avoir pris cette décision; ainsi, je n'ai pas eu à me rendre coupable de faire souffrir un être innocent.»

Lorsque ces femmes décident d'avoir des enfants, beaucoup d'entre elles, terrifiées à l'idée de devenir comme leur mère, prient pour avoir des fils. La mère de deux garçons m'a confié : «Je remercie Dieu tous les jours de ne pas avoir eu de fille. Mes fils ont leur père avec qui s'identifier; il est beaucoup plus sain d'esprit que moi !»

D'autres femmes décident que la meilleure manière d'éviter de faire trop de tort à leurs enfants est d'en avoir *beaucoup*. L'une des femmes que j'ai interviewées a six enfants. Elle m'a dit : «Je craignais que si je n'en avais qu'un, je risquais de faire toutes mes erreurs avec le même. Je me suis dit qu'en en ayant plusieurs, je ne pouvais pas leur faire *trop* de mal parce que les dégâts seraient répartis sur un plus grand nombre.»

Ces femmes se jurent de réparer avec leurs enfants les blessures qu'elles ont subies au cours de leur propre enfance. Elles se persuadent qu'elles vont refaire le monde : pour leurs enfants, la vie sera plus drôle, plus heureuse, meilleure qu'elle ne l'a jamais été avec elles. *Elles se promettent de réaliser avec cette nouvelle génération ce qu'elles n'ont jamais réussi à obtenir dans la leur malgré tous leurs efforts.* Heureusement, beaucoup de survivantes d'enfances malheureuses ou difficiles arrivent à tenir leurs vœux.

Mais à moins d'être très lucides au sujet de leurs origines, de leurs ambivalences, de leurs défenses, de leurs carences affectives et de la façon dont elles les affectent, leurs nobles intentions peuvent se retourner contre elles. En effet, la mère "trop bonne" peut être aussi nuisible que la mère trop distante. La mère qui se répand constamment en louanges extatiques sur sa fille finit par perdre toute crédibilité aux yeux de l'enfant, qui se sent forcée à être parfaite ou qui perçoit, ne serait-ce qu'instinctivement, que leur mère n'est pas sincère.

Moi qui n'ai pas eu d'amour de la part de ma mère, mais que de la discipline, je m'étais juré que ma fille aurait toute ma tendresse et mon indulgence. Je n'arrêtais pas de la féliciter. Je lui disais tout le temps : "Tu es merveilleuse, tu es l'enfant la plus belle et la plus intelligente du monde entier." Personne ne m'avait jamais dit ça, à moi.

Mais elle souffre autant d'insécurité que moi.

Maintenant, elle a une petite voix dans sa tête qui lui dit : "Je ne serai jamais aussi parfaite que ma mère le voudrait." Moi, ma petite voix me dit : "Tu n'as jamais été bonne à rien." C'est presque la même chose. Je n'en reviens pas.

C'est là que se trouve le pire de tous les pièges : dans nos efforts pour devenir le contraire de Maman, *nous faisons souvent de notre fille la copie conforme de Maman.* Nous voilà bientôt *en-*

tourées de l'image de notre mère, comme entre parenthèses : Maman d'un côté, et de l'autre, notre fille comme son écho. La maternité devient alors le miroir de notre enfance.

Mais si l'on se rend si bien compte des erreurs de sa mère, si l'on possède un tant soit peu de sensibilité et de faculté pour l'introspection, comment se fait-il que l'on se trompe si facilement ? Pourquoi va-t-on même jusqu'à recréer la relation si douloureuse que l'on a eue avec sa mère ?

Dans notre détermination de ne pas répéter les erreurs de notre mère, il arrive que nous fassions le vœu de devenir en tout point son contraire. A notre grande surprise, il arrive alors que nos filles se mettent à ressembler de façon étrange à la mère que nous tentons si fort de ne pas imiter. Pourquoi ?

Parce que nous nous comportons avec nos filles exactement comme nous nous comportions avec notre mère.

Cet effort a fréquemment pour résultat de reproduire des tensions identiques à celles qui existaient entre notre mère et nous. Par exemple, si vous vous disputiez souvent avec votre mère parce qu'elle n'arrivait jamais à l'heure à vos rendez-vous, il est probable que vous ayez réagi en exigeant de votre fille une ponctualité parfaite. Votre fille aura alors tendance à se venger de vos exigences maniaques en prenant l'habitude d'arriver toujours en retard... comme votre mère !

Lorsqu'on essaie d'être le contraire de sa mère au lieu de prendre ses propres décisions comme une femme adulte, même les meilleures intentions se retrouvent sens dessus dessous.

Il arrive aussi que dans l'impossibilité où nous sommes de reconnaître la façon dont notre mère nous a fait du tort, nous devenions *exactement comme elle.* Cela est vrai tant que nous persistons à la défendre en maintenant le fantasme de la Très Sainte Mère et en restant persuadées que *c'est nous qui avions tort.*

A moins de parvenir à trouver un juste milieu, c'est-à-dire à garder ce que notre mère avait de bon et à comprendre ce qu'elle avait de pire, ces réactions (que ce soit de devenir le contraire de Maman ou sa jumelle) ne sont que les deux revers de la même médaille. La relation que nous aurons avec nos enfants reste alors aussi difficile que notre propre relation mère-fille. Le fossé mère-fille, le manque d'amitié réelle, se perpétue alors *malgré tous nos efforts*. (Le juste milieu fait l'objet de la quatrième partie de ce livre.)

L'enfant en armure

Dans une tentative désespérée pour protéger le peu d'identité qu'elle a réussi à sauver de son enfance, la fille adulte greffe sa personnalité factice et les habitudes de son enfance sur toutes ses nouvelles relations.

Comme nous l'avons vu dans la partie précédente, il existe certains scénarios selon lesquels se comportent les mères impossibles à satisfaire dans le but de contrôler leurs enfants. Il existe également, pour la façon dont les filles réagissent à leur mère, des scénarios qui visent tous à donner un certain sens à l'absurdité de la tension mère-fille, à lui donner un semblant d'équilibre au milieu du chaos. La fille "plaît" à sa mère :

en la servant (l'Ange);
en devenant ambitieuse (la Championne);
en se faisant toute petite (l'Invisible);
en lui servant de bouc émissaire (la Terreur);
en disparaissant de sa vie (l'Exilée).

Beaucoup des femmes que j'ai interviewées parlaient d'elles-mêmes comme s'il s'agissait de jumelles : le moi factice qui tente encore d'obtenir le visa de sa mère et l'adulte qui comprend intellectuellement son problème. Elles ne s'appartenaient pas encore, n'ayant pas encore déterminé laquelle était vraie : l'enfant incertaine et incomplète qui vit toujours à l'intérieur d'elles ou les adultes émancipées qu'elles essaient d'être.

Mais le moi factice est plus rassurant que l'inconnu, et c'est pourquoi ces filles ont du mal à y renoncer.

Le moi factice de l'enfance fait partie intégrante de la tapisserie que forme la vie de la femme adulte, qui *répète* son passé sans le savoir tout en *se défendant* contre lui. Pour elle, abandonner maintenant ses défenses — ses mécanismes de survie — reviendrait à se retrouver exposée au même danger que durant son enfance. *Même s'ils la déforment, ces mécanismes ont au moins le mérite de l'avoir aidée à traverser son enfance. Ne serait-ce que pour cette raison, ils doivent être respectés.*

Pour les femmes adultes avec qui j'ai discuté, l'aspect le plus douloureux de leur enfance n'était pas toujours la tristesse qui en faisait partie, mais plutôt le sentiment d'avoir été complices de leur propre malheur. Elles se crispaient de douleur en se remémorant la manière dont elles se sont littéralement contorsionnées pour plaire. A l'idée de la façon dont elles s'humiliaient, dont elles piquaient des scènes ou dont elles tyrannisaient leurs frères et sœurs pour se faire aimer de leur mère, elles éprouvaient une honte brûlante.

Mais pire est la douleur causée par le fait que même le Moi factice *n'a pas pu réussir à convaincre Maman de les accepter commes elles avaient besoin de l'être.* Comme me l'a résumé l'une de ces femmes : «J'ai mordu toute la poussière... mais cela n'a servi à rien.»

Les chapitres qui suivent visent à vous aider à reconnaître et même à admirer votre Moi factice au lieu de vous blâmer d'avoir eu besoin de lui. Si ces mécanismes de défense survivent encore aujourd'hui, *c'est parce qu'ils ont rempli leur fonction.* Vous avez survécu jusqu'à l'âge adulte.

Mais la prochaine étape est la plus difficile de toutes. Il s'agit de trouver le courage d'y renoncer et de faire confiance au fait que quelque chose attend de les remplacer : votre *vrai* moi, le meilleur de vous-même. Je vous suggère donc de vous servir des cinq chapitres suivants comme d'une carte du monde, pour vous reconnaître et vous identifier, plutôt que pour vous donner d'autres raisons de vous mordre les doigts.

Il se peut que vous vous reconnaissiez dans chacune de ces catégories. En fait, certaines d'entre elles se recoupent plus ou moins. Mais l'une d'elles vous semblera sans doute plus familière que les autres. Il se peut que vous trouviez que certains de ces rôles ne s'appliquent à vous qu'en partie ou dans une mesure moindre que celle décrite ici.

N'oubliez pas que ces catégories représentent elles aussi des *extrêmes*. Beaucoup de mères risquent de se dire en les lisant : c'est impossible, je suis condamnée à l'échec. Mais les filles décrites ici n'ont pas eu une mère capable de prendre la voie du juste milieu. La plupart d'entre elles étaient également incapables de percevoir leur mère de ce point de vue-là. Tout comme les catégories de mères de la deuxième partie représentaient des extrêmes, les catégories de filles aussi. Elles sont décrites en profondeur et en détail pour que vous ayez l'opportunité de comprendre comment et pourquoi elles fonctionnent comme elles le font. Même si elles ne s'appliquent à vous qu'en partie seulement, vous trouverez des renseignements essentiels pour vous aider à vous comprendre mieux par rapport à votre mère.

Une fois que vous aurez identifié les mécanismes de défense enfantins qui s'appliquent à votre personnalité et la façon dont ils se manifestent dans votre vie adulte, vous pourrez commencer à les abandonner progressivement. Vous aurez la possibilité de comprendre et d'aimer votre petite enfant intérieure pour l'aider à grandir.

Le fait de comprendre vos mécanismes de défense ne fait pas de vous une fille ingrate. Ces portraits ne sont pas là pour vous donner des armes contre votre mère. Ils visent plutôt à vous aider à *la comprendre et à l'accepter*.

Car, tout comme vous avez eu besoin d'un Moi factice pour survivre à votre enfance, *votre mère aussi*. Prendre conscience de ce fait, c'est se libérer du besoin de lui faire porter le blâme et de rester éternellement en colère contre elle.

Cette prise de conscience pourra aider beaucoup de filles à faire de leur relation avec leur mère un lien de respect et d'affection mutuelle. Mais d'autres filles, celles qui ont été brutalisées, soit physiquement, soit psychologiquement, s'en serviront pour atteindre la paix de leur côté.

Ces façons de s'adapter à la mère — ces mécanismes de défense — font l'objet des cinq chapitres suivants.

11

L'Ange

«Il y avait toujours quelque chose qui me ramenait vers ma mère. C'était comme une drogue. Quoi que je fasse, je n'arrivais jamais à lui plaire : elle s'en servait même pour m'attaquer. Quand j'étais généreuse et compréhensive, elle m'accusait de faire la sainte-nitouche. Mais je m'obstinais à l'appeler chaque semaine. Les rares fois où c'était elle qui m'appelait, je ne me sentais plus de joie. Je me disais : "Peut-être qu'elle m'aime, après tout."»

Hélène, trente-huit ans

Toutes les filles sont des Anges au début de leur vie. Car si Maman est heureuse, qu'elle lui sourit, la nourrit, s'occupe d'elle avec amour et la console tendrement, l'enfant ne cherche qu'à perpétuer le bonheur de sa mère. Etre une enfant sage comporte d'énormes gratifications.

Mais ne pas être sage comporte des conséquences terribles : si je ne suis *pas* sage, on m'abandonnera. Peut-être pas littéralement. Mais si Maman crie, qu'elle ne vient pas quand l'enfant pleure ou qu'elle la repousse quand elle est irritée, cela équivaut à un abandon affectif. Et si Maman *frappe* l'enfant, alors il n'y a plus de doute : l'enfant se persuade qu'elle a fait quelque chose d'affreux et qu'elle devra le payer très cher.

Elle redouble donc d'ardeur dans ses efforts pour être une petite fille sage. Elle peut même devenir *angélique.*

L'Ange est la meilleure de toutes les petites filles. Cela provient en partie de sa réaction à l'acculturation des femmes dans notre société. Le monde préfère les femmes soumises, qui maintiennent la paix à tout prix et qui sont les alliées et le reflet de leur mère.

«Le rôle de la “petite fille modèle” est très facile à apprendre, écrit Louise Kaplan, pourvu qu'on soit intelligente, pas trop agressive [...] et un tant soit peu douée pour interpréter ce que veut le public et pour le lui offrir. Les règles du jeu [...] sont relativement simples. Il suffit de regarder le visage de l'autre et de simuler ce que l'autre veut que l'on soit.»

Le fait d'être si bonne provient en partie des dispositions naturelles de l'Ange. En général, elle est douée de plus d'empathie que la moyenne des gens et se rend très bien compte qu'il manque quelque chose dans sa relation avec sa mère. L'Ange tente de remédier à cette situation en étant une enfant idéale.

C'est ce qui peut rendre si tragique le fait d'être la meilleure petite fille du monde et ne *toujours pas obtenir gain de cause.*

La meilleure amie de Maman

Dans la plupart des cas, l'Ange est soit fille unique, soit fille aînée, et bénéficie à la fois des avantages et des inconvénients de sa position. Quand sa mère est aimante avec elle, l'Ange baigne tout entière dans son affection. Mais que la mère soit distante, jalouse ou cruelle, et l'Ange est toute seule dans la ligne de mire. Les enfants aînés sont souvent punis plus sévèrement et plus jeunes que leurs frères et sœurs.

Les Anges prennent leur “travail” très au sérieux. Comme elles ne peuvent se cacher nulle part (la plupart d'entre elles sont affligées d'un père passif qui ne les défend que rarement, et aucune d'entre elles ne peut se réfugier dans les bras d'un frère ou d'une sœur plus âgée), elles n'ont pas d'autre recours que de porter le fardeau des attentes de leur mère.

Dans leur famille, les Anges sont les porte-drapeau de la jeune génération, et par le fait même, elles ont sur les épaules d'énormes responsabilités : aie de bonnes notes à l'école, ne fais pas de bêtises, donne l'exemple à tes frères et sœurs. Mais leurs deux responsabilités les plus écrasantes sont les suivantes : *Sois disponible quand Maman a besoin de toi* et *N'apporte jamais de mauvaises nouvelles à Maman.*

Les Anges suivent scupuleusement ces règles du jeu. Comme le raconte l'une de ces femmes :

J'ai toujours senti que c'était à moi de tout arranger, comme de dire à ma petite sœur : "Hé, sois polie avec Maman." Le plus grand compliment que ma mère m'ait jamais fait, c'est : "Tu as fait ça presque aussi bien que je l'aurais fait moi-même." Une fois, elle a jeté tous mes travaux d'école. Tout ce qui pouvait me donner le sentiment de ma propre valeur, elle l'a détruit. Mais je ne me suis jamais mise en colère. Quand j'étais enfant, je m'étais convaincue, sans en parler à personne, que les mères ont le droit de faire ça. On n'aime pas ça, mais on ne se met pas en colère. Il m'est souvent arrivé de me demander : "Pourquoi me hait-elle ainsi ?" Mais je ne crois pas m'être jamais dit : "Maintenant, il faut que je prenne une autre voie." Jusqu'au jour de sa mort, j'ai rampé à ses pieds pour essayer d'obtenir son amour.

L'Ange est peut-être sage, mais elle n'est jamais une "petite fille", ni même une "enfant". Elle a toujours été une bonne petite *adulte*, une maman miniature.

Le psychologue Robert Wright écrit que pour les enfants, être "sage" signifie en réalité voir les choses du point de vue de l'adulte, adhérer aux opinions de Maman, répondre aux besoins de Maman, atteindre aux idéaux de Maman. Tant que l'Ange demeure l'assistante fidèle de sa mère, la fille tombe dans le piège de croire que sa mère l'aime vraiment.

En fait, sa mère se sert tout simplement d'elle.

Tina, trente-quatre ans, est professeur de musique. Enfant unique, elle était dans sa jeunesse une parfaite petite Ange. Quand sa mère recevait, Tina renonçait à ses sorties, même les fins de semaine, pour rester à la maison, faire la cuisine et servir le repas. Les invités de sa mère — mais pas elle — ne manquaient jamais de la complimenter pour toute l'aide qu'elle apportait à sa mère.

Il ne m'est jamais venu à l'idée qu'elle m'exploitait, s'étonne Tina. Il faut que je vous dise que tant que j'ai vécu avec elle, cela ne m'a jamais déplu d'être une enfant sage. Jamais. Cela me faisait plaisir, parce que j'étais contente de rendre ma mère heureuse.

D'une certaine façon, l'Ange est la version junior de la Mère poule : c'est elle qui fait le "travail affectif" pour sa mère, qui interprète ses humeurs, qui anticipe ce qui va lui faire plaisir — ou du moins calmer son irritation — et qui le lui offre. L'Ange tente d'enjôler ses frères et sœurs pour qu'ils soient sages; elle fait même les messages entre Maman et Papa. L'Ange passe son temps à éteindre les incendies qui s'allument entre les membres de la famille, de peur qu'ils ne dévorent tout.

Erica, vingt-huit ans, fille de Victime, ne se souvient pas d'une époque où elle ne se soit pas sentie responsable du bonheur de sa mère :

Je me sentais chargée d'un lourd fardeau, mais cela m'honorait en même temps. Je me rappelle que quand j'avais six ans, je faisais des petites choses pour elle; par exemple, je cachais son peigne et ses barrettes pour que ma petite sœur les lui prenne pas. Je ne voyais pas que c'était la responsabilité de ma mère de dire non à ma sœur. Je voyais bien qu'elle était incapable de le faire par elle-même, que si ma sœur lui prenait quelque chose, elle s'en passerait, c'est tout. Elle, elle acceptait de s'en passer, mais moi, je n'acceptais pas qu'elle s'en passe.

Lise, trente-trois ans, se souvient des disputes constantes entre ses parents et de la façon dont elle prenait la responsabilité d'être la Bonne Mère de tout le monde. Le dimanche matin, ses parents se remettaient le plus souvent de la cuite qu'ils avaient pris la veille. Lise se levait tôt, faisait des crêpes pour ses frères, puis les emmenait jouer au parc. Elle avait une amygdalite chronique, mais n'en disait rien à sa mère parce que, raconte-t-elle, «je ne voulais pas la contrarier. J'ai fini par avoir tellement mal qu'il a bien fallu que je le lui dise. Mais plus que ma douleur, ce qui m'inquiétait vraiment, c'était la crainte qu'elle ne se mettre en colère contre moi parce que je me plaignais.»

Pourquoi l'Ange veut-elle être si bonne ?

La plupart des mères éprouvent envers leurs filles un certain degré d'ambivalence. Prises entre leurs tentatives pour aider leurs filles à voler de leurs propres ailes et leur désir de les garder auprès d'elles, elles tirent et poussent en même temps, émettant des messages ambigus. Mais les mères dont nous parlons ici se situent à l'extrême de cette ambivalence, qu'elle s'exprime par une dépendance excessive ou une rage meurtrière.

Les réactions de leurs filles sont, si c'est possible, *encore plus* extrêmes; en tant qu'enfants, elles sont sans défense et leur survie dépend de la bonne volonté de leur mère.

Certaines filles, comme nous le verrons au cours des chapitres suivants, finissent par abandonner leur rôle de bonnes filles et par devenir des variantes de la "mauvaise fille". A cause de leurs circonstances familiales, du tempérament de leur mère et de leur propre personnalité, elles prennent une autre voie que leurs saintes sœurs.

Mais l'Ange persiste bien plus souvent et bien plus longtemps que les autres dans sa perpétuelle sympathie pour sa mère : ce qu'elle sait le mieux faire, c'est materner les autres.

Il arrive qu'une fille devienne un Ange parce que sa mère est elle-même presque une enfant. Comme l'exprime une fille de Victime : «Ma mère était terrorisée par la vie. Elle me laissait m'occuper de tout. Je savais faire beaucoup plus de choses qu'elle. Quand j'étais adolescente, j'étais au courant de tous les problèmes financiers de la famille et c'est moi qui m'occupais du budget. J'étais la mère de ma mère.»

D'autres Anges restent esclaves de l'espoir que leur mère impossible à satisfaire va finir par apprécier toute leur bonté, bien qu'elles soient hantées par l'intuition instinctive que cela ne se produira jamais. Voici ce que raconte la fille d'une Tortionnaire:

Parfois, ma mère était chaleureuse, et puis clic ! la flamme s'éteignait d'un seul coup et je me disais : "Qu'est-ce que je viens de dire ?" Avec ses deux personnalités, on aurait dit une schizophrène. La personnalité éteinte se manifestait beaucoup plus souvent que la personnalité allumée. C'était comme si elle tournait un bouton. Clic. C'était parti. Alors j'ai su très jeune à qui j'avais affaire. Je savais qu'il n'y avait pas d'issue. Mais j'ai essayé pendant très, très longtemps. Quand on est enfant, on n'a pas le choix.

La faille la plus tragique du mécanisme de survie de l'Ange, c'est que l'objectif premier qu'elle cherche à atteindre par son comportement (l'intimité avec sa mère) est souvent ce que la mère fuit le plus. Ce n'est pas pour rien que l'Ange a l'impression que sa mère ne l'aime pas assez. Elle a souvent quelque chose qui éteint sa mère comme un interrupteur : c'est que si sa mère aime la *servitude*, elle déteste souvent la *dépendance*.

Une Ange raconte : «Ma mère n'aime pas rendre service. On ne peut rien lui demander. Dès qu'on a besoin d'elle, elle part en courant. Si quelqu'un fait preuve de dépendance envers elle, *n'importe qui* : ses enfants, ses amies, son mari, elle se sauve.»

D'autre part, si l'Ange est Toute Bonne, comment sa mère pourrait-elle en même temps être la *plus parfaite* ? La mère ne peut pas laisser sa fille la dépasser en sainteté; elle ne peut pas permettre à *sa propre fille* de la dépasser par ses qualités. Elle s'arrange donc pour donner à sa fille le message qu'elle n'est pas tout à fait aussi bonne qu'elle devrait l'être.

Mais l'Ange ne voit pas ce qu'elle a sous les yeux : redoublant d'efforts pour plaire à sa mère, elle devient sa servante la plus fiévreuse et la plus empressée, toujours prête à prendre son parti. Plus Maman se fait distante, plus l'Ange déploie d'efforts pour tenter de justifier ses actions. Autrement, ce serait un tel gaspillage...

Protéger Maman

Du point de vue de l'Ange, Maman ne peut rien faire de mal, ou si cela se produit, c'est qu'elle doit avoir une très bonne raison.

La mission urgente de l'Ange est de protéger sa mère de tout: les contrariétés, le chagrin, l'anxiété. Par la même occasion, elle se protège également *elle-même* contre toute prise de conscience des défauts de sa mère. Car si la mauvaise mère se trouvait révélée, l'Ange aurait l'impression d'avoir perdu son but dans la vie. L'Ange passe son temps à fabriquer des excuses pour sa mère et à la comprendre encore et toujours, inlassablement.

Selon la Dre Marianne Goodman :

Se faire du souci à propos de sa mère, vouloir la rendre heureuse, avoir de la peine quand elle a de la peine, voilà un phénomène naturel d'empathie. Il n'y a rien de mal à se soucier de quelqu'un qu'on aime : cela dépend à quel point ce souci interfère avec notre vie. J'ai récemment rencontré une femme qui s'est tellement identifiée à sa mère, littéralement, qu'elle a systématiquement saboté toute son évolution personnelle. Ce n'est pas parce qu'elle respecte ou qu'elle aime sa mère; en réalité, elle n'éprouve même pas pour elle beaucoup d'affection. C'est parce qu'elle se sentirait trop coupable de la dépasser.

Cela, c'est de la névrose.

Tant que l'Ange n'a pas fini de grandir, elle est trop jeune pour comprendre le genre de marché qu'elle a conclu avec la vie : son Moi contre l'amour de sa mère.

Mais il arrive souvent qu'elle *comprenne très bien*, ne serait-ce qu'au niveau instinctif, que son rôle de petite fille sage a quelque chose de faux : elle se sent comme si elle donnait une représentation apprise par cœur. Comme l'explique la fille d'une Mère poule : «Je savais exactement ce qu'il fallait faire pour qu'elle soit gentille avec moi. On finit par devenir menteuse, on ne fait plus ce qui vient naturellement. Je suis devenue très manipulatrice.»

Gloria, une Ange de trente-neuf ans, a eu une mère Critique :

Je suis restée vierge jusqu'à l'âge de trente ans, l'âge que j'avais le jour où je me suis mariée. J'avais le sentiment que je ne devais pas être souillée. Je me maintenais à l'écart du monde, pas seulement mon moi sexuel, mais tout mon moi en général. Tout en me dénigrant constamment moi-même et en souffrant d'une insécurité extrême, je me mettais tout le temps sur un piédestal où j'étais différente et meilleure que les autres. J'étais Gloria la Parfaite.

C'est ainsi que fonctionne le Moi factice de l'Ange. Elle pousse le bouton "sage" et la petite fille modèle fait son apparition. Le problème, c'est qu'en faisant passer les besoins de sa mère avant les siens, l'Ange se fait la complice de sa mère dans son propre asservissement. Pour se protéger contre cette affreuse prise de conscience, elle l'enfouit dans son inconscient et refuse de considérer la possibilité que toute sa perfection lui est plutôt nuisible que bénéfique. Au lieu de blâmer sa mère pour la façon dont elle s'occupe d'elle, l'Ange se blâme elle-même.

Personne ne sait mieux nier l'évidence que l'Ange. La psychothérapeute Ann Gordon en dit ceci :

Quand une cliente arrive dans ma salle de consultation avec plein de confusion dans sa vie, mais qu'elle jure ses grands dieux qu'elle a eu une enfance parfaite, je soupçonne que j'ai devant moi une forte défense contre la peur et la culpabilité. Elle a appris très jeune et très bien à ne jamais critiquer Maman. Pour oser admettre que son enfance n'était pas toute rose, il va lui falloir un fort transfert de confiance avec la thérapeute.

Comme nous l'avons vu plus tôt, la mère exploite son petit Ange pour obtenir ce qu'elle n'a pas reçu au cours de sa propre enfance : l'amour inconditionnel de sa mère. Maintenant, enfin, elle va pouvoir extraire de sa fille le sentiment de sa propre valeur. Pour exister, ce sentiment exige une attention constante, et c'est pourquoi l'Ange est tout le temps de service. Le comportement destructeur de la mère s'en trouve donc renforcé.

Mais si Maman ne peut rien faire de mal, l'Ange non plus, surtout quand elle parvient à l'âge adulte. Elle éprouve des difficultés énormes à demander pardon, car cela réveille les humiliations de son enfance et lui rappelle le sentiment dégradant qu'elle éprouvait en niant ses instincts et ses besoins.

«S'il y a une chose que je n'arrive pas à dire, c'est "Pardonnez-moi", m'a dit une Ange, ni à mes enfants, ni à qui que ce soit. Demander pardon, c'est admettre que je ne suis pas parfaite. J'en suis incapable.»

L'identification avec l'agresseur

L'Ange est persuadée que sa seule chance de survie, c'est de servir sa mère. On appelle ce mécanisme de défense «identification avec l'agresseur». D'après les témoignages de personnes qui ont fait partie de sectes religieuses, qui ont été victimes d'actes de terrorisme ou qui ont été prisonniers de guerre, on sait que, si la survie d'une personne dépend de sa capacité de plaire à quelqu'un qui a sur elle un pouvoir absolu, la gentillesse devient une question de vie ou de mort. Comme on ne peut ni fuir, ni combattre, on se soumet. Pour le faire sans perdre la raison, on n'a pas d'autre choix que de se persuader que c'est l'agresseur qui a raison et que son comportement est justifié.

L'Ange s'identifie avec son agresseur (Maman) pour se protéger, elle et tous les autres membres de la famille : elle se persuade que sa mère est une Bonne Maman, ou du moins qu'elle a moralement raison.

Même quand Maman se comporte mal de façon évidente, l'Ange tient dur comme fer à la garder "bonne". Ceci est particulièrement vrai des Anges qui sont filles aînées ou uniques et qui ont des parents abusifs : leur rôle Angélique leur fait vivre le meilleur et le pire de leur enfance cauchemardesque, le pire étant que, comme elles sont en première ligne, ce sont elles qui reçoivent le plus gros de l'impact physique et affectif de la colère et de la frustration de leurs parents.

Une femme raconte : «Si mes frères se chamaillaient, je me disais : "Il faut que je fasse quelque chose pour qu'ils s'arrêtent, sinon ils vont recevoir une volée." Non seulement je devais me protéger de mes parents en étant sage, mais je me sentais aussi responsable de mes frères.» Pour ces enfants, le "mieux" (terme très relatif étant donné les circonstances) est d'avoir une mission urgente, de canaliser leur énergie non seulement dans leur propre survie, mais dans celle de leurs frères et sœurs. Une femme, aînée de cinq enfants de parents alcooliques, m'a raconté ce qui suit :

Si j'ai survécu, c'est en partie parce qu'il fallait que je garde la tête sur les épaules pour m'occuper de mes frères et sœurs. Quand mes parents se disputaient en hurlant, les enfants venaient se réfugier dans mon lit. C'est moi qui suis allée à toutes les rencontres parents-professeurs, c'est moi qui me suis occupée de leur instruction religieuse. Quand j'allais à l'école secondaire, si l'un d'entre eux avait besoin d'être opéré, c'est moi qui l'amenais à l'hôpital.

Je voulais leur donner de l'attention pour qu'ils aient au moins une enfance à moitié normale, pour qu'ils aient quelque chose de sain à raconter. En m'occupant d'eux, je suis restée vivante.

Mais il faut à l'Ange prématurément adulte autre chose que son rôle "maternel" pour l'aider à porter tout ce qui repose sur ses frêles épaules : il lui faut également idéaliser sa mère dans une tentative désespérée de lui accorder le bénéfice du doute. Voici ce que raconte une Ange victime d'abus: «Je m'occupais de ma mère et elle adorait ça. Je rêvais qu'au fond de son cœur, elle était merveilleuse et qu'elle allait revenir à elle et me demander pardon. Un jour, elle allait tout réparer, tout effacer. C'est ce rêve qui me faisait tenir.»

Quelques Anges, à force d'efforts frénétiques pour toujours tout arranger, succombent sous le poids de la tension affective et se rebellent — mais seulement sous une forme qui ne risque pas d'endommager leur lien avec leur mère.

Rebelle, mais pas téméraire

Quelques Anges voient dans leur "sagesse" même une forme de rébellion. «En étant une enfant parfaite, dit la fille d'une Tortionnaire, je pouvais éloigner ma mère de moi. Cela m'aidait à me distancier d'elle affectivement. Dès la fin du repas, je bondissais de ma chaise pour aller faire la vaisselle... comme ça, je pouvais rester seule dans la cuisine, loin d'elle.»

Plus tard dans leur vie, d'autres Anges se rebellent en ayant des aventures extra-conjugales. L'une des Anges que j'ai interviewées, fille d'une Mère poule, m'a raconté que pour être une «bonne fille», elle est restée sous la coupe d'un mari dominateur pendant dix-neuf ans. Pendant tout ce temps, la seule chose qui lui ait donné le moindre sentiment de son autonomie est une aventure qu'elle a eue avec un homme qu'elle a rencontré en voyage d'affaires :

Ma mère n'en a rien su. Elle n'aurait sûrement pas été d'accord. Cela avait un attrait tellement particulier. On aurait dit qu'il fallait que ce soit illicite pour que cela m'appartienne vraiment. C'était quelque chose qu'elle ne pourrait jamais me prendre pour se l'approprier.

Mais pour d'autres Anges, la rébellion a un aspect auto-destructeur. A cause de leur besoin de maintenir l'image de la Bonne Mère, elles intériorisent son côté "mauvais" et le résolvent en tombant malades. «Je lui ai montré de quel bois je me chauffais, plaisante une Ange; j'ai attrapé un zona.» C'est la maladie qui leur tient lieu de rébellion.

Lucie, trente-trois ans, hygiéniste dentaire, vit très loin de ses parents depuis qu'ils ont pris leur retraite dans une région plus clémente que la sienne. Comme sa mère est une Victime, Lucie se sent très coupable de vivre si loin d'elle. Mais pour tolérer sa culpabilité, il lui suffit de se rappeler ce que cela représenterait de vivre près de sa mère : elle n'a qu'à se souvenir de son enfance.

Quand j'étais enfant, mon sentiment dominant était une frustration extrême : j'essayais constamment d'être parfaite, mais je n'y arrivais jamais. Je passais mon temps à me demander : "Est-ce que c'est bien ? Est-ce que c'est bien ?" Je me sentais tellement fusionnée avec elle que j'étais sûre que le moindre défaut de ma part la tuerait. Elle me considérait pratiquement comme une extension physique de sa personne. Mon corps était son objet. Puis j'ai fini par découvrir comment le contrôler : en arrêtant de manger.

L'opinion conventionnelle à propos des troubles de l'alimentation (dont l'écrasante majorité des victimes sont des femmes) veut qu'ils mettent en jeu une bonne fille dominée par une mère exigeante et dominatrice. La fille réagit alors en essayant d'être encore plus parfaite. Incapable d'atteindre la perfection (qui n'est pas de ce monde), elle tente désespérément de retrouver un certain contrôle sur elle-même en tyrannisant son propre corps.

Mais Kim Chernin propose une autre interprétation de ce phénomène quand elle écrit que «la femme qui souffre de cette obsession n'arrive pas à se pardonner d'avoir fait du mal à sa mère dans sa plus tendre enfance. En conséquence, [la fille] ne se permet pas de passer à l'étape suivante de son évolution, de se détourner de la femme vieillissante et de l'abandonner à l'épuisement et à l'abattement qu'elle est sûre de lui avoir infligés. [...] *Une obsession alimentaire se manifeste pour que le besoin, la rage et la violence de la relation mère-fille puissent s'exprimer d'une manière symbolique qui épargne la mère.»* (C'est moi qui souligne.)

D'autres Anges se "rebellent" dans la maladie mentale. Dans les cas extrêmes, la mère est *tellement destructrice* et la psychologie de la fille tellement fragile que l'Ange se révèle incapable d'éviter de prendre conscience de la cruauté de sa mère. Cela s'appliquait à quatre des Anges que j'ai interviewées, qui avaient toutes eu une mère Tortionnaire. La vulnérabilité de l'Ange est parfois aggravée, si l'en croit la recherche scientifique, par un déséquilibre chimique inné qui met l'Ange à la merci d'une mère impitoyablement dominatrice, par exemple, ou qui épuise les réserves affectives de sa fille hypersensible.

Les Anges les plus vulnérables deviennnent parfois psychotiques. En fait, c'est chez la psychotique que besoin de préserver la perfection de la mère est le plus fort, comme si elles devaient purger les erreurs de leur mère. Elles n'ont pas de limite claire entre «là où je commence et là où finit maman». Chez l'enfant, ce phénomène s'appelle "psychose symbiotique". Chez l'adulte, il s'agit de "schizophrénie". L'idée même de séparation terrifie l'Ange psychotique, qui a besoin de rester presque littéralement attachée à sa mère. Plutôt que de faire face à la destructivité de sa mère, l'Ange se dissocie de la réalité.

Ce n'est qu'avec beaucoup de soutien que l'Ange peut parvenir à abandonner l'image idéalisée qu'elle se fait de sa mère, à garder les qualités de Maman et à accepter ses défauts. Alors seulement, elle est en mesure de décider jusqu'où elle veut aller dans son émulation et à quel point elle doit devenir un individu distinct avec une personnalité bien à elle, ressemblant à sa mère en certains points, mais très loin d'en être une copie conforme.

Mais l'Ange qui n'a pas résolu sa relation avec sa mère a toujours besoin que sa mère ait besoin d'elle. En ne voyant le monde qu'à travers les yeux de sa mère, elle sacrifie son Moi authentique.

Si elle arrive à se rendre compte du prix que lui coûtent ses sacrifices, l'Ange finira par se pardonner, à elle, ses enfants ou ses amies, de ne pas être parfaites... d'être humaines, tout simplement. Elle parviendra alors à accepter sa mère comme elle est vraiment, ni diable ni sainte, mais une personne qui se situe quelque part entre les deux. Mais jusque là, son attachement non résolu se répercutera dans toutes ses relations. Elle maintiendra coûte que coûte son rôle angélique avec ses frères et sœurs, ses partenaires de cœur, son conjoint, ses associées, ses collègues et ses propres enfants, dans une perpétuelle tentative de gagner leur amour par son comportement parfait. Elle restera prisonnière du sempiternel carcan de ses bonnes manières.

La sœur Angélique

Le plus souvent, c'est la fille aînée qui devient l'Ange d'une famille, profitant ainsi des bonnes grâces de sa mère. Encouragée à être une *enfant sage*, elle s'approprie toutes les réserves d'affection disponibles sur le marché maternel. L'Ange devient ensuite le modèle que l'on brandit devant les autres enfants et qu'ils doivent imiter.

Plus elle est angélique, pires ils deviennent avec le temps. Son attitude vertueuse à l'excès compromet souvent ses relations avec ses frères et sœurs, surtout avec ses jeunes sœurs, qui sont ses semblables par le sexe et la génération. On rapporte que l'écrivain britannique George Bernard Shaw a dit un jour : «La seule personne qu'une jeune fille déteste plus que sa sœur aînée, c'est sa mère.»

Comme sa fonction est de protéger Maman tout en veillant à conserver sa position de gradée dans la division junior de la famille, elle ne permet pas souvent à ses frères et sœurs d'exprimer leurs frustrations, leur enseignant plutôt les tactiques de négation qu'elle a mises au point. «Ne dis pas des choses comme ça, houspille-t-elle sa petite sœur qui se plaint de la méchanceté de leur mère. Maman t'aime, tu sais». Et quand ses sœurs grandissent, la dynamique s'amplifie : la grande sœur défend Maman alors que la petite, de plus en plus en colère, se rebelle de plus en plus.

Les Anges et leurs sœurs finissent souvent par se détester : l'Ange parce que sa sœur n'est pas assez gentille avec Maman, la petite parce que son Ange de sœur refoule constamment sa colère.

Paulette, trente-neuf ans, et Yvonne, trente-six, filles de Tortionnaire, n'ont jamais été très intimes. «C'est parce qu'Yvonne et ma mère ne s'entendent pas, explique Paulette, l'Ange de la famille. Elle blâme tout le temps Maman de tout ce qui ne va pas dans sa vie. Ma mère est veuve, elle prend de l'âge, et pourtant Yvonne n'arrive pas à lui pardonner l'enfance qu'elle lui a donnée. Elle dit que c'était horrible, mais moi, je ne vois pas ce qu'il y avait de si affreux. Maman faisait de son mieux. Elle ne nous a jamais fait souffrir exprès. Ma mère dit qu'Yvonne est incapable d'aimer *qui que ce soit*. Je commence à penser que c'est vrai.»

Depuis la mort du père de Paulette, il y a six ans, la famille se réunit chez elle pour fêter Noël. Mais l'hiver dernier, Paulette a appelé Yvonne pour lui dire : «Je crois que cela irait mieux si tu ne venais pas. C'est censé être une heureuse occasion, mais cela ne le sera pas si Maman et toi êtes dans la même pièce. Toi et moi, nous pourrons nous voir une autre fois.»

Bien que les deux sœurs ne se soient pas adressé la parole depuis ce jour-là, Paulette m'a donné le numéro de téléphone de sa sœur, tout en me suggérant de l'interviewer elle aussi. Yvonne a accepté de bon cœur de partager avec moi sa version des faits.

Contrairement à Paulette, Yvonne a toujours été le bouc émissaire de sa mère. Dans son enfance, sa mère l'humiliait devant tout le monde («Tu ne fais *jamais* rien comme il faut»), la comparait en mal à sa sœur angélique («Heureusement que j'ai Paulette, au moins»), et se portait rarement à sa défense («Tu l'as bien cherché») :

Paulette a toujours été l'enfant parfaite. Elle sait que ma mère me critique constamment, mais elle se met la tête dans le sable. Tout ce qu'elle voit, c'est à quel point notre mère est "bonne", jamais ce qu'elle fait de mal. Ma mère exploite Paulette de façon horrible. J'ai pitié de ma sœur : c'est pathétique qu'elle ait tellement besoin de défendre ma mère, qui n'est pas exactement sans défense. Toutes ses priorités en sont déformées.

Quand Yvonne a mis son fils au monde, elle a eu besoin d'une transfusion sanguine qui a failli la tuer à cause d'une erreur de groupe sanguin. Mais quand Paulette l'a appelée à l'hôpital, bien qu'elle ait été mise au courant de l'état de sa sœur, elle n'a demandé des nouvelles ni d'Yvonne, ni du bébé. A la place, elle s'est mise à plaider : «Il faut que tu demandes à Maman de t'aider avec le bébé. Sinon, elle va croire que tu la rejettes.»

Yvonne, qui a derrière elle plusieurs années de thérapie, a tenté de former avec Paulette une relation séparée. Mais Paulette a exigé très clairement : Aime Maman ou nous ne serons pas amies!

«Je n'ai jamais demandé à ma sœur de choisir entre maman et moi, dit Yvonne. Mais pour sa propre tranquillité d'esprit, elle a fait le choix toute seule. Ma mère a gagné... et moi, j'ai perdu ma sœur.»

Les conflits entre sœurs se résolvent souvent à l'âge adulte, quand elles ont acquis assez de recul par rapport à leur enfance pour pouvoir faire face à la cause réelle de leurs frictions : les manipulations d'un de leurs parents. Mais beaucoup d'Anges persistent toute leur vie, même après la mort de leur mère, à entretenir le favoritisme de Maman par des querelles constantes avec leurs frères et sœurs. La colère est un mortier très puissant des relations mère-fille (On le trouve aussi chez les "mauvaises" filles, comme nous le verrons au chapitre Quatorze) : dans le cas de l'Ange, c'est la colère contre ses frères et sœurs qui contribue à préserver la mère parfaite.

L'Ange au travail

La «petite fille modèle» devient souvent une travailleuse angélique. On en trouve beaucoup dans les professions d'aide : elles deviennent infirmières, médecins, enseignantes, thérapeutes du corps ou de l'âme. Dans un certain sens, ce sont des professions pour lesquelles l'Ange est en formation depuis toujours.

Les employeurs estiment — et exploitent — souvent beaucoup leur parfaite employée, et à juste titre : sans jamais se plaindre, elle fait du temps supplémentaire sur demande, prête une oreille attentive aux problèmes conjugaux de ses collègues, tolère les tirades du patron et calme sa nervosité. En surface, l'Ange est d'une compétence à toute épreuve. Mais intérieurement, elle tremble constamment. Comme l'exprime Estelle : «Quand mon patron me convoque dans son bureau, ma première réaction est de me demander ce que j'ai fait de mal. Je prends tout de suite pour acquis que je vais me faire passer un savon.»

Geneviève, qui est pédiatre, est poussée par le besoin de faire son travail *parfaitement.* «Je suis un très bon médecin, dit-elle. Mais si l'état de l'un de mes patients s'aggrave, j'ai toujours peur que ce soit de ma faute, que j'aie négligé un symptôme. La nuit, cela m'empêche de dormir.»

Mais les Anges les plus angoissées ne cherchent pas à *trop* réussir dans ce qu'elles entreprennent. Elles s'arrangent donc pour ne pas obtenir trop d'avancement professionnel. Une Ange m'a dit: «J'ai toujours essayé de rester disponible pour le cas où ma mère aurait besoin de moi. Etre trop ambitieuse aurait signifié que je ne serais plus aussi disponible pour elle. Alors j'ai saboté ma carrière en refusant des promotions qui m'auraient pris trop de temps.»

Une autre raconte : «Je parviens tout le temps juste au bord du succès... puis il m'arrive quelque chose. C'est la panique : j'ai l'impression que je n'y arriverai jamais. Alors, soit je refuse une promotion, soit je pars.»

L'amie angélique

L'Ange fait souvent une excellente amie, soit parce qu'elle sait apaiser une amie susceptible, soit parce qu'elle est attirée par les gens qui ont plus de problèmes qu'elle. Certaines Anges se retrouvent souvent manipulées par des femmes dominatrices. «Je m'engage tout le temps dans des relations mal à propos, confie une Ange, parce que je ne sais pas établir de limites. Je leur passe énormément de choses parce que j'essaie tout le temps d'être si gentille...»

Mais il arrive que d'autres Anges ne se sentent en sécurité qu'avec des amies qui ont l'air plus démunies qu'elles. Caroline n'a jamais cherché d'amies qui lui feraient du bien; elle cherche plutôt à se lier avec des gens pour qui elle sera une Bonne Maman. «J'ai toujours su ce qu'il fallait que je fasse pour ma mère, dit-elle, et je sais toujours ce qu'il faut que je fasse pour mes amies.»

Qu'elle soit docile ou maternelle, l'Ange atteint souvent un point où elle se sent exploitée et où elle interrompt la relation. Une femme qui est actuellement en thérapie raconte :

J'avais l'habitude de me lier d'amitié avec des femmes qui étaient très dépendantes de moi, puis j'étais furieuse quand je me rendais compte qu'elles profitaient de moi. Ces dernières années, je me suis débarrassée de deux ou trois amies qui étaient exactement comme ça. Je me suis rendu compte que ce qui me plaisait dans ces relations, c'était de sentir que je m'occupais d'elles. Mais je ne les aimais pas vraiment.

La petite fille sage qui n'a pas résolu ses conflits avec sa mère perd souvent ses amies à cause de sa pureté trop rigide et de sa tendance à insister pour être la seule qui ait Toujours Raison.

Comme sa mère est habituellement sa meilleure — sinon sa seule — amie, elle ne s'en fait pas tellement quand elle perd une amie. Après tout, elle a sa mère, et qui a plus besoin d'elle que Maman ?

L'Ange en amour

L'Ange se marie souvent jeune, à moins qu'elle ne s'engage dans une longue relation romantique dans l'*illusion* de se séparer de sa mère. En fait, elle répète son rôle filial dans une autre relation intime, toute neuve celle-là. Bien qu'elle soit parfois consciente des tensions qu'elle éprouve face à sa mère, elle évite la question en mettant ses œufs affectifs dans un autre panier.

L'Ange apporte dans sa corbeille de mariage sa crainte d'être "fautive" dans sa vie amoureuse et tente d'être une "bonne épouse" ou une "bonne partenaire" pour ne pas avoir à revivre le supplice de ne pas être une bonne enfant ou pour conserver son fantasme de perfection. Mais dans ces relations, elle retrouve souvent sa mère en quelqu'un qui la laissera rechercher son bonheur *à lui* au lieu du sien, à elle.

L'une des Anges que j'ai interviewées, mère de trois enfants, se lamentait au sujet de son mariage, mais en termes typiquement Angéliques, comme si c'était son destin de souffrir en ce bas monde :

Mon mari est un homme extraordinaire : il a très bon cœur, il nourrit bien sa famille. Mais avec les enfants, il n'est pas très doué. Il s'occupe de leurs besoins physiques, mais pas de leurs besoins affectifs. Il n'a pas beaucoup de patience. Il est comme ma mère : si on le provoque — et ce n'est pas souvent — il vaut mieux aller se réfugier quelque part. Alors nous faisons attention de ne pas le mettre en colère. Mes enfants et moi, nous rions de ses crises. Mais nous ne restons pas dans ses jambes. Je dois m'occuper de tout toute seule : je suis le père et la mère de mes enfants, comme pour mes petits frères quand j'étais jeune. J'aime mon mari, mais je vois beaucoup de choses que j'aimerais changer chez lui.

Mais on ne peut pas changer les gens; on les accepte ou non, c'est tout. Bien entendu, comme pour tout le reste de ma vie, j'ai choisi de subir mon sort.

Alice, fille de Mère poule, a aussi épousé le portrait craché de sa mère... mais elle l'a fait exprès :

J'adorais mon père. C'était un homme si doux, si gentil. A l'âge de dix-sept ans, je me suis dit que si j'épousais quelqu'un comme lui, je me mettrais sûrement à ressembler à ma mère, et c'est la dernière chose dont j'avais envie. Alors j'ai épousé quelqu'un comme elle pour ne pas devenir comme elle. Mon mari lui ressemble tellement qu'il me dit même comment m'habiller. Le problème, c'est que mon enfance continue. Je suis passée directement de ma vie avec ma mère à ma vie avec lui, et c'est la même chose.

Linda, institutrice dans une classe de maternelle, est restée des années dans une relation amoureuse désastreuse à cause de sa tendance à ne voir que ce qui est bon :

Mon copain était très instable et démuni, comme ma mère. Il nourrissait mon besoin d'être une "Maman". Il prenait de la drogue, mais je ne voulais pas le savoir. Je n'arrivais pas à me mettre dans la tête que j'avais fait une erreur d'une énormité incalculable. Les femmes comme moi — les femmes qui font tout "comme il faut" — ne tombent pas amoureuses d'un drogué. C'est pourtant ce que j'avais fait. Je lui inventais des excuses. Je le croyais quand il me racontait qu'il prenait des médicaments pour ses allergies... En fait, il prenait de la cocaïne. J'ai nié sa toxicomanie jusqu'à ce qu'il se fasse arrêter. C'est là que je me suis réveillée et que je l'ai quitté.

Quant aux Anges qui ont choisi un "bon" partenaire, elles sont hantées par la peur de tout perdre. «Je m'attends tout le temps à ce que cela prenne fin, confie une Ange. Je me dis : "On n'a rien pour rien. Un jour, il faudra payer tout cela. Tu es si heureuse maintenant qu'il va se produire un désastre avant longtemps." J'ai encore l'impression que, si je ne suis pas une petite fille sage, personne ne m'aimera. C'est dur de vivre comme ça tout le temps.»

La mère Angélique

Beaucoup d'Anges deviennent des Mères poules et sont souvent incapables d'admettre que leur besoin d'être "bonnes" et de donner à leurs enfants une "enfance idéale" empêche leurs enfants d'être eux-mêmes.

Une Ange fille de Critique, qui a réussi à assumer la colère qu'elle éprouvait envers sa mère, résume ainsi sa détermination à ne pas commettre les mêmes erreurs que sa mère :

Celles d'entre nous qui ont toujours été au service de leur mère connaissent bien les pièges qui les guettent. Nous avons tellement peur de tomber dedans. C'était ma peur principale avec mes enfants. Chaque fois que je me voyais faire quelque chose qui me rappelait ma mère, j'avais envie de me trancher les veines. Devant moi se dressait le masque terrifiant de ma mère, de devenir comme elle.

Sa détermination a servi à quelque chose : elle a aidé ses filles à se sentir bien dans leur peau de femmes, plutôt, dit-elle, que de «devenir des petites marionnettes. Si je ne réussis rien d'autre dans ma vie, j'aurai au moins réussi cela.»

Mais d'autres Anges, celles qui n'ont pas résolu l'héritage de leur enfance, tentent si fort de devenir des mères parfaites qu'elles ont une espèce de trac maternel : en présence de leurs enfants, elles pèsent chacune de leurs paroles. Comme le dit en plaisantant l'une de ces femmes : «Je reste là à ouvrir et à fermer la bouche en essayant de trouver la bonne chose à dire. J'ai l'air d'un poisson d'aquarium. Mes enfants me crient : "*Quoi ? Dis quelque chose!*" »

Certaines Anges se situent à mi-chemin entre la Mère poule et la Critique dans leur façon d'être avec leurs enfants. Elles donnent l'impression d'être de bonnes mères parce qu'elles remplissent leurs devoirs, mais elles restent distantes avec leurs enfants. Trouver un défaut chez son enfant, pour ce genre de mère, équivaudrait à trouver un défaut en elle-même. C'est pourquoi elles fuient l'intimité. Cette négation de leur côté négatif et de celui de leurs enfants entraîne parfois des conséquences tragiques.

Il y a deux ans, Mariette, quarante ans, administratrice dans un hôpital, aurait pu dire qu'elle avait eu une enfance parfaite et qu'elle avait un mariage et une famille parfaits. Son mari était entraîneur de l'équipe sportive du quartier et elle donnait des cours d'instruction religieuse le dimanche. «Nous étions considérés comme des piliers de notre communauté», dit-elle. Jusqu'au jour où sa fille adolescente tenta de se suicider :

Je n'ai jamais vu aucun signe, et c'est mon travail de détecter les signes. Je n'arrivais pas à sentir que j'étais vraiment concernée. La seule pensée que j'avais, c'était : "Ça n'arrive pas aux gens comme moi". Cela m'a forcée à considérer mon enfance d'un œil neuf. J'ai été élevée dans une famille très stricte où nous n'avions jamais le droit de parler des choses importantes. Personne ne se fâchait jamais. J'ai grandi dans l'illusion que tout cela était merveilleux. Il m'a fallu beaucoup de temps pour comprendre à quel point j'étais coupée de mes émotions, au point de ne pas pouvoir entendre la souffrance de ma fille. Faire face à sa souffrance me force à faire face à la mienne. Je trouve cela très, très difficile.

Voilà un exemple d'un destin triangulaire des plus tragiques. Car bien qu'une Ange puisse réussir à étouffer ses instincts et à garder son Moi autentique profondément enfoui, il arrive dans certains cas que sa vulnérabilité cachée devienne chez son enfant une bombe à retardement; d'où le dicton populaire selon lequel les traits de caractère «sautent une génération».

Mais d'autres Anges, qui sont la plupart du temps filles de Tortionnaires ou d'Absentes, se retrouvent étouffées par toute la rage qu'elles répriment. Ces Anges sont en fait des Tortionnaires déguisées. La négation de leurs humiliations et le fait de s'être fabriqué un Moi factice provoquent chez elles un énorme amoncellement de colère.

L'une des Anges à qui j'ai parlé avoue être colérique, trait de caractère qu'elle dit avoir hérité de sa mère Tortionnaire. Dans son enfance, sa mère la menaçait tout le temps de l'abandonner si elle n'était pas sage :

J'ai fait le vœu de ne jamais dire la même chose à mes enfants, mais je ne l'ai pas tenu. Nous étions en vacances, et je me suis retrouvée en train de hurler à ma fille : "Si tu n'es pas sage, je vais te laisser ici quand je vais rentrer à la maison." Dès que les mots sont sortis de ma bouche, je lui ai dit : "Je ne le pense pas vraiment. Maman ne ferai jamais une chose pareille. Dès que tu vois que Maman se met en colère, sauve-toi. Va dans ta chambre, ou dit à Maman : Tu n'es pas gentille." Mais c'est beaucoup lui demander : elle n'a que cinq ans... Dans la vie, j'ai tout pour être heureuse : un mari aimant, une enfant adorable. C'est plus que j'ai jamais eu l'impression de mériter. Et pourtant, je peux être irritée au point d'avoir envie de lancer mon enfant par la fenêtre. Ma colère me terrifie.

Portrait d'une Ange

Pendant presque toute sa vie, Judith, cinquante-huit ans, a vécu dans l'illusion que sa mère Critique allait finir un jour par l'aimer et l'accepter; espoir, dit-elle, qui l'a maintenue «dans une sorte de cul-de-sac».

Elle était la fille unique d'un père professeur de mathématiques dans une école secondaire et d'une mère ménagère. Tous les deux étaient Juifs orthodoxes et n'ont jamais manqué un service du Sabbat. Sa mère menait la maison d'une façon strictement kascher et décourageait Judith de jouer avec les enfants chrétiens du quartier.

Judith a toujours été une enfant obéissante qui réussissait très bien à l'école. Toujours prête à aider sa mère à préparer les soupers de fête du vendredi soir, elle est allée à l'école hébraïque pendant huit ans.

Puis elle est partie à l'université, a obtenu un diplôme en journalisme et est revenue dans sa ville natale où elle s'est mise à travailler pour le quotidien local. Tous les vendredis, elle soupait avec ses parents, puis allait au service religieux avec eux. La seule rébellion de Judith — rébellion qui a failli lui aliéner complètement ses parents — a été d'épouser un Catholique, un avocat qui s'appelle Paul. Cependant, comme il était aimable avec les parents de Judith et qu'il a accepté que leurs enfants soient élevés dans la religion juive (et comme Judith était leur seule enfant), ses parents lui ont pardonné son unique erreur. Mais ils sont toujours restés de glace envers Paul.

Judith cessa de travailler à l'extérieur pour élever leurs deux fils, mais continua sa carrière en se mettant à écrire des romans, travail qu'elle pouvait faire la nuit et pendant les fins de semaine. Elle a publié huit ouvrages qui ont toujours reçu des critiques enthousiastes, bien que leurs ventes soient moyennes, sans plus.

Si la mère de Judith avait gardé rancune à sa fille à propos du choix de son mari, elle se dissipa quand, à la mort du père de Judith, il y a douze ans, Paul lui offrit de venir vivre chez eux.

Quand leurs enfants avaient quitté le nid familial, Paul et Judith avaient déménagé dans un petit appartement qui ne pouvait pas les contenir tous les trois. Ils firent donc construire une nouvelle maison selon la liste de recommandations que posa la mère de Judith comme condition pour aller vivre avec eux. La maison comportait un petit appartement privé avec une cuisinette «pour qu'elle ne soit pas un fardeau pour eux». Elle était située près d'une synagogue «pour qu'elle puisse aller au service à pied». Elle était près d'un arrêt d'autobus «pour qu'elle puisse rester indépendante» et faire le court trajet qui la séparait de son ancien quartier et de ses amies.

Mais la vie avec Maman ne se déroula pas du tout comme prévu.

Pas une fois elle ne prit l'autobus pour retourner dans son ancien quartier. Quand Judith allait chercher les amies de sa mère en voiture et les ramenait à la maison pour manger le repas élaboré qu'elle avait préparé, sa mère se fatiguait vite de les voir. Lorsqu'elle offrait d'accompagner sa mère à la synagogue, elle refusait toujours. Si elle invitait sa mère à se joindre aux réceptions qu'elle donnait parfois pour leurs amis, elle répondait : «Tes amis s'ennuieraient avec moi».

«Tout ce qu'elle a fait pendant douze ans, c'est rester assise près d'une fenêtre et regarder dehors», s'exclame Judith.

Puis, il y a un an de cela, l'arthrite de sa mère s'est aggravée au point qu'il a fallu la transférer dans une maison de retraite :

Ma mère m'a dit qu'elle est plus heureuse là-bas qu'elle ne l'a été depuis des années. Que voulez-vous que je réponde à cela ? Comment lui en vouloir ? Qu'a-t-elle jamais fait pour que je lui en veuille de quoi que soit ? Elle a dit : "Je ne vous dérangerai pas", et c'est ce qu'elle a fait. Elle m'a rendue folle, c'est tout. Je pense que je dois avoir un gros problème pour ne pas avoir eu une seule confrontation avec elle pendant tout ce temps. Je suis en colère d'avoir passé toutes ces années à faire tout ce que je pouvais, et même ce que je ne pouvais pas, pour donner à cette femme une vie confortable, heureuse, sans souci. Parce que ça n'a jamais marché.

Comme séquelle de tous ces efforts dépensés en vain, Judith est incapable d'écrire depuis que sa mère est partie de chez elle. Elle est sûre que son talent est épuisé, ainsi que sa capacité de relever de nouveaux défis littéraires. A l'approche de la soixantaine, apprendre à vivre d'abord pour elle-même l'oblige à lutter contre un demi-siècle de sacrifice de soi. Affectivement, elle a l'impression de devoir réapprendre à marcher.

Deux semaines après le départ de sa mère, Judith a fait son

premier pas trébuchant pour s'ajuster à la vie sans Maman : elle s'est acheté un lierre en pot. «C'était comme un nouveau commencement, explique-t-elle : ma mère a toujours dit que le lierre portait malheur.»

Ce qui terrifie le plus Judith, c'est la colère qu'elle éprouve contre sa mère et contre elle-même et qui commence à émerger de son inconscient. La paralysie qu'elle éprouve dans son travail est donc une métaphore de sa paralysie émotive : retenir sa colère, c'est comme essayer de contenir l'océan. En ce moment, elle a besoin de toute son énergie pour sortir du lit le matin, alors qu'elle a passé sa vie à faire des bonnes actions avec une énergie inépuisable.

Judith n'a jamais entrepris de thérapie et n'envisage pas d'en suivre une. Je lui demande ce qu'elle va faire de toute sa colère. «Repeindre la maison ?» suggère-t-elle avec un pauvre petit sourire.

Le sourire disparaît de ses lèvres, elle regarde fixement le sol. Puis, sans aucune complaisance dans la voix, juste de l'étonnement, elle ajoute :

Je pensais que j'éprouverais un soulagement immédiat quand elle s'en irait, et aucune culpabilité, puisque j'ai toujours fait plus que ma part. Tout ce que je ressens, c'est le vide. Tout ça n'a servi à rien, à rien du tout.

12

La Championne

«Les gens me disent que ma mère se vante de moi à qui veut l'entendre, mais moi, je ne reçois jamais d'elle aucun compliment. Elle est fière de mes succès, mais elle est aussi très jalouse de moi. C'est son envie qui m'a poussée vers le succès. Je voulais lui prouver ce que j'étais capable de faire malgré elle. Et je l'ai fait. Mais je vis aussi avec une insécurité totale et constante que la plupart des gens qui me rencontrent pour la première fois seraient très surpris de découvrir.»

Catherine, quarante-deux ans

Allez-y. Faites plaisir à Martine. Demandez-lui ce qu'elle fait dans la vie. «Je suis astronaute !» s'écrie-t-elle. Euh, en fait, pas encore tout à fait : elle est physicienne et s'entraîne pour faire partie du futur équipage d'une navette spatiale.

Martine a reçu son doctorat à l'âge de vingt-neuf ans. Elle s'étonne encore d'avoir réussi cet exploit tout en étant mariée et mère de deux jeunes enfants. Conforme au scénario de la Championne, elle a choisi le but le plus inaccessible qu'elle ait pu trouver. Pourquoi ?

Je voulais me prouver que je valais vraiment quelque chose. Cela ne me suffisait pas de me dire que ma seule qualité d'être humain me donnait une valeur en soi. Il me fallait une preuve extérieure. Maintenant, je peux brandir mon diplôme et montrer à tout le monde que je vaux quelque chose. Et je me rends compte que ça revient à dire que je ne vaux pas grand-chose, dans le fond.

Mais les autres ne le savent pas. J'adore aller dans une réception et attendre que quelqu'un me demande : "Et vous, ma chère, que faites-vous dans la vie ?" Je serre les mâchoires pour ne pas hurler de joie quand je le leur dis. Je ne peux pas vous décrire tout ce que cela représente pour moi. Et quand c'est un homme qui me pose la question, je défaille littéralement.

Pour la Championne, tout ce qui se situe en deçà de l'excellence équivaut à la déchéance. Le succès représente pour elle beaucoup plus que les avantages financiers qui y sont associés. Il signifie :

- un passeport pour échapper à la prison de son enfance;
- un écran entre elle et la désapprobation intériorisée de sa mère;
- une protection contre la dépression.

Des cinq catégories de filles décrites dans ce livre, c'est celle qui est la plus petite. En effet, le méga-succès a toujours récompensé une minorité d'hommes doués de concentration, d'une ténacité féroce, d'une grande intelligence et d'un ego encore plus grand. Mais pour *les femmes* qui ont aujourd'hui trente ou quarante ans, cela sort de l'ordinaire de se retrouver catapultées au sommet, car elles ont été élevées selon le double message de la féminité traditionnelle et de la montée du féminisme. Réussir dans le monde des hommes exige d'elle une énorme dose de cran.

Les Championnes vivent dans le *défi*, comme l'indique le fait qu'elles ont eu à tracer de nouvelles pistes sans modèles de femmes ou presque. Cette attitude de défi couve en elle depuis l'enfance. Quelle meilleure façon de se venger d'une mère envahissante, jamais satisfaite, hypercritique, que de la dépasser socialement, et même de dépasser *le père* ?

Qu'ont-elles vraiment à perdre, les Championnes ? La plupart de celles que j'ai rencontrées ont eu une mère Critique, Tortionnaire ou Absente. L'"intimité féminine" n'a jamais fait partie de leur vie. Si, pour réussir, il faut renoncer aux trésors "féminins" de l'intimité et de l'attachement affectif, elles ont une longueur d'avance sur tout le monde, car elles n'ont jamais su ce que c'était.

Si certaines Championnes ont l'air d'avoir un cœur de pierre, c'est qu'elles ont dû s'endurcir de bonne heure pour survivre dans leur famille. Ces femmes ont flairé leur destin longtemps avant que *La femme mystifiée*, le manuel d'instruction des femmes ambitieuses écrit par Betty Friedan, leur donne la permission culturelle de réussir dans le monde des hommes.

Une fille de Critique exprime ainsi la *force de volonté* qu'elle a en commun avec ses semblables Championnes : «Quand j'étais enfant, la prière que je faisais avant de dormir se résumait à ceci: devant Dieu, je jure que je serai maîtresse de mon destin.»

Ne me marchez pas sur les pieds

C'est souvent très jeune que la Championne décide que personne ne lui marchera sur les pieds. Plus grandes sont les carences affectives de son enfance, plus elle luttera pour atteindre le sommet... et pour y rester.

Sylvie, aînée d'une famille de quatre enfants, a eu à subir la terreur et l'humiliation que leur infligeait leur mère pour les punir de la moindre peccadille. Mais comme Sylvie était la seule fille, c'est à elle que sa mère réservait sa rage la plus acide :

Mes jeunes frères ont appris très vite que plus tôt ils se mettaient à sangloter et à implorer son pardon, plus vite elle les laissait tranquilles. Mais pas moi : j'en étais incapable. Je me souviens de m'être dit à l'âge de six ans : "Ne pleure pas. Ne la laisse pas t'abattre." C'est pour ça que je réussis si bien : j'ai décidé que rien, surtout pas ma mère, n'allait jamais pouvoir m'abattre.

La plupart des Championnes, avec quelques exceptions, sont filles uniques ou filles aînées. Pour celles qui ont une sœur aînée, le rôle de la "bonne fille" a déjà été attribué dans leur famille. Comme la grande sœur Ange s'accapare le favoritisme et le soutien de Maman, la petite Championne va chercher dans le monde extérieur les bonnes choses qui s'y cachent. Mais cela ne vient souvent que plus tard, car, comme l'Ange, elle passe la majeure partie de son enfance à obéir poliment aux grandes personnes.

Mais quelque part en chemin, la Championne fait le vœu d'obtenir une certaine reconnaissance du monde extérieur au lieu de rester auprès de Maman. Et pour y parvenir, il lui faut beaucoup de travail, de cran et d'intelligence.

Réussir dans le monde des hommes

Les Championnes ont plutôt tendance à s'identifier aux hommes et aux critères de réussite masculins qu'aux femmes. Ce n'est pas qu'elles veulent devenir des hommes, mais plutôt qu'elles veulent être *aussi efficaces* que les hommes dans le monde du travail, parce que *dans cet univers-là*, c'est habituellement des hommes et non des femmes qui ont le pouvoir et le contrôle. La Championne aimerait mieux mourir que de se retrouver dans un état de vulnérabilité ou de dépendance.

Plusieurs des Championnes que j'ai rencontrées avaient un père qui s'intéressait particulièrement à elles.

Thérèse, qui a une mère Critique, est vice-présidente de la plus grosse agence de publicité de Montréal. Elle attribue son succès à la fois à «l'indifférence de sa mère» et aux encouragements de son père :

Mon père admirait beaucoup le fait que je sois capable de prendre soin de moi-même toute seule, ce que ma mère perpétuait en m'ignorant. Il me disait : "Tu pourras devenir tout ce que tu voudras parce que tu as l'intelligence et la discipline qu'il faut : ce n'est pas le cas de tout le monde." Je ne me suis jamais demandé si j'avais ou non ce qu'il fallait pour réussir, puisqu'il m'avait dit cela.

Récemment, ma mère m'a dit qu'elle aimerait bien que je lui demande conseil de temps en temps. Je lui ai répondu : "Tu voulais que je sois autonome ? Eh bien, c'est fait. Je ne peux pas revenir en arrière pour te faire plaisir. Ce n'est pas comme ça que ça marche." Elle a bien vu que j'avais raison.

Comme nous l'avons vu au cours du chapitre Quatre, il n'est pas inhabituel qu'une fille dont la mère est impossible à satisfaire fasse alliance avec son père. Pour la plupart des filles, les "professions de foi"de leurs parents («Vas-y, tu peux le faire») ressemblent soit à l'encouragement de leurs capacités naturelles, soit à un idéal hors d'atteinte qui ne vaut même pas la peine qu'elle tente d'y parvenir. Mais pour la Championne, l'intérêt de son père, même s'il s'exprime sous forme de commentaires sur la bonne note «qui n'est pas excellente», revêt une importance énorme, à la fois parce qu'il est souvent sa seule source d'estime et parce qu'elle a tendance à l'idéaliser.

Les Championnes qui ne bénéficient pas de ce genre de public paternel sont mises au défi, plutôt que mises au tapis, par la certitude qu'a leur mère de leur incapacité totale. Pour ces filles, quand leur mère dit : «Tu ne feras jamais rien de bon», c'est comme si elle approchait d'un pétard une allumette enflammée : *les Championnes mettent toute leur énergie à prouver que leur mère s'est trompée.*

C'est leur ambition même qui les lie à leur mère : leur succès se nourrit de l'espoir qu'un jour, si elles travaillent assez, leur mère va les remarquer et les admirer.

«Chaque jour de ma vie, j'étais une ratée pour ma mère, me dit la directrice du département scientifique d'une grande université. C'était devenu une obsession pour moi. Je ne prenais jamais un jour de congé, même l'été.»

La grande croisade

Pour ces femmes, ne pas être reconnues équivaut à une menace de mort : sans cela, elles sont persuadées qu'elles ne sont rien. Chercher la reconnaissance professionnelle et *échouer* leur fait vivre un sentiment hideux de honte et de médiocrité qui ravive l'anxiété de leur enfance. Selon les mots du psychiatre Andrew Morrison, «Lorsqu'un enfant sent que ses efforts ne sont ni appuyés, ni encouragés, il a l'impression que le monde n'accorde aucune valeur à son existence.»

Le carburant de la Championne, c'est la colère qui, comme un jet d'eau qui soulève un ballon, l'empêche de sombrer sous le poids de sa propre vulnérabilité.

Andrée est présidente d'une importante firme de vente au détail et fait partie du conseil d'administration de plusieurs grandes entreprises. Pour le monde extérieur, elle représente la douceur et la sagesse même : c'est la *persona* rassurante qu'elle s'est fabriquée pour équilibrer son ambition brûlante. Son secret, dit-elle, c'est la peur de retomber dans son attitude enfantine de supplication.

J'aime être en colère. C'est un feu qui court dans mes veines et qui me fait sentir que j'existe. Cela me donne de la force. Mais je sais qu'il faut que je m'en serve positivement pour obtenir les bonnes choses de la vie. Si je me servais négativement de ma colère, si je piquais des crises par exemple, je n'accomplirais jamais rien de bon. Et mon besoin dans la vie, c'est d'accomplir.

Si Bernadette, quarante et un ans, qui a remporté plusieurs prix pour ses émissions de télévision, est en colère, c'est parce que «dans le fond de mon cœur, j'ai l'impression d'être une fraudeuse». A l'âge de vingt-deux ans, Bernadette est entrée comme secrétaire au département des nouvelles d'une chaîne de télévision et a gravi les échelons jusqu'au poste de directrice de la production qu'elle occupe maintenant :

Dès que je passe plus de cinq minutes avec ma mère, j'ai envie de l'étrangler. Elle dit tout ce qu'il faut, mais il y a toujours une pomme empoisonnée. Quoi que je fasse, ce n'est pas suffisant. La première émission que j'ai jamais faite, c'était un clip de cinq minutes pour les nouvelles du soir. Ma mère m'a dit : "C'était formidable. Mais il faudra dire au reste de la famille que c'était un documentaire d'une demi-heure." Ce n'est pas seulement que je veux réussir : c'est qu'il faut que je le fasse. Ce qui me donne de l'énergie, c'est l'étincelle de cette obligation de lui prouver ce que je vaux.

Je suis toute seule, là-haut...

Mais pourquoi le succès ne parvient-il pas à rendre la Championne heureuse ? Parce qu'il arrive trop tard. C'est il y a bien longtemps, dans son enfance, que la Championne avait besoin de "réussir", c'est-à-dire d'être acceptée. Comme sa mère se comportait d'une façon qui signifiait : «Tu n'es pas importante», la petite fille sans défense n'a pas pu acquérir la force intérieure qui mène à la vraie autonomie.

Sharon Wegscheider cite le besoin de réussir parmi les mécanismes de survie des enfants d'alcooliques. L'"Héroïne" (c'est ainsi qu'elle nomme ce type d'enfant) quitte tôt sa famille, poussée par une brûlante ambition. Mais elle est vouée à l'échec car le but qu'elle poursuit, au lieu de servir ses talents et ses intérêts à elle, consiste en fait à guérir la blessure de toute sa famille, blessure qu'elle n'a pas la capacité de guérir.

Ne serait-ce qu'inconsciemment, la Championne sent bien que ce que sa famille aime chez elle, ce sont ses trophées, pas son être. Cette perception peut même pousser certaines Championnes au burn-out. De la même façon que l'Ange ne sait pas dire non au besoin de dévotion de sa mère, la Championne ne sait pas dire non à une ouverture professionnelle, même si cela doit la pousser au bout de ses forces. Dans sa panique, elle se dit : «On ne me proposera jamais plus quelque chose de ce genre : je ne peux pas laisser passer ça.» Chaque réussite la fait frôler de plus près la catastrophe.

Les Championnes sombrent parfois dans la dépression, à moins qu'elles n'attrapent des ulcères ou de l'hypertension, car leur soif de succès n'est jamais entièrement satisfaite : leur confiance en elles est trop fragile, leur doute de soi trop implacable. Ces filles sont souvent affamées d'éloges qui n'apaisent leur besoin que de façon temporaire. «Pour les gens "grandioses", écrit la D^re^ Alice Miller, le respect de soi dépend de qualités, de fonctions et de réussites qui peuvent soudainement leur faire défaut.»

En filigrane, tous les succès de la Championne portent la marque d'un doute affreux : non seulement elle ne sera jamais aussi excellente que sa mère l'exige d'elle, mais elle *pourrait* être aussi *médiocre* que sa mère le pense... «Les gens me complimentent sans cesse sur tous les aspects de ma vie, me dit une femme, mais je ne les crois jamais. C'est comme si j'avais une armure sur laquelle tout glisse, y compris les éloges.»

Les blessures de la Championne sont si profondes que sans aide professionnelle, elle n'ose pas ralentir. Comme un hors-bord lancé à toute vitesse qui vole au-dessus des vagues, elle doit dépenser une énergie folle pour se maintenir au-dessus des eaux troubles du doute de soi. «Je n'ai pas les moyens d'arrêter, me confie une Championne. Je n'arrive pas à m'imaginer que je serai un jour rendue à bon port.»

Il n'est donc pas surprenant de constater que la fragilité de la charpente affective de la Championne nuit à toutes ses relations, notamment avec ses frères et sœurs.

Attends-moi, grande sœur !

Si l'Ange met ses sœurs hors d'elles à cause de son insupportable sainteté, la Championne leur fait le même effet, mais à cause de ses insupportables réussites. On la montre en exemple à ses frères et sœurs, qui lui sont constamment comparés et à qui ils finissent par se comparer tout seuls. Bien que sa mère tente souvent de saper son succès, elle le trouve bien pratique pour contrôler ses autres enfants.

Pour ne rien arranger, la Championne se sent souvent coupable de réussir au détriment de ses frères et sœurs. Elle se sent d'autant plus mal si c'est son frère qu'elle dépasse à l'école, puis plus tard dans sa carrière. Les filles sont censées être "inférieures". Non seulement ses exploits diminuent la part d'approbation parentale de son frère, mais ils menacent également sa "supériorité masculine". Elle risque alors de minimiser son succès ou de ne pas en informer son frère. Mais cela ne suffit tout de même pas à lui faire perdre de vue ses objectifs, car en les poursuivant, c'est son propre salut qu'elle poursuit.

En dépit des jalousies qui ont pu envenimer ses relations avec ses frères et sœurs dans l'enfance, certaines Championnes deviennent plus tard des modèles pour eux. Ceci s'applique particulièrement dans le cas des familles gravement perturbées dans lesquelles les enfants ont un ennemi commun : leurs parents. Pour les enfants devenus adultes, l'argent et la réussite ne font peut-être pas le bonheur, mais ils donnent tout le reste — ou à tout le moins, le sentiment de se libérer du passé et d'avoir un but dans l'existence. Pour ses frères et sœurs, la Championne est la preuve vivante qu'il est possible d'arracher au monde extérieur des compensations substantielles pour l'âme blessée. Et quoi de plus enivrant que la réussite ?

Voici ce qu'en dit une Championne, aînée de trois enfants :

J'étais bien décidée à ce que rien ne m'arrête, et mes sœurs se nourrissaient de ma détermination. C'est peut-être la négativité de nos parents qui nous a toutes forcées à nous dire : "Nom de Dieu, ils ne nous auront pas comme ça. On va survivre." Et c'est comme ça que nous avons réussi toutes les trois.

Mais la plupart des Championnes éprouvent une certaine ambivalence à l'idée d'être "meilleures" ou plus "brillantes" que leurs frères et sœurs. A moins d'avoir des parents peu communs qui sachent valoriser leurs enfants pour ce qu'ils sont individuellement, même si les enfants cherchent tous à obtenir *la même chose* ou que l'idée de réussite les laisse froids, la Championne se sent toujours isolée à cause de ses dons. Il ne faut pas oublier que l'isolement est particulièrement difficile à supporter pour les filles, pour qui le sentiment d'appartenance et les relations font partie intégrante du fait d'être une femme.

La Championne au travail

Ce sentiment d'isolement hante la Championne tout au long de sa carrière. La plupart des Championnes filles aînées ou filles uniques ont l'habitude de la solitude qui accompagne leur position de première des enfants de la famille, elles qui n'ont eu que la compagnie des adultes (quand elles l'avaient) pendant leur enfance. Comme elles ont passé les premières années de leur vie à être les seules à recevoir toute l'attention des parents, qu'elle soit bienveillante ou non, elles éprouvent souvent certaines difficultés à être «petites» avec les autres enfants.

Mais c'est cet isolement même qui les aide à se concentrer sur la manière dont elles vont survivre à leur enfance et sur ce qu'elles vont faire plus tard pour se tailler une place dans le monde.

Les Championnes obtiennent leur sens du Moi dans le monde extérieur dans l'espoir que leurs admirables réussites vont finir par pénétrer en elles, comme une lotion dans la peau sèche, et par combler leur manque de confiance en elles. Pour la plupart d'entre elles, cela fonctionne très bien, mais seulement si elles s'arrêtent de temps en temps pour évaluer quelle proportion de leur «valeur» reflète leur image d'elles-mêmes. C'est alors que certaines se rendent compte, à leur grande surprise, que tout ce travail leur apporte quelque chose qui *ressemble* à une certaine résistance affective, ce qui leur donne envie d'entreprendre une thérapie. La Championne peut alors mettre son courage à profit pour tenter d'exorciser ses démons intérieurs.

Une Championne professeure de biologie m'a raconté ceci :

Je courais après la réussite d'une façon complètement névrosée. La seule chose qui était acceptable pour mes parents, c'était la réussite scolaire. J'avais l'impression que si j'avais de bonnes notes et que je finissais par décrocher un bon travail, ma mère finirait par être fière de moi.

La première fois que j'ai donné une conférence, j'ai été incapable de dormir pendant trois nuits avant la date prévue. J'avais l'impression que tout le monde allait se moquer de moi, comme ma mère avait toujours ri de moi. J'étais toujours sur la sellette. Après la conférence, plusieurs étudiants sont venus me voir pour me dire que j'avais été formidable. Je suis sortie, je suis montée dans un taxi et j'ai fondu en larmes parce que je n'avais pas tout raté.

C'est à ce moment-là que j'ai entrepris une thérapie, et depuis ce temps, c'est le contraire qui se passe. Je me suis rendu compte que je n'obtiendrais jamais que mes parents m'aiment en essayant constamment de leur plaire. Il faut réussir pour soi-même. Je me suis sortie de mon besoin constant de prouver à ma mère de quoi je suis capable. Maintenant, quand je travaille dur, c'est pour moi. Je sais que je suis douée.

D'autres Championnes ont obtenu de l'aide d'une façon différente. Parmi les Championnes psychologiquement maltraitées que j'ai interviewées, celles qui s'en sont le mieux sorties sont celles qui savaient instinctivement trouver des mentors, comme cette vedette de comédie musicale de Broadway :

C'est mon ambition qui m'a sauvé la vie. Je voulais tout savoir, tout apprendre. Quand j'avais sept ans, j'ai trouvé quelqu'un pour m'enseigner tout cela. C'était la maîtresse de musique de mon école. En me prenant sous sa protection, elle a eu une influence énorme sur ma vie. Elle trouvait que j'avais un talent exceptionnel et c'est elle qui a guidé ma carrière; elle m'a même aidée à entrer à l'école de théâtre. C'est elle qui m'a ouvert le monde : elle était si solide, si juste... j'aurais voulu l'avoir pour mère. Sans elle, je n'aurais jamais rien accompli.

La psychiatre Marianne Goodman est intimement persuadée que le fait d'avoir une carrière contribue à renforcer le sentiment de mérite individuel des femmes :

Pour se libérer de sa colère, il faut croire en sa propre valeur, et cela vient en partie du travail que l'on fait. Il faut pouvoir voir le résultat de ses efforts. Il faut être valorisée. Beaucoup de mes patientes, avant de commencer à se sentir mieux dans leur peau, doivent trouver quelque chose qu'elles font bien et qui les gratifient. C'est difficile à faire dans le vide. Par leur travail et l'admiration des autres, elles peuvent enfin sentir qu'elles valent quelque chose.

Mais beaucoup de Championnes n'ont pas une vie affective très heureuse, pour des raisons qui font partie intégrante de leurs mécanismes de survie. *Comme leur valeur extérieure si durement acquise n'est en fait qu'un emplâtre sur la jambe de bois de leur confusion intérieure,* elles font partie des gens les plus difficiles à atteindre en thérapie. Elles *doivent* sentir qu'elles réussissent, même affectivement. L'introspection leur semble trop dangereuse.

Le travail : une entreprise «familiale». Les Championnes ont plus de chance que leur mère ménagère dans la mesure où leur vie professionnelle leur procure une soupape de sûreté : en effet, il leur est possible de canaliser dans leur travail leur colère et leur frustration.

Néanmoins, ces filles sont toujours plus enclines à ressembler à leur mère qu'à se différencier d'elle, car elles "emmènent" souvent Maman au travail. Elles perçoivent l'*ennemie* (la mère hypercritique) partout dans leur milieu de travail : dans la nouvelle venue qui semble convoiter leur poste, dans la collègue qui est peut-être en train de comploter dans leur dos.

La Championne réagit parfois à ces trahisons de bureau avec la double charge émotive de l'indignation justifiée qu'elle éprouve sur le coup et de la colère inavouée qui remonte à son enfance. Au lieu de lui tendre stratégiquement un piège astucieux, elle matraque la traîtresse de son bureau à coups de bombe atomique. Pour la Championne, une lutte politique intestine se transforme en guerre totale.

Elle risque même de devenir une “harpie”, terme (injustement) réservé aux femmes ambiteuses qui écrasent leurs collègues comme leur mère les a déjà elles-mêmes réduites en pièces. Elle trouve difficile de séparer ses relations de travail et ses souvenirs douloureux, qui ont souvent tendance à réapparaître dans sa vie professionnelle comme autant de cheveux sur la soupe.

D'autres Championnes apportent plutôt à leur travail un besoin féminin d'intimité et recherchent en leurs protégées soit une “bonne maman”, soit une “enfant loyale”. Mais elles placent souvent dans ces relations un enjeu affectif exagéré. Si sa protégée ne fait pas preuve d'une gratitude appropriée en la traitant avec l'onctuosité qu'elle employait, enfant, avec sa mère, la Championne y voit un «crime» qui n'a de réalité que dans son imagination blessée.

Pour ce genre de Championne, toute ambivalence ressentie dans ses relations de travail réveille l'écho des ambivalences de son enfance et perturbe son approche directoriale. Voici ce que m'a raconté la présidente et propriétaire d'une entreprise de marketing, âgée de quarante-six ans :

J'avais peur de ma mère. J'ai érigé contre elle un mur si épais que je crois bien qu'il nuit à mon travail. J'aime avoir l'air dure: la plupart de mes employés ont peur de moi. Mais je veux aussi être aimée. Je suis trop intime avec les gens que je guide dans ma profession. Si je n'établis pas assez de distance entre elles et moi, c'est parce que je voudrais qu'elles deviennent une sorte de Bonne Maman. Je me drogue avec leurs réactions comme : “Elle est si gentille, elle est si intelligente”. A cause de leur loyauté, je ferme les yeux sur leurs erreurs jusqu'à ce que ça devienne insupportable.

En ce moment, il va falloir que j'en mette une à la porte et je n'arrive pas à m'y résoudre. A cause de l'enfance que j'ai eue, si on ne m'aime pas, je m'écroule intérieurement.

Imaginez un instant comment se sent la Championne si c'est *elle* qui se fait mettre à la porte ! Elle qui a mis toute son énergie affective dans sa carrière, il ne lui reste plus rien, sauf peut-être les cicatrices de sa rage et de sa honte. Et le pire, c'est qu'elle peut très bien avoir provoqué son renvoi avec ses défenses impénétrables et sa colère non résolue.

«Je n'ai besoin de rien». Une fois leur carrière bien établie, beaucoup de Championnes trouvent très difficile de demander de l'aide. C'est parce qu'elles ont appris très jeunes que cela ne se faisait pas. Une femme me dit : «Quand j'étais écolière, s'il arrivait que je ne savais pas quelque chose, on aurait dit que j'allais mourir. J'ai un tas de lacunes dans mon éducation parce que pour apprendre quelque chose, il faut d'abord avouer qu'on l'ignore. Mais pour moi, admettre que j'ignore quelque chose, c'est avouer une faiblesse. Quand j'étais enfant, s'il y avait une chose que je savais intuitivement, c'est bien qu'il ne fallait pas que j'avoue de faiblesse.»

Certaines Championnes apprennent sur le tas que le fait de demander de l'aide les laisse vulnérables, ce qu'elles finissent vite par regretter. Marlène, trente-cinq ans, directrice d'une chaîne hôtelière internationale, m'a raconté ceci :

Pour moi, le succès n'a jamais rien représenté d'autre que la sécurité. J'étais sûre que tant que j'avais assez d'argent à la banque, rien ne pouvait m'arriver.

Je viens de passer une année affreuse : j'avais deux hypothèques à payer et mon travail m'insécurisait beaucoup à cause d'une baisse de profits sur le marché étranger occasionnée par un mauvais taux de change. J'avais demandé à l'une de mes associées de me rencontrer pour établir une nouvelle stratégie publicitaire. Elle a dit : "Bien sûr, je serais ravie de vous donner un coup de main", puis elle s'est mise à repousser tout le temps notre rendez-vous. Elle était complètement passive-agressive, comme ma mère. Alors je ne lui ai plus rien demandé.

Je suis une vraie solitaire. Je n'attends rien des gens, mais je suis beaucoup trop exigeante avec moi-même. J'ai beaucoup de mal à survivre dans le contexte d'une grosse entreprise comme la mienne, parce qu'il faut souvent travailler en équipe. Il faut savoir jouer le jeu.

La «meilleure» amie

Parmi les handicaps de la Championne se trouve sa difficulté à se faire des amies intimes. Elle trouve difficile d'établir l'intimité. Pour elle, baisser sa garde revient à ouvrir la porte à une *possible* agression : la confession faite à mi-voix peut devenir l'arme d'une trahison, ce qui s'est peut-être produit dans son enfance. La dernière chose que la Championne est prête à perdre, c'est sa dignité, sa force; elle donne donc l'impression de n'avoir besoin de personne.

Elle est néanmoins rarement invulnérable. Une députée m'a raconté : «Quand j'entre dans une pièce pleine de gens, je suis terrifiée à l'idée d'être rejetée. Si je dois le faire, je peux parler à n'importe qui de pratiquement n'importe quoi, mais cela n'a rien à voir avec la façon dont je me sens. Cette peur ne me quitte jamais et je crois bien qu'elle ne me quittera jamais. Le comble, c'est que personne ne me rejette jamais. Mais ça ne change rien.»

En amitié, les Championnes se sentent donc perdantes au départ, sentiment qu'elles contournent parfois en laissant leur travail empiéter sur leurs soirées et leurs fins de semaines pour ne pas avoir le temps d'éprouver de solitude.

D'autres choisissent des hommes pour amis plutôt que des femmes, ce qui se produit souvent chez les Championnes qui ont eu leur père pour modèle : «Avec eux, on sait toujours où on en est. Pas d'histoires. Avec eux, je donne et je reçois sur une base égale. Et comme je ne me sens pas très confortable dans l'intimité, je me sens mieux avec les hommes qu'avec les femmes, parce qu'eux aussi, ils aiment mieux garder leurs distances.»

Mais dans les moments de crise, l'incapacité d'établir le contact peut s'avérer désastreuse. Une auteure de best-sellers m'a raconté : «L'autre jour, je suis allée subir un prélèvement de moelle parce que mon docteur voulait vérifier que je n'ai pas la leucémie. J'étais terrorisée. Mais quand j'ai ouvert mon carnet d'adresse, je me suis rendu compte qu'il n'y avait pas une seule de mes amies à qui j'avais envie d'imposer cela. C'est ma folie à moi. Je ne me permets de compter sur personne.»

Pour éviter cette terrible solitude, certaines Championnes

feignent l'intimité avec quelques «meilleures» amies, tout en maintenant une zone neutre autour d'elles en taisant leur malaise le plus profond. Voici ce que m'a raconté Catherine, trente-neuf ans, agente théâtrale :

J'ai beaucoup d'amies dont plusieurs sont persuadées d'être ma meilleure amie. Je fais tout ce que font les amies : je leur dis des petits secrets, je mange avec elles au restaurant... mais seulement si ce sont elles qui m'appellent. Moi, je ne les appelle jamais. J'ai appris ça de ma mère. Elle me disait : "Laisse-les te choisir. Choisis les meilleures, les plus fortes. Choisis celles qui t'ont choisie, toi." Je suis toujours légèrement sur mes gardes. Quand on me fait un sale coup, ce qui m'arrive relativement souvent, je ne m'étonne jamais. La vérité, c'est que personne ne m'est indispensable. Sauf mon mari. Sans lui, je mourrais.

Les amours de la Championne

La majorité des Championnes que j'ai rencontrées avaient un tendon d'Achille : leurs partenaires amoureux. Dans une large mesure, c'est parce qu'elles transfèrent sur leur relation amoureuse le besoin d'amour inassouvi de leur enfance. Leur mari, leur amant représente souvent pour elles la «bonne maman».

Ecoutons Catherine, l'agente théâtrale :

Tous les matins, je me tourne vers mon mari et je lui demande: "Combien de temps nous reste-t-il à passer ensemble ?" Il rit et me répond : "Très, très longtemps." Je suis complètement investie en lui, comme avec ma mère quand j'étais enfant. Je n'existerais pas sans lui. Il ne me juge jamais. Je peux être cruelle, manipulatrice, critique, de mauvaise humeur, tout. Lui, il rit. Ce n'est pas parce qu'il est faible, au contraire : son ego est si fort qu'il n'y a pas moyen de le désarçonner. Je vais vous donner mon secret pour un mariage heureux : il faut que l'un des deux ne porte pas de jugements sur l'autre. Moi, je suis tout le temps en train de juger tout le monde.

Certains de ces mariages durent extrêmement longtemps, car la Championne, puisqu'elle fait entièrement confiance à son partenaire, arrive à lui montrer jusqu'aux coins les plus sombres de ses angoisses. Il n'y a que lui qui la voie pleurer ou donner libre cours à ses terreurs.

Mais bien des Championnes se défendent tellement contre toute vulnérabilité qu'elles sabotent leurs relations amoureuses. La Dre Harriet Lerner voit dans ce sabotage l'une des façons dont les femmes qui réussissent dans la vie se punissent d'avoir violé le lien mère-fille en laissant leur mère derrière elles. La culpabilité qu'éprouve la Championne se répercute ensuite sur ses relations amoureuses. Elle écrit : «Les sentiments de dépression et d'anxiété, comme les comportements de sacrifice et de sabotage de soi, sont des façons répandues qu'ont les femmes de demander pardon d'être compétentes et de réussir.»

Cette culpabilité provient de ce qu'elles ont vécu, soit auprès d'une mère qui ne supportait pas de voir sa fille profiter de possibilités auxquelles elle n'a jamais eu accès, soit auprès d'une mère qui poussait sa fille à accomplir beaucoup plus que ce qu'elle était capable de faire. Pour certaines Championnes, *ne pas réussir*, c'est abandonner leur mère; pour d'autres, *réussir*, c'est perdre l'amour de leur mère.

D'une façon ou de l'autre, la fille éprouve autant de mal à avoir foi en elle-même qu'à croire que sa "nouvelle Maman" (son partenaire amoureux) l'encouragera dans son besoin de réaliser tout son potentiel.

Toutes les Championnes que j'ai rencontrées m'ont décrit l'impossibilité de faire confiance comme étant le plus gros fardeau de leur enfance. Il leur est souvent impossible de croire qu'il existe quelqu'un qui soit prêt à rester à leur côtés dans l'adversité : après tout, ont-elles jamais connu l'amour inconditionnel dans leur enfance ?

«La difficulté que j'éprouve à faire confiance aux gens pose un vrai problème dans mon mariage. Je n'arrive pas à exprimer mon affection à mon mari et je gâche souvent les choses. C'est comme si j'étais tout le temps en train de le mettre à l'épreuve.»

Les Championnes qui ont vécu un premier divorce sont douloureusement conscientes de leur tendance à repousser les gens qu'elles aiment. La deuxième fois, elles arrivent mieux à se permettre d'avoir des besoins et elle choisissent plutôt des partenaires à qui elles peuvent faire don de leur vulnérabilité sans craindre de se tromper et qui applaudissent à leur moindre réussite. Voici ce que dit une politicienne de quarante et un ans :

Avec mon mari actuel, j'ai appris à demander. Quand j'ai une échéance, c'est lui qui fait la cuisine et qui s'occupe des enfants. Si je suis en colère, je ne laisse pas la tension s'accumuler en moi. Je ne vis pas dans une rage constante comme avant. En lui, j'ai tout à la fois une mère, un père, un amant et un meilleur ami.

La mère Championne

Si la Championne a du mal à se montrer vulnérable avec une amie ou un partenaire amoureux, elle a deux fois plus de mal avec ses enfants, surtout avec ses filles : «Les deux seules personnes qui me fassent pleurer sont ma mère et ma fille.»

C'est ici que le terrible héritage du passé de la Championne peut se transmettre aux générations futures. Quand ses enfants se montrent anxieux ou effrayés, la Championne se revoit enfant et leur impose les mécanismes de défense qu'elle a élaborés dans son enfance.

«Quand ma fille se fait bousculer dans la cour de récréation, je lui donne dix trucs pour se défendre. Et si elle ne les met pas en pratique, je deviens folle parce que je ne supporte pas plus sa souffrance que je n'étais capable de supporter la mienne quand j'avais son âge. Mais ce qui marchait pour moi ne marche pas forcément avec elle. Je ne vois pas clair pour elle.»

La Championne ressemble parfois à la Critique quand elle insiste pour que ses enfants réussissent bien, et s'ils échouent, elle fait ce qu'elle a toujours fait : elle fonce dans la mêlée pour tout arranger, mettant à profit le charme et la manipulation qui ont permis à son Moi factice de survivre à l'enfance. Ses enfants voient souvent clair dans son jeu : ils ont beau entendre son «souci», ils sentent bien sa manipulation. Mais comme la Championne est douée d'une ténacité inébranlable, elle s'accroche aux étriers et ne laisse pas ses enfants prendre la responsabilité de leurs ambivalences et de leurs erreurs.

Une Championne m'a dit :

Je détestais la façon dont ma mère dirigeait ma vie, mais j'ai fait la même chose à ma fille. J'ai tiré, j'ai poussé, j'ai menti, j'ai lu son journal intime parce qu'il fallait que je sache tout sur elle. Il y avait beaucoup de compétition entre nous deux. Quand ses amies venaient à la maison, elles passaient des heures à bavarder avec moi. Ça la rendait furieuse.

Elle ne m'a jamais pardonné quelque chose que j'ai fait quand elle avait douze ans. Elle était au bord de l'échec en français, alors je suis allée voir sa prof pour la remercier d'avoir une si bonne influence sur ma fille. Je lui ai raconté que ma fille parlait souvent de ce que cela représentait pour elle d'être dans sa classe. Ma fille est un monstre d'intégrité. Quand je lui ai dit ce que je venais de faire, elle s'est mise à hurler : "Comment as-tu pu faire une chose pareille ? Je déteste cette femme !" Mais elle a eu une note au-dessus de la moyenne.

C'est moi qui ai écrit sa dissertation d'entrée à l'université : elle a fait ses études dans une excellente institution. Puis, je l'ai fait entrer dans une entreprise où elle fait partie des meilleures vendeuses de sa division.

Je me suis demandé récemment : si c'était à refaire, est-ce que je referais la même chose ? Les manipulations, les interventions, les intrigues, tout ce qui la met encore en colère aujourd'hui ? La réponse est oui. Je referais exactement la même chose. Elle n'aura jamais une vie morne.

Pour la Championne, la chose la plus difficile à faire est de laisser échouer ses enfants. Comme elle refuse d'accepter la défaite, il lui est également impossible de laisser perdre ses enfants.

En conséquence, beaucoup d'enfants de Championnes sont "sous-performants", quoique ceci soit un terme discutable. Les mères qui ne traitent pas leurs enfants comme des prolongements de leur propre personne leur laissent la latitude de démarrer lentement dans la vie, de ne pas savoir ce qu'ils veulent, d'avoir du mal, de changer d'avis, d'être *ordinaires*. Certains enfants ont tout simplement un rythme de croissance bien à eux, ce que la mère compréhensive respecte.

Mais beaucoup de Championnes sont trop impatientes, trop dominatrices… et trop peureuses pour permettre à leurs enfants ce qu'elles ne se permettent même pas elles-mêmes. Comme, pour ces femmes, le succès représentait souvent un enjeu affectif vital, elles perçoivent la médiocrité de leurs enfants comme un danger mortel pour eux. L'attitude "réparatrice" de la mère est donc souvent hors de proportion avec les besoins réels de l'enfant.

Une fille de Victime m'a raconté : «Ma fille n'a jamais réussi à faire tout ce que je savais faire quand j'étais enfant. Je passais mon temps à la pousser et à essayer de la changer. Je l'écrasais. Bien entendu, pour supporter tout cela, elle devenait de plus en plus distante, ce qui me rendait folle, parce que je me retrouvais avec une mère distante et une fille distante.»

Le problème majeur de la plupart des enfants de Championnes est le manque de disponibilité de leur mère. Certaines Championnes en viennent à admettre leur part de responsabilité : «Je n'ai pas été une bonne mère pour mon fils quand il était petit. Je ne voulais pas être là. Il voulait beaucoup plus de ma part que ce que j'avais à donner. Je lui disais : "Bon, j'ai une heure à passer avec toi. Allons-y."»

Une autre femme m'a fait part de l'énorme culpabilité qu'elle éprouve à l'idée d'avoir profité de la gentillesse de son mari toujours prêt à assumer seul les tâches domestiques : «C'était trop facile pour moi de rester tard au bureau. Je me sentais soulagée, mais je sentais aussi que je négligeais mes enfants. Et maintenant, ces années-là sont perdues pour toujours.»

Beaucoup de ces Championnes, si elles arrivent à laisser leurs enfants les *connaître* vraiment et à leur faire part de la peur qui les pousse, finissent par tisser avec leurs enfants de forts liens d'amitié. Même si cela se produit relativement tard, ces mères soulagent souvent les blessures de leurs enfants grâce à leur franchise et au désir de leurs enfants de comprendre et de pardonner.

Mais il y en a d'autres dont le malaise intense les empêche de s'ouvrir à *qui que ce soit*, surtout pas à leurs enfants. Toutes les années de travail frénétique qu'elles ont passées à tenter d'apaiser les fantômes du passé leur interdisent l'introspection et le changement. Elles ne s'étonnent même plus d'être des étrangères pour les gens qu'elles aiment le plus.

Portrait d'une Championne

Dès que la revue *Elle* sort un article sur les femmes d'affaires les plus riches du pays, le nom de Julia vient presque toujours en tête de la liste. Sa maison de campagne a fait l'objet d'un reportage dans un magazine international de décoration. Au moindre sursaut du cours de la bourse, on voit Julia analyser brillamment au journal télévisé l'état de santé du monde financier.

A quarante-deux ans, Julia est un exemple parfait de Championne. Ses subordonnés la trouvent distante, ses relations légèrement guindée. Propulsée dans des semaines de soixante heures et dans un tourbillon de conférences internationales par une énergie presque surhumaine, elle n'a que peu de temps à consacrer à sa famille et à ses amies.

Je connais Julia depuis notre enfance. La Julia mince et élégante que je vois à la télévision n'a pas grand-chose en commun avec ma grassouillette voisine de classe, qui portait des lunettes, était toujours première et n'avait qu'une seule amie... moi. Même à l'époque, elle avait une certaine arrogance; on pouvait la détester, mais on ne pouvait pas ne pas la respecter. Elle était la plus brillante de la classe : cela, personne ne pouvait le nier.

Julia n'a jamais eu aucune patience pour les imbéciles. Même les garçons la craignaient. Mais la plupart des gens ne l'ont jamais vue comme je l'ai vue, moi. Ils n'ont jamais vu son visage devenir livide quand sa mère Tortionnaire, après avoir jeté un coup d'œil sur une rédaction qui lui avait valu la meilleure note de la classe, lui demanda : «Dans quel livre as-tu copié ceci ?» Lorsqu'elle avait une note moins spectaculaire, c'était : «Comment *oses-tu* ramener des notes pareilles à la maison ?» La plupart des gens n'ont jamais été assis à côté d'elle au cinéma pour l'entendre pleurer à chaudes larmes devant l'image d'une famille hollywoodienne idéale, avec ses parents qui aiment leurs enfants envers et contre tout.

Les parents de Julia étaient des immigrants italiens. Elle a grandi dans un quartier très pauvre. Julia n'a jamais eu une chambre à elle : son frère et elle dormaient sur des matelas posés par terre dans le salon de leur petit appartement encombré. Mais ce n'est pas la pauvreté de sa famille qu'elle évoque quand nous parlons de notre enfance. Ce qu'elle évoque, c'est la honte et l'humiliation que lui infligeait constamment sa mère :

Quand j'étais enfant, le dentiste m'avait recommandé de porter un appareil pour me redresser les dents. Ma mère lui a dit devant moi : "Pourquoi dépenserais-je tout cet argent ? Rien ne pourra jamais la rendre jolie." Quand je suis entrée à l'université, elle m'a dit : "Pour qui te prends-tu ? Einstein ?"

Ma mère ne m'a jamais donné le sentiment qu'elle m'aimait. Quand je pense à notre relation, j'ai l'image de me vider de mon sang pour qu'elle l'aspire : une mère vampire, voilà ce que j'ai. Tout était pour elle. Mes succès lui étaient dédiés, mais elle, elle était sûre qu'ils se produisaient grâce à elle. Toute la joie était aussi pour elle.

Julia voulait profiter de la joie, elle aussi. A dix-huit ans, elle savait qu'elle devait s'en aller. Ses billets pour la liberté : un QI de 163 et une détermination peu commune. La seule manière de survivre qu'elle connaissait, c'était d'être tellement intelligente, tellement énergique, tellement brillante, tellement riche que rien ne pourrait plus jamais l'humilier à nouveau.

C'est à l'âge de vingt et un ans qu'elle a atteint le point de non-retour avec sa mère.

Le jour où je suis entrée à l'université, ma mère m'a dit : "Tu es une disgrâce pour cette famille. Si tu pars, je vais avoir une crise cardiaque." Tout ce qu'elle voulait pour moi n'avait rien à voir avec ma carrière : c'était un mari et des enfants. Je me suis dit : "C'est terminé." Il ne fallait pas que je la laisse m'atteindre, elle m'aurait coulée. Alors je suis partie malgré ses protestations hystériques.

Elle m'écrivait des lettres de huit pages pour me dire à quel point la vie était horrible sans moi. Plus tard, quand j'ai eu mon premier emploi, elle m'appelait pour me dire : "Je vais raconter à ton patron à quel point tu es un monstre pour qu'il te mette à la porte. Alors tu te décideras peut-être à rester à la maison et à te trouver un mari."

Ce que je vais dire va sans doute vous paraître horrible, mais c'est la pure vérité : la meilleure chose qui me soit jamais arrivée, c'est qu'elle est morte quand j'avais vingt-sept ans. Sa mort m'a libérée. Je suis intimement persuadée que si j'ai réussi à devenir quelqu'un, c'est uniquement parce que je suis absolument séparée d'elle.

Julia pense également que sa charge de travail écrasante a "sauvé" ses filles, Lorraine, âgée de dix-huit ans, et Linda, qui en a quinze. Marc, le mari de Julia, est illustrateur et travaille à la maison. Pendant toute l'enfance de leurs filles, c'est lui qui les a emmenées chez le médecin et qui a assisté à leurs spectacles de fin d'année. «Il fait un bien meilleur parent que moi», dit-elle.

«J'étais furieuse quand elles avaient des notes moyennes, ajoute-t-elle. Puis, un jour, j'ai réalisé que les notes n'avaient pas tellement d'importance et que je ne voulais pas leur faire ce que ma mère m'avait fait. Je veux qu'elles se souviennent de moi différemment. Mon horaire les protège de moi, parce que nous avons si peu de temps à passer ensemble que je suis obligée d'en faire quelque chose de spécial. Les circonstances m'ont forcée à avoir avec elles une relation basée sur autre chose que sur les notes qu'elles ont à l'école.»

Elle a pourtant l'impression d'être "coincée". Linda lui a dit récemment : «Si j'ai des problèmes, c'est en partie parce que tu as toujours travaillé. Tu n'étais jamais là.» Bien que cela lui ait causé une souffrance extrême d'entendre cela (sa réaction immédiate a été de répondre : «Ne joue pas à me rendre coupable»), elle se rend compte qu'il y a du vrai dans le verdict intransigeant de Linda. «Quelles qu'aient été les raisons de mon ambition, j'ai sans doute passé trop de temps, même quand j'étais à la maison, à me préoccuper de mon travail quand elles étaient petites. J'étais toujours déchirée entre le travail et la maternité. Je n'ai pas très bien fait la part des choses entre les deux.»

Je lui demande ce que lui a coûté son enfance. Elle répond lentement :

Il ne fait aucun doute que je ne suis pas aussi saine, ni aussi mûre que j'aimerais l'être. Je ne suis pas bien dans ma peau. Il y a dans ma vie beaucoup de zones sombres affectives que je n'éclaircirai sans doute jamais. Je crois que je ne me débarrasserai jamais du sentiment que malgré tout mon succès, malgré l'aide de mon mari, je ne serai jamais capable de plaire à ma mère, qui est morte il y a longtemps. Je ne me satisfais jamais de ce que j'ai : il y a toujours un idéal que je n'ai pas encore atteint.

L'héritage écrasant de son enfance est donc ceci : elle n'est jamais convaincue d'être à la hauteur. Sa psychiatre présume que sa réussite est une métaphore pour les bonnes notes qui étaient la seule façon dont elle pouvait plaire à sa mère. «Etre parmi les meilleurs de ma profession, c'est ma manière à moi d'avoir des bonnes notes, dit-elle. J'essaie encore et toujours d'être la première de la classe.»

13

L'Invisible

«J'ai toujours rêvé d'être quelqu'un d'autre. Quand j'étais enfant, j'idéalisais une fille à l'école et je me disais: "Elle, elle est parfaite. Cela doit être merveilleux d'être elle. Je donnerais n'importe quoi pour me retrouver dans sa peau."

Je fais encore ça. Au lieu de cultiver ma personnalité, je me conforme à celle des autres pour être aimée. C'est épuisant. Je ne sais pas être moi-même.»

Martine, vingt-sept ans.

Vous connaissez cette femme. Ou peut-être ne la connaissez-vous pas, justement : vous ne l'avez sans doute jamais *remarquée*.

Vous vous souviendrez mieux d'elle si vous vous remémorez vos jours à l'école primaire. Elle s'asseyait toujours au fond de la classe. S'il arrivait qu'un professeur prononce son nom, elle semblait s'éveiller d'un rêve, les joues en feu, à moins qu'elle n'ait rien entendu. A midi, elle mangeait seule au réfectoire. A la récréation, au milieu des cris et des exclamations énergiques des autres enfants, elle restait seule sur un banc, ignorée de tous, ou se cachait à la bibliothèque.

Aujourd'hui, elle est devenue la femme ordinaire qui travaille au bout du couloir, à l'écart de la vie sociale du bureau, traversant la vie sans bruit dans le ronron d'un emploi routinier. Elle arrive souvent en retard, apporte son repas au travail et mange à son bureau. Elle habite encore parfois chez ses parents ou sa mère veuve, mais elle est aussi parfois mariée; d'un côté comme de l'autre, elle ne parle pas de sa vie privée.

Il se peut également que, si vous ne la reconnaissez pas, c'est que come tout le monde, elle a des amis et une vie sociale. Dans ce cas, elle n'est timorée que dans un seul contexte : dès qu'elle passe le seuil de la maison de sa mère (ou qu'elle entend sa voix au téléphone), elle a les jambes en coton. C'est un réflexe conditionné qui n'est déclenché que par un seul être au monde : Maman.

Mais qu'elle soit timide avec tout le monde ou seulement dans le cadre de sa famille d'origine, elle a tendance à raser les murs. La dernière chose qu'elle souhaite, c'est bien d'attirer l'attention.

C'est l'Invisible : des cinq types de filles décrites dans ce livre, c'est elle qui a le plus de mal à émerger de la prison de son incapacité à plaire à sa mère. C'est l'Invisible qui a le plus absorbé la conviction de son manque total de valeur et qui est la moins bien équipée pour traverser la corde raide de la vie adulte.

Selon l'un des refrains de l'opéra-rock *Starmania*, «On est toujours tout seul au monde»... et personne n'est aussi seul que l'Invisible.

L'Invisible n'existe que dans la perception de la mauvaise opinion qu'a d'elle sa mère. Incapable de risquer la séparation (qui est bien trop dangereuse, comme nous allons le voir), elle reste affectivement ligotée à elle comme Ulysse au mât de son navire.

A la manière de l'Ange, elle est pour sa mère une esclave inconditionnelle. Mais au contraire de l'Ange, qui éprouve au sujet de sa mission de petite fille sage de Maman un incontestable sentiment de supériorité, et au contraire de la Championne, qui plane dans l'ivresse de sa propre réussite, l'Invisible reste collée au sol.

Elle rêve de se fondre dans le décor. Pour ce faire, elle travaille sans relâche, bien qu'inconsciemment, à se rendre invisible : elle pilonne son indentité en une minuscule petite masse, se réduisant presque à zéro, éliminant radicalement le moindre signe pouvant indiquer qu'elle existe, qu'elle est quelqu'un.

Quand l'Invisible lit le journal, c'est sans aucun critère personnel qui lui permettrait d'émettre une opinion. Elle ne sait pas qui aimer, où partir en vacances, quoi porter, sans qu'on le lui dise. Si elle ne se fie pas à ses convictions propres, c'est qu'elle n'en a pas... sauf la certitude qu'elle ne mérite pas d'exister : «Quand j'avais vingt ans, je n'avais aucun point de repère. Je ne savais pas reconnaître le bien du mal. J'aurais pu justifier n'importe quel crime. Je n'avais aucun outil pour réfléchir à quoi que ce soit. J'étais vide, tout simplement.»

Si l'Ange n'arrive pas à s'excuser, l'Invisible n'arrive pas à *ne pas* le faire. Son mantra, la litanie de sa vie : «Je suis désolée.» Dans sa tête, elle se projette un film qui n'en finit pas de mal se terminer, un film truffé de dialogues remplis d'abnégation pour aller avec chaque finale catastrophique. Si une amie annule un rendez-vous au restaurant, l'Invisible pense : «Elle est fâchée.» Si un petit ami téléphone pour prévenir qu'il risque d'être en retard, l'Invisible se demande s'il voit quelqu'un d'autre. Si son patron la renvoie, elle se dit : «Je l'ai bien mérité.»

L'Invisible cède au destin et accepte les échecs sans même lever le petit doigt pour se défendre. La défaite est devenue pour elle une habitude dont elle n'a plus ni la force, ni la volonté de se défaire. Son principal moyen de défense est le minimalisme. Si je pouvais seulement disparaître, pense-t-elle inconsciemment, personne ne pourrait me faire de mal.

La personnalité de l'Invisible dépend plus de son tempérament que de sa position dans la hiérarchie familiale. Elle est solitaire et timide de nature.

Selon les Drs Alexander Thomas et Stella Chess, qui ont étudié le tempérament des enfants, certains enfants sont tout simplement «lents à démarrer». Ces enfants n'aiment pas les situations nouvelles et les inconnues, et il leur faut un certain temps pour s'ajuster au changement, même après un contact répété. Les enfants de ce genre donnent une impression de léthargie plutôt que d'enthousiasme ou d'entrain.

L'Invisible préfère avancer dans la vie à son propre rythme indolent. Si elle ne demande l'aide de personne, ce n'est pas par orgueil, mais parce qu'elle n'y pense pas. Elle a beau être solitaire, elle n'est pas complètement sans ressource : cet aspect fait partie de sa persona "empruntée".

Comme nous le savons, la timidité est héréditaire, mais un parent doué de compassion peut faire beaucoup pour aider son enfant timoré à vaincre ses peurs. Mais la mère de l'Invisible n'est pas ainsi.

Si l'Invisible est complice de sa propre défaite, elle bénéficie d'un professeur énergique : le parent qui l'encourage dans la faiblesse. La plupart des Invisibles que j'ai rencontrées avaient eu une mère Critique ou Tortionnaire, mères qui exigent de leur progéniture une perfection écrasante.

Comme leur mère prenait toujours les décisions à leur place et ridiculisait toute velléité d'indépendance, toute pensée originale de leur part, l'Invisible a fini par lui faciliter la tâche en ne sachant plus *ce qu'elle pense*.

L'Invisible *réagit* à sa mère dominatrice, narcissique ou distante en restant enfantine et invisible. Plutôt que de la flatter, de l'éblouir, de lui créer des ennuis ou de la quitter (comme le font d'autres enfants), elle se ratatine jusqu'à ce qu'elle ne prenne pratiquement plus de place. Combinée à sa personnalité naturellement réservée, l'attitude de sa mère envers elle ne fait qu'accentuer le processus. A l'âge adulte, l'Invisible demeure affectivement prostrée.

Mais que craint l'Invisible ?

L'Invisible intègre la réprobation de sa mère, qui s'installe au fond d'elle-même pour y pourrir et y distiller son poison. Elle a peur de tout, mais il y a une chose qui la terrifie plus que tout : sa propre colère. «Je déteste me disputer avec les gens, me dit l'une d'elles. Ça me fait terriblement mal. La colère me met tellement mal à l'aise : elle m'envahit dès que quelqu'un me confronte. Je me sens abandonnée, vilaine, mauvaise.»

Toute l'énergie de l'Invisible passe dans une lutte unique, la seule dans laquelle elle soit prête à se lancer : la guerre qu'elle mène contre sa propre colère. Car si elle devait finir par la laisser sortir (si elle se mettait à *riposter vraiment* aux humiliations de son enfance et à sa complicité dans sa propre déchéance), le monde éclaterait en morceaux. Elle risquerait de se retrouver orpheline, destin trop horrible pour qu'elle puisse même l'imaginer.

Derrière la douce, humble et délicate jeune fille se cache une bombe à retardement au tic-tac meurtier. «Quand je me dispute avec ma mère, ce n'est pas de sa réaction que j'ai si peur : *c'est de la mienne.* Je suis terrifiée à l'idée de perdre le contrôle de ma violence», m'a confié une Invisible de trente-quatre ans qui vit encore chez ses parents.

Car il y a un Moi, tout réduit qu'il soit, au fond de l'âme de l'Invisible, comme une force de frappe qui cherche à se libérer. L'isolement et l'auto-dénigrement ne font pas taire ses pensées violentes : elles font constamment irruption dans sa conscience, la terrifiant encore et encore.

La plupart des Invisibles se coupent de leur colère en ne quittant jamais leur mère, ne serait-ce que la "mère" dans leur tête. En niant sa colère et en acceptant d'être la victime de sa mère, l'Invisible protège en fait *et elle, et sa mère.* Plutôt que de "tuer" sa mère, l'Invisible préfère tuer des parties d'elle-même. Comme elle est incapable de croire en elle-même, l'Invisible est persuadée qu'elle mourrait si sa mère venait à mourir.

Les Invisibles sont des fruits trop mûrs dont la peau se déchire au moindre contact. Il est trop dangereux pour elles d'avoir un Moi capable d'exprimer l'indignation qu'elles éprouvent. Alors elles implosent. Elles sont tout le temps fatiguées. Elles souffrent de désordres alimentaires. Elles consomment de l'alcool ou se mettent à boire. A moins qu'elles ne sombrent dans la dépression.

Pour les plus fragiles d'entre elles, comme pour les Anges les plus vulnérables, la lutte contre la colère finit par s'avérer trop épuisante et par engloutir toute leur énergie, jusqu'au jour où quelque chose craque en elles. Ces Invisibles perdent alors tout contact avec la réalité : tous leurs sentiments, tous leurs appétits cessent brusquement.

Ce serait différent s'il s'agissait d'un homme. L'équivalent extrême masculin de l'Invisible fait de temps en temps la première page des journaux : le «bon garçon qui n'a jamais causé aucun problème à ses parents», mais qui, un jour, sans aucune raison apparente, fait irruption dans un centre d'achats, ou se met à une fenêtre sur une rue passante, et tire sur tout ce qui bouge à coups de mitraillette. Il peut aussi choisir ses cibles et préméditer son meurtre, comme dans le cas de l'assassin des quatorze jeunes femmes tombées sous les balles à l'Ecole Polytechnique de

Montréal, le 6 décembre 1989.

Si l'on entend rarement parler de femmes se rendant coupables d'actes de ce genre, c'est qu'être une femme et tuer des gens au hasard s'excluent mutuellement. Il est donc logique que l'Invisible se lance dans une campagne d'auto-destruction pour se punir de toute la colère qu'elle éprouve. Elle sabote tout ce qu'il y a de bon dans sa vie, toutes ses relations, tous les signes qu'elle a un Moi.

Elle est prise dans l'un des pires dilemmes qui se puissent imaginer : si je reste avec ma mère, je vais la tuer. Mais si je la quitte, je vais mourir. «Comment puis-je être bien dans ma peau quand j'ai un monstre pareil pour mère ? me dit l'une d'elles. Que suis-je donc si je passe mon temps à essayer de me faire aimer d'un monstre ?»

La seule manière de s'expliquer ce paradoxe, c'est de *se persuader qu'elle mérite d'être traitée de cette façon.* Au contraire de l'Ange, qui est incapable d'admettre ses propres imperfections, l'Invisible se peint une mère "toute bonne", qui a "toujours raison", en justifiant la façon dont elle se comporte : *Ma mère ne dirait ou ne ferait jamais toutes ces choses affreuses si je n'étais pas profondément détestable.*

Le salaire de l'invisibilité

Dans le milieu de la recherche en psychologie, on assiste à un débat au sujet des raisons qui peuvent pousser une femme à se définir ainsi. Pour l'une des écoles de pensée, c'est parce qu'elle souffre d'un "désordre défaitiste de la personnalité", terme relativement nouveau signifiant grosso modo "défaitisme". Selon ce point de vue, l'insécurité chronique comporte certains bénéfices, particulièrement le fait de n'avoir jamais à vivre d'échec, puisqu'on prend d'avance blâme de tout.

Pour d'autres chercheurs, cette personnalité représente l'autre côté de la médaille du narcissisme. Nous sommes maintenant familières avec cet aspect de la Tortionnaire : obsédée par elle-même, toute entière à ses exigences, obnubilée par sa vanité, elle détruit tout ce qui se trouve dans sa folle trajectoire.

L'Invisible pourrait donc être vue comme l'alter ego de la Tortionnaire. Plutôt que de se gargariser de sa propre grandeur, la narcissique timide et réservée, en s'effaçant derrière tout le monde, espère gagner l'admiration pour son humilité exagérée, sa timidité excessive, ses manières onctueuses.

Une autre explication du comportement de l'Invisible réside dans ce que l'on nomme "auto-handicap". En prenant l'habitude de toujours être en retard, en se laissant piéger dans des relations négatives ou dans des impasses professionnelles, elle se donne *l'illusion* du succès : elle a *autre chose* dans sa vie qui l'empêche de réaliser tout son potentiel. Ses capacités ne sont jamais mises à l'épreuve, ce qui fait qu'elle ne court jamais le risque "d'échouer".

A mon avis, à la racine de tous ces symptômes se trouve l'image inconsciente que l'Invisible a d'elle-même : le fait d'être une éternelle victime constitue *le noyau de son identité.* Réussir dans un domaine quelconque et être admirée pour sa réussite, c'est *mettre en danger cette identité même.*

On voit donc que proclamer que *tout* son manque de confiance en elle est en fait de la vanité mal placée, ou un problème qu'elle pourrait facilement résoudre si elle voulait seulement se prendre en main, revient à jeter le blâme sur la victime. L'Invisible a beau se servir de sa «faiblesse» pour éviter d'être agressée ou pour éloigner l'ennemi, n'oublions pas qu'il n'y a rien d'agréable à s'humilier ainsi volontairement. *Familier*, peut-être; mais gratifiant, non.

Une attitude défaitiste si elle constitue parfois un mécanisme de défense, n'est jamais très efficace en tant que telle, pour la bonne raison qu'elle est aussi douloureuse que les mauvais traitements eux-mêmes.

Mais la prise de conscience du prix que comporte cette attitude peut, elle aussi, s'avérer extrêmement douloureuse. Quand l'Invisible finit par se rendre compte, à sa grande honte, qu'elle s'est faite complice des punitions de sa mère en se punissant toute seule et en redemandant des punitions, c'est pour elle une expérience extrêmement pénible. Car la chose même qu'elle tentait d'éviter par son comportement (le rejet de sa mère), elle l'a au contraire *encouragée.*

«Jusqu'à récemment, je n'avais rien compris à ma relation avec ma mère, me dit une Invisible. Depuis mon enfance, je percevais ses exigences égoïstes et je les *nourrissais.* Tout ce que je faisais pour lui plaire ne faisait qu'aiguiser son appétit : plus je lui en donnais, plus elle en demandait.»

L'Invisible, à qui persone n'a jamais appris dans son enfance à avoir confiance en elle, peut fort bien se tourner vers la thérapie lorsqu'elle prend conscience de ses terribles compromis. Mais même si elle ne le fait pas, la vie lui offre parfois un remède de son cru pour la libérer de sa prison intérieure : la mort de la mère. Une fois disparu le stimulus de son infamie, il arrive parfois que l'Invisible se sente enfin libre de grandir et de guérir.

Avec le temps, elle trouve parfois le courage de faire face à ce que lui coûtent son humiliation et le rôle qu'elle y joue. «J'ai reçu en partage une beauté et une intelligence au-dessus de la moyenne, et je n'en ai rien fait de valable, avoue une Invisible de quarante ans. J'avais un potentiel énorme auquel je n'ai jamais touché. Jusqu'à maintenant, j'ai vécu pour rien. Mais je ne veux pas gâcher le temps qui me reste.»

Cependant, si elle n'arrive pas à rassembler le courage nécessaire, elle se condamne à couler dans un océan de résignation. D'autres filles, comme l'Ange et la Championne, sont persuadées (à tort ou à raison) que si elles arrivent à être assez pures ou assez brillantes, leur mère va finir par les aimer. Mais l'Invisible n'a même pas cet espoir. Elle succombe tout bonnement à son destin vide d'amour.

La sœur Invisible

Les frères et sœurs de l'Invisible font corps avec leurs parents dans une attitude unanime envers elle. Ils la perçoivent comme une faible et la traitent en conséquence, soit en la surprotégeant, soit en s'exaspérant (ou en se fâchant) de son manque total de colonne vertébrale. Il se peut qu'ils reconnaissent en elle leurs propres faiblesses, qu'ils tentent de cacher : elle incarne la même insécurité qu'eux, mais qui les pousse dans une autre direction.

Son Ange de sœur trouve en elle quelqu'un à dominer à coups

d'exhortation à bien se comporter; une autre sœur Championne, quelqu'un à qui se vanter de tous ses succès. Tout le monde essaye de changer l'Invisible, de la pousser à se prendre en main et à faire quelque chose dans la vie, mais elle s'y refuse. Elle est «trop bête», «trop grosse» ou «trop laide», croit-elle, pour même s'y risquer.

Comment oserait-elle devenir autre chose ? Si Maman lui a appris qu'elle n'était bonne à rien, il ne lui reste plus qu'à œuvrer constamment pour prouver que sa mère a raison. Et quoi de mieux pour préserver la cohésion de la famille que de se plier à l'opinion collective que l'on y a d'elle : elle est incapable de s'en tirer seule. «Je n'ai jamais cherché de soutien auprès de mes sœurs, me dit une Invisible. Je n'en ai jamais cherché auprès de qui que soit. Si j'avais un problème, soit je le supportais en silence, soit je l'ignorais.»

Dans leur enfance, certaines Invisibles deviennent phobiques, surtout au sujet de l'école. Leur phobie leur sert d'écran pour masquer la colère qu'elles éprouvent envers leur mère. La mère de l'Invisible nourrit sa phobie (ainsi que son isolement et son incompétence) en ne la *laissant* pas grandir. Ces mères sont souvent également dépendantes de leur propre mère : l'incompétence se transmet alors chez les femmes de la lignée.

Mais qu'elle soit phobique ou simplement timorée, l'Invisible adulte se venge parfois de façon si subtile qu'elle est la seule à le savoir : elle retire son amour à sa mère. Voici ce que m'a raconté la fille d'une Tortionnaire, âgée de trente ans :

Ce que ma mère souhaite le plus recevoir de moi, c'est exactement ce qu'elle n'a pas : mon amour inconditionnel. Je fais ce qu'elle me demande. Mais je ne l'aime pas. Je la trahis délibérément, ne serait-ce que de cette façon-là. Je ne lui permets pas de me connaître, je ne partage pas avec elle ce que je pense, ce que je sens. Elle n'a qu'à lever le petit doigt pour que je sois là, mais ce qui a changé, c'est que je ne lui donne plus rien de moi. On ne peut rien faire de pire à une narcissique.

L'Invisible au travail

Comme nous l'avons vu, l'Invisible s'arrange souvent pour

devenir invisible au travail. Bien que cela puisse lui servir à échapper au contrôle constant de ses supérieurs, cela peut également nuire à son avancement : en effet, son moyen de défense est à contre-courant de l'atmosphère compétitive des entreprises modernes. Ce n'est pas que le marché du travail n'ait pas besoin de gens plus effacés que les autres pour accomplir les tâches moins gratifiantes, plus monotones; mais que se passe-t-il si l'Invisible a elle-même des talents qu'elle aimerait bien avoir le courage de mettre à l'épreuve ?

L'une des principales carences de l'Invisible, c'est qu'elle n'a pas de carrière où se mettre en valeur : «Si je n'ai jamais eu aucune ambition dans mon travail, c'est parce que je n'ai jamais su ce que je voulais. Personne ne me l'a jamais demandé. Le prix de mon enfance, ç'a été mon potentiel. Je ne vois pas ce qui aurait pu m'arriver de pire. J'ai cru qu'en ne me faisant jamais remarquer (ni de ma mère, ni de mon patron), je serais récompensée. Au lieu de cela, je suis juste passée inaperçue.»

Il existe parfois entre l'Invisible et son patron une relation névrotique qui reflète celle qu'elle avait avec sa mère. Là où le patron "surfonctionne" par son comportement tyrannique, l'Invisible "sousfonctionne" en devenant de plus en plus inepte. Plutôt que de changer, elle continue à inventer des excuses pour ses multiples retards, son étourderie, son manque de respect pour les échéances. Cela fait partie du pacte entre elle et son employeur : sa passivité dynamise son supérieur.

«Au travail, je donne une impression d'incompétence, bien que ce soit faux, confesse une Invisible qui est serveuse dans un restaurant. Je crois que c'est parce que pour réussir dans quelque chose, il faut avoir un but. Il faut se préparer, que ce soit en étudiant ou en apprenant à se défendre dans la vie. Il faut être convaincue qu'on mérite de réussir. Moi, je n'ai jamais cru ça. Alors mon patron se sert de moi.»

L'Invisible est parfois si défaitiste que même les réprimandes et renvois ne la secouent pas. Comme me l'a dit une secrétaire que j'ai interviewée et qui n'obtient jamais de promotion : «Je fais beaucoup d'efforts pour ne rien attendre de personne. On ne peut pas être déçue si on ne s'attend pas à réussir.»

Beaucoup d'Invisibles évitent de subir les pressions du monde professionnel en s'établissant à leur propre compte. C'est un terrain où l'Invisible bénéficie de certains avantages : elle aime travailler seule, elle a souvent une vie imaginaire très riche et beaucoup d'intérêts qu'elle cultive dans la solitude, parfois depuis le plus jeune âge. Certaines de ces femmes sont peintres, écrivaines ou musiciennes; les fruits de leur monde intérieur se cueillent sur des aquarelles, des poèmes ou des chansons. Leurs œuvrent parlent pour elles. Emilly Dickinson, dont les poèmes ne furent publiés qu'après sa mort, était une Invisible très solitaire dont le monde intérieur d'une grande richesse s'exprimait passionnément dans son art.

Il arrive cependant que, si elle subit trop de stress, même la créativité solitaire de l'Invisible sombre dans le gouffre des émotions non résolues de son enfance et qu'elle finisse par y perdre tout intérêt.

Une amie dans le besoin

S'il y a une chose dont l'Invisible est sûre, c'est d'être rejetée. Elle traverse donc la vie en faisant tout ce qu'il faut pour que ses attentes se réalisent. Comme une aiguille coincée dans la rayure d'un disque cauchemardesque, elle tourne en rond dans une série d'amitiés avortées; plus l'aiguille s'enfonce, plus son ego est blessé, plus son cœur saigne. Mais c'est tout ce qu'elle connaît. *C'est la seule chose qu'elle sache faire.*

Suzanne, trente-neuf ans, est hantée par le souvenir d'amitiés enfantines qui ont mal tourné, de la cruauté de certaines petites filles envers elles, d'avoir été mise à l'écart par la "bande" et d'avoir été victime des propos méprisants de ses membres :

Je me souviens qu'une fois, au début du secondaire, j'ai demandé à la fille la plus populaire de la classe pourquoi personne ne m'aimait. Elle a répondu : "C'est parce que tu est trop gentille." Je n'ai pas compris ce qu'elle voulait dire. Des années plus tard, j'ai appris qu'être une victime est une manière d'exiger quelque chose des gens. Ce que je demandais à ces filles, c'était de me définir : pour que je me sente bien dans ma peau, il aurait fallu qu'elles m'aiment.

Mais à l'époque, je ne pouvais pas le supporter. J'étais en larmes tous les jours. Alors je me suis complètement coupée de tout le monde.

Cependant, beaucoup d'Invisibles trouvent difficile de perdre leurs vieilles habitudes de supplication. Voici ce qu'en dit Carole, trente-quatre ans :

J'ai toujours peur de froisser les gens. Quand je passe l'après-midi avec une de mes amies, je me mets à imaginer que je viens de faire une gaffe horrible; dès que j'arrive à la maison, je l'appelle pour lui dire : "Tu sais, quand j'ai dit ça, ce n'est pas vraiment ce que je voulais dire. Je voulais plutôt dire ceci. Tu n'est pas fâchée?"

Dans son livre *Enchantment*, Daphné Merkin raconte l'humiliation d'un perpétuel besoin d'expiation :

Je demandais [...] pardon, non pour un délit spécifique que j'aurais pu avoir commis, mais pour le crime général d'être ce que j'étais. Et si je disais qu'il m'est devenu impossible d'imaginer le désespoir qui me poussait à de tels extrêmes (ce manque de dignité, cet excès de besoin), ce ne serait pas tout à fait vrai. Car en vérité, j'imagine fort bien un tel manque de dignité. J'en ai été capable depuis et le suis peut-être encore. On peut acquérir un goût [...] pour les supplications.

Les supplications de l'Invisible peuvent même l'amener à se couper de ses émotions. Pour préserver sa santé mentale, elle peut en arriver à se retirer de toute relation car, n'ayant pas de territoire défini, elle ne sait pas établir de limites. Voici ce que raconte une Invisible de quarante-deux ans qui a derrière elle plusieurs années de thérapie :

Je ne voulais jamais me rapprocher de qui que ce soit. On arrive très bien à vivre sans éprouver aucune émotion. Il suffit d'exister sans se faire remarquer, de bien faire son travail, d'être parfaite à la maison, d'avoir des amis, mais seulement en surface. C'est très, très facile. C'est même plus que la simple survie. Si on ne se permet ni haut, ni bas, on est à l'abri de tout. Le problème, c'est qu'on désapprend à aimer.

L'Invisible en amour

Plus qu'avec ses amies, c'est avec les hommes que l'Invisible éprouve le plus de difficultés à faire la différence entre son faible sentiment d'identité et son besoin d'être contenue.

Certaines Invisibles préfèrent rester célibataires, car l'idée de fusion *physique* leur paraît aussi dangereuse que d'être dominées affectivement. En effet, comment dissimuler sa vulnérabilité tout en faisant l'amour ? Où se cacher lorsqu'on est si proche de son partenaire, physiquement et émotivement ?

La meilleure solution semble alors de n'avoir aucune vie amoureuse. Si ces Invisibles évitent soigneusement de s'impliquer amoureusement, c'est parce que ce genre de relation leur semble aussi menaçante que la relation mère-fille. Beaucoup d'entre elles continuent d'ailleurs à vivre chez leurs parents jusqu'à un âge assez mûr.

Lorsque d'autres Invisibles arrivent à s'impliquer amoureusement, elles ont parfois tendance à s'amouracher à répétition d'hommes affectivement ou socialement hors d'atteinte. Paméla, trente-neuf ans :

C'est toujours moi qu'on laisse tomber, et je crois que c'est parce que j'ai trop d'insécurité pour attirer quelqu'un qui soit vraiment sain. Ma mère m'a dit tellement de choses horribles que j'en ai fait un mode de vie. Comme je ne méritais pas une relation normale, comme je n'étais pas à la hauteur, j'ai fait ce qui s'imposait : je me suis mise à sortir avec des hommes mariés. Rien au monde n'est plus douloureux.

D'autres Invisibles choisissent typiquement des hommes violents. Les Invisibles sont même le groupe de femmes qui risquent le plus de vivre de la violence conjugale. Elles y trouvent quelqu'un pour faire écho à leur perpétuelle auto-critique... et également, à un niveau assez primaire, *quelqu'un à blâmer*.

Si l'Invisible se marie, c'est souvent avec le portrait tout craché de sa mère, qu'elle s'en rende compte ou non. Ce qui lui apparaît à l'époque comme une solution à son isolement devient une garantie de solitude. Une femme de trente-neuf ans :

La première fois que je me suis mariée, j'avais vingt ans;

c'était pour partir de chez moi. Moi qui avais toujours eu des tas d'amoureux, j'ai choisi le pire, le fond du panier. J'ai fait cela parce que je n'avais aucune estime pour les gens qui exprimaient leurs émotions. Mon idée consciente était que si je trouvais un homme qui ne se préoccupait pas de moi, il ne me ferait pas souffrir. On fait les choses pour un tas de mauvaises raisons. On pense qu'on se sort d'une situation en faisant quelque chose de tout à fait différent, et devinez ce qui se passe ? La revoilà.

Comme le mariage est souvent la répétition de son enfance, mais dans un autre contexte, ce qu'elle a appris du comportement familial éclipse souvent les minces progrès que l'Invisible a pu faire quand elle était célibataire. C'est à croire que le mariage est une machine à remonter le temps : "épouse" devient synonyme d'"enfant dépendante".

Plusieurs des Invisibles que j'ai rencontrées, en me décrivant leur mariage, m'ont dit se sentir coincées entre Charybde et Scylla: leur mère dominatrice et leur mari non moins dominateur. «Laissez-moi vous expliquer que j'ai épousé ma mère», me dit Linda. Chaque fois que sa Mère poule lui rend visite, Linda et son mari se disputent sans arrêt. Linda, qui tente désespérément de plaire à ses deux tyrans, se retrouve coincée au milieu. La tension devient si forte qu'elle a l'impression de flotter au-dessus du sol. C'est comme si elle était enveloppée dans du coton : même les sons sont étouffés. «Si je me protège de cette façon bizarre, dit-elle, c'est parce que tout le temps qu'elle passe chez moi, je risque l'explosion atomique.»

D'autres Invisibles s'enlisent dans un mariage malheureux parce qu'elles n'arrivent pas à rassembler leur courage. L'une des femmes que j'ai rencontrées m'a décrit son mariage comme un "enfer". Si elle n'arrive pas à faire quelque chose pour sortir de cet enfer, m'a-t-elle dit, c'est qu'elle a trop peur d'être abandonnée :

Mon mari est merveilleux avec moi... une fois de temps en temps. Je ne veux pas renoncer à cela, parce que si je le faisais, que me resterait-il ? J'ai attendu toute ma vie de rencontrer quelqu'un. Que ferais-je sans lui ? Je n'ai jamais réussi à plaire à ma mère. Alors je me dis : "Tu dois rester."

La psychothérapeute Lilly Singer estime que ce genre d'attitude dans le mariage est le résultat de l'attitude de la mère, qui a persuadé l'Invisible qu'elle n'était bonne à rien. «La voix de la mère est constamment dans la tête de sa fille, explique madame Singer. Pour fonctionner de façon «normale», la fille a besoin d'être dénigrée. S'il arrive qu'elle se trouve impliquée dans une relation où il y a vraiment de l'amour, elle met cela sur le compte de la chance.»

La Mère inférieure

Quand l'Invisible devient mère, elle risque fort de transmettre à ses enfants son insécurité.

Corinne a un fils de neuf ans nommé Stéphane. Un jour, il est sorti jouer avec des enfants du quartier. Quelques minutes après, il rentra à la maison parce que l'un des garçons lui avait dit : «Va-t'en chez toi. On ne veut pas de toi ici.»

Stéphane alla regarder la télévision dans le salon pendant que Corinne fondait en larmes dans la cuisine. Elle téléphona à la mère du garçon qui avait renvoyé son fils et lui demanda : «Pourquoi votre fils n'aime-t-il pas le mien ? Est-ce que Stéphane a un problème ?» La femme lui répondit : «Votre fils n'a aucun problème. C'est un petit garçon parfaitement normal. Vous vous faites bien trop de souci pour lui : vous allez le rendre fou.»

«Elle m'a fait comprendre que j'inventais des problèmes là où il n'y en avait pas», explique Corinne. En effet, elle se mettait tellement à la place de son fils qu'il ne restait plus de place pour lui. C'est en réalisant cela qu'elle a décidé d'entreprendre une thérapie.

Bien qu'elle ait commencé par dire à sa thérapeute qu'elle avait eu une enfance *merveilleuse* et que la seule raison de sa présence était son désir de venir en aide à son fils, elle se mit à découvrir le lien entre son enfance et celle de son fils. Corinne comprit alors que si elle n'arrivait pas à laisser grandir son fils, c'était parce qu'elle était restée trop dépendante de sa mère Critique :

Je réagis encore à ma mère comme si j'étais enfant. Je veux qu'elle me dise : "Corinne, va vivre ta vie. Tu es une personne distincte. Tu es adulte. Je veux que tu partes réaliser tes rêves." J'attends encore qu'elle me donne la permission d'être indépendante. Je ne recevrai peut-être jamais cette permission, mais je peux la donner à mon fils.

Les Invisibles ne font pas qu'injecter leur insécurité dans la vie de leur enfant, elles ont également du mal à donner une limite à son comportement destructeur. Ces enfants peuvent faire toutes les bêtises qu'ils veulent, leur mère a *toujours* une raison pour ne pas dire non : l'enfant est malade, il va bientôt avoir un examen, à moins que la mère elle-même soit trop fatiguée. Dans certains cas, elles vont trop loin. Voici le témoignage d'une Invisible de quarante et un ans :

Ma mère était si forte, si admirable que je n'ai jamais rien entrepris par moi-même. Alors quand je suis devenue mère à mon tour, j'étais bien décidée à ne jamais forcer mes enfants à faire quoi que ce soit. En conséquence, j'ai été une mère aimante, mais pas présente. Je les ai négligés. J'évitais tous les mauvais côtés. Je ne voulais pas voir ce que me sautait aux yeux.

Il y a un an ou deux, ma fille adolescente, qui était en pleine rébellion et qui avait de très mauvaises notes à l'école, a ramené à la maison un garçon qui s'endormait tout le temps à table. Mon mari voyait bien qu'il se droguait, mais moi, je disais : "Oh, il doit être fatigué." On a fini par découvrir qu'il était héroïnomane. Pourquoi cette découverte n'a pas déclenché mille signaux d'alarme, pourquoi je ne suis pas allée chercher de l'aide pour ma fille, je l'ignore. Mais je ne l'ai pas fait.

Qu'elle soit trop soucieuse de ses enfants ou trop négligente avec eux, l'Invisible recrée souvent l'aspect de la relation avec sa mère qu'elle s'est juré de ne jamais répéter : elle et ses enfants ont peu de chances de devenir amies. Et parce que cela lui arrive *encore une fois*, elle en éprouve une peine intolérable.

Portrait d'une Invisible

Sylvie, trente ans, est une Invisible typique. Avec ses boucles brunes qui cachent les traits fins de son visage mince, elle fait penser à une page blanche. Quand on lui pose une question inoffensive («Quelle heure est-il»?), elle met plusieurs minutes à répondre, comme si elle était sous l'eau. Quand on lui demande son opinion, elle répond d'un ton rêveur : «Je ne sais pas trop...»

Elle est la fille unique d'une mère Tortionnaire et d'un père passif qui s'absentait souvent pour affaires. Comme elle n'avait pratiquement aucun allié, il n'y avait rien pour la protéger de l'hostilité et du perfectionnisme de sa mère.

Quand Sylvie rentrait de l'école, sa mère l'attendait avec une liste de choses à faire : le ménage, les courses, la lessive. Quand elle faisait ses exercices de piano, sa mère lui criait les notes de la pièce voisine avant même qu'elle ait eu le temps de poser les doigts dessus.

Sylvie ne se mettait jamais en colère contre sa mère :

Ce n'est pas que je n'avais pas le droit de me fâcher contre elle, c'est que je n'ai jamais essayé. J'ai su depuis le premier jour qu'il valait mieux pas.

Quand ma mère se mettait à me gronder, je restais assise sans bouger. Dès qu'elle ouvrait la bouche, je me débranchais. Je perdais littéralement le contact. J'entrais dans la brume.

Sylvie apprit à rester invisible en restant dans sa chambre. Elle abandonna le piano et se mit à peindre. Comme elle était douée, elle passait tous ses après-midi à travailler sur ses toiles dans sa chambre en écoutant des disques. Elle s'entourait de Mozart et de Chopin pour noyer le bruit de la domination furieuse de sa mère.

Quand elle parvint en dernière année à l'école secondaire, Sylvie n'avait aucun but particulier, aucun plan d'études : elle n'avait jamais pensé au-delà de l'instant présent. Sa mère la força à remplir des demandes d'admission à l'université, et comme elle ne les avait pas terminées, elle les termina à sa place. Ce fut même elle qui écrivit les dissertations d'examen. «Je m'en moquais complètement», dit Sylvie.

Sylvie fut acceptée au même collège que sa mère. Comme il était presque écrit qu'elle échouerait, c'est ce qu'elle fit. Un an plus tard, elle fut admise à une université publique locale. Après avoir obtenu son diplôme, elle trouva un emploi dans un réfectoire d'école secondaire et trouva un petit studio dans lequel elle rentrait se terrer à la fin de la journée.

Quand sa mère l'appelait, Sylvie tenait l'écouteur à une certaine distance de son oreille sans écouter et attendait que prenne fin le long monologue nombriliste de sa mère. Elle était constamment enveloppée par la brume qui l'avait protégée tout au long de sa vie.

Il fallut deux événements pour que cette brume commence à se dissiper. Tout d'abord, elle fut agressée dans la rue et presque battue à mort, à la suite de quoi elle fut hospitalisée pendant six semaines. «C'est pendant cette période-là que je me suis rendu compte que je ne pouvais pas continuer comme ça. Je pouvais soit me tuer, soit trouver un travail qui me sortirait du tombeau dans lequel je m'étais enfermée.»

Elle savait qu'elle était bonne peintre, mais sans génie, et qu'elle aimait réparer les beaux objets; elle s'inscrivit donc dans une école de restauration d'objets d'arts.

Sylvie ne dit rien de ses projets à sa mère jusqu'à ce qu'elle ait payé ses frais d'inscriptions, quitté son emploi et son appartement et fait ses valises. «Je n'ai rien dit jusqu'à ce que ce soit gravé dans la pierre, dit-elle. Ç'a été l'année la plus heureuse de ma vie. Pour la première fois, j'avais pris une décision toute seule et je m'y étais tenue. Je faisais quelque chose qui m'appartenait en propre et je ne voulais pas qu'elle gâche tout, alors j'ai attendu jusqu'à ce qu'il soit trop tard pour qu'elle puisse faire quoi que ce soit.»

Le deuxième événement fut la mort de son père. C'était un homme très doux avec lequel elle se sentait un lien spirituel. «Ma mère avait toujours cherché à me convaincre que j'étais incapable de me débrouiller toute seule. Et maintenant que mon père était mort, je venais de perdre mon seul allié : même s'il ne savait pas le dire, je savais qu'il m'aimait. J'étais à la merci de ma mère. Quand il est mort, j'ai failli devenir folle.»

Comme Sylvie était célibataire et fille unique, il lui échut d'accompagner sa mère en voyage peu après la mort de son père. Incapable de dire non, elle partit : après tout, c'était sa mère qui payait. Une nuit, au cours du voyage, elle eut un geste de générosité pour remercier sa mère de l'avoir invitée : elle acheta une bonne bouteille de cognac pour la boire avec elle dans leur chambre d'hôtel. Sans trop s'en rendre compte, elles vidèrent la bouteille et se retrouvèrent saoules :

Nous nous sommes mises à parler de mon père. J'ai dit : "Tu sais, lui et moi, nous ne nous sommes jamais vraiment connus. Il parlait si peu." Elle m'a regardé d'un air féroce : "Je pensais que tu l'aimais". Puis elle est tombée endormie. C'était la goutte d'eau. A cet instant précis, je me suis dit : "Si j'allais jusqu'à son lit et que je mettais l'oreiller sur son visage, avec tous les calmants qu'elle prend et tout le cognac qu'elle a bu, tout le monde penserait que c'est une mort accidentelle."

Je n'ai pas fermé l'œil de la nuit. Cette idée m'obsédait. Ce n'était pas le genre d'illumination brutale où tout s'éclaire d'un seul coup: c'était plutôt une petit rayon de lumière, le début d'une prise de conscience que j'avais un certain pouvoir, après tout.

Evidemment, je ne l'ai pas tuée. Mais c'était la première fois que je pouvais me mettre en colère, une colère presque incontrôlable. C'est à ce moment-là que j'ai repris espoir.

Mais le changement n'était pas encore pour tout de suite. Terrifée par son fantasme, elle redoubla d'efforts pour se saboter. Bien que sa réputation de restauratrice lui attirât constamment de nouveaux clients, elle se mit à refuser de les prendre. Ses dettes s'accumulaient. Comme elle ne payait pas son loyer, elle passa à deux doigts de se faire expulser.

Là, je me suis réveillée, dit Sylvie, et j'ai entrepris une thérapie. Quand la brume s'est dissipée, j'ai su qu'elle cachait plus de souffrance que je n'aurais pu l'imaginer. De ne jamais me rendre compte de la réalité jusqu'à ce que j'y sois plongée jusqu'aux oreilles. De toujours chercher à être rejetée. De trembler dès que j'entendais la voix de ma mère au téléphone.

Je me suis enfin rendu compte que je n'obtiendrais jamais qu'elle m'aime : ça n'arrivera pas, c'est tout. Je voulais arriver à accepter la réalité de ma mère sans me sentir aspirée par un terrible cyclone. Et je voulais arrêter d'espérer qu'elle changerait un jour.

Sylvie puisa dans le souvenir de son départ pour l'école de restauration et s'en fit un talisman. Elle apprit à communiquer, à engager la conversation. Elle s'inscrivit à un centre sportif et se fit quelques amies pendant les cours. Elle se mit à voir de moins en moins sa mère.

Elle eut des rechutes : pendant deux mois, elle sortit avec un culturiste qui devenait brutal quand il avait trop bu. Un jour, craignant pour sa vie, elle arrêta de le voir. De temps en temps, elle essayait encore de communiquer avec sa mère, pour se rendre compte qu'elle venait de perdre tout le terrain affectif qu'elle avait gagné.

Mais elle grandissait, petit pas par petit pas.

Depuis, elle a arrêté de refuser du travail et s'est inscrite dans plusieurs associations professionnelles : on la sollicite de partout. Dans le petit studio qu'elle loue, elle aime travailler la nuit et écouter de la musique classique emplir le silence. La fin de semaine, on peut la rencontrer dans des restaurants où elle sort avec un petit cercle d'amis artistes qui s'élargit tranquillement.

Elle a payé la moitié de ses dettes. Elle continue sa thérapie, où elle avance lentement vers un vrai sentiment d'identité. Et elle commence à s'ouvrir à une relation amoureuse saine.

Le but principal de Sylvie est maintenant de ne plus jamais avoir peur de sa mère... ni de personne d'autre :

Je ne veux plus me sentir menacée. Pour me fabriquer une vie, j'ai dû lutter avec toutes mes peurs et mes habitudes auto-destructrices. Si j'échouais maintenant, si je reprenais mes anciennes habitudes, ma vie serait terminée : je ferais mieux de me tirer une balle dans la tête. Et je n'ai pas l'intention d'échouer.

Pour la première fois de ma vie, je suis heureuse de vivre.

14

La Terreur

«Enfant, je n' ai jamais été victime : j' étais plutôt tête de cochon. Je ne voulais pas faire ce que ma mère voulait que je fasse, un point c'est tout. Les repas étaient de vrais champs de bataille.
"Mange !" ordonnait-elle.
"Force-moi !" répondais-je.
"Il y a des enfants qui meurent de faim en Afrique !"
"NOMME-M" EN UN !" »

Hélène, trente-deux ans.

La semaine dernière, les joues rouges de plaisir, une de mes amies m'a fièrement annoncé qu'elle avait été agressée dans la rue. Oui, *agressée*. Un adolescent lui a arraché son sac à main en pleine foule. Bien qu'enceinte de cinq mois, elle s'est lancée à sa poursuite, l'a attrapé par le col de sa chemise et l'a plaqué sur le trottoir.

«Nom d'un chien, s'est-elle exclamé en frappant la table de son poing quand elle m'a raconté l'histoire, il ne l'a pas emporté en paradis !»

Cette amie douée d'impulsions si peu prudentes, beaucoup de gens aimeraient avoir son assurance. «Je veux voir le gérant !» aboie-t-elle quand elle est mal servie dans un restaurant. «Montrez-moi votre numéro !» exige-t-elle du policier qui lui donne une contravention qu'elle estime injuste. Quant au travailleur de la construction qui ose faire une remarque sur les courbes de son anatomie, elle lui rétorque d'un geste de la main bien senti qui ne laisse aucun doute sur l'opinion qu'elle a de lui.

Voilà bien la Terreur : pleine de toupet, toujours prête pour la bagarre. Comme un missile à tête chercheuse, elle trouve toujours une querelle à se mettre sous la dent. On peut ne pas l'aimer (et même se sentir mal à l'aise en sa présence), mais il est difficile de ne pas l'admirer : *elle ne se laisse pas intimider.*

Dans les moments difficiles, qui ne souhaite pas avoir une Terreur à ses côtés ? Quand j'étais enfant, la fille que j'aurais le mieux aimé être était une Terreur qui s'appelait Véra. C'était la leader de toutes les filles de la classe; signe certain de son pouvoir, on ne la voyait jamais dans la rue sans qu'elle soit flanquée de deux fidèles acolytes. Heureusement, elle m'aimait bien — c'est à dire que j'étais assez servile pour qu'elle ne me *déteste* pas.

Personne ne défiait Véra. Si on ne l'adorait pas corps et âme, et même parfois si on le faisait, elle vous coupait en morceaux. Elle mettait même les professeurs mal à l'aise : il arrivait qu'elle verse de la poudre à éternuer dans leur bureau.

Avec Véra, on devait rester vigilante; pas moyen de savoir si l'on n'allait pas tomber dans la ligne de mire de son imprévisible animosité.

Maintenant adulte, Véra n'a pas beaucoup changé — sauf peut-être en pire. Dans le sillage de sa personnalité volatile flottent les débris de deux mariages, suivis d'un cortège d'emplois perdus et d'amitiés avortées.

Toutes les Terreurs ne sont pas aussi incurablement colériques et batailleuses que Véra. Certaines d'entre elles, après avoir survécu à leur enfance grâce à leur combativité, trouvent un mentor ou entreprennent une thérapie et se convertissent en Performantes plus modérées. Leur carrière s'alimente de l'énergie qui nourrissait auparavant leur colère. C'est ce qui est arrivé à Hélène, citée au début de ce chapitre.

D'autres Terreurs s'adoucissent avec le temps et se remémorent leurs années folles avec étonnement, comme si elles parlaient de quelqu'un d'autre. «Je n'arrive pas à croire à certaines des choses que j'ai faites, me dit l'une d'elles en secouant la tête. Je ne sais pas comment j'osais faire ça. Ce n'était pas du courage, en tout cas : c'était *de l'effronterie*. C'était la seule façon de survivre.»

Certaines Terreurs, si elles semblent s'être adoucies aux yeux des profanes, n'ont pas entièrement renoncé à leur flamme guerrière, qui ne brûle que pour leur mère. Comme une dame en apparence douce et charmante me l'a confié : «D'habitude, je me contrôle plutôt bien. Mais avec ma mère, je change complètement. Quand je passe plus d'une journée avec elle, je deviens folle. Nous nous disputons *tout le temps*.»

«Ma mère m'atteint encore, avoue une autre Terreur repentie. L'autre jour, elle m'a vue me ronger les ongles et elle m'a dit : "Arrête ça." Je me suis mise à crier : "Tu vas te taire, à la fin ?" C'est incroyable. Elle a quatre-vingts ans, moi quarante-cinq, et nous y voilà encore.»

Cependant, la plupart des Terreurs persistent dans leur attitude belliqueuse à l'âge adulte, attitude qu'elles gardent dans la plupart de leurs relations. Elles ne savent pas se comporter autrement. Mais attention : l'habit ne fait pas le moine.

Cœur saignant

Dans sa trajectoire sanglante, la Terreur donne tous les signes d'être le contraire de l'Invisible. Mais en réalité, elle en est le négatif. Son attitude belliqueuse n'est en fait qu'un écran de fumée.

«Si l'enfant de trois ans, naturellement passive et accrochée à sa mère, devient une adulte agressive, elle n'a pas vraiment changé», écrivent les Drs A. Thomas et S. Chess. Elle vit alors une "formation de réaction", terme de jargon psychologique qui décrit ce qui se passe lorsqu'une personne s'arrange pour qu'un besoin reste inconscient en se comportant de la manière inverse.

La Terreur ne serait donc qu'une Invisible *déguisée*. Elle reste tout autant reliée à sa mère (ne serait-ce que par la colère) que sa faible cousine.

Là où d'autres filles camouflent leur colère sous le masque d'une générosité sans limite, de la réussite professionnelle ou d'une perpétuelle contrition, la Terreur fait le contraire : dès qu'elle se sent menacée, elle dégaine sa colère pour que tout le monde la voie et plonge dans la bataille, ou plutôt dans celle qu'elle *imagine* sur le point de se déclencher.

Mais ce qui la protège l'isole également. Une Terreur qui travaille comme agent de police résume ainsi le paradoxe de sa personnalité :

Tout le monde me prend pour une dure à cuire. En action, c'est ce que je suis : je n'ai peur de rien. J'adore coffrer les méchants ! Mais en-dedans, je suis faite en coton. Je me demande souvent : "Pourquoi les gens ne voient-ils pas que mon cœur saigne de partout ? Ça ne se voit pourtant pas ?"

De bien des façons, la Terreur est la plus seule des cinq catégories de filles. Derrière les remarques acerbes et les répliques meurtrières (ou derrière le rouge qui lui monte au front quand elle parle de sa mère) se cache une femme qui vit dans la terreur du rejet.

Elle a peut-être *l'air* d'une dure, mais affectivement, elle est très fragile. Car elle pleure aussi facilement qu'elle se met en colère... et elle aimerait mieux mourir que de révéler cette faiblesse.

Rien n'est plus difficile pour une observatrice extérieure que de déceler son talon d'Achille. Et à cause de son mauvais caractère et de son armure, il est encore plus difficile de la prendre en pitié.

Le problème, c'est que quand elle était enfant, elle retirait tellement d'avantages de faire peur aux autres qu'elle n'a jamais été obligée de changer de comportement. Sa mère, quant à elle, l'encourageait à agir comme elle le fait. Et malgré les apparences, la dernière chose que souhaite la Terreur, c'est d'être séparée de sa mère.

La genèse d'une fripouille

Certaines Terreurs sont des enfants non désirées. Plusieurs des femmes que j'ai rencontrées ont su très jeunes qu'elles avaient été une mauvaise surprise, soit parce qu'elles n'étaient pas voulues, soit parce qu'elles n'étaient pas des garçons.

D'autres Terreurs sont nées à un mauvais moment dans la vie de leur mère. L'une de ces femmes m'a raconté que sa mère, ayant fait plusieurs fausses couches avant sa naissance, était devenue amère au sujet des enfants. Une autre m'a dit que sa mère avait voulu divorcer, mais à cause de la naissance de sa fille, s'était sentie obliger de rester prisonnière d'une union malheureuse.

Toutes les Terreurs avec lesquelles j'ai discuté étaient considérées comme des "enfants à problèmes". D'une façon perverse, elles remplissaient dans leur famille une fonction importante. En effet, il est souvent dans l'intérêt de la mère de la Terreur (et souvent de son père également) de la confiner dans ce rôle.

Bien qu'elle tente au début de plaire à ses parents en leur obéissant, elle apprend rapidement que cela ne lui réussit pas d'être angélique, brillante ou suppliante. Ils ne *veulent pas* qu'elle soit "sage". Son rôle d'agent provocateur est trop important. La Terreur remplit donc son mandat : en étant "vilaine", elle permet à tous les autres membres de la famille de se sentir purs et bons, puisque c'est elle qui est toujours responsable de ce qui va mal. La Terreur est le paratonnerre des problèmes familiaux.

Dans la plupart des cas, ses parents ne s'entendent pas très bien. Plutôt que de confronter leurs problèmes personnels, ils reportent sur elle leurs frustrations muettes : ils sont au moins d'accord là-dessus... Grâce à leur vilaine petite fille, Papa et Maman peuvent faire front commun. C'est elle qui se fait renvoyer de table parce qu'elle est "insolente". C'est dans son bulletin que les professeurs écrivent sèchement : «Dérange la classe. A besoin de discipline.» C'est elle qui, adolescente, fréquente les mauvais garçons, les délinquants, les drogués. Au moins, quand ils parlent d'elles, ses parents sont d'accord. Tout comme ils renforcent son comportement, elle renforce le leur sans le savoir.

Quand elle parvient à l'âge adulte, le comportement agressif de la Terreur est tellement ancré qu'elle n'en connaît sans doute pas d'autre. Elle traverse la vie comme une balle perdue. Sa drogue, c'est de semer la terreur sur son passage. Mais quand elle finit par quitter la maison familiale, sans cible contre laquelle se rebeller, la Terreur se retrouve toute perdue, d'autant plus qu'avec tout cela, elle n'a toujours pas obtenu l'approbation de sa mère. En continuant la provoquer, la Terreur cherche donc à maintenir le lien avec sa mère, qui est maintenant irrémédiablement entaché d'agressivité.

Selon la psychotérapeute Ann Gordon,

Une fille qui téléphone tous les jours à sa mère pour se disputer avec elle et lui hurler dans les oreilles doit bien tirer une compensation de son comportement. C'est peut-être qu'en se servant de sa colère comme d'un fil conducteur, elle cherche inconsciemment à se prouver — et tous les jours — qu'elle a bien une maman. Pour elle, il vaut mieux avoir avec sa mère une relation négative que pas de relation du tout.

Le seul moyen qu'elle a à sa disposition pour continuer à donner à sa famille un sentiment de cohésion — tout factice qu'elle soit — est d'avoir constamment besoin d'être tirée d'un mauvais pas. Elle a donc tout le temps des ennuis : elle a besoin d'argent, elle a besoin d'aide, elle est prise dans une bagarre. Comme une correspondante de guerre qui se cherche une guerre, la Terreur ne sait que faire de la paix, car pour elle, ce n'est pas un état naturel. Voici ce qu'en dit la psychologue Lilly Singer :

La colère peut finir par acquérir une vie propre. Une fille qui est tout le temps en colère a peut-être appris au cours de son enfance que la colère était la seule façon dont elle pouvait obtenir quelque chose de sa mère. Mais une fois adulte, elle ne fait parfois plus le lien entre sa colère et sa mère. Maintenant, c'est contre son patron, ses amies, son mari ou ses enfants qu'elle se fâche. Consciemment, sa colère n'a rien n'a rien à voir avec sa mère; inconsciemment, elle a tout à voir avec elle.

Comme elle a été à bonne école, la Terreur se retrouve donc à l'âge adulte dans une série continuelle de chicanes et de bagarres. Comment en serait-il autrement ? Depuis qu'elle est toute petite, elle a *toujours* réussi à obtenir de l'attention de cette façon.

Au cours de la genèse d'une Terreur, trois facteurs principaux contribuent à en faire ce qu'elle est, ensemble ou isolément :

la vilaine fille;
la petite fille à papa;
la rivalité entre sœurs.

La vilaine fille

On dirait parfois que la Terreur est née en colère. C'est peut-être vrai dans une certaine mesure. Beaucoup d'entre elles sont "difficiles" dès leur petite enfance — mais ce terme mérite qu'on le définisse, du moins quand il est utilisé par des chercheurs.

Pour les Drs Thomas et Chess, l'"enfant difficile" ne le devient que lorsque son rythme et sa sensibilité propres sont incompris ou ignorés. L'enfant se méfie de toute situation nouvelle ou étrange et réagit fréquemment au stress avec intensité... une intensité *négative*.

En faisant preuve de patience et en préparant soigneusement l'enfant lorsqu'on s'apprête à lui faire subir une situation nouvelle, les parents peuvent contribuer à atténuer son besoin de se défendre de la sorte. Mais les parents de la Terreur interprètent son comportement comme de l'insolence et la voient comme une "vilaine fille". Plus ils tentent de la discipliner, plus elle est en colère et plus elle se rebelle. La mère et l'enfant finissent alors par se retrouver coincées dans une lutte qui peut durer toute leur vie.

Si tant de mères et de filles ne s'entendent pas, c'est parce qu'elles sont trop différentes l'une de l'autre. Mais le problème de la Terreur, c'est souvent qu'elle *ressemble trop à sa mère*. Entre les deux s'installe une impitoyable lutte de pouvoir dans laquelle la fille tente d'en obtenir le plus possible. Mais la mère n'est pas prête à renoncer à un seul pouce carré de son territoire ni de son autorité.

Lorsque la Terreur, avec toute son énergie, a pour mère une Critique, une Mère poule ou une Tortionnaire (les trois types de mère dominatrices), cela peut donner un mélange assez explosif, car, contrairement à l'Ange ou à l'Invisible, la Terreur est incapable de soumission.

Mariette, une Terreur de trente-deux ans, raconte que la rébellion était la seule manière qu'elle avait à sa disposition pour éviter d'être étouffée par sa Mère poule. «Heureusement que je suis née en sachant me battre, dit-elle, ou cette femme m'aurait réduite en chair à pâté. C'est une main de fer dans un gant de velours.»

Les disputes de Mariette avec sa mère ont commencé lorsqu'elle a fait son entrée à l'école maternelle. Sa mère insistait pour qu'elle porte une jupe et une chandail bleu pour aller en classe. Mariette restait de marbre : elle ne voulait mettre que sa jupe *à carreaux* et sa blouse *à rayures*.

«Nous luttions à mort pour déterminer ce que j'allais porter, raconte Mariette; la même bataille, jour après jour. Je finissais toujours par sortir de la maison avec ce que je voulais sur le dos. Je gagnais... mais j'y laissais ma peau.»

Mais toutes les Terreurs ne gagnent pas aussi bien que Mariette : beaucoup d'entre elles "gagnent" en devenant perdantes. Plusieurs Terreurs m'ont raconté qu'elles ont réagi aux exigences de perfection de leur mère en échouant *délibérément*. Le facteur commun dans ces relations mère-Terreur est le plus souvent l'incapacité de la mère de faire l'éloge de sa fille.

Bien qu'elle ait été une excellente élève, Isabelle, trente-sept ans, n'a jamais entendu une seule fois sa mère Critique lui dire : «Je suis fière de toi.» Sa mère lui trouvait toujours un petit défaut, un détail à critiquer : le poids d'Isabelle, ses amis, ou, selon les termes de sa mère, le fait qu'elle était une «mademoiselle je-sais-tout».

Isabelle était encore très jeune quand elle a trouvé une arme puissante, bien qu'enfantine, contre l'obsession de sa mère pour la propreté : elle est devenue une souillon. Lorsque sa mère apportait dans la chambre d'Isabelle une pile de vêtements fraîchement lavés et repassés, Isabelle s'empressait de les mélanger soigneusement avec le linge sale qui traînait sur son plancher.

Plus tard, Isabelle a découvert d'autres armes encore plus destructrices... pour elle. Au secondaire, elle s'est soudain mise à échouer à tous ses examens :

Ma mère passait son temps se vanter aux voisins de mes bonnes notes. Mais elle était si cruelle avec moi que j'ai décidé que la seule chose que je pouvais lui faire pour me venger, c'était de lui enlever toute possibilité d'être fière de moi. J'ai arrêté d'étudier. Je me suis mise à manquer mes cours. Je passais l'après-midi à boire avec des rockers au lieu d'aller à l'école.

Pour que sa mère ne puisse avoir aucun pouvoir sur elle, Isabelle a gardé son attitude de défi jusqu'à ce qu'elle ait presque trente ans et qu'elle finisse par obtenir un diplôme d'équivalence d'études secondaires. «A ce moment-là, je suis enfin devenue capable de le faire pour moi sans qu'elle puisse se l'approprier.»

Voici une autre Terreur kamikaze : Susanne, trente-quatre ans. Même quand elle était toute petite, sa mère Tortionnaire ne l'a jamais laissée s'amuser en paix. Quand la petite Susanne dansait dans le salon, se tortillant maladroitement au son de la musique qui jouait à la radio, la mère lui disait: «Tu ne connais rien à la danse. Il faut des années de travail pour savoir danser.» Plus tard, sa mère s'est mise à critiquer sa façon de s'habiller : «Cette couleur ne te va pas du tout, disait-elle, tu n'as vraiment pas de goût.»

«Elle passait son temps à me rabaisser, dit Susanne. Mais j'ai beaucoup de caractère : je ripostais tout le temps.» Susanne finit néanmoins par riposter en entrant dans le carrousel de la drogue: LSD, marijuana, stimulants, sédatifs... «Quand j'étais défoncée, elle ne pouvait pas m'atteindre. Le problème, c'est que ça m'a brûlé le cerveau. J'ai beau avoir arrêté depuis dix ans, j'ai encore l'impression de n'être pas tout à fait dans mon corps. Il y a quelque chose en moi qui a disparu.»

Dans certains cas, la relation explosive entre la Terreur et sa mère peut même devenir violente.

A la naissance de Sylvie, sa mère Critique s'est sentie écrasée par la maternité, les soucis financiers et une union malheureuse. Cette situation s'est prolongée tout au long de l'enfance turbulente de Sylvie, enfance placée sous le signe de la contestation.

Sa relation avec sa mère a atteint son point de non-retour lorsque Sylvie a quitté l'école :

Un certain après-midi, j'étais en train de faire la vaisselle dans la cuisine. Ma mère est rentrée du travail et m'a lancé : "Tiens, tiens, devinez qui est là : la minable." Elle me harcelait parce qu'elle trouvait que je faisais pas grand-chose dans la vie. Je n'étais déjà pas très fière de moi, mais elle n'arrangeait rien.

Elle a insisté, insisté, insisté... moi, j'essayais de l'ignorer. Mais l'adrénaline montait. Quand j'ai vu qu'elle ne s'arrêtait pas, j'ai attrapé un couteau de cuisine et je l'ai brandi vers elle. Je savais bien que c'était dégueulasse, mais je l'ai fait quand même. Elle a dit : "Vas-y, minable, découpe-moi en morceaux, je vais appeler la police." Ça revenait à dire : choisis tes armes. Alors j'ai répondu : "C'est ça, salope, fais enfermer ta propre fille en prison." Elle a fondu en larmes et elle a couru dans sa chambre.

Les Terreurs de ce genre donnent à leur famille et à leurs amies une impression de bravade, d'indifférence et d'arrogance. Mais affectivement, elles se soucient *désespérément* de ce que leur mère pense d'elles. Comme me l'a dit Sylvie, qui a aujourd'hui vingt-six ans, «Je me suis détestée d'avoir tant haï ma mère. Tout ce que j'éprouve aujourd'hui, c'est de la culpabilité d'avoir agi de cette façon. Et du chagrin. J'ai toujours besoin d'une mère.»

La petite fille à papa

Pour la plupart des Terreurs que j'ai interviewées, l'absence d'un affectueux avec leur mère était exacerbée par leur position de préférée de leur père. Percevant qu'il était inutile d'espérer l'amour de leur mère, ces femmes se sont alors tournées vers leur père.

Leur comportement agressif est dû dans une certaine mesure au fait d'avoir eu un homme comme modèle de comportement et d'avoir été l'alliée de leur père contre la mère. A la grande satisfaction du père, lorsqu'il gueulait contre Maman, la Terreur était de son côté à *lui*.

«C'est comme ça que j'ai survécu, me dit une femme qui a passé la majeure partie de son enfance à la chasse, à la pêche, sur les terrains de football ou au garage avec son père. Mon père me traitait comme un garçon. Nous réparions la voiture ensemble en bavardant. C'était la seule affection que je recevais.»

Jalouse de cette relation père-fille privilégiée, la mère de la Terreur se distancie souvent encore plus de sa fille, l'abandonnant ainsi à la seule alliance qui lui soit possible, alliance qui, à son tour, ne fait qu'exacerber la jalousie de la mère.

«Ma mère me disait que j'étais la prunelle des yeux de mon père, me dit une jeune femme. Je savais qu'elle m'enviait. Il faisait beaucoup plus attention à moi qu'à elle ou qu'à mes sœurs.

Il arrive parfois que la relation père-Terreur devienne très néfaste pour la fille. La fille d'une Tortionnaire m'a raconté que son père allait régulièrement voir les prostituées, puis s'en vantait auprès d'elle à son retour. Lorsqu'ils se promenaient ensemble, dans son enfance, elle cherchait à lui faire plaisir en lui désignant les jolies femmes qu'ils croisaient. En grandissant, elle a continué à s'identifier à son père en couchant avec des inconnus qu'elle rencontrait dans des bars et auprès de qui elle se vantait de ses capacités sexuelles.

La rivalité fraternelle

La personnalité de la Terreur se cristallise dans son vécu avec ses frères et sœurs. En effet, son rôle de "brebis noire" la condamne à l'échec auprès d'eux.

Une écrasante majorité des Terreurs que j'ai rencontrées étaient des cadettes ou des benjamines. Comme les rôles d'Ange ou de Championne étaient déjà remplis, il ne restait plus à la Terreur qu'à résoudre les problèmes de toute la famille en devenant son bouc émissaire. Les parents et les plus grands enfants avaient besoin de quelqu'un sur qui rejeter la faute ? Qu'à cela ne tienne : la Terreur était là pour ça. Le même phénomène est également visible dans le cas des Terreurs qui sont filles uniques.

Il existe plusieurs raisons pour lesquelles la Terreur est utilisée comme bouc émissaire.

Selon les chercheurs qui étudient les relations fraternelles, certains enfants sont tacitement encouragés par les parents à manifester une colère que les parents éprouvent sans pouvoir l'exprimer. Lorsque ces enfants tourmentent leurs frères et sœurs, les parents les excusent au nom d'une «jalousie bien normale», tout en se délectant secrètement de toute expression de colère.

La Terreur sert parfois à punir une autre enfant que le parent aime moins. Dans ce cas, le parent ne cherche pas à réprimer la violence de la relation entre ses enfants, mais la laisse se dérouler sans intervenir.

Dans d'autres cas, les enfants reprennent à leur compte la

colère des parents l'un envers l'autre : par exemple, l'Ange s'identifie à la Bonne Mère et la Terreur, comme nous l'avons vu plus haut, au Mauvais Père. Tant que les deux sœurs sont en guerre, chaque parent bénéficie d'une alliée dans la bataille conjugale.

Enfin, la Terreur fonctionne parfois comme épouvantail pour ses frères et sœurs : par son mauvais exemple, elle renforce le contrôle des parents sur leurs autres enfants. En voyant les parents la priver de sorties, lui donner des fessées ou l'enfermer dans sa chambre, ses frères et sœurs font tout pour éviter de recevoir le même genre de punition.

Tous les membres de la famille profitent de la méchanceté de la Terreur. Elle finit par devenir une rebelle sans cause à elle, sauf peut-être d'obtenir un peu d'attention, le plus souvent sous forme de réprimande.

La seule façon dont elle arrive à obtenir un peu d'attention *positive* est habituellement en tombant malade. Un grand nombre des Terreurs avec qui j'ai discuté souffraient dans leur enfance de maladies et de handicaps variés, les plus courants étant la bronchite chronique et le bégaiement. Chacune d'entre elles m'a dit : «C'étaient les seuls moments où ma mère était gentille avec moi.» Dans un certain sens, les maladies ressemblaient alors à d'autres "bêtises" qui devaient être récompensées. Et après tout, une enfant malade est moins menaçante.

Dans le compte courant du favoritisme parental que chaque enfant met soigneusement à jour dans sa tête, la Terreur *sait* qu'elle est injustement traitée, mais elle ne sait pas *pourquoi*. «Mes sœurs faisaient le plus souvent ce que disait ma mère, me dit une femme; mais si elles ne le faisaient pas, ce n'était pas très grave. La seule personne qui n'avait pas le droit désobéir, c'était moi. J'étais tout le temps punie, jamais mes sœurs. Je n'y comprenais rien.»

Le manque d'estime de soi de la Terreur lui vient de ses parents, qui, de bien des façons, manquent autant qu'elle de maturité. Le comportement provocateur qu'ils encouragent inconsciemment chez elle est à son tour renforcé par ses frères et sœurs, surtout ses sœurs, qui en tant que membres du même sexe, savent exactement comment la provoquer. Pour obtenir une plus grande part de l'amour maternel, elles n'ont qu'à être encore plus sage et la pousser à être encore plus vilaine.

Lorsqu'Hélène était enfant, Monique, sa sœur aînée, était une enfant «parfaite». Monique avait de bonnes notes, rangeait bien sa chambre, bref, était une grande sœur bien sage et toujours en train de guetter les bêtises d'Hélène pour les rapporter à leur mère.

Ecœurée d'avoir trois "chefs" (ses parents et son Ange de grande sœur), Hélène devint rapidement une Terreur. Chaque jour, elle volait de l'argent dans le portefeuille de sa mère et prétendait l'avoir trouvé dans la rue. Lorsqu'elle voulait quelque chose, elle piquait une crise pour l'obtenir. Monique respectait les refus de sa mère, mais pas Hélène. Lorsque Monique demanda une bicyclette neuve, sa mère refusa. Mais Hélène hurla jusqu'à ce que sa mère lui en offre une.

Dans son attitude partiale et ambiguë, la mère semblait approuver la façon de plus en plus hostile dont Hélène traitait sa sœur en l'encourageant.

Malgré les protestations indignées de Monique, Hélène avait pris l'habitude d'entrer quand elle voulait dans la chambre de sa sœur et de prendre ce qui lui plaisait. A la fin, Monique finit par être si exaspérée par le manque de respect de sa sœur qu'elle demanda à leur mère de lui acheter un cadenas qu'elle posa sur sa porte. Plutôt que d'exercer son autorité et d'interdire à Hélène d'entrer sans frapper chez sa sœur, la mère semblait plutôt l'inciter à se venger férocement.

Aujourd'hui âgée de trente-six ans, Hélène raconte :

J'ai cajolé ma mère ma mère sans relâche pour qu'elle me donne la clef. Mais elle tenait bon. J'étais si fâchée que je suis sortie dehors en pleine tempête de neige. J'ai fait le tour de la maison, j'ai cassé la fenêtre de Monique et je suis entrée dans sa chambre. Après cela, ma mère a enlevé le cadenas de la porte de Monique.

Je n'ai vraiment pas été une très bonne sœur. Mais je ne me suis rendu compte que très récemment que ma mère a encouragé notre rivalité en ne nous faisant jamais régler nos conflits et en me laissant faire mes quatre volontés sans intervenir.

Ces vendettas fraternelles ne guérissent pas souvent, car elles finissent par faire partie intégrante de la relation. En vieillissant, la rancune des deux sœurs couve, mais ne s'éteint pas. Même si leurs cheveux blanchissent, leur colère garde le tranchant de l'enfance. La "bonne"» sœur tente de rendre la Terreur coupable de ne pas être une "bonne fille" pour leur mère; la Terreur, quant à elle, réplique : «On sait bien que tu as toujours été le chouchou de Maman...»

Les deux sœurs continuent ainsi à nourrir sans relâche l'hostilité née il y a si longtemps. Emmêlées dans leur colère mutuelle, elles n'ont plus de place pour établir une amitié en dehors du conflit et ne se rendent jamais compte que la vraie coupable est la mère qui les a ainsi divisées... et conquises ! Et lorsque la mère meurt, son favoritisme persiste dans la haine mutuelle des deux sœurs. Dans *The Sibling Bond*, Stephen Bank et Michael Kahn écrivent :

[...] Si l'un des enfants servait de bouc émissaire à un parent décédé, et si l'autre recevait tout l'amour du même parent, il n'y a aucune raison pour que l'un des deux enfants fasse passer la solidarité familiale avant sa colère et son intérêt personnel. Les relations entre frères et sœurs qui ont été très négatives et polarisées avant la mort d'un parent ont plutôt tendance à devenir encore plus négatives par la suite.

A cause de ces trois influences (la "mauvaise fille", le fait d'être la petite fille de papa et la rivalité fraternelle), la colère qui envahit la Terreur et qui s'accumule en elle risque fort de mettre le feu à toutes les autres relations de sa vie.

La Terreur au travail

Une certaine proportion de Terreurs parviennent à contrôler leur colère en la canalisant dans une carrière exigeante et gratifiante, c'est-à-dire en devenant des Championnes.

Cependant, la plupart des Terreurs voient leur hostilité faire surface dans leur milieu de travail. Déjà mises au ban de leur famille, elles ne s'étonnent donc pas outre mesure de voir que leurs frères et sœurs les dépassent dans le domaine professionnel. Le succès familial se traduit souvent en succès professionnel. N'ayant pas connu le premier, la Terreur n'a aucune raison de courir après le second.

La Terreur fait une scène à son patron parce qu'elle ne supporte pas la moindre critique. Persuadée qu'ils lui veulent du mal, elle se dispute avec tous ses collègues. Elle quitte ses emplois en claquant la porte dans d'incontrôlables élans de fureur. Pas étonnant qu'elle se fasse souvent renvoyer.

Toujours sur le point de réussir quelque chose, la Terreur revient constamment à son auto-sabotage et continue à se mettre elle-même des bâtons dans les roues : on n'est jamais si bien servie que par soi-même ! Comme me l'a dit l'une d'elles : «Je commence des choses et je ne les finis pas. J'ai d'excellentes idées et je ne suis pas bête, mais je n'arrive pas à finir ce que j'entreprends. J'entends la voix de ma mère : "Tu ne sais pas faire ceci, tu ne peux pas faire cela, tu es une imbécile." Et puis je laisse tomber.»

Pour certaines Terreurs, échouer dans leur travail est une façon comme une autre de maintenir leur colère et leur dépendance envers leur mère :

Je n'ai rien fait de ma vie. Il va peut-être falloir que j'en arrive à un point où il vaudra mieux risquer de mourir de faim toute seule que continuer à tout rater. Mais je trouve toujours une excuse : si j'avais un meilleur emploi ou si mon salaud de patron ne m'avait pas mise à la porte, je pourrais enfin me libérer de ma relation avec ma mère. Mais comme ça, j'ai toujours besoin de son aide, que j'accepte même si je la déteste.

Terribles amitiés

Certaines Terreurs trouvent le salut dans l'amitié : avec leurs copines, elles se sentent aimées et acceptées. Leurs relations amicales, qui durent parfois toute leur vie, font alors partie de ce qu'elles ont de plus précieux.

Mais beaucoup de Terreurs, en devenant des "vilaines filles" chroniques, sacrifient ce que les femmes savent le mieux faire et renoncent souvent à leur capacité d'éprouver de l'empathie et de lier des liens d'amitié intimes.

L'une des femmes avec lesquelles j'ai discuté me racontait que les seules amies qu'elle avait étaient des femmes aussi "franches" et "têtues" qu'elles :

Je ne réprime jamais mes émotions. Ma mère m'a tellement dit de choses méchantes que j'ai grandi en pensant que c'est ce qu'on doit faire avec les gens. On dit exactement ce qu'on pense, même si c'est méchant. Je ne me laisse pas marcher sur les pieds par mes amies, et elles font la même chose avec moi. Nous nous disputons pour un oui ou pour un non. Quand je ne peux pas faire ça avec les gens, je les trouve très ennuyeux. Ce n'est que dans les quelques dernières années que j'ai commencé à pouvoir réprimer mon impulsion à être méchante.

Si ces Terreurs trouvent trop dangereuse l'intimité avec leurs amies, c'est parce qu'elle creuse des brèches dans le mur derrière lequel elle se protège. «C'est toujours moi qui rejette les gens la première : je le fais avant qu'ils me le fassent, à moi, me confie l'une d'entre elles. J'ai une meilleure amie à la fois. Quand la relation devient trop profonde, je les laisse tomber et je trouve une nouvelle amie. J'ai toujours fait ça : je deviens distante, et après je m'en mords les doigts.»

Une autre Terreur qui a suivi une psychanalyse de plusieurs années me confie :

Quand j'étais enfant, je n'ai jamais eu d'amies intimes, et les quelques camarades que j'ai eues, je n'ai pas été très gentille avec elles. Je les maltraitais parce que j'avais beaucoup de colère à cause de la façon dont ma mère me traitait. Je leurs criais des insultes. Quand une amie dormait à la maison, j'étais affreuse avec elle. J'avais tellement de colère. Je la sens toujours. Des fois je deviens comme ma mère à cause de mon mauvais caractère, qui ressemble exactement au sien. Des fois, on ne sait pas comment s'arrêter. Je vois les erreurs que je suis en train de faire, mais c'est dur de s'arrêter quand on est enragée.

L'amour féroce

La Terreur a tendance à vivre avec les hommes de sa vie des

relations houleuses, et sa mère finit toujours par en entendre parler.

Nina, par exemple, n'a jamais voulu se marier; elle a des liaisons spectaculairement catastrophiques qu'elle raconte à sa mère, qui lui fait constamment des reproches à ce sujet.

Nina a toujours été persuadée que «quand on aime quelqu'un, on se dispute ensemble». Elle se querelle constamment avec ses amants, dont beaucoup acceptent qu'elle les traite de cette façon. Dans ce cas, Nina met fin à la relation. Sinon, elle se querelle encore plus fort avec eux.

Quand la Terreur se marie, sa relation avec son mari est souvent cimentée par la colère. En fait, selon une Terreur, c'est même cela qui *préservait* son mariage. Elle ne pouvait fonctionner que lorsque qu'elle se sentait attaquée: ce n'était que dans ces conditions qu'elle se sentait vivre. Elle s'arrangea donc pour fournir à son mari d'amples sujets de reproches :

J'étais odieuse avec mon mari. J'ai eu un amant deux semaines après le mariage. Je ne voulais pas lui faire ça, mais je n'ai pas pu m'en empêcher. C'était tellement excitant ! Il m'a pardonné, mais j'ai recommencé. J'ai fait de sa vie un enfer. A la fin, il en a eu assez et il a demandé le divorce.

Les plus blessées parmi ces femmes finissent par se retrouver avec des hommes qui les terrifient. Une femme qui a eu pour mère une Tortionnaire m'a confié :

Quand un homme est très amoureux de moi, je m'éloigne de lui. Moi, je ne suis attirée que par les hommes qui ressemblent à ma mère. J'aime ceux qui me font peur.

Une fois, l'homme avec qui je sortais m'a cassé le nez, mais je suis restée avec lui. Ça a causé une commotion énorme dans ma famille. J'ai fini par me rendre compte que je risquais de me faire tuer si je continuais à vivre comme je le faisais. En thérapie, j'ai découvert que je faisais des choses insensées pour qu'on fasse attention à moi, comme quand j'étais petite. Mais la seule personne qui souffrait, c'était moi.

Cette femme avoue avoir des rêves «qui m'aident à continuer». Ce sont des rêves de petite fille où le Prince Charmant, sur son grand cheval blanc, va venir la sauver de sa mère, de son passé, d'elle-même. Elle soupire : «En fait, je rêve d'une vie normale : un mariage heureux, des enfants, une maison avec une petite clôture autour du jardin, que je garderais propre et remplie de l'odeur des pâtisseries dans le four. J'espère que je vais avoir cette chance.»

A propos des femmes de ce type, la psychiatre Marianne Goodman dit ce qui suit :

Ce qu'elles cherchent, c'est une récapitulation de la relation sans amour qu'elles ont vécu avec leur mère. Elles sont encore volontaire pour le rôle de la "vilaine". Elles ont beau dire qu'elles sont à la recherche d'une relation heureuse, ce qu'elles cherchent vraiment, c'est l'échec, une fois apràs l'autre, parce qu'il leur faut prouver que Maman avait raison.

Maman la Terreur

Beaucoup de Terreurs commencent leur carrière de mère dans l'amour le plus parfait : enfin elles ont la possibilité d'être récompensées pour leur *gentillesse*. Quand elles chantent une berceuse, bébé sourit; quand elles emmènent l'enfant au jardin zoologique, elle rit de plaisir. C'est merveilleux.

Jusqu'à ce que l'enfant commence à se rebeller. A cet instant précis, la Terreur se retrouve projetée dans le passé et un scénario sans doute oublié vient se superposer à la réalité : dans ses tripes, elle voit sa mère dominatrice à la place de l'enfant qui tente de sculpter sa propre identité. C'est comme une photo superposée : en regardant le visage convulsé de rage de son enfant, elle "voit" sa mère en colère.

La fille d'une Critique m'a dit :

C'était très important pour moi d'avoir toujours raison avec mes filles. J'avais beaucoup de mal à les reconnaître comme des êtres humains à part entière avec des opinions à elles qui pouvaient différer des miennes. Elles m'ont dit que je ne les ai jamais laissées se rapprocher de moi. Je ne savais pas leur montrer mon amour et mon approbation. Tout ce que je savais, c'est que je pouvais absolument pas avoir tort.

Beaucoup de Terreurs sont extrêmement sévères. Dans leur soumission à la Mauvaise Mère intériorisée de leur enfance, elles courent le danger d'agir aussi brutalement avec leurs enfants que leur mère avec elles. Une femme m'a dit : «Quand mon fils n'était encore qu'un bébé, j'étais sûre que j'allais finir par le tuer, et la moitié du temps, c'est exactement ce que je voulais faire. J'avais des fantasmes où je lui fracassais la tête contre le mur. Des idées horribles. Je ne l'ai pas battu, mais j'ai passé très près de le faire. Je passais mon temps à lui hurler après. Je n'avais aucun contrôle sur moi-même.»

Une Terreur qui a été battue pendant son enfance m'a avoué avoir battu sa fille : «Je la frappais dès qu'elle faisait une bêtise. C'est ce que ma mère avait toujours fait avec moi. Si je n'avais pas eu mon mari, qui m'a fait voir qu'il existe d'autres manières de me débarrasser de ma frustration, j'aurais pu la tuer…»

D'autres Terreurs ne se souviennent que trop bien de la façon dont elles se sont "mal" comportées et sont déterminées à ce que leurs filles ne soient pas comme elles. Céline, vingt-neuf ans, me dit : «Quand j'étais à l'école secondaire, il y avait deux genres de filles : l'une sortait avec des garçons, portait des jeans serrés et fumait des cigarettes dans la rue; moi, j'étais comme ça. L'autre était amie avec les professeurs, avait des amis bien élevés et ne faisait jamais de mauvais coups. Je n'étais pas comme ça, mais c'est comme ça que je veux que *ma fille* soit.» Bien qu'elle puisse se reconnaître dans sa fille, Céline reste incapable de reconnaître en elle-même sa mère Tortionnaire. Car dès que sa fille refuse de lui obéir, elle explose. «Nous nous ressemblons beaucoup. Je la frappe beaucoup plus que mon fils. Dès qu'elle se rebiffe et qu'elle me répond, j'explose.»

C'est ainsi que la Terreur se venge sur ses enfants comme sur sa mère, ses frères et sœurs, ses amis, ses collègues. A moins d'aller chercher de l'aide ou de trouver de l'appui en la personne d'un conjoint compréhensif ou d'une amie sincère, elle n'arrivera pas à sortir du cercle vicieux de la colère qui se déploie sous ses yeux incrédules et courroucés.

Portrait d'une Terreur

C'est lorsque Béatrice, qui a quarante-six ans, était en visite chez sa fille mariée que celle-ci lui a tendu mon annonce et l'a encouragée à me téléphoner. «Cela t'aidera peut-être à parler de ta mère», lui a-t-elle suggéré.

La fille de Béatrice fait sa joie. Si elle n'a eu qu'un enfant, me confie-t-elle, c'est pour ne pas avoir de chouchou. Le favoritisme de sa mère, en effet, était le cauchemar de l'enfance de Béatrice et revient constamment jeter un nuage noir sur sa vie par ailleurs relativement stable et épanouissante.

Benjamine d'une famille de deux filles, elle a grandi dans un quartier pauvre d'une ville moyenne. «Ma grande sœur Céline était l'enfant chérie de ma mère, raconte-t-elle. Pas moi, parce que ma mère voulait un fils.» Les deux parents étaient extrêmement religieux et dévoués l'un à l'autre. Leur première enfant leur était très semblable : studieuse, respectueuse et très dévouée à sa mère. «Céline et elle, elles étaient comme des sœurs jumelles», gronde Béatrice avec la voix qu'elle emploie chaque fois qu'elle parle de sa sœur. On devine que Céline a durement défendu sa position privilégiée.

Pendant leur enfance, Céline passait son temps à dénoncer sa jeune sœur. Une fois, alors que les deux filles revenaient de l'école, Céline ordonna à Béatrice de porter son sac; celle-ci refusa tout net. En arrivant à la maison, Céline s'empressa d'aller rapporter à sa mère l'"égoïsme" de sa sœur. La mère de Béatrice alla chercher une lanière de cuir avec laquelle elle battit la petite fille sous le regard satisfait de Céline.

«Ma mère était une femme d'une grande rigueur morale, évoque Béatrice, mais elle avait un principe absolu : il fallait faire ce qu'on vous disait, sinon... Céline obéissait toujours. Moi, j'étais la rebelle.»

Béatrice fut battue régulièrement pendant toute son enfance. Quand elle avait trois ans, c'était parce qu'elle avait mouillé sa culotte. A dix ans, c'était parce qu'elle avait oublié de faire son lit. Et quand elle ne la battait pas, sa mère la terrifiait en lui racontant des histoires de fantômes et en l'emmenant dans des salons funéraires pour la forcer à regarder dans les cercueils. «Elle disait qu'elle faisait ça pour me guérir de mes peurs», dit Béatrice.

La façon dont sa mère la traitait provoquait chez Béatrice des fantasmes de vengeance et de révolte. En passant devant le tribunal, elle s'imaginait dénonçant sa mère comme bourreau d'enfant. Elle lisait tout ce qui lui tombait sous la main au sujet d'universités situées dans des villes lointaines et fit le vœu de s'y inscrire un jour pour fuir la maison.

Mais l'université n'était encore qu'un rêve inaccessible, car en attendant, l'école lui semblait une véritable torture. Ce n'est pas qu'elle ait eu de très mauvaises notes (elle était dans la moyenne), ni qu'elle ait eu du mal à se faire des amis (elle préférait la solitude) : c'est parce qu'elle était prise de panique dès qu'un professeur l'appelait au tableau. Lorsqu'il arrivait que l'un des garçons de sa classe se moque d'elle et de sa difficulté à parler en classe, elle l'attendait à la sortie pour lui flanquer une raclée.

Pour compenser son sentiment d'isolement, Béatrice forma un semblant de lien avec son père, ce que sa mère encouragea dans un curieux mélange de clairvoyance et cruauté : «Moi, Céline est ma préférée, lui dit-elle un jour. Toi, tu peux être la préférée de ton père, si tu travailles fort.» Béatrice aidait donc son père, qui élevait des poules dans le petit jardin familial, à nettoyer les poulaillers et à recueillir les œufs. «Il m'aimait bien, raconte-t-elle. Lui, au moins, il n'avait pas de chouchou.»

Lorsqu'elle ne travaillait pas dehors avec son père, elle travaillait dans la maison. On estimait que Céline, qui était très frêle, n'était pas faite pour faire les travaux ménagers. Il revenait donc à Béatrice, qui était robuste et musclée, de frotter les planchers et de faire la lessive et le repassage pendant que sa mère, assise au salon, lisait des revues ou bavardait au téléphone.

Dès qu'elle atteignit dix-huit ans, Béatrice réalisa son rêve : elle quitta la maison pour aller étudier le plus loin possible. A l'université, elle rencontra un jeune homme qu'elle épousa à la fin de ses études. Ils s'établirent et eurent un enfant. Le mari de Béatrice mourut quand leur fille était âgée de onze ans; Béatrice trouva un emploi de dactylo et gravit les échelons jusqu'à devenir chef de bureau.

Béatrice inscrivit sa fille à des cours de danse classique et de tennis, et quand elle devint adolescente, elle l'aida à devenir indépendante en ne se sentant pas personnellement attaquée par les sautes d'humeur de la jeune fille. «J'étais résolue à ce qu'elle soit bien dans sa peau et à ce qu'elle ait une vie à elle. Elle a eu plus de mal à se séparer de moi que j'en ai eu à me séparer d'elle.»

Presque miraculeusement, Béatrice a réussi à élever sa fille dans la tranquillité et la confiance mutuelle. Mais la rage qu'elle éprouve envers sa sœur n'est jamais très loin sous la surface. Lorsqu'il y avait un mariage dans la famille, Béatrice n'y allait jamais. Lorsque sa mère mourut, Béatrice refusa d'assister à l'enterrement ou de prendre quoi que ce soit qui aurait appartenu à sa mère. Dans les deux situations, il lui aurait fallu se retrouver en présence de sa sœur.

J'ai réussi me détacher de ma mère quand j'ai compris qu'elle n'avait pas eu une vie facile. Mais je n'arrive pas à me débarrasser de la haine que j'éprouve pour Céline. D'une certaine façon, elles sont une seule et même personne; quand je pense à ma mère, je vois le visage de ma sœur.

Après la mort de leur mère, Béatrice fit une unique tentative pour se réconcilier avec Céline. Elle l'invita chez elle, mais Céline se mit à répandre sur sa sœur toute sa vertueuse indignation et à lui dire des choses comme : «Quand on se laisse devenir grosse comme ça, on pourrait au moins se mettre au régime...» Enumérant les avantages matériels que le mari de Béatrice lui procurait lors de son vivant (voiture neuve, nouvelle maison, vacances d'été), elle les qualifia d'ostentation. «Au bout de deux jours, je l'ai mise à la porte de chez moi, raconte Béatrice. Je ne l'ai pas revue depuis, et je ne veux plus jamais la voir de ma vie.»

La rivalité qui a poussé Béatrice et sa sœur dans des coins opposés du ring de la vie couve toujours, même si elles ne se voient jamais. «Notre terrible haine l'une pour l'autre devient de plus en plus intense avec le temps», dit-elle.

Ces deux femmes, qui sont en train d'aborder la dernière saison de leur vie, ne voient toujours pas que leur ressentiment mutuel reste le seul lien réel qui les unisse à leur mère. En effet, chacune des deux a été aussi blessée que l'autre par son enfance. Céline, l'enfant sage, n'a jamais pu goûter à la liberté et à l'affection que Béatrice a recherché en se rebellant contre sa mère. Béatrice est tout ce que Céline, qui obéissait religieusement à sa mère, ne s'est jamais permis d'être. Elle n'a pas vraiment été récompensée d'avoir été si sage : elle connaît les regrets d'une Ange affectivement desséchée.

Mais Béatrice non plus n'a pas trouvé la paix dans son rôle de "mauvaise fille". «Dans ma tête, Céline sera toujours l'enfant chérie, dit-elle, et moi, l'enfant dont ma mère n'a jamais voulu. Je ne le lui pardonnerai jamais, ni à elle ni à ma sœur, qui ne me laisse pas l'oublier.»

Béatrice n'a pas de regrets, mais après toutes ces années, et malgré la joie que lui donne sa fille, elle souffre d'une blessure de colère qui ne donne aucun signe de guérison. C'est ce qui définit son identité, et elle n'est pas près d'y renoncer.

15

L'Exilée

«Ma mère et moi, nous ne pouvons pas avoir de relation. Je ne peux tout de même pas lui dire : "Je te pardonne de m'avoir humiliée, négligée, rejetée; je te pardonne de ne jamais m'avoir montré d'affection." Si je faisais ça, je serais encore plus folle qu'elle. J'ai longtemps nourri le rêve qu'elle allait finir par me demander pardon d'avoir été si cruelle envers moi, puis nous pleurerions dans les bras l'une de l'autre et nous partirions ensemble dans le soleil couchant. Mais ça n'arrivera jamais : ma santé mentale dépend de mon éloignement d'elle. La plupart des gens ne comprennent pas cela.»

Annette, trente-trois ans.

Agée de trente-neuf ans, Edith n'a pas vu sa mère depuis cinq ans. Ni carte, ni visite, ni coup de téléphone. Rien.

Jusqu'à leur séparation définitive, elle rendait parfois visite à sa mère, mais c'était toujours avec un nœud au fond de l'estomac, car celle-ci profitait toujours de ces occasions pour passer son temps soit à ne parler que d'elle-même, soit (le plus souvent) à la dénigrer. Sa mère critiquait particulièrement sa façon d'élever sa fille, tout en évoquant à quel point son ex-gendre était «convenable» et en ajoutant : «Ton père ne m'a jamais abandonnée, *moi.*» A chaque fois, Edith se jurait de ne plus retourner chez elle... mais après quelque temps, tourmentée par des sentiments de culpabilité, elle lui téléphonait et le cercle vicieux recommençait.

Jusqu'à un jour de Pâques, six mois après le divorce d'Edith, alors qu'elle se trouvait chez sa mère en compagnie de sa fille âgée de cinq ans, qui avait beaucoup de mal à s'adapter à la séparation de ses parents. Au cours du repas, l'enfant mit sa main dans sa bouche pour en retirer un os de poulet qu'elle déposa sur la nappe.

La mère d'Edith se lança alors dans une longue tirade à propos des mauvaises manières de l'enfant, provoquant ses larmes.

Quelque chose s'est brusquement cassé en moi : dans mon enfance, les apparences passaient toujours avant les sentiments. Je me faisais gifler quand je dérangeais les coussins du divan du salon. Je recevais des fessées si je ne disais pas "s'il-vous-plaît" et "merci". Et voilà que ma mère continuait, mais cette fois-ci, avec ma fille : qu'avait-elle donc à la place du cœur pour la réprimander sur les bonnes manières au pire moment de sa vie ? En la voyant attaquer mon enfant, je me suis réveillée et j'ai vu que notre relation était trop destructrice pour que je continue.

Edith est une Exilée, une catégorie de femmes psychologiquement et physiquement violentées par leurs mères qui se sont sauvées de leur famille et, à de rares exceptions près, ne sont jamais revenues.

Pourquoi ont-elles fait cela ? Qu'est-ce qui les différencie de l'Ange fidèle, de la Championne obsédée par le succès, de la vulnérable Invisible ou de la rebelle Terreur, qui, bien qu'ayant grandi *dans des circonstances semblables*, sont pourtant restées plus ou moins en contact avec leur famille ?

Pourquoi l'Exilée s'évade-t-elle et non les autres ? C'est simple à comprendre : elles étaient *désespérées* et ne voyaient *pas d'autre issue*. Car, disent-elles, si elles avaient poursuivi la relation, elles auraient tué soit leur mère, soit elles-mêmes, ou elles auraient perdu la raison.

Mais sont-elles si fortes que cela ? La réponse à cette question n'est pas facile à trouver.

La plupart des Exilées que j'ai rencontrées n'ont pas commencé leur vie comme des révoltées. Comme les autres enfants, elles cherchaient beaucoup à plaire à leur mère. Mais au cours de leur enfance, quelque chose les a distinguées, les a fait se sentir différentes de leurs frères et sœurs.

Pour commencer, elles sont plus blessées qu'elles ou eux. La Championne, dans son entêtement, ou la Terreur, avec son mauvais caractère, s'attirent souvent des punitions désastreuses, mais l'Exilée en reçoit encore plus. Pourquoi ? Parce que, à tort ou à raison, leur mère sentait que *celle-là* était une forte tête.

Les Exilées apprennent vite à subvenir à leurs propres besoins, car elles sont persuadées que leur relation avec leur mère est absolument sans espoir. Leur dernier retranchement consiste à faire tout ce qu'elles peuvent pour éviter l'anéantissement complet. «J'ai su toute petite que personne ne s'occuperait jamais de moi, me dit l'une d'elles, que personne ne m'aiderait ni ne me protègerait. J'ai su que pour survivre, il allait falloir que je me débrouille toute seule.»

Bien que la plupart des Exilées soient des filles aînées, une certaine proportion est faite de cadettes. A leur sujet, un chercheur a écrit : «Elles croient percevoir qu'elles sont moins importantes que leurs frères et sœurs. Elles forment donc plus tôt que la plupart le désir de quitter la famille. Elles déménagent souvent très loin de leur ville natale.»

Quel que soit son rang dans la famille, l'Exilée se souvient souvent d'avoir rêvé de partir très jeune. Si ce n'est pas vers l'âge de seize ou dix-sept ans, c'est dès qu'elle en a affectivement capable. Certaines d'entre elles ont passé leur enfance et leur adolescence comme des Anges ou des Invisibles, obéissant à tout ce qu'on leur demandait. Mais en secret, elles entretenaient un compte en banque psychologique où elles effectuaient régulièrement des dépôts de colère; quand elles en ont eu assez "économisé", elles sont parties.

Il s'agit de femmes qui, plutôt que de nier leur colère, *s'en sont nourries*. La colère était la clef de la liberté. L'une d'entre elles m'a dit : «J'ai appris à ne pas être vulnérable, parce que dès que je l'étais, ma mère me battait encore plus. Quand je pleurais, elle frappait plus fort. Alors je suis devenue dure comme la pierre. Une fois, je lui ai dit : "Tu peux bien briser tous les os de mon corps, mais tu ne briseras jamais mon esprit."»

Les Exilées ont en commun une ou plusieurs des caractéristiques suivantes :

• Elles n'avaient pratiquement aucune relation avec leur père, soit parce qu'il était aussi cruel que leur mère, soit parce qu'il était absent ou autrement incapable d'intervenir en leur faveur.

• Elles ont été victimes soit de violence physique, soit d'inceste.

• Leurs parents étaient alcooliques.

• Elles se sentaient comme des étrangères dans leur propre famile.

Le point de non-retour

Il est difficile de prédire le moment où une Exilée décidera de mettre fin à sa relation avec sa mère.

La défection de Delphine s'est produite quand elle avait vingt-cinq ans. De six ans l'aînée de son unique frère, elle a grandi dans une famille sans chaleur où régnait la peur.

Sa mère Tortionnaire humilait et terrorisait tous les jours sa fille qui, si elle n'était pas très jolie, était douée d'une vive intelligence. Elle disait à qui voulait l'entendre, à ses voisines ou aux membres de la famille, que Delphine était laide et bonne à rien. Lorsqu'une camarade de classe téléphonait pour l'inviter chez elle, sa mère lui interdisait de répondre au téléphone. «A quoi bon? disait-elle. De toute façon, tu ne peux pas y aller : il y a trop à faire ici. Et qui voudrait jouer avec toi?»

Leur relation a atteint un stade critique lorsqu'elle avait vingt-quatre ans. Elle travaillait comme photographe et vivait toujours avec ses parents. Sa mère, qui était fanatiquement catholique, entra dans sa chambre au beau milieu de la nuit pour brandir sous son nez une lettre d'amour émanant d'un amoureux non catholique qu'elle avait trouvé en fouillant dans le sac à main de Delphine.

Elle était plantée au milieu de ma chambre à hurler que j'étais ingrate et déloyale. Jusque là, je ne lui avais jamais répondu, jamais désobéi. Mais tout d'un coup, j'ai senti que ma vie en dépendait : je ne pouvais pas accepter une seule attaque de plus. Je me suis levée, je me suis habillée et je suis partie chez une amie. J'y suis restée trois jours sans donner de mes nouvelles.

La cassure finale se produisit un mois plus tard, lorsque sa mère eut une crise cardiaque. Delphine passa toutes ses soirées à son chevet, luttant avec l'idée de quitter son emploi pour s'occuper d'elle à plein temps, ce que ses deux parents attendaient sans se poser la moindre question.

Il fallait que je me décide; je me suis dit : "C'est sa vie contre la mienne." Six semaines après sa sortie de l'hôpital, j'ai fait mes bagages et j'ai déménagé malgré ses menaces et ses hurlements. Je me revois sur le trottoir avec mes valises. J'ai levé les yeux vers l'appartement et je me suis dit : "Si tu retournes là-dedans, tu vas te faire dévorer. Sauve ta peau." Je ne l'ai jamais regretté.

Contrairement à Delphine, France n'a jamais éprouvé d'ambivalence au sujet de son exil. Elle a su dès sa petite enfance, non seulement qu'il lui serait nécessaire de partir, mais que son départ serait le bienvenu. «Ma mère ne voulait pas être mère, me dit France, aujourd'hui âgée de trente-cinq ans. Et cela résume toute ma relation avec elle.»

La mère de France ne lui avait laissé aucun doute sur le fait qu'en tant qu'ajout à la famille, elle n'était pas la bienvenue, au contraire. Une fois, avec une fierté sadique, sa mère lui dit : «Quand tu étais bébé, je n'ai jamais été obligée de te toucher : j'ai toujours eu une bonne.»

Les petits meurtres de ce genre faisaient partie intégrante de l'enfance de France. Quand elle était petite, sa mère la forçait à boire du lait, qu'elle n'aimait pas, et quand elle ne buvait pas, sa mère l'obligeait à rester à table toute la journée jusqu'à ce qu'elle ait fini son verre. Elle n'a jamais passé ses vacances avec ses parents, car ils étaient toujours en voyage. Elle mangeait le repas de Noël ou de Pâques chez une petite amie ou chez la bonne du moment.

Au cours de son adolescence, France a fait de nombreuses fugues; ni sa mère, ni son père, qui ne s'impliquait pas dans leurs disputes, ne la recherchaient. A dix-sept ans, elle est partie pour de bon.

France trouva un emploi et une petite chambre au-dessus d'un garage, dans la ville de banlieue où vivaient ses parents. Elle entreprit alors de mener une double vie; elle voyait ses frères et sœurs aux réunions de famille, mais elle ne voyait jamais sa mère en dehors de ces occasions. Elle lut tous les livres d'auto-guérison qui lui tombaient sous la main et prit des cours du soir.

A l'âge de vingt-huit ans, elle obtint sa maîtrise en travail social. Aujourd'hui, elle travaille auprès de femmes comme elles: des orphelines du cœur, des révoltées qui ont appris à se fabriquer une vie à partir des débris de leur enfance.

Au sujet de sa mère, France dit ceci : «Elle a fait de moi une étrangère dans le monde. Il a littéralement fallu que je m'invente de toutes pièces. J'ai dû apprendre à me faire des amis, à parler aux gens, à vivre ma vie. Maintenant, je n'ai plus besoin d'elle. C'est quand j'étais enfant que j'avais besoin d'elle.»

Par ici la sortie

Certains facteurs semblent contribuer à la capacité de survie de l'Exilée. L'un d'entre eux est son tempérament. Comme l'écrit la psychologue Louise Kaplan : «Certains bébés se mettent à se séparer de leur mère extraordinairement tôt, surtout ceux dont la mère ne croit pas au besoin de son enfant de grandir et de s'approprier le monde. La nervosité continuelle et gênante [de la mère] pousse souvent le bébé à acquérir une personnalité distincte le plus tôt possible.»

Certaines Exilées sont si blessées par leur enfance qu'elles ne connaissent que la fuite comme mécanisme de défense. Elles perçoivent le monde comme un endroit inhospitalier par définition et n'accordent jamais leur confiance à rien ni à personne: elles ne vivent que pour elles-même.

Mais d'autres Exilées sont tout simplement des enfants "indomptables", ou, comme on les appelle également, "invulnérables". Elles semblent douées d'une capacité miraculeuse pour garder leur santé mentale devant la psychose, l'alcoolisme et la violence physique ou psychologique de leurs parents.

Plutôt que de s'intéresser aux enfants qui sombrent dans la maladie mentale, les chercheurs qui étudient les enfants invulnérables se demandent plutôt *pourquoi certains d'entre eux semblent si forts et affectivement sains*. Ces enfants se distinguent par leur extraordinaire faculté d'adaptation. Eveillés, curieux, ils s'ajustent sans difficulté aux situations nouvelles et aux changements.

Contrairement à leurs semblables plus vulnérables, qui, selon les paroles de Freud, ont tendance à vivre un «trop âpre destin», les enfants invulnérables semblent être à l'abri du chaos qui les entoure. Certaines d'entre elles sont extrêmement créatrices et se font un cocon de leur imagination, dévorant des livres et écrivant des histoires qui donnent un semblant de sens à l'horreur de la vie familiale.

D'autres se tournent vers la spiritualité : certaines croient que leur malheur a un sens profond et que la foi finira par les en sauver.

Plutôt que de se réfugier pour toujours dans la dépression et le désespoir, ces enfants voient leurs déboires comme des défis à relever et à vaincre. Chaque victoire les rend *plus fortes*. Selon un chercheur, «la souffrance physique et morale peuvent avoir sur certains enfants un effet durcissant et les rendre capables de maîtriser la vie et tous ses obstacles.»

Un autre de leurs dons particuliers est de savoir où aller chercher de l'aide.

Les enfants invulnérables n'ignorent pas ce qu'est l'amour. Beaucoup d'entre elles ont été maternées par leur mère au cours des premières années de leur vie, avant que celle-ci ne les abandonne, les néglige ou les batte. D'autres ont reçu l'amour de leur grand-mère, d'une tante préférée, d'une enseignante au grand cœur ou d'une voisine.

Annette, qui est citée au début de ce chapitre, a grandi dans une famille caractérisée par une effroyable violence. C'est en allant chercher de la tendresse en-dehors de la maison qu'elle a réussi à entretenir une étincelle d'estime de soi :

Je crois bien que quand j'étais enfant, je devais avoir l'air de quelqu'un qui a besoin d'être adoptée. Dans le quartier où j'ai grandi, il y avait une vieille dame qui promenait son chien tous les jours, à peu près à l'heure où je rentrais de l'école. Elle m'invitait souvent à venir prendre une collation chez elle. Mes parents me défendaient d'aller la voir; je sortais de la maison en cachette pour aller chez elle. C'est la seule fois où je leur ai désobéi en toute connaissance de cause. Cette femme m'a donné ce que les enfants sont censés recevoir de leurs parents : une caresse sur la joue, un "Comment s'est passée ta journée ?" Avec elle, j'ai pu être une petite fille sans avoir peur.

Ces mentors aident l'Exilée à croire en sa propre valeur. Comme me l'a expliqué l'une d'elles : «Je crois que j'ai toujours su que je n'étais pas un déchet!»

L'aspect le plus fascinant des enfants invulnérables est qu'elles ne renient pas ce qu'elles ont vécu, «ni le bien, ni le mal», ni les émotions qui y sont rattachées. Elles parviennent tant bien que mal à rester humaines.

Mais qu'elles soient ou non invulnérables, les Exilées sont bien servies par leur mémoire. Pour l'une, c'est un outil qui lui permet de rester forte et saine. Pour l'autre, c'est une raison de ne plus jamais faire complètement confiance à quelqu'un.

Bien qu'elles aient l'air endurcies, les Exilées portent des cicatrices à vie. Pour elles, le monde n'est pas un endroit rassurant, sentiment renforcé par le Tabou de la mauvaise mère. Lorsque quelqu'un s'enquiert des parents de l'Exilée et qu'elle répond : «Je ne les vois pas», son interlocuteur ne sait plus comment réagir. A la recherche d'un sujet de conversation facile, il réitère : «Et vos frères et sœurs ?»

— Je ne les vois pas, répète l'Exilée.

L'ami potentiel finit alors, soit par réprimander l'Exilée («Cela ne peut quand même pas être si affreux que ça»), soit par la considérer comme une cinglée et par s'éclipser.

«J'ai fini par apprendre que la plupart des gens ne veulent pas en entendre parler, me dit une Exilée, sans rancœur apparente. Ils pensent que c'est contagieux.»

L'Exilée continue donc son chemin d'«amatride». Une Exilée m'a dit : «J'ai cessé de voir ma mère parce que chaque fois que je la voyais, j'en sortais blessée. C'était comme entrer dans une maison en feu. Comment continuer à faire cela sans s'attendre à être blessée ? Alors je lui ai tourné le dos. Mais je n'ai pas encore trouvé vers quoi marcher.»

Les Exilées les plus blessées sombrent parfois dans une vie

entière d'auto-destruction. Contrairement aux Terreurs, elles *ne veulent pas* qu'on vienne à leur secours. Entièrement convaincues qu'elles ne méritent que le rejet, elles continuent à se mettre dans des situations qui les maintiennent dans la marginalité.

L'une des femmes que j'ai interviewées a passé la majeure partie de sa vie adulte à entrer et à sortir d'institutions mentales. Elle a été droguée et alcoolique. Elle a perdu des milliers de dollars au jeu. Dans sa jeunesse, elle s'est mariée et a eu deux enfants qu'elle a abandonnés pour s'enfuir avec un homme qui n'avait pas d'autre intérêt que celui de l'emmener loin de toute responsabilité.

Maintenant âgée de cinquante ans, elle n'a vu ni ses parents, ni ses frères et sœurs depuis trente ans. Il y a un an, elle a décidé qu'elle n'avait qu'une alternative : mourir ou continuer à vivre. Elle a donc décidé d'essayer de vivre. «C'était aussi simple que ça», dit-elle.

Elle s'est inscrite à un centre de réhabilitation, puis, à sa sortie, elle a trouvé un emploi de serveuse. Elle a trouvé un thérapeute «qui m'a empêchée de continuer à fuir. J'avais beau lui hurler des injures, il ne m'a jamais laissée tomber. Je n'ai pas bu une goutte depuis six mois. Je vais peut-être finir par avoir une vie, après tout... mais croyez-moi, je ne compte pas là-dessus. Je vis un jour à la fois.»

Elle fait partie des privilégiées parmi les Exilées les plus affectivement mutilées, dont la plupart ne quittent leur famille que pour sombrer dans l'oubli.

Le prix de l'exil

Si la plupart des Exilées que j'ai interviewées n'ont pas sombré dans l'abîme, elles ont néanmoins conservé l'impulsion de fuir tout attachement, quel qu'il soit. Le danger à toujours chercher la sortie de secours, c'est de se retrouver en rade, le chemin par où elles se sont sauvées barré par des ronces et leur bloquant l'accès à *toute* relation.

Voici comment une femme m'a résumé le terrible dilemme de l'Exilée : «J'ai des valises affectives qui s'étalent sur toute la route. On continue à tirer tout ça derrière soi, même quand on n'en a plus besoin. Mais c'est très difficile d'y renoncer, parce qu'il y a la peur de ne pas savoir quoi faire sans ce qu'il y a dans le sac. *Et s'il était vide?»*

Selon beaucoup de thérapeutes, cette anxiété est inévitable pour l'Exilée qui s'est coupée de sa famille d'origine. Du point de vue de la fille, se couper de sa mère est un geste de désespoir, qu'elle ne commet que quand elle sent qu'elle n'a pas d'autre choix. Mais lors de son exil, toutes les disputes qu'elle avait avec sa mère se retrouvent figées dans le temps. Si elle finit par la revoir, même plusieurs années après, les sujets de discorde refont surface comme si la rupture venait juste de se produire.

Ces filles font quelque chose que les fils ont toujours fait : les hommes montrent qu'ils n'ont plus "besoin" de leur mère en s'éloignant autant que possible d'elle. Mais pour les femmes, la situation est plus complexe parce que leur mère représente à leurs yeux un modèle affectif et biologique.

Pratiquement tous les psychothérapeutes se mettent d'accord pour affirmer qu'il est impossible à la fois de détester sa mère et de s'aimer soi-même. Pour votre propre estime et votre épanouissement affectif, il est essentiel d'arriver à une forme ou une autre de compréhension et de résolution de votre relation avec votre mère.

D'après le Dr Michael Kerr, «tenter de régler la relation avec sa mère en se coupant complètement d'elle (ce que beaucoup de gens ont tendance à faire), ce n'est pas une solution. Cela soulage peut-être l'anxiété que l'on éprouve sur le coup, mais cela expose la personne à un transfert du problème d'une relation à une autre. Lorsque les gens se mobilisent sur leur nouvelle famille, ils ont l'impression que le fait de s'être coupés de l'ancienne est la meilleure décision qu'ils aient prise de leur vie. Jusqu'au jour où un problème fait son apparition dans la nouvelle famille. C'est comme s'ils étaient dans une cocotte-minute. Les problèmes deviennent beaucoup plus intenses quand on n'a aucun moyen de retourner à sa famille d'origine.»

Judith Fox, une thérapeute qui travaille avec les adolescents et leur famille, estime que l'enfant qui s'exile ne résoud toujours pas ses problèmes. «La fille qui s'enfuit se donne l'illusion de prendre sa vie en main, mais elle emporte sa mère avec elle. Elle *a l'air* de fonctionner sur un autre plan. Mais la mère intériorisée la suit partout et lui met des bâtons dans les roues. Plus tard, la même dynamique fait son apparition dans sa relation avec son mari ou ses enfants. La coupure n'est pas vraiment complète.»

Les Exilées se sauvent parfois de chez elle pour sauver leur peau. Mais si elles ne résolvent pas leur relation avec la mère qui vit *dans leur tête*, elles ne grandiront jamais *vraiment*. Leur enfance inachevée continue à jeter une ombre sur leur vie adulte.

Seule au monde

Comme nous l'avons vu, l'Exilée commence par se rendre compte qu'elle est "étrangère" dans sa propre famille, pas seulement avec sa mère, mais également avec son père. Une femme m'a dit : «Mon père refuse de me voir tant que je continuerai à ne pas voir ma mère. C'est sans appel : si je ne l'aime pas, elle, il refuse, lui, de m'aimer. Mais moi, je ne peux absolument pas être avec ma mère. Alors je me retrouve compètement sans parents.»

Les Exilées se retrouvent aussi souvent coupées d'un ou de plusieurs frères et sœurs. Beaucoup d'entre elles étaient de véritables héroïnes pour eux quand elles étaient enfants, car elles les protégeaient de la violence de leurs parents, soit en prenant les coups à leur place, soit en prenant courageusement leur défense. Il est donc tragique que beaucoup d'Exilées finissent par être trahies par ceux et celles qu'elles ont tant essayé de défendre.

Comme ils sont plus vulnérables et moins endurcis qu'elle, les frères et sœurs de l'Exilée en viennent souvent à se persuader qu'ils ont mérité la brutalité ou la négligence que leur ont infligées leurs parents. Dans leur besoin fondamental de survie, ils réalisent rarement que les punitions qu'ils ont subies étaient souvent moins cruelles que ce que leur sœur avait à supporter. Dans les familles les plus gravement dysfonctionnelles, les enfants n'ont pas les moyens d'être conscients les uns des autres; ils sont bien trop occupés à mettre un pied devant l'autre pour tenter de survivre jour après jour.

Comme nous l'avons vu dans les quatre chapitres précédents, les filles qui ne se distinguent pas suffisamment de leur mère ont souvent tendance à nier ou à cacher la souffrance de leur enfance pour protéger leur mère, à moins qu'elles ne manifestent leur colère pour tenter de protéger leur place dans la famille.

Il est donc naturel que certaines femmes perçoivent leur sœur Exilée comme une ennemie publique. Avec sa capacité de se souvenir et de se tenir debout toute seule, elle agit comme une terrible messagère du passé. En refusant d'être emprisonnée dans le même carcan qu'elles, elle viole un pacte étrange.

Quand l'Exilée ose critiquer leur mère, ses sœurs lui disent donc : «Que veux-tu dire? Nous, elle ne nous a jamais traitées de cette façon.» En niant leur propre expérience, elles nient également celle de leur sœur.

Voici ce que raconte une Exilée qui a trois sœurs :

Le problème est en partie que nous étions toujours attaquées séparément par notre mère et qu'elle nous a appris à ne jamais discuter nos problèmes avec quiconque. Nous ne nous sommes jamais fait aucune confidence. Nous n'avons pas eu de relation fraternelle. Moi, j'étais leur mère substitut, pas leur sœur. Quand je me suis coupée de la famille, j'ai cessé d'assister aux mariages, aux enterrements, à tout; elles ont essayé de me rendre coupable.

Une fois, ma mère était malade et mes sœurs sont venues me voir pour essayer de me forcer à lui rendre visite. Elles disaient: "Tu es égoïste." Moi, je leur ai répondu : "Vous avez le droit de percevoir Maman comme vous voulez, et moi aussi. Il va falloir que vous respectiez ma perception d'elle." Et j'ai refusé d'y aller. Je leur ai dit avoir ressenti beaucoup de colère de ne jamais avoir pu être leur sœur, et ne plus vouloir être leur mère. Je ne voulais plus que ce soit moi qu'elles appellent au milieu de la nuit. Je leur ai dit : "Je veux être votre sœur, pas votre héroïne. Je ne sais pas si c'est possible pour nous maintenant, après tout ce que nous avons vécu." L'une de mes sœurs a fait un effort pour me comprendre, et aujourd'hui nous nous aimons beaucoup. Les deux autres n'ont pas pu le supporter, et nous ne nous voyons pas du tout.

C'est ainsi que l'Exilée se retrouve quadruplement "isolée" : premièrement, par sa mère, qui la punit de son invulnérabilité apparente en faisant tout pour la briser; deuxièmement, par son père, trop faible ou trop perturbé pour prendre sa défense; troisièmement, par les frères et sœurs pour qui elle incarne une réalité qu'ils ne peuvent pas regarder en face; et quatrièment, par le Tabou de la mauvaise mère.

L'Exilée au travail

Les Exilées réussissent souvent dans leur métier. Comme elles ont grandi sous le tir de l'ennemi, elles ont appris de bonne heure à supporter une dose de stress impressionnante.

«Je n'ai pas vraiment peur de grand-chose, me dit l'une d'elle, parce que dans ma vie, rien ne pourra jamais être aussi catastrophique que mon enfance. Les patrons tyranniques ne me font pas peur : j'ai été formée par une experte. Je suis impossible à intimider. Je travaille très bien sous pression.»

Mais elles finissent souvent par s'ennuyer. Lorsqu'elles ont épuisé les défis d'une avenue professionnelle, elles s'en désintéressent et se tournent vers autre chose. Leurs curriculum vitæ sont souvent des assemblages hétéroclites d'expériences sans fil conducteur.

Certaines Exilées, celles qui savent depuis l'enfance qu'elles sont "différentes", mettent à profit leur originalité dans leur profession : «Je n'ai jamais pu rentrer dans le moule, me confie une rédactrice publicitaire. Mes sœurs ont beaucoup cherché à être comme les autres enfants pour se faire accepter. La différence, c'est que moi, je n'éprouve pas ce désir brûlant de me conformer. Alors je vois les choses d'un point de vue unique. Je crois que c'est pour cela que je réussis si bien dans mon métier. Au lieu de chercher à plaire aux autres, j'ai des idées qui me plaisent, à moi. C'est drôle, mais le plus souvent, ce sont mes idées qui sont retenues.»

Nombre des Exilées que j'ai rencontrées sont devenues écrivaines ou peintres, tirant de leurs souvenirs une substance qui les aide à donner un sens à leur enfance.

Dans sa biographie de Charles Dickens, Edgar Johnson décrit le processus de la résolution des blessures de l'enfance à travers l'art. A l'âge de douze ans, Dickens vivait dans une pension de famille et subvenait à ses besoins en exerçant le métier de cireur de chaussures, pendant que ses parents étaient détenus dans une prison pour débiteurs. Voici ce qu'il écrit :

On peut dire qu'en un sens, l'enfant meurti qui cirait les chaussures était mort et enterré [...] mais renaissait constamment dans une quantité d'enfants malheureux, ou qui mouraient jeunes, et autres innocents injustement persécutés; d'Oliver à Smike et du pauvre Jo à toutes les victimes d'un système social injuste et archaïque. [...] En fin de compte, le grand effort de sa carrière, effort qui fut couronné de succès, était d'assimiler et de comprendre [...] dans quel genre de monde il pouvait se produire de pareilles choses.

D'autres Exilées se dirigent vers les professions d'aide, puisant dans leur familiarité avec la souffrance morale une grande réserve de courage et de compassion. Une psychothérapeute m'a dit en riant : «Quand j'étais enfant, je me suis dit : "Tu ne vas tout de même pas gaspiller toute cette souffrance ?"».

Mais comme la Terreur, l'Exilée souffre parfois de double vue lorsqu'elle se retrouve dans le contexte professionnel; lorsqu'elle rencontre une Tortionnaire qui tente de la démolir, elle "voit" le visage de sa mère se superposer sur le sien.

Une directrice de département d'une grande entreprise m'a raconté que sa supérieure était «un portrait étonnamment ressemblant de ma mère : elle utilise les mots comme des armes, elle m'humilie au cours des réunions, rien de ce que je fais n'est assez bien pour elle. Alors je me retrouve encore en train de mener la vieille bataille mère-fille. Je l'écarte immédiatement... tout en essayant de ne pas exagérer ! Je me dis parfois que si elle s'en prend à moi, c'est parce qu'elle doit sentir que je suis assez forte pour me défendre. C'est vrai. Je me défends. Mais ce n'est pas facile.»

L'amie Exilée

C'est dans le domaine de l'intimité que l'Exilée paie le prix de son isolement. Car lorsqu'on est née dans la tempête, comment communiquer avec des gens qui n'ont jamais connu le mauvais temps ou qui doivent le nier pour survivre ? Lorsque l'histoire de famille de la plupart des gens ne ressemble en aucun point à la vôtre, sur quoi baser la communication ?

Ce n'est pas que l'Exilée cherche à être prise en pitié : au contraire, elle a cela en horreur. L'une d'entre elles m'a dit :

J'ai appris très jeune que je ne pouvais compter que sur moi-même. Si je ne me permets jamais de compter sur qui que soit, c'est parce que j'ai très peur d'être dévorée.

Le plus dur, ce qui fait vraiment mal, c'est que quand de reçois l'attention dont j'ai besoin, je me mets à rejeter la personne à cause de l'humiliation que j'éprouvais dans mon enfance. Mais j'ai aussi une peur panique d'être prise en pitié. Je ne veux de la pitié de personne.

L'Exilée ne cherche qu'à être acceptée, et c'est une chose que les gens prisonniers de leurs défenses et de leur négation ne sont pas en mesure de faire. Elle garde donc pour elle seule son vécu et ses émotions profondes (à moins qu'elle ne rencontre une autre Exilée avec qui les partager) parce que ce serait trop douloureux et trop *incroyable* à entendre pour les autres.

Si l'Exilée souffre de ce manque d'empathie, elle en a néanmoins pris l'habitude. Dans le fond, cela ne fait que confirmer une leçon durement apprise pendant son enfance : *Ne les laisse pas voir que tu souffres.*

Il est donc très difficile pour elle de s'ouvrir. En société, elle doit se cantonner dans les plaisanteries superficielles. Beaucoup d'Exilées le font, bien entendu. Elles ont souvent un vaste cercle d'amis et une vie sociale très remplie, parce qu'elles ne demandent rien à personne.

Mais peu de gens connaissent vraiment l'Exilée, et à l'occasion, leur sentiment d'isolement devient insupportable; sa frustration remonte à la surface à l'improviste. Voici ce que raconte une Exilée de vingt-neuf ans :

Parfois, j'en ai assez d'être toujours aussi forte. J'ai tellement de colère rentrée qu'une vie entière ne suffira pas à l'effacer. Alors je craque de temps en temps. Si une voiture bloque ma route dans la circulation, je me mets à insulter le conducteur et à jurer comme un charretier. La façon dont je décharge ma colère sur des innocents me fait me sentir très coupable.

Une autre femme survivante d'inceste, qui anime des groupes de soutien, explique :

Je suis très bonne pour aider des gens que je ne connais pas; je les aide à recoller les morceaux de leur vie, à se libérer de leur passé. Mais je garde de mon enfance un manque immense qui nuit beaucoup à mes amitiés. Quand on me donne de l'affection, j'ai tendance à prendre mes distances parce que je ne veux pas que l'on s'occupe de moi. La plupart des femmes avec qui je travaille ont été terriblement handicapées par le besoin qu'on s'occupe d'elles. Je ne veux pas être comme elles. Mais je vais trop loin, je deviens trop grande et trop forte. J'ai du mal à laisser les gens s'approcher de moi et à leur donner la permission de m'aimer, tout simplement.

Plusieurs Exilées m'ont dit qu'elles doivent constamment faire l'effort de se rappeler que leur amie *n'est pas* la mère qui ne s'occupait pas d'elles ou qui les brutalisait. Beaucoup d'entre elles ont des amitiés qu'elles s'efforcent de garder sur un plan assez superficiel; dès que la relation atteint un niveau critique d'intimité, elles trouvent un défaut à leur amie et rompent. Tout se passe comme si elles étaient munies d'un système d'alarme interne qui réagirait au moindre risque de rejet, à tort ou à raison. Dès que le signal retentit, elles laissent tomber l'amie en question.

Comme toutes les relations requièrent une profession de foi, elles ont constamment besoin qu'on leur prouve qu'on les aime. Lorsqu'une amie ne fait pas passer l'Exilée avant toutes ses autres priorités, celle-ci se persuade qu'elle passe en dernier. Cette certitude lui confirme à son tour qu'elle ne doit jamais baisser sa garde : la peur du rejet est trop horrible à supporter.

Elle marque les points : j'ai fait ceci pour toi, tu n'as pas fait cela pour moi. Le problème, c'est qu'elle ne sait pas compter comme tout le monde. Une fois qu'elle s'est persuadée qu'elles ne l'aiment *pas vraiment*, elle se souvient difficilement de la gentillesse de ses amies : ses bonnes actions à elle comptent alors deux fois plus que les leurs. Si elle a tant de mal à garder la tête froide, c'est que, n'ayant pas connu la tolérance dans son enfance, elle n'a pas les moyens de croire que dans la progression d'une amitié, les bons moments peuvent en suivre de mauvais. Pour elle, le mal mène toujours au pire.

L'Exilée commence souvent par faire très attention à ses amies : elle leur envoie des cartes de vœux, elle assiste aux baptêmes de leurs enfants, elle leur organise des surprise parties pour leur anniversaire. Mais il arrive que leurs amies ne leur rendent pas la politesse lorsqu'elles ont un énénement du même ordre à célébrer. L'Exilée, qui attend énormément d'elle-même, en attend parfois autant de ses amies, qui n'accordent pas toujours la même importance à son affection qu'elle, qui n'a pas de famille, en accorde à la leur. Elle se retrouve alors furieuse et décue.

«Il y a une partie de moi qui est une vraie petite fille, me confie une Exilée avec un petit sourire piteux. Je ne pense pas que ce soit exagéré d'attendre une certaine constance de la part de ses amies. Mais avant, j'exagérais vraiment beaucoup. Il m'est arrivé d'en laisser tomber une qui n'avait pas fait pour moi ce que j'aurais fait pour elle, au lieu de lui dire de quoi j'avais besoin et de lui donner une chance de le faire. J'ai perdu des amies dans ma vie parce que j'attendais trop de leur part. Maintenant, je ne laisse plus tomber les gens. J'exprime mes besoins et j'essaie d'accepter ce qu'elles sont *en mesure* de me donner.»

L'Exilée en amour

La plupart des Exilées que j'ai rencontrées sont mariées ou vivent avec quelqu'un. Comme elles savent souvent depuis l'enfance où aller chercher de l'aide, elles se permettent de rencontrer une personne qui leur fait vraiment du bien, qui partage leur vie et qui les stabilise lorsqu'elles menacent de tout laisser tomber.

Mais elles sont un petit peu sur leurs gardes. Dans leur tête, elles sont tout le temps en train de faire leurs bagages. Une petite voix intérieure leur murmure : «Et si...»

Et s'il me laissait tomber ? Où sont les sorties de secours ? Comment faire pour sortir du feu ? Où sont les canots de sauvetage ?

Une Exilée qui jouit d'une relation très tendre avec son mari m'a raconté que même après quinze ans de vie commune, elle continue à faire scrupuleusement le compte de ce qu'elle lui "doit". Elle dépose ce qu'elle gagne dans son propre compte en banque, de façon à pouvoir payer sa part lorsqu'ils sortent au restaurant ou qu'ils partent en vacances. «C'est stupide, dit-elle, parce qu'il est millionnaire. Mais j'ai besoin de savoir que je peux subvenir seule à mes besoins. Il tolère cela parce qu'il sait bien que c'est à cette condition que je reste mariée avec lui.»

Certaines Exilées épousent délibérément des hommes distants de façon à avoir assez d'espace pour respirer et se sentir indépendantes. Mais ce genre de relation se détériore souvent vers la fin de la quarantaine, quand l'ascension professionnelle commence à ralentir et que les enfants quittent la maison pour voler de leurs propres ailes. Au moment où ils auraient enfin le temps de voyager ou de passer plus de temps ensemble, beaucoup d'Exilées se rendent compte qu'elles sont incapables de donner à leur mari l'intimité qu'il désire maintenant avoir avec elles :

Quand la petite dernière a pris un appartement, je me suis mise à éprouver un horrible sentiment de manque. Je savais qu'il allait falloir que je sois directement face à mon mari pour la première fois, et cela faisait des années que nous n'avions pas communiqué profondément. Je devrais pourtant pouvoir dire ce que je sens à la personne avec qui j'ai la relation la plus intime de ma vie. Mais j'en suis incapable. C'est trop dangereux : c'est comme si je lui donnais la corde pour me pendre. C'est comme ça que j'ai grandi : il ne fallait pas montrer ce qu'on ressentait. Il fallait ouvrir l'œil. A l'âge que j'ai, à moins d'être prête à divorcer, il faut être présente à son conjoint. Moi, j'ai l'habitude de me sauver. Je n'ai pas l'habitude de rester là.

Après une rupture ou la mort de son partenaire, l'Exilée se remet très rapidement : c'est qu'elle est une professionnelle de la survie. Mais si elle est si «courageuse» et si elle ne «se laisse pas abattre», c'est en partie parce qu'elle *ne donne pas assez pour avoir beaucoup à perdre*. Elle finit cependant parfois par se rendre compte que, en dépit de sa prudence, elle a *quand même* beaucoup à perdre.

Une Exilée de cinquante ans, mariée pour la deuxième fois, se rend compte avec horreur que plus elle vieillit, plus elle est dépendante de son mari. Elle se rend compte que plus ses parents (qu'elle ne voit jamais) s'approchent du terme de leur vie, plus le jour approche où elle sera, littéralement et sans appel, abandonnée par eux. Elle se rend également compte du fait qu'elle n'est plus toute jeune et que certains choix réservés aux femmes plus jeunes qu'elle ne lui sont plus offerts par la vie.

C'est ainsi que sa relation avec son mari s'est mise à lui paraître de plus en plus *nécessaire*, créant chez elle un besoin contre lequel elle se défend avec l'énergie du désespoir. Comme "amour" est pour elle synonyme de "dépendance" et que "dépendance" est à son tour synonyme de "souffrance", les trois mots créent ensemble un terrifiant amalgame.

Je sens de plus en plus que mon bonheur est lié à mon mari, et cela me terrifie. Quand il est de mauvaise humeur, j'ai beau savoir intellectuellement que c'est parce qu'il a des problèmes à lui, je manque trop de sécurité pour me dire que je n'y suis pour rien. Je n'arrive pas à me dire : "Ça va passer, c'est son affaire" et à me faire plaisir de mon côté. J'éprouve toujours autant de douleur que quand j'étais enfant.

La mère Exilée

C'est avec ses enfants que l'Exilée se sent la plus vulnérable. Elle, qui n'a jamais connu une enfance normale, a douloureusement conscience du fait qu'elle est très mal équipée pour être mère. Mais ce qui lui cause le plus d'angoisse, c'est qu'elle connaît intimement les affreuses conséquences qu'ont sur les enfants les erreurs de leur mère.

Toutes les mères craignent de ne pas pouvoir épargner à leurs enfants la tristesse qu'elles ont éprouvée, ou, si elles ont eu la chance d'avoir une mère aimante, de ne pas être une aussi bonne mère que la leur. *Mais ce que craint l'Exilée pour ses enfants, c'est qu'ils aient à vivre ce qu'elle a vécu, elle.* Elle fait de la haute voltige sans filet, sans mère à appeler pour recevoir ses conseils; quand son tour vient d'entrer en scène, c'est sans savoir ses répliques — ou en sachant les mauvaises — qu'elle doit y aller... et le souffleur est absent.

Certaines Exilées tournent autour de leurs enfants à la manière de la Mère poule, les protégeant contre tout risque de déception et leur épargnant les conséquences de leurs erreurs. Chaque concierge d'école est un agresseur possible; chaque maîtresse d'école, un tyran probable. En projetant sur elles ses propres peurs, elle risque d'étouffer l'individualité et la force de ses enfants.

Mais d'autres Exilées pèchent par l'excès inverse : mûes par une logique qu'elles sont seules à comprendre, elles font tout ce qu'elles peuvent pour les éloigner d'elles. C'est qu'elles sont terrifiées à l'idée de se mettre à ressembler à leur mère si elles deviennent trop intimes avec eux. En maintenant leurs enfants à l'écart et en ne s'intéressant pas trop à leur vie, elles les protègent de la mère négative qui gronde à l'intérieur d'elles-mêmes.

Une mère de deux jeunes enfants âgée de trentre-trois ans m'a dit ceci :

Je ne crois pas être coupable de cruauté verbale, mais je vis constamment avec la peur de le devenir. Je dois me forcer à rester dans l'instant présent, parce que dès que je suis fatiguée ou trop stressée, je me sens devenir comme ma mère. Dès que je sens la colère monter, je refuse carrément de la laisser sortir. Pour cela, je dois me surveiller constamment.

L'Exilée craint par-dessus tout de recréer un scénario selon lequel ses propres enfants seraient obligées de s'exiler à leur tout, car, elle ne le sait que trop, si elles le faisaient, elle en serait directement coupable.

Mais c'est quand elle souhaite que ses enfants prennent la clef des champs qu'elle se sent le plus coupable, même si ce n'est que de temps en temps. Lorsqu'elles atteignent l'adolescence et qu'elles se mettent à essayer leurs muscles psychologiques (à se révolter, à répondre, à la défier), il lui arrive de rêver de les mettre à la porte. Même avec ses enfants, sa colère se transmute immédiatement en fantasmes d'évasion.

Parfois, sa colère engendre également la violence. L'Exilée épuisée décrite plus haut voit dans chaque rébellion, chaque réponse insolente, une attaque personnelle. Ce genre de mère bat parfois ses enfants comme elle a elle-même été battue.

Une femme m'a dit : «Moi, je croyais que c'était comme ça que ça se faisait : quand l'enfant n'est pas sage, on le frappe. C'était un réflexe automatique. Si je n'avais pas eu ma thérapeute, qui m'a appris qu'il y a d'autres façons de faire, je ne sais pas ce que j'aurais fait à mes enfants. Rien que d'y penser, j'en ai la chair de poule.»

Quand il s'agit de sa façon de materner ses enfants, personne n'est aussi critique envers l'Exilée qu'elle-même. C'est quand elle parle d'eux (plutôt que de *sa propre enfance*) que les larmes lui montent aux yeux, qu'elle a le plus souvent secs.

Elle n'est jamais aussi bonne mère qu'elle voudrait l'être. Bien qu'elle ne soit plus l'enfant dont la vie était en danger il y a si longtemps, elle se sent encore souvent comme si elle l'était, comme si le temps s'était arrêté. Elle est si exigeante envers elle-même, si vigilante envers sa propre mère intériorisée, si sévère envers les erreurs qu'elle commet avec ses enfants, et qui sont aggravées par sa colère envers elle-même, que ses enfants parviennent rarement à bien la connaître, du moins pas avant d'avoir atteint l'âge adulte... et pas avant qu'elle ait appris qu'il n'est pas toujours dangereux de s'ouvrir, de risquer d'être touchée, d'être vulnérable.

Portrait d'une Exilée

Agée de quarante-deux ans, Michèle est hôtesse de l'air. Elle m'accorde quelques heures d'entrevue avant de courir à l'aéroport où elle doit s'envoler de nuit à destination d'Amsterdam. En cette fin d'après-midi, c'est une femme rayonnante qui m'ouvre la porte de sa jolie maisonnette. «Je viens juste d'apprendre que ma fille est acceptée à l'Ecole Nationale de Théâtre», m'annonce-t-elle en me désignant de la tête une adorable jeune fille de dix-huit ans pelotonnée sur le divan du salon, en pleine conversation téléphonique.

Michèle m'introduit dans la pièce familiale, dont les murs sont couverts de photos de son mari, de sa fille à des âges différents et d'amis variés. «Je l'appelle "le temple"», plaisante-t-elle. Mais on ne voit nulle part de photos de ses parents, absence qu'elle m'explique d'un ton neutre : «Ma famille, c'est ce que vous voyez là; je ne considère pas que mes parents font partie de ma famille.»

Michèle a grandi avec ses deux frères dans une région rurale assez pauvre où son père exerçait le métier de réparateur de télévisions. Sa mère était femme au foyer; elle était aussi alcoolique. Cela fait huit ans que Michèle n'a pas vu ses parents... ou presque: elle a effectivement croisé son père à l'enterrement de sa mère à lui, il y a cinq ans. Elle a failli ne pas y aller, me dit-elle, «parce qu'il me terrifiait encore. Rien que d'être en sa présence, je me sentais vidée. Je lui ai serré la main, mais sans plus.»

Aujourd'hui, son père est dans un état de sénilité avancée et ne reconnaîtrait pas Michèle s'il l'avait en face de lui : sa maladie a effacé ses souvenirs. «Il a de la chance, lui, ironise-t-elle, il ne se souvient plus de rien. Moi, je m'en souviens comme si c'était hier.»

Le père de Michèle n'était pas alcoolique, mais il battait sévèrement ses enfants. Quand il se mettait en colère, il les frappait à coups de poings et de pieds. N'importe quoi pouvait déchaîner sa violence, même les détails les plus insignifiants. Une fois, lorsqu'elle avait six ans, Michèle alla dans la cuisine pour prendre une pomme dans le réfrigérateur. Son père, qui l'avait vue faire, la jeta par terre en disant : «Qui t'a permis de manger maintenant ?»

Les deux frères de Michèle rentraient sous terre en sa présence, mais pas elle. Il était donc encore plus brutal avec elle qu'avec eux. «Personne ne l'a jamais su, dit-elle. Il ne nous a jamais rien cassé, nous n'avons jamais eu une seule cicatrice visible.» Mais que faisait sa mère dans tout cela ? Avant de répondre, Michèle prend une grande respiration : «Elle était toujours trop saoûle pour prendre notre défense.»

Par un bel après-midi, à l'âge de douze ans, Michèle est rentrée de l'école et entendit son plus jeune frère sangloter dans sa chambre. Elle le trouva assis sur le bord de son lit, pressant une serviette sur ses jambes : elles étaient couvertes de grandes zébrures rouges. Après l'avoir trouvé en train de jouer avec sa raquette de tennis, son père l'avait fouetté à l'aide d'un câble électrique.

«Ma mère était affalée sur le divan du salon, soupire Michèle. Elle était consciente. Elle avait tout vu. Elle continuait à siroter sa bière.»

Michèle se précipita au salon et se mit à hurler à son père : «Je te déteste ! Je te déteste !» Il entreprit alors de lui infliger la même punition qu'à son fils de cinq ans. Mais cette fois-là, pour la première fois, elle ne sentit absolument rien. «Je me suis tout simplement détachée de mon corps, explique-t-elle. Je me disais: Ne lui donne pas la joie de voir tes larmes.» Quand il eut fini, elle retourna dans la chambre de son frère, le prit dans ses bras, l'emmena dans sa chambre et ferma la porte à clef.

Des cauchemars de ce genre étaient monnaie courante pendant l'enfance de Michèle. De temps en temps, son père la jetait dehors; elle allait alors se réfugier chez sa grand-mère, une femme tranquille et assez rigide qui vivait à quelques rues de là. «J'aimais tellement m'asseoir à sa table, avec un joli napperon et une serviette assortie, et m'entendre dire : "Ça va, tu as bien mangé ?" Je l'ai idéalisée, je le sais : après tout, elle savait ce qui se passait à la maison. Mais je ne peux pas la détester. C'est la seule personne avec qui j'aie eu un rapport normal.»

Pour se protéger, Michèle apprit à s'envelopper dans un monde imaginaire nourri de lecture, de musique et de rêves de voyage. Elle ne confia jamais à ses parents quoi que ce soit de sa vie intérieure ni de ses rêves d'évasion quand elle atteindrait la majorité.

Quand elle eut dix-sept ans, son père la jeta dehors pour la dernière fois. Elle ne remit plus les pieds chez lui. Elle trouva un emploi dans un petit restaurant et loua un studio qu'elle ne meubla pratiquement pas. «Je n'ai jamais voulu posséder des meubles, dit-elle. J'ai encore très peur de posséder quoi que ce soit. Cela signifie être adulte, comme ma mère l'était : elle ne se préoccupait que de ses possessions, pas de ses enfants. Quand elle était sobre, elle faisait tout le temps le ménage, comme un robot, mais elle nous ignorait.»

Se marier et avoir des enfants, voilà encore des choses que les «adultes» font; c'est pourquoi Michèle s'était juré de ne jamais se marier ni devenir mère. Mais à l'âge de vingt ans, elle rencontra un homme qui était tout ce que ses parents n'avaient jamais été pour elle : tendre, patient, affectueux. Elle l'épousa donc, mais à une seule condition : qu'il ne s'oppose jamais à son projet de devenir hôtesse de l'air et d'explorer le monde.

Son mari avait assez de clairvoyance pour comprendre que s'il n'encourageait pas cette ambition, elle se sentirait emprisonnée et le quitterait. Il comprit son besoin de bouger et ne se plaignit jamais des voyages qui l'emmenaient tout d'abord aux quatre coins du continent, puis, quand elle eut acquis assez d'ancienneté auprès de sa compagnie d'aviation, aux quatre coins du globe.

Au cours de ces années, elle cessa également de voir ses deux frères. Une fois, alors qu'elle avait appelé la police dans l'intention de faire arrêter leur père, qui battait leur mère, ses frères dirent aux policiers : «Notre sœur a perdu la tête : notre père n'a jamais fait de mal à une mouche.» Quand Michèle leur rappela les raclées que leur père leur avait fait subir, le plus jeune des deux, celui qu'elle avait défendu quand leur père l'avait fouetté, la regarda dans les yeux en disant : «Ce n'était pas si grave que ça. Je l'avais cherché. J'étais insupportable.» Elle ne les a pas revus depuis lors. Elle a entendu dire qu'ils étaient eux aussi devenus alcooliques.

Le mari de Michèle finit par la persuader d'avoir un enfant. Elle donna naissance à une fille, Geneviève. Mais elle avait toujours la bougeotte. Elle résistait toujours à certains des aspects adultes de la vie de femme : être mère, cela ressemblait trop à être *sa* mère.

Et pourtant, elle avait aussi envie de s'agripper à sa fille et de ne plus jamais la lâcher. Les larmes lui montent aux yeux :

Je me suis mise à repousser Geneviève parce que je me con-

nais bien. Je n' arrivais pas à me séparer d' elle : dès qu' elle avait un problème, c' est moi qui souffrais le plus; on aurait dit que cela m' arrivait, à moi. Mais dès qu' elle me répondait insolemment, j' avais envie de l' assommer ! Alors je me suis éloignée d' elle. Comme je ne tenais pas en place, elle ne se sentait pas aimée. Mais il fallait que je sorte de la maison, autant pour elle que pour moi. J' avais si peur qu' elle m' étouffe — et de l' étouffer ou de la battre — que je l' ai mise à la maternelle avant qu' elle soit prête. C' était une enfant si gentille, si soucieuse des autres, si affectueuse, et moi, je n' ai pas été là pour elle. Elle en a énormément souffert.

En parvenant à l'adolescence, Geneviève se mit à se replier sur elle-même. Elle passait des heures enfermées dans sa chambre. Se souvenant de sa propre enfance, Michèle se vit soudain en la personne de sa fille et comprit qu'elle était en traint de se recréer elle-même.

Michèle entreprit alors une thérapie pour apprendre à rester en place. Sa thérapeute l'aida à se rendre compte que les mécanismes de survie de l'enfance ne s'appliquent plus à la vie adulte. En se sauvant de tout — y compris de sa colère — Michèle risquait de perdre tout ce qui comptait dans sa vie.

Elle se mit alors à réparer sa relation avec sa fille avec la détermination qui lui avait servi à fuir son enfance. «Je voulais que Geneviève me connaisse; je voulais lui dire ce qu'elle représentait pour moi avant qu'il soit trop tard.» Elle entreprit de trouver des façons de passer du temps avec elle, même si, au début, elles se sentaient toutes les deux mal à l'aise et empruntées. Quand Geneviève se levait le matin, Michèle se levait aussi pour lui faire son petit déjeuner, chose qu'elle avait arrêté de faire depuis des années. Quand Geneviève était seule dans sa chambre, sa mère frappait à la porte en disant : «Je peux m'asseoir avec toi ?» Pendant quelque temps, Geneviève refusait invariablement. «Mais je n'ai pas renoncé», dit Michèle.

Puis, vers l'âge de seize ans, Geneviève fut l'objet d'une «conversion miraculeuse. Toute sa gentillesse, toute son affection, toute son honnêteté sont revenues. Un jour, elle m'a dit : "Quand j'étais petite, j'étais sûre que tu ne m'aimais pas. Tu ne me disais jamais ce que tu pensais. Soit tu étais partie, soit tu étais tout le temps fâchée contre moi."»

Michèle attrapa au vol la perche que lui tendait sa fille. Elle lui parla de tout : des terreurs de son enfance, de la violence de son père, de sa peur d'être tuée par lui, de sa mère, qui était capable de tout laisser se produire sans jamais intervenir. Elle demanda pardon à Geneviève de ne pas avoir été présente, tout en se rendant compte qu'elle avait un peu agi comme sa propre mère dans son enfance. Pour finir, elle avoua : «Tu es la meilleure chose qui me soit arrivée de toute ma vie. J'aurais dû te dire ça bien avant aujourd'hui.»

A la fin de mon interview avec Michèle, je l'interrogeai : «Pensez-vous que vous pourriez avoir le même genre de conversation avec votre mère ? Vous ouvrir à elle comme vous l'avez fait avec Geneviève ?» Son visage pâlit brusquement. «Jamais, jeta-t-elle. *Jamais je ne pourrai.*»

Puis, après une pause de plusieurs minutes, elle reprit : «J'aimerais tellement pouvoir le faire. Mais elle ne réagirait jamais comme ma fille. Je ne fais pas ce genre de rêve...»

Quatrième partie

Une paix à soi

16

Sortir du cercle vicieux

«Je pense que j'ai fait la paix avec ma mère. Je ne lui fais plus de reproches, bien que j'éprouve encore parfois de la colère envers elle. Je vois de plus en plus qu'elle est comme elle est et qu'elle a fait de son mieux. Je ne peux rien lui demander de plus. Même si c'était loin d'être parfait, cela m'a sans doute fourni beaucoup des outils dont je me sers maintenant pour vivre pleinement ma vie.»

Diane, quarante-et-un ans

A soixante-quinze ans, Simone n'ignore pas qu'elle est encore otage de son passé. Après ma question, elle lève les yeux et interroge rêveusement le plafond : «Est-ce que j'ai fini par accepter ma mère comme elle est ? Non. Et ça m'embête beaucoup. J'ai beau me dire : "Allons, tu es une vieille femme, ta mère est morte depuis trente ans, laisse tomber tout ça", dès que ma sœur me dit: "Maman était *impossible*", je repars : j'adore évoquer avec elle à quel point elle était horrible. A l'âge que j'ai, je devrais en avoir fini avec ma colère depuis longtemps. Mais non.»

Le but de ce chapitre est de vous aider à éviter le sort de Simone en vous donnant des outils nécessaires pour commencer à résoudre votre relation avec votre mère, de façon à vous libérer de votre enfance et à éviter de répéter les mêmes scénarios avec vos propres enfants. Car ce n'est qu'en sortant du cercle vicieux du conflit des générations qui se transmet de mère en fille, puis en petite-fille, que l'on parvient enfin à faire taire les fantômes du passé. C'est aux filles qui veulent se guérir du désespoir de leur enfance que ce chapitre s'adresse principalement.

Même si vous avez avec votre mère une relation cordiale, vous trouverez sans doute ici beaucoup de détails utiles. Bien que votre relation avec votre mère ne soit pas tissée de souffrance ni de destruction, elle n'en est sans doute pas pour autant exactement comme vous la souhaitez : vous sentez peut-être, par exemple, que votre mère vous traite toujours comme une enfant; vous souhaitez qu'elle vous accepte comme l'adulte que vous êtes devenue.

Beaucoup de filles rêvent de rendre *encore meilleure* une relation déjà plutôt bonne avec leur mère. Elles trouveront dans ce chapitre beaucoup de renseignements sur la façon d'atteindre ce but.

La relation mère-fille comporte au moins quelque chose de positif : c'est que lorsque la fille est bien installée dans l'âge adulte, leur relation se porte le plus souvent mieux que jamais. Selon de nombreuses études, la majorité des filles adultes, avec le recul et une certaine expérience de la vie, parviennent à percevoir leur mère comme un être humain de proportions normales plutôt que comme une géante qui détient sur elles le pouvoir de vie et de mort. Un chercheur a donné à ce processus le nom de "réduction".

De plus, grâce aux énormes changements sociaux survenus au cours de leur génération, les filles du Baby Boom se montrent souvent plus circonspectes envers leur mère que leur mère ne l'était avec *sa* mère. Ces filles ont accès à plus de sources de gratification en-dehors de la famille que leur mère : un métier enrichissant, des amies qui partagent la même ambivalence entre le travail et les enfants, sans compter un large éventail de groupes de soutien et de thérapies diverses pour les aider à résoudre leurs problèmes. En conséquence, elles sont souvent beaucoup moins critiques envers leur mère que celle-ci ne l'était avec elles.

Mais la médaille a également un revers. En effet, malgré leur génération, le féminisme et l'aide extérieure, beaucoup de filles ne parviennent pas à dépasser la déception qu'elles éprouvent envers leur mère. En dépit des progrès sociaux réalisés par les femmes, il est parfois aussi difficile qu'avant pour les filles de résoudre leur relation avec leur mère, ne serait-ce que parce que beaucoup de gens de leur entourage (et pas seulement leur mère) ont intérêt à *ne pas* les voir sortir de leurs vieux rôles et de leurs vieux scénarios.

«Quand vas-tu te décider à grandir ?» vous dit votre meilleure amie.

«Allons, prends sur toi», vous dit votre tante Julie.

«Tu sais, ça aurait pu être pire», offre votre petite sœur.

«Je refuse que tu discutes de ma vie privée avec une inconnue», profère pour sa part le conjoint qui vous interdit d'entreprendre une thérapie.

Toutes ces phrases sont des affirmations de négation et de crainte de la part de gens que le changement menace. Même s'ils vous critiquent tant et plus, ils veulent que vous restiez comme vous êtes, incomplète mais familière. Car si vous changez, cela implique qu'ils vont *être obligés* de suivre votre courageux exemple, alors que, tant que vous vous cantonnez dans vos imperfections, le ronron quotidien peut continuer sans plus de questions. Rentrer dans votre coquille, retourner à vos vieilles insécurités et à vos systèmes de défense familiers, c'est admettre : «Vous avez raison. Je ne compte pas.»

Votre souffrance et votre tristesse au sujet de votre mère ne regardent que vous et n'ont aucun besoin d'être défendues ou justifiées. Les seuls critères qui comptent, ce sont le degré auquel elles nuisent à votre vie, en vous empêchant de vivre une vie aussi pleine et heureuse que celle à laquelle avez droit, et votre désir de voir ou non votre relation avec votre mère s'améliorer.

Votre façon d'atteindre une paix à vous est votre seule responsabilité. Qui d'autre que vous sera vraiment affectée si vous ne tentez rien pour sortir du cercle vicieux de la trahison mère-fille? Si vous claquez la porte sur votre croissance affective ? Si vous perpétuez la souffrance du passé ? Avez-vous vraiment besoin de la *permission* de qui que ce soit pour grandir et pour obtenir l'aide dont vous avez besoin pour devenir complète ? Si vous pensez que oui, alors vous n'êtes pas encore une adulte.

Régler le passé une fois pour toutes, cela signifie se tenir responsable de ce que l'on est aujourd'hui, au-delà du blâme, au-delà des jeux de pouvoir, au-delà de la colère. Choisir de grandir, c'est choisir de croire qu'il est possible de mieux vivre; c'est par cette profession de foi que commence la guérison. Ne laissez personne vous en priver : ni votre meilleure amie, ni votre partenaire, ni vos parents. S'il est difficile pour beaucoup de femmes d'avoir cette foi en elles-mêmes, c'est parce qu'elle implique la possibilité d'acquérir des valeurs personnelles et de vivre selon celles-ci. Beaucoup de femmes ont dans la tête un scénario catastrophique (souvent inconscient) qui se déroule à peu près ainsi : Si je déclare mon indépendance affective, si je me mets à exprimer mes besoins et à insister pour être vraiment moi-même, alors ma mère (mon amoureux, mon mari, mon amie, ma fille) va m'abandonner. Mis à part le fait que si ces gens-là doivent vous abandonner, ils le feront *quoi que vous fassiez*, le fait est que beaucoup de femmes ont été élevées dans l'idée qu'elles ne sont *rien* en dehors de leurs relations. Pour elles, être une femme signifie être en relation avec des gens : leurs parents, leur partenaire, leurs enfants, leurs amies.

Si votre désir de grandir affectivement met en danger une de vos relations, c'est signe que cette relation n'est pas bonne pour vous. Les personnes de votre entourage qui vous aiment vraiment et qui ont elles-mêmes accompli une certaine démarche de prise en charge personnelle ne se sentiront pas menacées si vous en faites autant; au contraire, elles vous applaudiront, car elles en profiteront autant que vous. (Bien que votre mère vous aime sans doute, elle risque de ne pas applaudir, pour toutes les raisons que nous avons explorées plus haut.)

Si vous vous êtes reconnue dans les cinq chapitres précédents, vous sentez probablement qu'il manque quelque chose dans votre vie et vous reconnaissez probablement les scénarios suicidaires que vous utilisez pour compenser ce manque. La pièce manquante peut fort bien être un Moi sain qui prend son destin bien en main au lieu de rester la victime du passé et de sa mère.

Cette prise de conscience est le point de départ d'un voyage vers une existence plus pleine, plus riche, plus gratifiante et vers un sentiment accru de participation à votre destin. Vous n'avez besoin d'aucune autre «permission» pour prendre votre vie en main. Vous êtes sur le point de vous mettre à croire en vous-même comme à une personne distincte de ses relations. Le premier pas sur cette route, c'est de savoir que *la seule personne que vous pouvez changer, c'est vous : vous ne pourrez jamais changer ni votre mère, ni qui que ce soit d'autre.*

Mais ce n'est pas facile de changer. Même s'il est extrêmement destructeur, notre mode de vie habituel est *rassurant.* Changer, c'est aller vers l'inconnu, et à coup sûr s'éloigner de sa mère et des bonnes vieilles tactiques que l'on employait avec elle. Au cœur de cette anxiété se trouvent les deux besoins contradictoires de fusion et de séparation avec la mère. Qu'on s'éloigne trop ou qu'on reste trop attachée à elle, ce ne sont que les deux faces de la médaille de la dépendance. A trop fortes doses, la séparation affective ressemble de très près à la condition d'orpheline.

Ironiquement, notre mère éprouve souvent la même anxiété que nous : en observant la façon dont nous prenons notre vie en main, elles craignent souvent que *nous* les rejetions. Il est si étrange et si triste que la mère comme la fille partagent cette peur d'être abandonnées. Peut-être est-ce parce qu'elles n'ont pas laissé leur *relation* grandir, parce qu'elles n'ont pas osé l'amener à un point où il leur est possible de se voir bien en face et de s'apprécier mutuellement, pour leurs différences comme pour leurs ressemblances.

Comme nous le verrons au cours du chapitre Vingt, il existe des femmes pour qui il est tout simplement impossible d'établir cette relation sur de nouvelles bases, quelles qu'elles soient. Mais il vous faut être *sûre* que vous en faites partie. Vous ne le saurez que si en vous explorez d'abord la possibilité en réglant vos propres ambivalences, en cessant de vous sentir comme une enfant et en apprenant à percevoir votre mère comme un être humain à part entière.

Sortir du filet

Si beaucoup d'entre nous sont incapables de partir à la découverte de nous-mêmes, c'est que nous nous débattons toujours entre notre moi factice et notre Moi authentique, entre le désir de fusionner avec Maman et celui de ne plus jamais la voir. Incapables d'aller plus loin et de dépasser les défenses de la colère ou de la supplication, nous sommes prises dans le filet de notre relation inachevée. Nous ne pouvons donc que continuer à tourner en rond en répétant constamment les erreurs du passé. Avec quelque chose qui ressemble à de la résignation, nous soupirons : «Maman ne changera jamais.»

Comment sortir de là ? Comment fait-on pour se libérer de ses défenses contre sa mère quand on a passé sa vie à les mettre au point ? Comment cesse-t-on de jouer un rôle qu'on a joué toute sa vie, que ce soit en étant une sainte, en réussissant toujours plus, en rentrant dans le plancher, en déchaînant des catastrophes ou en se murant dans le silence ?

On commence par examiner les trois fils qui tissent le filet, et qui se nomment négation, blâme et culpabilité.

La négation. «Maman n'était pas si horrible que ça, vous dites-vous sans doute. Tout ça, c'était ma faute, pas la sienne.» En effet, beaucoup de filles se greffent sur le cœur les manques de leur mère et font pénitence pour les deux à la fois. Proclamer : «c'est ma très grande faute» est une façon d'éprouver un fragile sentiment de contrôle. Si j'étais meilleure, nous souffle la négation, ma mère m'aimerait et tout irait mieux. Le défaut de ce raisonnement réside dans l'illusion que *votre mère va finir par vous aimer comme vous avez besoin de l'être*. Si elle ne l'a pas fait jusqu'à présent, elle ne le fera probablement jamais.

La négation se nourrit également du Tabou de la mauvaise mère, qui proclame : «Tu honoreras ta mère même si elle a été infernale avec toi.» Traduction : «Ce que tu éprouves n'a aucune importance». Tant que l'on nie son instinct et ses perceptions, on ne peut pas venir à bout de son enfance.

La négation nous empêche d'être en contact avec la colère ou la souffrance que nous éprouvons. Quand on a appris toute sa vie à ne rien sentir, ou que ce que l'on sent est erroné et même *mauvais*, ce n'est pas facile de se remettre à l'écoute. On reste enlisée dans des sables mouvants qui murmurent «Je n'ai pas le droit» et «De toute façon, c'est de l'histoire ancienne».

Le blâme. Celles qui ne nient pas ont recours au blâme. Même si elle est complètement justifiée, la colère que vous éprouvez envers votre mère et la façon dont elle vous a traitée ne signifie pas qu'elle est responsable de vos malheurs actuels. Ce qui *est* «de sa faute», c'est la façon dont elle vous a traitée quand vous étiez enfant. Ce qui n'est *pas* «de sa faute», c'est ce que vous faites de votre vie maintenant que vous êtes adulte.

Le blâme est un piège : tant que vous ferez endosser à votre mère la culpabilité de vos malheurs, *vous la maintiendrez en position de force* et vous, en position de faiblesse.

Le blâme est le mur qui sépare la condition de victime de la guérison.

Le blâme nous maintient prisonnière du filet parce qu'il nous empêche d'apprendre à utiliser notre colère de façon constructrice en se l'accaparant pour nourrir notre ressentiment.

Pour nous libérer du passé et des perpétuelles accusations qui nous empêchent d'aller de l'avant, il faut être prête à renoncer aux attentes de l'enfance. Il faut cesser d'espérer que Maman va changer. Ce qu'*elle* fait est sans aucun intérêt. C'est *nous* qui devons changer.

La vraie maturité ne dépend de personne : votre croissance ne peut pas reposer sur l'espoir que Maman va finir par devenir une Bonne Maman. La vraie maturité ne dépend que de votre foi en vous-même et en votre capacité de vous tenir debout, d'être optimiste et solide, de puiser en vous-même le sentiment de votre valeur personnelle et de vous réjouir de cette faculté. *Elle repose sur votre capacité d'être pour vous-même une Bonne Maman.*

Avant d'en arriver là, il est inutile d'espérer résoudre votre relation avec votre mère.

La culpabilité. Il existe peu de choses qui aient autant le pouvoir de nous faire éprouver de la culpabilité que le sentiment de *devoir* pardonner à notre mère, la femme qui nous a donné la vie. Pour sortir du cercle vicieux du désespoir, est-il nécessaire de pardonner ? Pour beaucoup de théologiens, de philosophes et de thérapeutes, la réponse est oui. Ces gens-là croient que le but ultime de l'évolution de l'enfant est d'en arriver à pardonner à ses parents pour leurs erreurs, même les plus colossales.

Bien que le Petit Robert définisse le verbe pardonner comme

«renoncer à tirer vengeance [d'une offense]», ce n'est pas ainsi que la plupart des gens interprètent ce mot. En effet, beaucoup de gens croient qu'il signifie qu'on doit tendre l'autre joue, comme pour dire : «D'accord, tu n'es pas coupable, tu es excusée de toutes les choses affreuses que tu as commises.»

Ce concept du "pardon" donne lieu à beaucoup de culpabilité. Pour pardonner de cette façon, il faut fermer les yeux sur toutes les agressions commises envers notre esprit comme si elles n'avaient jamais existé. Et il signifie également : «Tu n'a pas droit à ta colère. Tu commets un grave péché si tu te mets en colère contre ta mère.»

De plus, la plupart des gens ont déjà "pardonné" depuis fort longtemps. Tous les enfants, même les plus horriblement maltraités, pardonnent *automatiquement* à leurs parents. C'est leur façon de préserver la Mère Toute Bonne. Mais ce pardon n'efface en rien les blessures du cœur et de l'âme, pas plus qu'il ne les empêche. On a beau clamer que l'on pardonne à sa mère, on n'en reste pas moins prisonnière du cercle vicieux de son enfance. Le pardon ne suffit pas. Il n'est parfois même pas approprié.

La meilleure interprétation du "pardon" m'a été offerte par une thérapeute que j'ai interviewée :

Je ne crois pas au pardon comme à quelque chose d'absolu. J'ai connu des gens qui ont été maltraités de façon si atroce qu'il serait très mal venu de leur demander de pardonner. Pour moi, l'acceptation est un objectif bien plus thérapeutique que le pardon. Lorsqu'une personne parvient à accepter que ses besoins d'enfants n'ont pas été remplis, qu'elle n'a pas reçu ce à quoi elle avait droit, qu'elle n'a jamais eu le droit d'éprouver de la colère ou de la tristesse, elle en vient réellement à se libérer du passé. Elle peut alors commencer à remplir ses besoins de façon appropriée, avec des gens appropriés. L'illusion dont la plupart des gens doivent se débarrasser, c'est l'innocence de leurs parents.

Passer par-dessus notre soi authentique pour absoudre instantanément sa mère, sans examiner le prix que l'on paye pour la maintenir toute bonne ou toute mauvaise, c'est se rendre responsable des blessures de son enfance. En conséquence, nos émotions, notre moi factice et la honte d'avoir été complice de notre propre souffrance se retrouvent banalisés.

Mais l'amour ? Le "pardon" n'ouvre-t-il pas la voie à l'amour? Le Tabou de la mauvaise mère insiste inlassablement, dans ce chef-d'œuvre de paradoxe : «Bien sûr que tu aimes ta mère. Après tout, c'est ta mère.»

Mais accepter votre mère n'est pas la même chose que l'aimer. Vous aimez peut-être beaucoup votre mère pour ses qualités. Mais vous n'avez pas *besoin* de l'aimer pour venir à bout de votre relation avec elle. Votre seul mandat est de la *comprendre* et de cesser de bâtir des châteaux en Espagne en espérant qu'elle va finir par devenir une sainte.

Vous n'avez pas besoin de lui pardonner. Vous n'avez pas besoin de l'aimer. Vous n'avez pas besoin de l'admirer. Vous n'avez même pas besoin d'éprouver de l'affection pour elle. *Tout ce que vous avez besoin de faire, c'est de la connaître et de l'accepter telle qu'elle est.*

Cela risque de trop ressembler à un pardon inconditionnel. Etre "juste" avec une mère étouffante, critique, négligente ou cruelle peut vous donner l'impression de commuer la peine d'un dangereux criminel. Vous rêvez de vengeance ? N'oubliez pas que la personne que vous tenez prisonnière de votre besoin de punir, *c'est vous*. C'est vous qu'il faut libérer de vos attentes excessives.

Cela signifie-t-il que vous devez tomber dans ses bras ? Pas le moins du monde. Cela signifie seulement que vous devez grandir et cesser de la voir soit comme votre protectrice universelle, soit comme votre pire ennemie, pour voir en elle une personne comme vous et moi, ni ange ni démon, mais réelle. Ce n'est pas facile, mais c'est possible.

Bien que tout cela ressemble de très près au *vrai* pardon, je préfère l'appeler résolution.

La résolution

L'objectif principal de ce chapitre est de vous aider à reconnaître en vous l'enfant qui continue à "faire comme si" et à se manifester dans des scénarios destructeurs, à la prendre par la main et à la guider doucement vers la sortie de l'enfance. Son but est de vous aider à vous débarrasser du mode de pensée magique, de la colère destructrice, des espoirs impossibles et du sentiment que vous n'êtes rien sans une mère qui vous aime.

Une fois que vous aurez fait cela, vous pourrez voir votre mère telle qu'elle est vraiment : une femme avec ses qualités et ses défauts, une femme qui est le résultat de son époque et de sa vie personnelle, une femme qui a fait ce qu'elle a pu, même si ce n'était pas assez.

En parvenant à la percevoir ainsi, vous vous permettrez de vous percevoir de la même façon. Libérée du besoin de vous contorsionner affreusement dans votre effort pour donner "raison" à Maman, vous pourrez devenir enfin vous-même et laisser tomber les écailles de l'armure qui vous a sauvé la vie dans votre enfance, mais qui étouffe l'adulte que vous êtes devenue.

La mère que vous percevez aujourd'hui n'est sans doute pas la femme qu'elle est *devenue*; elle est peut-être toujours la mère de vos souvenirs. Elle a peut-être même changé en mieux et tenter de réparer ses erreurs; elle se dit peut-être qu'elle n'y arrivera jamais. C'est vrai, elle n'y arrivera pas tant que vous ne serez pas devenue adulte et que vous ne l'aurez pas *vue* telle qu'elle est, en dehors de vous et de vos besoins frustrés. Si vous ne la voyez pas encore telle qu'elle est, c'est qu'*intérieurement, vous êtes encore une enfant qui rêve de remonter dans le temps pour corriger vos souvenirs et réparer le passé*.

Résoudre cet écart ne va pas sans risque. Car si vous parveniez à la voir telle qu'elle est, incapable de vous définir comme de vous "sauver", vous risqueriez de vous sentir seule au monde, sans espoir de vous en tirer toute seule.

La résolution, c'est accepter les choses comme elles sont. Cela constitue un processus graduel qui demande du courage et de la persévérance. Car lorsqu'on n'a pas pu grandir dans son enfance, il faut faire l'effort de le faire maintenant. Sinon, qui le fera pour nous ? Mais il n'existe pas de raccourci, pas de manuel intitulé : «Comment atteindre l'authenticité en dix leçons». Il y faut du temps. Il y faut de la patience. Il y faut de la compréhension envers Maman et envers nous-même. Et dans bien des cas, ainsi que nous le verrons plus de loin, il y faut une aide extérieure.

Résoudre cette relation se fait en trois étapes — *pas trois étapes "faciles"*, mais une laborieuse progression qui peut mener à la libération du passé :

rentrer en contact avec ses émotions;
faire le deuil de son enfance;
accepter la réalité.

Rentrer en contact avec ses émotions

Pour les filles inacceptables, la chose la plus difficile à faire est d'accepter qu'elles ont le droit d'éprouver leurs émotions. A l'âge adulte, la personnalité factice est tellement fixée que l'on est terrifiée à l'idée de l'abandonner, car la séduction de ce qui est familier corrompt la capacité de changement. Tant que l'on ne prend pas conscience du sentiment d'avoir été "volée" dans son enfance, on continue à se traîner le long des chemins connus.

Comme nous l'avons vu dans la section précédente, certaines personnes passent leur vie sans résoudre leur attachement envers leur mère ni les émotions contradictoires qu'elles éprouvent à son sujet. Elles projettent leur ambivalence dans des domaines de leur vie plus faciles à contrôler : leurs frères et sœurs, leurs collègues, leurs amies, leurs partenaires et leurs enfants.

Ces femmes ne sont pas stupides. Elles reconnaissent souvent que leurs relations et les choix qu'elles font dans la vie leur sont souvent nuisibles. Elles savent même parfois intellectuellement pourquoi leur vie est dans cet état lamentable. «J'en connais par cœur toutes les raisons, se plaignent-elles d'un ton irrité, mais ça ne change rien!»

C'est qu'il y a un monde de différences entre *savoir* et *sentir*. Une pensée ne résout rien concrètement; c'est en travaillant avec ses émotions que l'on règle les choses. Et pour cela, il est nécessaire d'éprouver pleinement ce que l'on sent, même si c'est douloureux.

Mais savoir, c'est déjà un commencement. L'une des Invisibles décrites dans le chapitre Treize, celle qui vit encore avec ses parents bien qu'ayant atteint la trentaine, a maintenant entrepris une thérapie. Elle se voit comme une "œuvre en cours", et son travail pour examiner sa relation avec sa mère a déjà commencé à porter ses fruits :

Je voulais une mère intelligente, brillante, charmante, intéressante. Maintenant que je suis adulte, je cherche à devenir comme ça, moi. Le vœu que je m'étais fait ressemblait à ceci : "Si jamais je survis à tout cela, je vais me donner le plaisir de faire tout ce qu'elle ne m'a jamais permis de faire." J'ai toujours voulu faire du patinage artistique. Mais je n'arrive pas à aller m'inscrire à un cours. J'entends encore la voix de ma mère me dire : "Tu vas te faire mal." J'ai encore peur... et c'est bien la seule chose que je ne veux plus jamais éprouver de ma vie.

Une autre œuvre en cours, une Championne, raconte :

Je regarde toujours ma mère avec deux paires d'yeux. Il y a la partie de moi-même qui cherche à l'extirper de tous les aspects de mon être : je ne vais tout de même pas la laisser s'en tirer si facilement ! Mais je veux aussi être honnête avec moi-même. Je me dis : "Ecoute, ma cocotte, tu n'es pas devenue la personne formidable que tu es par hasard. Cela doit bien venir d'elle, au moins en partie."

C'est lorsque la pensée et les émotions s'unissent que se produisent de fascinants "déclics" qui sont les signes que l'on commence à changer. Ces déclics sont des phases de croissance. Chaque déclic mène à un autre déclic et c'est ainsi que l'on se reconstruit, un déclic à la fois.

Il existe plusieurs avenues qui mènent à la reprise de contact avec ses émotions.

L'introspection solitaire représente l'une de ces avenues. Dans son essai impressionnant intitulé *An Unknown Woman*, Alice Koller relate l'odyssée intérieure qu'elle a vécue au cours des trois mois qu'elle a passés complètement seule, en plein hiver, retirée dans l'île de Nantucket, au Massachussets. En partant de rien, elle avait l'intention ferme de se libérer de la façon vieille de trente-sept ans avec laquelle elle réagissait à sa mère, qui ne l'aimait pas, et de tenter de découvrir en elle-même des raisons de vivre. Elle cherchait à donner un sens à son passé de façon à lui ôter tout pouvoir sur son avenir. Voici comment elle décrit son point de départ :

A partir d'aujourd'hui, je dois cesser de m'étonner de toute l'autorité que j'ai acceptée dans ma vie, dans l'espoir muet que l'autorité que j'avais en face de moi allait miraculeusement se transformer en ma mère, qui m'ouvrirait enfin les bras. [...] Je dois maintenant examiner chaque opinion que j'aie jamais professée pour déterminer si elle sera toujours mienne une fois ôtée la voix pleine d'autorité qui me l'a transmise.

Elle décrit ensuite la résolution de ses émotions et le résultat de la perte de toutes ses défenses, qui l'amena à considérer puis à rejeter le suicide :

Je perçois mes propres contours. Voilà pourquoi je parviens à si bien percevoir les autres : le verre qui me renvoyait auparavant mon propre reflet est devenu transparent. Je sais où je commence et où finissent les autres. [...] Comme tout s'articule bien ! Je ne vois plus les gens comme des instruments servant à combler mes besoins : je les comble toute seule. Je peux donc percevoir leurs besoins, leurs objectifs, qui sont différents des miens.

Un mariage d'amour. D'autres femmes parviennent à retrouver leurs émotions en épousant une Bonne Maman : un partenaire doué de tendresse et de compassion qui possède assez de patience et force intérieure pour les aider à se sentir à l'aise non seulement lorsqu'elles expriment leurs peurs et leurs doutes, mais aussi en recevant et en donnant de l'amour. Ces femmes parviennent miraculeusement à ne pas détruire leur relation au cours de leur apprentissage du fait qu'elles sont vraiment dignes d'être aimées.

La spiritualité. C'est dans des religions comme le mouvement charismatique chrétien, les philosophies orientales comme le Bouddhisme ou la pensée du Nouvel Age que certaines femmes trouvent la possibilité de reprendre le contact avec leurs émotions et de faire la paix avec la souffrance de leur enfance. Une femme que je connais a vécu dans un monastère Zen pendant dix années, au cours desquelles elle a étudié, médité, enseigné et s'est débarrassée de sa rancune envers sa mère. Bien que elle admette maintenant, à l'âge de trente-deux ans : «Je n'atteindrai jamais le Nirvana», elle a fait assez de chemin pour permettre à sa mère d'être ce qu'elle est et pour trouver la paix intérieure.

La thérapie. Mais la plupart des gens ont besoin d'aide professionnelle pour parvenir à toucher les émotions cachées qui leur ont rendu nécessaire de nier leur vrai Moi.

Psychanalistes, psychologues, psychiatres et assistantes sociales servent de guides à leurs patientes et l'aident à acquérir un sentiment de sécurité suffisant pour pouvoir exprimer leurs émotions (les bonnes comme les mauvaises, leurs fantasmes d'amour comme ceux de vengeance) sans craindre d'être punies. La thérapeute est un substitut de Bonne Maman qui offre à sa patiente une acceptation sans conditions, qui lui apprend à identifier et à respecter ses émotions et l'aide à prendre conscience de ses scénarios auto-destructeurs et à s'en libérer.

La thérapie ne remplace pas la vraie vie, pas plus que la thérapeute digne de ce nom n'est une "mère" toute-puissante et dominatrice qui maintient éternellement sa "fille" dans les entraves de la dépendance. C'est une manière d'apprendre à vivre sainement sa vie, à passer à travers la négation, le blâme et la culpabilité de façon à se libérer du moi factice.

«C'est un long travail, dit Marianne Goodman, et c'est dû en partie à la nature de la relation entre la thérapeute et la patiente. Les patientes essaient souvent de saboter leur propre thérapie en cherchant quelqu'un qui correspond exactement à ce qu'elles veulent : une personne hypercritique et très froide. Mais si elles ont la chance de trouver une personne ouverte et affectueuse, capable d'établir des limites mais d'être présente pour elles, elles ont enfin la chance de se mettre à croire qu'elles valent quelque chose.»

C'est ce que la Bonne Maman est censée nous avoir appris. Mais si elle ne l'a pas fait, pourquoi ne pas profiter de sa version thérapeutique ?

L'émotion fondamentale qui refait surface au cours de la

thérapie est la rage que l'on éprouve d'avoir été obligée de dépendre de gens qui nous ont forcée à accepter tout ce qu'ils nous infligeaient. Quand on est enfant, on n'a pas le choix. Et à moins de se mettre en colère et de résoudre cette colère une fois pour toutes, on n'a pas plus le choix quand on est adulte. La "colère" que je préconise ici, cependant, n'a rien à voir avec un encouragement à la violence — que celle-ci se retourne contre votre mère ou contre vous-même. En fait, tout ce que nous avons vu dans les cinq derniers chapitres décrit les effets de la colère non résolue et non constructrice. La "colère" que je veux décrire ici est celle qui vous permet d'affirmer : «Mes besoins d'enfant n'ont pas été comblés. Je méritais mieux que cela, mais je ne l'ai pas eu.»

Ce genre d'affirmation est le début de l'éclosion du Moi authentique. Car si l'on arrive à se persuader que le manque fondamental n'est pas dû à soi, on peut commencer à se percevoir comme différente de la mère. On peut commencer à croire en soi-même et en sa propre valeur, et trouver une paix à soi qui ne dépend de l'approbation de personne.

Se mettre en colère, c'est comme tuer sa propre mère. Sans mère pour nous définir (que ce soit comme une très vilaine fille ou comme la petite fille *la plus gentille* du monde), on risque de se sentir comme lorsqu'on était enfant : incapable de survivre sans elle. Mais vous survivrez : il vous suffit de vous accrocher à la plus minuscule parcelle de foi qu'un jour — sans doute pas demain, sans doute même pas l'année prochaine — vous deviendrez vous-même au lieu de représenter une constellation de *réactions* par rapport à votre mère. Il vous faut faire confiance au fait que sous la surface du moi factice se trouve un vrai Moi qui vaut la peine d'être sauvé.

C'est là que vous aurez besoin de persévérance. Car si le moi factice a mis longtemps à se former, n'est-il pas normal que le Moi authentique mette longtemps à refaire surface ? «Cela va-t-il se terminer un jour ?» se lamente la femme qui est en thérapie depuis cinq ans. Nous sommes aussi impatientes d'obtenir une bonne "performance" thérapeutique que notre mère l'était avec la plus simple de nos tâches (Mais *dépêches-toi* donc un peu !)

Quand la thérapie n'avance pas, on emploie le terme de "blocage". Le plus souvent, le problème est que la patiente a trop peur pour baisser les défenses qui la protégeaient quand elle était enfant, car elle est hantée par la crainte que sans ses défenses, elle risque d'être détruite soit par sa propre colère, soit par celle de sa Mauvaise mère.

Selon la gravité des dégâts subis au cours de l'enfance, il peut s'avérer extrêmement pénible de laisser tomber ses défenses. Pour y parvenir, il faut croire envers et contre tout que *cela va s'arranger* et qu'il y aura quelqu'un (la thérapeute, puis, plus tard, vous-même) pour vous rattraper si vous tombez. Cela va s'arranger, mais il faut pour cela que vous ne renonciez pas à vous-même. Cela ne s'arrangera jamais si vous ne faites pas d'effort, si vous ne faites pas doucement et respectueusement face à votre négation, si vous n'apprenez pas faire la différence entre votre vrai Moi et votre moi factice.

Cela vous fait peur ? Mais la peur fait partie du processus : après tout, n'est-elle pas une *émotion*, elle aussi ? Quoi de plus terrifiant que d'ouvrir la lourde porte de la négation et de se souvenir — que ce soit en rêve ou au cours d'une scéance de thérapie — de tout ce qui nous a terrorisée quand nous étions enfant ? Il vaut peut-être mieux la garder bien barricadée et enfouir la clef au fond du jardin. Ce sont les victimes d'inceste qui ont le plus de mal à débloquer parce que lorsqu'elles se souviennent de leur enfance, elles revivent la terreur de l'abus sexuel. Mais, comme nous l'avons vu, la négation ne sert à rien : nos émotions non résolues continuent à envahir tous les autres domaines de la vie.

Les souvenirs ne disparaissent pas; il n'y a qu'à les libérer, et c'est cela qui est douloureux. Mais c'est ce que j'appelle de la "douleur constructive". Chaque session de thérapie que vous passez à sangloter éperdument constitue un instant où ces émotions sont validées par le simple fait que quelqu'un vous écoute et vous soutient. Petit à petit, quand le temps est venu, les peurs se mettent à fondre et les larmes à tarir. *Nier ce que l'on sent nous maintient en prison; accepter ce que l'on sent nous libère.*

Beaucoup de gens renoncent à leur thérapie lorsque les émotions deviennent trop intenses. En effet, à quoi sert le moi factice, sinon à nous protéger contre une souffrance affective trop forte ? A réduire notre anxiété ? Mais, en réalité, la souffrance ne s'en va pas : elle est seulement camouflée. Ressusciter dans toute leur intensité l'immense souffrance de nos blessures d'enfant les plus profondes constitue le début de la guérison.

«Je rêvais tout le temps que je tuais ma mère, m'a raconté une femme. Dans mon rêve, j'étais au volant de ma voiture; je me dirigeais droit sur ma mère et je la frappais de plein fouet. Je sentais le choc sur son corps, je la voyais rebondir vers le ciel. J'étais constamment hantée par ce rêve. Dès que j'ai commencé une thérapie et que je l'ai raconté à ma thérapeute, le rêve a disparu. Il n'est plus jamais revenu.»

Tel est le pouvoir de la confiance accordée à un ou une thérapeute. Seuls les professionnels les plus compétents et doués d'une vraie compassion sont en mesure de vous guider dans les eaux troubles de vos émotions pour que vous puissiez corriger *vous-même* les carences affectives de votre enfance.

Mais il arrive que certaines personnes se complaisent dans l'étape de la prise de conscience de leur colère, car elles y éprouvent un sentiment temporaire d'autonomie, une bouffée d'excitation due à la libération d'une rage trop longtemps étouffée. Ces personnes retirent de leur colère de réels "bénéfices", parmi lesquels la soif de vengeance. Rester en colère contre quelqu'un leur permet d'éviter de se regarder dans le miroir et de s'interroger sur le cours de leur vie. Au lieu de servir à changer leur vie, toute leur énergie reste concentrée sur un bouc émissaire extérieur.

Mais à l'âge adulte, nos problèmes n'appartiennent qu'à nous. Aucun parent — même s'il ou elle a changé en mieux —, aucun partenaire, aucune amie ne les fera disparaître; en fait, la plupart des gens se lassent vite de les écouter. Vous êtes la seule personne qui puisse régler votre passé. Et vous êtes la seule qui puisse vous éviter de devenir vous-même une Mauvaise mère.

En effet, la thérapie que vous déciderez d'entreprendre est sans doute la seule chose qui pourra vous empêcher de répéter les lacunes de votre mère. Malgré tous les vœux que vous avez pu prononcer, tant que vous n'aurez pas résolu les conflits qui vous opposent à votre mère, ce genre de répétition est en effet inévitable.

Faire le deuil de son enfance

Exhumer la souffrance et la revivre : voilà ce qui nous permet d'en sortir. Bien des patientes ont passé des semaines, des mois et parfois des années à pleurer lors de leurs sessions de thérapie et à prendre conscience des horribles compromis et du prix affectif que leur a coûtés leur enfance. C'est ainsi que fonctionne le processus du deuil.

Pour que la résolution aie lieu, il est essentiel de faire le deuil de l'enfant que l'on a été, l'enfant qui aurait donné n'importe quoi pour que Maman lui sourie, l'enfant qui travaillait sans relâche à être la "mère" de sa mère. Bien qu'elles ne s'en rendent pas toujours compte, beaucoup de filles ont déjà vécu des bribes de ce processus de deuil. Les moments où l'on pleure sur la gentillesse que nous manifestée d'autres personnes — plutôt que sur les pertes subies au cours de l'enfance — sont des moments où l'ont fait le deuil de celle que notre mère ne nous a jamais donnée.

La période de deuil ne dure pas toujours. Une fois que vous aurez admis votre souffrance, que vous l'aurez goûtée, touchée, *sentie*, un moment viendra où vous saurez que *vous avez vécu le pire*. Devant vous, le chemin sera plus doux.

Voici le témoignage d'une femme de cinquante-cinq ans :

J'ai eu beaucoup de mal à sentir la douleur : je me mettais tout de suite en colère pour ne pas la sentir. Mais quand j'ai enfin réussi à me concentrer uniquement sur la douleur que j'éprouvais, je me suis rendu compte à quel point il n'y avait pas grand-chose entre ma mère et moi. Bien que cela m'ait rendue très triste, cela devenait de plus en plus ridicule d'accorder autant d'importance à ce qu'elle pouvait bien faire ou ne pas faire.

Pour sa part, Alice Miller écrit :

Lorsqu'une personne parvient à faire l'expérience du fait qu'elle n'a jamais été "aimée" pour ce qu'elle était quand elle était enfant [...] et qu'elle a sacrifié son enfance pour obtenir cet "amour", elle s'en trouve très fortement ébranlée, mais elle éprouve un jour le désir de mettre fin à cette quête sans espoir. Elle découvre alors en elle-même le besoin de vivre selon son "moi réel" et de ne plus être forcée à gagner l'amour, un amour qui la laisse les mains vides puisqu'il est donné à son "moi factice", dont elle a justement commencé à se débarrasser.

La guérison est impossible à moins de faire le deuil de ce qui n'a jamais eu lieu.

Accepter la réalité

Une fois que vous aurez fait le deuil de l'enfant que vous n'avez jamais pu être, vous pourrez commencer à accepter l'adulte que vous êtes ou celle que vous êtes en train de devenir. L'une des composantes de cette acceptation consiste à comprendre que votre souffrance ne disparaîtra jamais complètement, mais qu'elle se manifestera par doses moins intenses et plus faciles à "digérer".

C'est en acceptant ce qui n'a jamais existé que l'on se donne la possibilité d'accepter ce qui existe. La thérapeute Lilly Singer explique :

La résolution consiste à faire la paix avec ses émotions, à accepter que votre mère ne vous a jamais vraiment aimée ou qu'elle ne savait pas comment faire. La souffrance qui provient du fait de ne pas avoir bénéficié de la présence affective d'une mère au cours de sa jeunesse ne quitte jamais une femme. Ce que je cherche à faire, ce n'est pas à faire disparaître la douleur, mais à la ramener à un niveau tel que la personne puisse mener une vie enrichissante au lieu de vivre dans une rancune perpétuelle. Voulez-vous passer le reste de votre à vie à faire payer à tout le monde ce que votre mère vous a fait ? Le conflit et l'ambivalence font partie intégrante de la vie de tout le monde; la croissance personnelle, c'est apprendre à vivre avec. Une fois que l'on renonce à rêver qu'un jour on va avoir une mère parfaite, on parvient à accepter la réalité telle qu'elle est et à mettre le rêve de côté. On se permet d'abandonner la quête.

La souffrance fait partie de votre histoire; elle fait partie de votre *force* et constitue la clef de la compassion. Il ne faut pas nier, ni même oublier la souffrance et la confusion éprouvées lorsque vous étiez enfant, car vous pourrez ainsi les reconnaître quand elles refont surface et les affronter.

Lorsque vous aurez une longue expérience de la souffrance *et de sa résolution*, vous serez, plus que la plupart des gens, capable de la comprendre chez les autres, chez les êtres qui vous sont chers. Et si vous parvenez à comprendre leur souffrance, peut-être parviendrez-vous un jour à comprendre celle de votre mère.

17

Redéfinir la relation mère-fille

«Ma relation avec ma mère s'est améliorée de beaucoup depuis que j'ai cessé d'attendre tant d'elle. J'ai commencé à admettre qu'il y a des moments où elle n'est pas là pour moi, mais ce n'est pas parce qu'elle ne m'aime pas. C'est parce qu'elle ne peut pas. Depuis ce temps-là, elle me déçoit beaucoup moins. Avant, je l'appelais pour lui parler de problèmes dont je savais très bien qu'elle était incapable de les comprendre. Maintenant, j'en parle à mes amies et je ne vais voir ma mère que pour ce que je sais qu'elle peut me donner. Je l'aime beaucoup plus depuis que je l'accepte.»

Sandra, trente-deux ans.

Une fois que vous avez libéré vos émotions, fait le deuil de la petite fille qui ne s'est pas sentie aimée et accepté le fait qu'il n'y a rien que vous puissiez faire pour changer votre enfance, vous êtes en mesure de réexaminer et de redéfinir la relation que vous avez avec votre mère à travers le prisme de votre maturité toute neuve.

Cette redéfinition est la dernière étape de la croissance, le dernier pas sur la corde raide qui mène à votre Moi adulte. Vous avez maintenant la force intérieure nécessaire pour la voir telle qu'elle est, pas comme ce qu'elle n'a pas été ou ce que vous auriez aimé qu'elle fût. Lorsque vous pourrez établir des limites saines, visualiser votre mère et vous comme deux femmes distinctes et séparées l'une de l'autre, vous pourrez également définir des limites sur la façon dont elle essaie peut-être encore de vous mettre des bâtons dans les roues et l'amener à *reconnaître et à accepter que vous êtes une adulte.*

Elle n'aimera peut-être pas cela du tout. Elle peut faire ce qu'elle a toujours fait et redoubler d'efforts pour vous faire tenir dans la toute petite boîte de votre enfance. Peine perdue : vous ne rentrez plus dedans. *Vous êtes trop grande.* C'est devenu tout bonnement impossible, et cela le restera tant que vous adhèrerez fermement à vos principes.

C'est ici que beaucoup de femmes se referment comme des huîtres : «Oh mon Dieu, s'exclament-elles, est-ce que je suis vraiment *obligée* de passer beaucoup de temps avec elle ? Est-ce qu'il va falloir que je me révèle à elle ? Elle va me démolir. Cela servirait à quoi ?»

Pour atteindre la paix, vous n'êtes pas obligée d'établir avec elle une relation intime. Cependant, mieux vous la connaîtrez, mieux vous *vous* connaîtrez, vous et les scénarios de famille dont vous avez hérité et qui font partie intégrante de votre être et de ce que vous êtes devenue.

S'extirper du triangle

Comme nous l'avons vu, le principe du triangle a été décrit par le Dr Murray Bowen, créateur de l'approche thérapeutique qu'on appelle "systèmes familiaux" et dont l'aspect principal est d'y mettre fin.

A la base de ce processus se trouve une façon de penser plutôt qu'une façon de sentir. Au lieu de mettre tous vos problèmes sur le dos de votre mère, vous vous concentrez surtout sur la dynamique affective qui explique le comportement des membres de votre famille et les événements qui ont eu lieu entre eux. Vous tentez de conserver une certaine neutralité affective : en ne prenant parti sur des questions qui ne sont pas de votre compétence directe, vous évitez de vous laisser entraîner dans les disputes des autres.

«Se sortir du blâme, écrivent les Drs Bowen et Kerr, ne signifie pas qu'on doive fermer les yeux du rôle qu'ont joué les gens dans la création d'un problème particulier. Cela signifie qu'on se met à voir la situation dans son entier et qu'on ne se sent plus obligé d'approuver ou de refuser la nature de sa propre [famille].»

Le but est donc de vous définir *dans le cadre de la relation mère-fille* au lieu de continuer à y réagir indéfiniment. Votre mère ne vous acceptera sans doute pas plus qu'elle ne le faisait auparavant. Ce n'est pas elle que vous voulez changer, c'est vous. Si vous apprenez à éviter de tomber dans le piège des réactions qu'elle suscite en vous, vous vous rendrez compte qu'il est en votre pouvoir d'éviter également de réagir à d'autres personnes qu'elle.

Voici un exemple. Une femme de quarante-cinq ans de mes amies est allée voir sa mère récemment. Au téléphone, celle-ci lui avait demandé d'apporter de la pizza pour le repas. La fille, qui n'aime pas la pizza, apporta donc également du poulet pour elle. Lorsqu'elle sortit le poulet du sac tout en expliquant qu'elle préférait cela, sa mère s'écria : «Veux-tu bien me dire pourquoi tu n'aimes pas la pizza ?»

«Nous avons eu une dispute énorme, se remémore la fille. C'était idiot. Mais j'étais envahie par le sentiment d'être jugée et j'ai très mal réagi. J'aurais dû lui dire : "Je ne sais pas, je n'aime pas ça, c'est tout." Ma mère se sentait rejetée parce que je ne voulais pas la même chose qu'elle. Mais sur le coup, j'étais incapable de le voir. Je me sentais critiquée comme quand j'avais dix ans, et j'ai explosé. A cause d'une *pizza.*»

Selon l'approche des systèmes familiaux, pour vraiment connaître votre mère, vous devrez en apprendre plus long sur l'histoire de sa vie, sur celle de sa mère, sur la mère de sa mère et ainsi de suite, le plus loin possible. Cette recherche vous fera sans doute voir des ressemblances ahurissantes entre les générations : les réactions de votre mère se mettront à faire partie d'un vaste tableau d'ensemble au lieu d'avoir l'air de tentatives pour vous démolir personnellement.

Par exemple : Votre grand-mère et son frère ne se sont peut-être jamais entendus. Votre mère s'est alors retrouvée prise entre deux feux : elle qui adorait son oncle, elle n'avait pas le droit de le voir parce que cette affection rendait sa mère furieuse.

Mais qu'est-ce que tout cela a à voir entre votre mère et vous? Eh bien, elle a peut-être toujours exigé de vous que vous soyez "gentille" avec votre frère, ce qui vous a toujours paru être du favoritisme. Mais cela peut être dû au fait que votre mère, consciemment ou non, tentait d'éviter la répétition des frictions frère-sœur qui lui ont causé, à elle et à sa mère, tant de difficultés. En d'autres termes, elle était sans doute en train d'essayer de régler un triangle vieux de deux générations.

Pour désamorcer les triangles familiaux, Bowen et Kerr recommandent de récolter le plus de renseignements possibles au sujet des membres de votre famille : date de naissance, date et circonstances de la mort, instruction, métier, histoire médicale (y compris les problèmes affectifs), histoire matrimoniale, où ils ont grandi, où ils ont vécu.

Vous pouvez rechercher ces renseignements non seulement auprès de votre mère et de votre grand-mère, mais également auprès de leurs conjoints, de leurs frères et sœurs et de la famille élargie. Répétez ensuite la même démarche du côté de votre père.

Si votre mère accepte de coopérer, vous pouvez commencer vos recherches auprès d'elle. Après avoir appris les faits qui la concernent, vous pourrez lui poser ce genre de questions :

- Est-ce que tu aimais ta mère ? Ton père ?
- Est-ce que ta mère aimait ses parents ?
- Quand tu étais petite, quel genre de bêtises faisais-tu ? Comment étais-tu punie ?
- Que faisais-tu pour être "sage" ? Qu'est-ce qui faisait plaisir à ta mère ? Est-ce qu'elle te faisait des compliments ?
- Comment exprimait-elle son affection pour toi ?
- Est-ce que tu aimais ta sœur (ton frère) ? Y en avait-il une que tu préférais aux autres ? Quels étaient vos sujets de disputes ? Comment vous aidiez-vous les unes les autres ?
- Est-ce que tes parents avaient des préférés ?
- Est-ce que tu aimais l'école ? Qu'éprouvais-tu envers tes professeurs ? Envers tes camarades de classe ?
- Qui était ta meilleure amie quand tu étais enfant ? Comment était-elle ?
- Qu'est-ce que ta mère t'a dit sur la sexualité ?
- As-tu jamais eu envie d'épouser quelqu'un d'autre que papa?
- Avais-tu peur d'avoir des enfants ?
- Qu'as-tu trouvé le plus difficile dans le fait d'élever des enfants ?

- Quel est le pire aspect de ton mariage ? Le meilleur ?

- Si c'était à recommencer, est-ce que tu travaillerais ? Est-ce que tu choisirais un autre métier ? Quel métier aurais-tu vraiment voulu faire ?

- Quelles ont été tes plus grandes réussites dans ton métier ? Tes déceptions ?

- Quand t'es-tu sentie "vieille" pour la première fois ? Est-ce que tu as trouvé ça dur quand tu as eu quarante ans ?

- Quel âge avait ta mère quand elle a atteint la ménopause ? Est-ce qu'elle t'en a parlé? Qu'éprouvait-elle ?

- Et toi, qu'as-tu éprouvé quand tu as atteint la ménopause ?

- Est-ce que tes rêves se sont réalisés ? Lesquels ? Lesquels ne se sont pas réalisés ?

- Est-ce que j'étais une enfant désirée ? Est-ce que je suis née à un bon ou à un mauvais moment ?

Toutes ces questions laissent la place à la compassion et à l'écoute réelle et ne sont pas teintées de reproches. Elle montrent plus d'intérêt que de parti pris, plus d'empathie que de censure.

Comme je l'ai découvert, la plupart des filles ne connaissent pas très bien leur mère, pas plus que leur père d'ailleurs. Réciproquement, la plupart des mères ne connaissent pas très bien leur fille. En lui posant ces questions, vous pourrez profiter de l'occasion pour vous raconter à votre mère ou pour répondre à ses questions à elle.

Je devine que vous êtes au bord de la crise cardiaque à la simple idée d'une conversation de ce genre avec votre mère. Vous risquez en effet qu'elle vous rétorque (surtout s'il s'agit d'une Critique, d'une Tortionnaire ou d'une Absente) : «Eh bien, qu'est-ce que c'est que toutes ces questions ? Depuis quand t'intéresses-tu à moi ?»

Peu importe sa personnalité, votre mère refusera peut-être de répondre à certaines ou à la plupart de vos questions; elle risque de se sentir scrutée et mal à l'aise. Mais il y a une chance qu'elle tombe sous le charme de votre intérêt pour elle : la plupart des gens adorent parler d'eux-mêmes, et pour les mères de la génération du Baby Boom, ce genre de question ne se posait pratiquement jamais. Les conflits intérieurs et les ambivalences des mères de la vieille génération ne préoccupaient personne. Si elle hésite, vous pouvez lui dire : «J'essaie d'en apprendre plus sur notre famille pour me connaître mieux moi-même. J'ai besoin que tu m'aides. Et j'aimerais aussi que nous nous connaissions mieux, toutes les deux.» Une chose est sûre : vous n'obtiendrez jamais les réponses à ces questions si vous ne les posez pas ! Si elle refuse de participer malgré vos efforts patients et répétés, tournez-vous vers votre père, vos tantes, vos oncles, vos grand-parents ou vos cousines. Quelle qu'en soit la source, tous ces renseignements vous aideront à vous faire de votre mère une image en trois dimensions qui remplacera la "maman" de la "petite fille" en vous.

Parmi les précieux renseignements que vous recueillerez, vous trouverez peut-être des trésors comme les exemples suivants :

Les impératifs de son enfance sont sans doute devenus les impératifs qu'elle vous a donnés : elle a peut-être hérité d'un calendrier d'attentes bien à elle. Une mère se souvient de sa vie à un âge donné et sa perception de sa fille au même âge est filtré par ses souvenirs. Par exemple, si sa mère s'est mariée à vingt-deux ans, et elle aussi, elle s'est peut-être mise à vous dire quand vous avez eu vingt-deux ans : «Moi, à ton âge, j'étais déjà mariée, et toi, tu n'as même pas de fiancé !»

Sa sœur a peut-être eu la polio à l'âge de quinze ans. Quand vous avez eu quinze ans à votre tour, elle est peut-être devenue trop protectrice avec vous. Elle ne s'est peut-être même pas rendu compte consciemment que cette brusque poussée d'anxiété était plus reliée à sa propre expérience qu'à votre vie à vous. Mais vous, vous ne perceviez que son anxiété et votre sensation d'étouffement.

La mère de votre mère est peut-être morte quand elle avait vingt-huit ans. Quand vous avez eu vingt-huit ans, elle s'est peut-être éloignée de vous comme elle ne l'avait jamais fait auparavant. Sans doute craignait-elle inconsciemment de vous perdre vous aussi.

Elle a peut-être fait une fausse couche quand vous aviez sept ans. Vous n'en avez rien su, mais vous avez bien vu que brusquement, elle s'est retrouvée dans un état d'irritation perpétuelle. C'est peut-être cette année-là que vous avez commencé à avoir de gros problèmes à l'école. Prendre conscience des causes cachées de son comportement peut faire beaucoup pour révéler que ce n'était pas contre vous qu'elle était en colère, même si vous aviez cette impression à l'époque.

Vous risquez de découvrir qu'elle n'a *jamais* été punie, ni même réprimandée, quand elle était enfant. En conséquence, elle n'a jamais été obligée de réprimer ses propres appétits, son propre besoin constant de gratification. Son narcissisme remonte peut-être à sa petite enfance; si elle est incapable de vous donner de l'amour, cela vient peut-être de la façon dont sa mère l'a traitée... et cela n'a rien à voir avec vous !

Vous risquez même de découvrir des actes de courage extraordinaires, comme la femme qui a appris que sa mère avait fait don de l'un de ses reins à l'une de ses sœurs, et dans sa discrétion, n'en avait rien dit à ses enfants. Une découverte de ce genre vous aidera peut-être à la considérer avec plus de respect et d'admiration.

Tant de mystères, dont certains qui vous donnaient l'impression que c'était *de votre faute* si elle ne ne pouvait pas vous donner l'affection dont vous aviez besoin, peuvent être résolus par des renseignements de ce genre.

«Se renseigner suffisamment sur sa famille pour formuler une impression de la dynamique des générations permet de percevoir le "scénario" affectif de la famille à cheval sur plusieurs générations, et en conséquence de *moins se préoccuper des actions et de l'inaction d'un membre particulier de cette famille*», écrivent les Drs Kerr et Bowen (c'est moi qui souligne).

Plus vous gagnerez en expérience et en maturité, mieux vous comprendrez les événements familiaux. Il arrive qu'une histoire entendue cent fois déclenche soudain un déclic grâce à l'expérience de la vie qui nous manquait auparavant. Ceci s'applique tout particulièrement aux filles lorsqu'elles deviennent mères à leur tour :

Quand on est enfant, on pense que sa mère devrait faire passer son rôle de parent avant tout le reste. Mais quand on devient parent, on se rend compte qu'on ne peut pas toujours faire passer la maternité avant tout. Quand je me dispute avec mon mari ou que je m'inquiète au sujet de l'un de mes enfants, je ne peux pas faire comme si de rien n'était et m'occuper parfaitement d'un autre enfant. Je suis affectée par tout ce qui se passe dans ma vie. Je vois de plus en plus ma mère comme une personne à part entière. Je suis parvenue à arrêter de lui reprocher beaucoup de choses qu'elle faisait quand j'étais enfant. Mon père était un véritable tyran. Cela explique beaucoup de choses sur sa façon d'être mère.

L'approche de la dynamique familiale comporte énormément d'aspects très importants. Par exemple, je suis d'accord avec l'idée qu'il est *impératif* d'exiger des membres de votre famille qu'ils règlent leurs problèmes tout seuls et de ne pas vous laisser manipuler pour prendre le parti de l'un de ou de l'autre. Comme nous le verrons au cours des trois derniers chapitres, beaucoup de filles ont appris à s'extirper des triangles familiaux et à ne plus servir à leur mère de décharge publique pour leurs frustrations.

Ces "déversements" commencent le plus souvent par des phrases comme : «Tu ne devineras jamais ce que ton père a *encore* fait !» En ne restant pas au milieu, vous vous donnez la possibilité d'aimer les deux personnes individuellement, sans que votre relation soit soumise à leur perception de votre "loyauté".

Mais l'aspect le plus important de cette approche, c'est qu'elle vous permet d'apprendre à voir votre mère comme une personne de façon à pouvoir la comprendre et l'accepter. Vous n'en deviendrez pas indifférente à ses actions et inactions futures; mais elles auront beaucoup moins d'impact sur vous. Vous risquez même de découvrir qu'elle est aussi humaine que vous...

Cette approche comporte cependant certains aspects avec lesquels je suis en contradiction. La notion de neutralité affective, entre autres, m'apparaît comme un idéal à la fois impossible à atteindre et peu souhaitable : les gens ne sont pas des robots. De plus, tous les renseignements et les événements familiaux du monde ne rempliront jamais le vide énorme de la personne qui ne se s'est pas sentie aimée dans son enfance (comme nous l'avons vu, ceci est du domaine de la thérapie et de l'introspection). La dynamique familiale est donc un outil parmi l'éventail dont vous disposez pour vous définir en tant que personne distincte.

Néanmoins, en examinant la dynamique de votre famille et en faisant plus ample connaissance avec votre mère, de femme à femme, vous trouverez sans doute des domaines sur lesquels vous êtes d'accord ou des points que vous avez en commun, ce qui rendra plus facile d'accepter et de respecter ce qui vous différencie.

Vous trouverez sans doute utile de dresser deux listes : tout d'abord, une liste des qualités que vous appréciez chez votre mère, puis une liste de ce que vous n'appréciez pas. Ceci vous aidera à apprécier ses points forts et à les percevoir séparément de ce qui vous fait grimper dans les rideaux. Vous pourrez admirer les premières tout en apprenant à éviter les secondes.

La deuxième liste serait un catalogue de *vos* "défauts" et "qualités". Certains points seront l'écho de la liste de votre mère, d'autres seront bien à vous. Le but de l'exercice est d'apprendre à vous percevoir comme *distincte* d'elle, comme une personne à part entière avec vos propres opinions, vos valeurs, vos qualités et vos défauts. Ceci est extrêmement important pour les femmes qui gémissent : «C'est affreux, je suis exactement comme ma mère.» Vous lui ressemblez peut-être sur certains points, mais *vous n'êtes pas identiques*.

Une comparaison entre les deux listes vous aidera à distinguer en quoi votre mère et vous pouvez apprendre l'une de l'autre et apprécier votre compagnie mutuelle et en quoi il vous faudra apprendre à concilier vos deux personnalités. Il n'y a rien de mal à être "pareille" ou "différente". C'est comme ça, tout simplement.

Peu importe la route que vous avez choisie pour travailler sur vos émotions, votre passé et votre ambivalence au sujet de votre mère, vous en viendrez sans doute à éprouver pour elle de la compassion et de la compréhension.

Comme nous l'avons vu, cela n'en fera pas obligatoirement votre âme sœur. Même après tous vos efforts, vous devrez peut-être accepter que vous ne l'aimez pas beaucoup, comme n'importe quelle personne à qui vous accordez une "période d'essai" avant de juger qu'elles ne sont pas candidates à votre amitié. Elle peut même être complètement *irrécupérable*. Mais vous serez au moins capable de la voir telle qu'elle est : le résultat de son enfance, de ses parents, de son hérédité, de son époque, de son vécu, de ses démons, de son mariage, de tout ce qui compose la totalité d'une personne, quelle qu'elle soit. Désamorcée de la sorte, elle n'aura plus le pouvoir de vous détruire.

Vous ne parviendrez sans doute jamais à la neutralité affective: pour cela, il faudrait, je crois, être dépourvue de toute passion. Mais vous pouvez apprendre à la conjuguer à la troisième personne au lieu de la forme «toi contre moi».

Rétablir la communication

Pour redéfinir la relation entre votre mère et vous, il va peut-être falloir une période de transition durant laquelle elle modifiera sa perception de vous, et vous d'elle. Les femmes qui ont eu avec leur mère une relation houleuse ou qui se sont complètement coupées d'elle trouveront qu'elles ont besoin de tout leur courage pour écrire ou téléphoner après des semaines, des mois ou même des années et dire : «J'aimerais te voir». Et si leur mère ignore votre lettre, leur fait des reproches ou leur raccroche au nez, pour écrire ou téléphoner de nouveau.

Vous ne pourrez pas rétablir la communication si vous n'avez pas fait le travail décrit plus haut et dans le chapitre précédent. Lorsqu'une mère et sa fille se retrouvent après un long silence, les vieilles disputent ont tendance à reprendre exactement là où on les avait laissées. Tant qu'on n'a pas réglé la colère, du moins en grande partie, il est impossible de rétablir la communication. Cela ne sert à rien de reprendre la relation si vous vous attendez à ce que votre mère exprime du remords, si vous vous préparez à lui faire payer la moindre remarque blessante ou si vous ne vous sentez pas capable de tenir bon sans redevenir l'enfant suppliante que vous avez été.

La relation dépend maintenant en grande partie de la manière dont vous mettrez en pratique votre maturité nouvellement acquise et votre conscience de vous-même. Vous devrez apprendre à lui parler différemment, peut-être même avec un nouveau vocabulaire. Dans ce genre de situation, la plupart des mères tentent de vous amener à revenir à «ce que vous étiez avant», mais elle finira par s'habituer. (Si votre mère n'y parvient pas, ou si elle est trop psychotique, toxicomane ou destructrice, consultez le chapitre Vingt).

Supposons que votre mère semble incapable de vous adresser la parole sans vous critiquer. Vous pouvez dévier ses critiques en vous abstenant de réagir : en réagissant en fait d'une nouvelle façon. Par exemple, si elle vous dit : «Non, ce n'est pas vrai ? Tu ne donnes pas à ta famille des repas surgelés ?», vous pouvez très bien choisir la plaisanterie : «Mais si, maman, tu sais très bien que je n'ai jamais été très douée pour la cuisine !» A moins que vous ne choisissiez de répondre : «Je n'ai pas envie de parler de ça tout de suite; j'aimerais beaucoup mieux te raconter le film que j'ai vu hier soir.» Le truc est de ne pas laisser la conversation se diriger sur un terrain glissant. Il est en votre pouvoir de tenir le gouvernail et d'éviter les remous des sujets de discorde.

Un autre exemple : supposons que votre mère ne vous laisse jamais placer un mot. Elle passe son temps à gémir sur ses bobos, réels et imaginaires, et vous n'arrivez pas à lui annoncer que vous venez juste d'obtenir une promotion au travail. Ici encore, vous pouvez changer le scénario qui régit la façon typique dont votre mère et vous avez l'habitude de communiquer. Après l'avoir écoutée pendant quelques minutes, vous pouvez l'interrompre de cette façon : «Excuse-moi, mais j'ai une bonne nouvelle à t'annoncer.» Puis racontez-lui en détail ce qui vous arrive. Si elle vous coupe la parole, contentez-vous de retourner à votre sujet chaque fois qu'elle reprend sa respiration. De cette façon, vous vous donnerez la chance de participer de façon égale à la conversation, sans colère ni amertume.

Au début, ces techniques peuvent vous sembler artificielles et vous mettre très mal à l'aise. Mais elles visent néanmoins un objectif très important : il s'agit de changer la façon dont votre mère et vous réagissez l'une à l'autre depuis toujours. Avec le temps, votre nouveau mode de comportement vous paraîtra tout naturel et la relation deviendra plus spontanée.

La règle de base est la suivante : Quand elle attaque, ne contre-attaquez pas. Si elle essaie de vous culpabiliser, ne mordez pas à l'hameçon. «J'ai si mal au dos, vous dit votre mère. Si seulement je te voyais un peu plus souvent, je me sentirais mieux...» Vous pouvez répondre : «Oh, comme c'est dommage», et ignorer la deuxième partie de sa remarque.

Il s'agit de rester concentrée sur vous-même, ou si vous préférez, de rester experte *à votre sujet seulement*, pas au sujet de votre mère. «C'est une fieffée égoïste, une narcissique, une psychotique, une névrosée» : voilà ce que dit la femme experte au sujet de sa mère.

Dans son livre *The Dance of Anger*, Harriet Lerner décrit certaines façons d'éviter d'être engloutie par notre propre colère, parmi lesquelles se trouvent celles-ci :

- n'hésitez pas à vous prononcer sur les questions qui vous semblent importantes;
- évitez de blâmer et d'"analyser" l'autre;
- respectez les différences des gens;
- ne prenez la responsabilité que de votre comportement à vous;
- ne parlez que pour vous seule, et jamais à travers une tierce personne.

La D[re] Lerner décrit également trois "ingrédients essentiels" pour s'extirper des triangles familiaux : tout d'abord, "rester calme". Celui-ci se passe de commentaires : il vaut mieux éviter de réagir exagérément lorsqu'on se sent anxieuse ou en colère.

Deuxièmement, "rester à l'écart". Ceci signifie que l'on de s'implique pas dans les disputes des autres : «pas de conseils, pas de critiques, pas de reproches, pas de recettes, pas de discours, pas d'analyses, pas de parti pris.»

Troisièmement, "garder le contact " C'est la partie la plus difficile : il s'agit de rester en communication avec les deux autres côtés du triangle (par exemple, votre mère et votre père, contre lequel votre mère est furieuse) sans prendre parti. En évitant de rester prise entre les deux et donc d'absorber une partie de la tension, vous forcerez les deux personnes en question à remettre le problème à sa vraie place, c'est-à-dire entre elles deux. Même si elles refusent de le régler ou qu'elles en sont incables, votre relation avec elles n'a rien à voir avec votre soi-disant "loyauté".

En restant centrée sur vous-même et en restant à l'écart des triangles, vous vous donnez la possibilité d'exprimer qui vous êtes et ce qui est important pour vous. Vous pouvez *vous partager avec les autres* au lieu de vous prendre au piège de leurs problèmes non résolus et de *vous y perdre*. En ne prenant la responsabilité que de vos propres actions et réactions, vous pourrez sauver et même approfondir vos relations.

Rester centrée sur soi et se partager, cela peut aussi impliquer la capacité de dire à votre mère, par exemple, «J'ai toujours eu l'impression que tu ne m'aimais pas» plutôt que «Tu es incapable d'aimer». Vous pouvez vous révéler sans la condamner ni la confronter avec colère. Sans doute n'entendra-t-elle que des critiques dans votre message. Mais elle y trouvera *peut-être* une occasion de révéler une partie de son être et de répondre, par exemple : «J'ai toujours eu peur d'exprimer mes sentiments. Dans ma famille, quand j'étais petite, ce n'était pas permis. Je n'ai jamais appris à le faire.»

Apprendre à s'affirmer en tant que personne distincte dans la relation mère-fille paraît parfois plus difficile que d'escalader l'Everest pieds nus. C'est qu'il y a tant de mines enfouies... il ne vous reste qu'à *les désamorcer toutes*.

Vous ne pourrez jamais changer votre mère, ni pourquoi elle fait ce qu'elle fait. Mais vous avez le pouvoir de modifier son comportement. Quand elle s'apercevra que vous ne voulez plus jouer sur son terrain, elle n'aura d'autre choix que d'apprendre à jouer sur le vôtre. Et si elle décide de ne pas "jouer" du tout, ce ne sera pas parce que vous n'avez pas été fidèle à vous-même ni parce que vous l'avez envoyée au diable. Le baromètre de votre évolution ne réside pas dans les changements qui se passent ou non dans *sa* vie, mais bien dans la façon dont *vous* changez.

Si vous parvenez à cesser de réagir à votre mère par la colère ou les supplications, elle finira bien par se mettre à réagir différemment, elle aussi. Le but de tous les efforts que vous faites est d'acquérir plus de maturité *dans le cadre de la relation mère-fille* au lieu de vous enfuir le plus loin possible. Si tout ce qui vous intéresse est la façon dont votre mère ne s'est pas conformée à vos attentes, vous n'êtes pas assez adulte pour comprendre qu'elle est une personne à part entière, avec sa vie, ses joies et ses difficultés.

La mère idéale, la mère "parfaite", est le produit de fantasmes enfantins. En insistant pour que votre mère se plie à votre fantasme, vous ne feriez qu'exiger d'elle qu'elle soit surhumaine. Le but de tout ceci est de parvenir à percevoir votre mère comme une femme distincte de vous, avec ses qualités et ses défauts, comme tout le monde.

Si vous parvenez à percevoir votre mère de cette façon et à être en sa présence sans renoncer à votre identité ni retomber dans de vieux scénarios, rien ni personne ne parviendra plus jamais à vous faire renoncer à vous-même. La tentative de rétablir la communication avec votre mère est le terrain sur lequel se bâtiront vos relations futures. Déclarer qui on est, sans exiger des gens qu'ils changent, les force à nous prendre très au sérieux; et même si ce n'est pas le cas, on est au moins restée fidèle à soi-même.

Il est impossible de trop insister sur le fait que cette démarche pour vous définir par rapport à votre mère et à son passé demande un effort et un courage prodigieux. «J'ai travaillé avec certaines personnes pendant trois ans avant qu'elles puissent aller voir leur mère et soulever des questions douloureuses, m'a raconté la D^re^ Lerner. Ce n'est vraiment pas facile.»

Avec le temps, vous finirez cependant par vous rendre compte que vos vieilles peurs, vos vieilles réactions, vos vieux réflexes conditionnés commencent à s'estomper. Vous finirez par percevoir à la fois votre mère et vous-même avec plus d'indulgence et de générosité. Car le danger que recèle le fait de percevoir votre mère soit comme un ange, soit comme un démon, c'est «qu'elle n'est pas une vraie personne, dit la D^re^ Marianne Goodman. Et si elle n'est pas vraie, on ne peut pas l'être non plus. On ne peut être soi-même que si l'on permet à Maman d'être elle-même. Ce n'est vraiment pas plus compliqué que cela.»

Une fois que vous aurez compris votre mère de cette façon et que vous aurez cessé d'exiger qu'elle change, vous vous rendrez compte que vos autres relations perdront leur aspect intense, urgent, désespéré et ne ressembleront plus à des questions de vie ou de mort. D'une certaine façon, on ne peut "vivre" avec sa mère que si l'on a appris à vivre avec ce qu'elle est. En abandonnant les fantasmes que vous entretenez au sujet de votre mère, et avec eux, vos attentes injustifiées, vous pourrez enfin abandonner en même temps les exigences que vous vous imposez ainsi qu'à vos amies, vos collègues, votre partenaire et vos enfants.

C'est en cela que consiste une vraie guérison.

L'interdépendance, pas l'indépendance

Le but de tout le travail que vous faites n'est pas de vous rendre capable d'une indépendance stoïque ni d'une solitude endurcie, refusant tout ce qui pourrait éveiller en vous des besoins, des émotions ou un sentiment de vulnérabilité. Au contraire, le but est d'apprendre à faire partie du monde, à vous permettre de prendre le risque d'aimer, d'éprouver de la joie et même de souffrir dans le cadre de vos relations — à admettre un désir sain et tout à fait *humain* d'établir des relations affectives — et en même temps d'être une personne à part entière. Cette interdépendance est caractéristique de la maturité. Ce sont les femmes qui réussissent à faire la paix avec leur mère qui y parviennent.

Mais de même que certaines mères n'osent pas être satisfaites de leur fille, ainsi certaines filles adultes refusent de percevoir leur mère autrement que mauvaises. Oui, certaines mères sont vraiment mauvaises. Mais en étant capable de respecter son propre territoire et de limiter clairement les intrusions, les critiques ou les exigences injustifiées de sa mère, il est possible de parvenir à une relation renouvelée avec elle. Et dans les cas où une telle relation *n'est pas* possible (pour des raisons que nous explorerons dans le chapitre Vingt-et-un), vous pourrez au moins examiner les forces qui l'ont façonnée et tirer quelque chose de cette connaissance d'elle, de la famille qui l'a modelée et de vous-même.

Amitié, trêve ou divorce ?

Pour briser le cycle de la relation mère-fille non résolue et pour en construire une nouvelle, il faut commencer par poser un tout petit caillou, qui consiste à décider une fois pour toutes que «cela ne peut plus continuer ainsi». Il sera suivi d'une petite pierre, puis d'une autre, puis d'un tas de briques, jusqu'à ce que l'on se tienne sur un petit ilôt d'estime de soi à partir duquel on est en mesure de se bâtir une vie. Lentement, mais sûrement, nourrie par les réussites personnelles, par le travail que l'on fait pour voir notre mère telle qu'elle est, pour se comprendre soi-même, donc elle aussi, l'estime de soi grandit jusqu'à devenir le continent de votre nouveau Moi distinct, valable, humain et faillible.

Une fois solidifiée l'estime de soi, une fois que vous aurez recueilli le plus de renseignements possibles sur votre mère et votre histoire commune, *alors* vous pourrez décider quel genre de relation convient le mieux à votre mère et à vous, et surtout prendre cette décision libre de fantasmes, d'ambivalences, de colère, de négation et de culpabilité.

Voici les possibilités que vous aurez devant vous :

L'amitié. Peut-être aimez-vous beaucoup votre mère, mais vous sentez que votre relation ne sort pas des rôles stéréotypés "mère-fille". Dans ce cas, vous êtes dans la situation d'une femme qui veut rendre une bonne relation encore meilleure. Vous souhaitez plus d'ouverture, plus d'intimité et une meilleure communication entre elle et vous, d'égale à égale.

Ou peut-être n'avez-vous jamais eu une excellente relation avec votre mère. Vous souhaitez maintenant élever cette mauvaise relation au niveau de l'amitié, soit parce que vous avez changé, soit parce que vous avez *toutes les deux* évolué, et parce que le moment est venu, tant pour elle que pour vous.

La trêve. Votre mère n'est peut-être pas capable d'une réelle amitié, mais elle n'est pas pour autant entièrement mauvaise : elle est simplement prisonnière de ses propres défenses, de son moi factice à elle. Bien que vous ayez découvert en elle de précieuses qualités auxquelles vous ne voulez pas renoncer, vous vous rendez compte qu'elle est tout simplement incapable de vous laisser être vous-même. Dans ce cas, vous décidez de continuer à la voir au nom de ces précieuses qualités, au nom de la relation qu'ont vos enfants avec elle, et pour maintenir un sentiment d'appartenance familiale, mais sans vous compromettre personnellement. Votre mère et vous ne serez peut-être jamais intimes; cependant, en limitant fermement ses manifestations d'insécurité et vos réactions affectives, vous pourrez néanmoins établir un terrain commun.

Le divorce. Dans cette rare situation, malgré tous vos efforts pour rester centrée sur vous-même, une relation avec votre mère ne comporte rien d'autre que l'expression incontrôlée de son mépris et de sa rage. Rétablir le contact avec ce genre de mère équivaut à entrer de plein gré dans un broyeur mécanique. Certaines mères sont si destructrices qu'une relation avec elles n'est rien d'autre qu'un exercice de masochisme. Dans ce cas, il vous faudra tout de même résoudre la relation, mais vous devrez le faire seule. Pour que les blessures de l'enfance n'envahissent pas toutes vos autres relations, vous devrez régler votre rapport avec votre mère dans votre tête, seule ou avec du soutien professionnel. Vous devrez accepter d'être une orpheline du cœur. Mais cela ne veut pas dire que vous ne pourrez pas vivre une vie pleine et enrichissante, ni que vous ne parviendrez pas à créer une famille aimante avec votre partenaire et vos enfants, ou plus simplement une “famille” d'amies affectueuses.

Ces possibilités font l'objet des trois prochains chapitres. Vous seule pouvez décider laquelle est la bonne pour vous et quel genre de relation vous pouvez bâtir avec votre mère. Il n'y a rien d'absolu.

18

L'amitié

«Le plus grand hommage que je puisse te rendre, c'est que tu m'as aidée à devenir moi-même. Je sais combien tu as lutté contre ton besoin de me garder auprès de toi : tu avais l'impression que tu n'avais que moi au monde. J'ai fini par me rendre compte que tu n'as jamais rien fait de plus héroïque que de me laisser partir comme tu l'as fait. Vers la fin, tu t'inquiétais tant de ne pas avoir été une bonne mère. Tu n'avais pas besoin de t'en faire : j'ai tout ce qu'il faut pour m'en sortir dans la vie. Je crois en moi-même, et c'est à toi que je le dois. Mais tu me manqueras toujours.»

Sophie, quarante-cinq ans.

Ainsi parla Sophie, âgée de quarante-cinq ans, à l'enterrement de sa mère. Ce petit discours constituait le point final doux-amer des dernières semaines que sa mère, atteinte d'un cancer en phase terminale, avait passées dans la maison de Sophie. Au cours de ces semaines, elle avait servi à sa mère d'infirmière et de compagne de tous les instants, s'occupant de ses moindres besoins corporels et tentant de calmer sa terreur face à la mort.

Pendant cette courte période, si éprouvante pour l'une comme l'autre, Sophie et sa mère ont passé de longues heures à parler et à faire le bilan de sa vie et de leur relation. Chacune des deux femmes a parlé des doutes qu'elle avait sur elle-même et des moments passés ensemble, les bons comme les mauvais. Conscientes toutes les deux de l'imminence du décès de la mère de Sophie, elles ont pu résoudre toutes les questions qui étaient demeurées en suspens et savourer le plus possible le temps qui leur restait.

Lorsqu'elle évoque les derniers moments de sa mère, Sophie

est particulièrement frappée par sa dignité, surtout par la façon dont elle luttait contre une dépendance presque totale. «Ce n'est pas trop pour toi ? questionnait-elle encore et encore. Ne devrais-tu pas me mettre dans une maison d'accueil ?»

«Etre mère est ce que ma mère a fait de plus courageux, m'a dit Sophie avec admiration. Cette femme vécut toute sa vie dans la peur. Mon père l'a quittée quand elle avait vingt-sept ans. Elle n'a jamais eu beaucoup d'amis. Mais elle détestait l'idée d'être un fardeau pour moi. Remarquez que je connais tous ses défauts par cœur. Je ne l'idéalise pas, loin de là. Mais son plus grand acte d'héroïsme dans la vie a été de refuser de laisser son insécurité me détruire. Elle a eu une enfance horrible. Elle, elle n'avait pas pu choisir ses parents. Mais elle a fait un choix conscient sur le genre de mère qu'elle voulait être.»

J'ai rencontré Sophie un an après la mort de sa mère. Le deuil qu'elle vivait encore n'était pas lié à un sentiment de regret à propos de ce qui n'avait jamais pu être, mais plutôt au mélange inexplicable de tristesse et de joie qui survient lorsqu'on prend conscience que l'on avait beaucoup à perdre. Non seulement sa mère l'aimait inconditionnellement, mais elle l'encourageait également dans tout ce qu'elle entreprenait : son travail, son mariage, ses enfants. La mère de Sophie a rendu possible à sa fille de vivre sans elle, tout en lui laissant le souvenir d'une unique amitié riche et profonde.

Leur relation comporte quelque chose d'unique et de bien précis : c'est que la mère comme la fille savaient respecter et même célébrer les qualités et les défauts de chacune (ou tout du moins en discuter ouvertement) et se permettre mutuellement *d'être elles-mêmes.*

Cela a l'air si simple ! Après tout, beaucoup d'entre nous font la même chose avec leurs amies. Mais parvenir à ce genre de relation avec la femme qui vous a déjà réprimandée, giflée, rejetée ou même humiliée, voilà qui est extraordinaire. Car si ce que nous savons de l'amour, c'est notre mère qui nous l'apprend, on peut en dire autant de la haine. Amour et haine sont les deux pôles jumeaux de la relation mère-fille. Atteindre un équilibre harmonieux entre les deux relève d'un exploit héroïque. Car les femmes qui y parviennent ont dû mettre à mort un certain nombre de dragons :

- les erreurs de la mère en tant que parent et la rébellion de la fille;
- le Tabou de la mauvaise mère;
- le Mythe de la maternité.

Lorsque la fille a atteint l'âge adulte, c'est ce dernier qui est le plus difficile à terrasser.

Le Mythe de la maternité

L'un des facteurs qui empêchent une fille et sa mère d'être amies est que *la relation de chaque femme avec sa mère s'éloigne ou se rapproche trop du Mythe de la maternité.*

Nourrisson et jeune enfant, nous voyions notre mère comme Toute Bonne, car notre survie en dépendait. Mais une fois adulte, nous continuons souvent à la percevoir avec un regard d'enfant qui filtre tout ce qui nous vient d'elle à travers notre fantasme d'une perfection maternelle faite d'abnégation et de sacrifice de soi.

La "mère" de nos rêves, celle qui inspire chaque année des millions de cartes de Fête des mères portant des messages tous plus poétiques et incroyables les uns que les autres, est en fait une vision de rêve. Elle représente un idéal : comme elle n'a aucune réalité, même le rêve que nous entretenons à son sujet devrait nous inspirer de la méfiance. Mais nous nous y accrochons envers et contre tout. Pourquoi ? Parce qu'il résume tous les espoirs de nos années magiques (les années d'enfance passées à l'idéaliser parce que nous n'avions pas le choix), espoirs qui perdurent dans le long arrière-goût qui nous reste de l'enfance. Et si elle n'a jamais été à la hauteur de cet idéal, nous nous sentons flouées.

Maman, elle aussi, se sent flouée lorsque nous ne nous comportons pas selon le Mythe, qui ordonne de la chérir et de l'honorer, selon les prescriptions du Tabou de la mauvaise mère.

La plupart des filles adultes exigent encore de leur mère qu'elle les aime en toutes circonstances, alors que la plupart des mères persistent à exiger que leur fille les adore comme quand elle était petite. Mais l'amour, comme la mer, est soumis aux marées du temps. "Aimez"-vous votre mari quand il est d'humeur massacrante ? "Aimez"-vous votre enfant quand elle fait une crise pour mettre une jupe sale ?

La réponse honnête est que nous aimons la plupart du temps les gens importants de notre vie, mais que nous n'avons pas constamment *de l'affection* pour eux. L'un des éléments de l'amitié est la capacité de tolérer chez l'autre des choses que l'on aime moins, de façon à pouvoir profiter de ce qui nous plaît chez elle, tout en la percevant comme une personne en chair et en os.

Mais bien que nous refusions à notre mère *le droit d'avoir des défauts*, nous voulons qu'elle nous aime *en dépit des nôtres*... tout comme elle, après tout ! N'est-ce pas un peu trop demander ? Ce ne l'était peut-être pas quand nous étions enfant, car après tout, chaque enfant, dans son entière dépendance, a le droit droit d'être aimée inconditionnellement. Mais ce l'est sûrement maintenant que nous sommes toutes les deux des soit-disant adultes.

Une fois adultes, nous ne devons pas plus à notre mère de l'aimer inconditionnellement qu'elle ne nous le doit. Comme les filles qui ont des enfants l'apprennent très vite, la maternité se caractérise avant tout par l'ambivalence. Là où nous nous disions «Je n'y arriverai jamais» avec notre mère, voilà que nous sommes dans la même situation avec nos enfants : peu importe la quantité d'efforts que nous déployons pour être une bonne mère, c'est un but impossible à atteindre. Rendons-nous à l'évidence : nos enfants sont destinées à nous quitter. Comment alors être parfaite ?

Le nœud du Mythe, un seul fil peut le dénouer, et c'est à nous de tirer dessus : que nous ayons ou non des enfants, tant que nous jugeons en fonction d'un idéal de perfection maternelle, l'amitié entre mère et fille reste hors de portée.

Pour atteindre cette amitié, il faut renoncer au Mythe.

Amitié, qu'est-ce que cela veut dire ?

«La paix n'est pas l'absence de guerre, a dit Amrita Pritam, qui fait partie des plus grands écrivains de l'Inde. La paix, c'est l'épanouissement de la vie.»

Amitié ne signifie pas ici la symbiose mère-fille que recherchent la Mère poule, la Victime, l'Ange ou l'Invisible. Car dans ces relations, la mère et la fille ne sont pas encore séparées : elles connaissent peut-être une absence de guerre, mais ce n'est pas la paix. Et cela ne signifie pas non plus qu'il faille être *meilleures* amies. Comme nous le verrons, ces objectifs sont non seulement impossibles à atteindre, mais également peu souhaitables.

Amitié signifie quelque chose de complètement différent : une relation affectueuse basée sur l'estime réciproque et le respect (parfois même l'admiration) pour les différences de chacune en tant qu'adulte.

Or, quelle relation comporte un plus grand potentiel d'amitié que la relation mère-fille ? Après tout, nous partageons le même destin biologique et historique. Nous connaissons par cœur les défauts et les qualités de l'autre. Nous avons partagé le pire et le meilleur. Nous nous sommes vues sans maquillage. Comme nous ne sommes pas touchées par les lois qui régissent la politesse entre inconnues, nous ne nous sentons pas obligées de remplir le silence d'un bavardage anxieux. En théorie, nous n'avons rien à *prouver*.

L'amitié mère-fille se coule dans le feu de la revendication de la fille à sa propre identité et des choix que la mère fait en tant que parent. Si elles arrivent à accepter les limites et les terribles compromis l'une de l'autre; si, en même temps, *elles éprouvent vraiment de l'affection l'une pour l'autre*, se donnant ainsi la possibilité d'apprécier les qualités l'une de l'autre, alors elles sont vraiment en possession d'un précieux trésor.

Certaines amitiés fleurissent lorsque la fille adulte et sa mère décident de redéfinir une relation déjà agréable; elles sont alors toutes les deux capables de renoncer aux attentes mutuelles du passé, attentes qui ne s'appliquent plus, maintenant que la fille est adulte. A partir de l'acceptation de ce qu'elles sont (et non du fantasme de ce qu'elles devraient être), elles tissent une relation beaucoup plus profonde, fondée sur leurs qualités humaines et leur vécu commun de femme. Elles deviennent alors amies parce qu'elles *choisissent* de pousser plus loin leur relation affectueuse — et non parce qu'elles "devraient" le faire. Leur amitié fleurit parce que leur *affection* passée est accrue par leur présente *autonomie*, maintenant qu'elles possèdent toutes les deux des limites clairement définies.

D'autres amitiés mère-fille poussent sur les cendres des horribles débuts de la fille : la mère comme la fille se guérissent alors ensemble de leur faux départ et apprennent à communiquer et à s'aimer sur une nouvelle base.

Toutes les filles avec qui j'ai discuté souhaitaient profondément vivre une telle amitié.

L'amitié mère-fille est-elle un idéal impossible ?

Nombreux sont les sociologues qui estiment qu'être "ami" avec sa mère est un but irréaliste et malsain. Parmi ceux-ci se trouve le Dr Bruno Bettelheim, qui écrit :

L'amitié nécessite un type de relation différente de celle qui unit le parent et l'enfant. Lorsqu'un parent espère que son enfant deviendra son ami intime, il en résulte une relation fondée sur une immaturité relative. Le parent cherche en effet à obtenir l'amitié d'une personne qui, comparée à lui, manque de maturité; l'enfant est poussé à rechercher l'amitié d'une personne qui est mal équipée pour la lui offrir de façon satisfaisante à cause de la constellation d'expériences affectives parent-enfant qui se sont produites au cours des années formatives de l'enfant.

Dans la mesure où chaque relation parent-enfant comporte des blessures inévitables, je suis d'accord avec cette affirmation. Et dans la mesure où une mère ne peut pas être la "copine" de son enfant (comme beaucoup d'enfants des éternels adolescents des années 70 l'ont découvert à leur grand désarroi), je suis toujours d'accord. (Cependant, je ne peux m'empêcher d'y mettre mon grain de sel : malgré toute l'admiration que je porte au Dr Bettelheim et à son œuvre, il n'est pas une femme.)

Tant qu'on est enfant, l'amitié (en contraste avec l'amabilité) entre la mère et sa fille est tout, sauf souhaitable. Voici ce qu'explique la psychologue Louise Kaplan : «La jeune enfant doit dire non pour découvrir qui elle est. L'adolescente dit non pour affirmer ce qu'elle n'est pas. Elle n'appartient pas à ses parents, mais à sa propre génération. Pour se tailler un chemin vers les possibilités de sa générations, l'adolescente doit tout d'abord ébranler l'utopie de l'enfance.»

Mais ce qui s'applique à la jeune enfant et à l'adolescente ne s'applique plus à la fille adulte de trente, quarante ou cinquante ans qui a renoncé depuis longtemps à ses besoins utopiques. L'évolution et les saisons de la vie d'une fille (sans oublier celles de sa mère) font plus pour jeter un pont sur le fossé des générations que tout autre facteur. Plus la fille se sent capable d'affronter le vaste monde menaçant qui l'entoure (en relevant les défis et en les surmontant), plus la rancune qu'elle entretient envers sa mère lui semble futile et plus elle prend conscience de la façon dont les questions non résolues entre sa mère et elle lui mettent des bâtons dans les roues.

A elle seule, la différence d'âge n'est pas une raison suffisante pour renoncer à devenir amie avec votre mère. En effet, on a souvent des amies beaucoup plus jeunes ou plus âgées que soi, parce qu'on trouve en elles une *affinité de l'esprit*. Cependant, l'âge joue *un certain rôle* dans le phénomène de l'amitié. Par exemple, lorsque vous parlez de «la guerre», comme vous avez quarante-cinq ans, vous pensez à la seconde Guerre mondiale; mais votre amie de vingt-deux ans, elle, est sûre que vous parlez de la Guerre du Golfe.

Les différences de contexte historique peuvent enrichir les membres de générations différentes lorsqu'elles explorent leurs univers respectifs : après tout, nous sommes toutes témoins de notre époque, avec toutes les anecdotes que cela implique. Si ce que nous éprouvons a quelque chose à voir avec notre époque, cela n'a pas tout à voir. L'âge est depuis trop longtemps une barrière entre les générations et une source de discrimination affreuse : «trop vieille», «trop jeune», voilà des mots qui, en séparant les gens, nuisent à notre culture et appauvrissent les personnes.

Néanmoins, certains aspects de l'amitié mère-fille sont voués à rester à sens unique, car contrairement à toutes les autres relations que vous aurez, votre mère sera toujours votre mère et vous serez toujours sa fille. Vous avez peut-être la clef de chez votre mère... et il est probable qu'elle n'a pas la vôtre. Je me souviens d'une amie de cinquante-cinq ans qui m'a demandé, la voix chargée d'anxiété :

Ma fille m'a téléphoné hier soir pour me raconter qu'elle venait de passer la pire journée de sa vie : son patron l'avait engueulée et son copain venait de la laisser tomber. Alors je suis arrivée chez elle les bras chargés de petits plats et de fleurs de mon jardin.

Est-ce que tu crois que je l'infantilise ?

Il n'y a qu'une mère pour poser ce genre de questions. «Mais non, ai-je répondu, secouée d'éclats de rire et plus qu'à moitié jalouse de sa fille. Tu tu te comportes simplement comme sa mère... et son amie.»

Malgré toutes ces particularités, il vous reste amplement la place de construire avec votre mère une vraie amitié, sans toutefois négliger votre espace privé, qui est, après tout, ce qui vous sépare de l'enfance.

Les contours de l'amitié mère-fille

Bien des sociologues ont choisi de se demander si une mère et sa fille *peuvent* (et non "doivent") être amies. La réponse est un oui retentissant... avec quelques "mais".

L'une des questions qui a fait l'objet d'études est de savoir s'il est nécessaire que la fille devienne mère à son tour avant que l'amitié puisse éclore entre elle et sa propre mère. On entend si souvent dire : «Quand on a des enfants, on comprend mieux sa mère.» Mais est-ce bien tout ce qui est nécessaire ?

Jane Abramson, qui a dirigé une étude sur les mères et leurs filles, en a conclu que le seul fait de devenir mère ne constitue *pas* une garantie d'amitié avec votre mère, pas plus qu'elle ne garantit votre maturité. Elle écrit que «le bien-être psychologique plus tard dans la vie se fonde moins sur le statut parental que sur le développement d'une personnalité riche et unique, qui est le résultat d'un "bon maternage" au début de la vie.»

La conclusion majeure de son étude est la suivante : les filles adultes qui "réussissaient" le mieux (c'est-à-dire celles qui menaient une vie enrichissante) étaient à la fois "maternelles" et "performantes". En d'autres termes, elles tiraient leur estime de soi de leurs aptitudes professionnelles *et* elles étaient douées d'empathie et de qualités maternantes. Elles avaient à la fois un sentiment de compétence et un talent pour l'amour, pour se préoccuper de ce qu'éprouve une autre personne et pour tenter de la rendre heureuse. *Mais elles n'étaient pas toujours mères biologiques.*

Dans leur étude sur les mères et les filles, Grace Baruch et Rosalind Barnett ont trouvé que le fait d'être mère *dilue* l'attachement de la fille envers sa mère et que la fille qui n'a pas d'enfants a tendance à avoir une relation plus intense avec sa mère.

«La relation mère-fille est particulièrement importante pour les femmes qui ne sont pas elles-mêmes mères, écrivent les deux chercheuses. [Elles sont] plus fortement affectées par leur relation avec leur mère que ne le sont les femmes qui ont des enfants. [...] Le fait de devenir mère semble donc diminuer l'importance que prend la mère dans la vie de sa fille.» Plus une femme a de sources de soutien affectif, ont-elles découvert, moins elle accorde d'importance à une relation en particulier. Néanmoins, «la plupart des femmes tirent un sentiment de réconfort d'une relation agréable avec leur mère [...]»

Quant à savoir si la maternité en soi a un impact sur le fait d'être bien ou mal dans sa peau, les deux chercheuses concluent que non : la conclusion majeure de leur étude est que «le fait d'avoir ou non des enfants n'a aucun impact sur le bien-être psychologique d'une femme.»

Lucy Rose Fischer, pour sa part, a mené deux études sur les relations mère-fille, l'une portant sur des jeunes femmes âgées de vingt-et-un à trente-et-un ans, et la deuxième sur des filles dans la cinquantaine et leurs mères âgées. Madame Fischer confirme l'opinion selon laquelle les filles célibataires, parce qu'elles n'ont pas encore atteint l'âge "social" de leur mère en devenant épouses et mères, ont tendance à être plus dépendantes de leur mère que les filles mariées qui ont une famille à elles. Or, cela ne signifie pas obligatoirement qu'elles soient amies. Les filles célibataires, a-t-elle découvert, «ne savaient pas de quoi était faite la vie de leur mère.»

Mais elle a également découvert que le fait de devenir mère rend possible pour la fille de communiquer avec sa mère d'une façon qui n'est pas accessible aux jeunes femmes sans enfant. Une fois mère, la fille devient la "collègue" de sa mère et se trouve en mesure de créer un lien à partir de l'expérience particulière qu'elles partagent toutes les deux.

Dans cette étude, c'étaient les femmes mariées et mères de famille qui avaient le plus souvent tendance à avoir avec leur mère une relation d'égale à égale. Cependant, bien que le fait de devenir mère permette à la fille d'abattre l'une des barrières qui la séparait de sa mère, le mariage, avec le changement de priorité qu'il implique, en érige une autre.

Le jury semble donc divisé sur la question de savoir si la maternité encourage automatiquement l'amitié mère-fille. En fin de compte, l'amitié semble dépendre de facteurs qui n'ont pas grand-chose à voir avec la répétition du rôle de mère.

Elle dépend également de l'âge de la fille : comme nous l'avons vu, cette variable est sans doute la plus importante de l'amitié mère-fille. Vers l'âge d'environ trente-cinq ans, la plupart des filles ont réglé leur révolte. C'est vers la quarantaine que les filles semblent avoir la meilleure relation avec leur mère.

Dans l'étude de Baruch et Barnett, environ la moitié des filles (âgées d'entre trente-cinq et cinquante-cinq ans) décrivaient une «qualité de rapport maternel élevée» avec leur mère. Ces femmes éprouvaient beaucoup d'affection pour leur mère et appréciaient beaucoup sa compagnie.

La D^re^ Fischer nomme le genre d'amitié que je décris ici «mères et filles ayant une amitié d'égale à égale». Selon ses recherches, ce genre d'amitié est rare chez les jeunes femmes qui n'ont pas encore acquis le recul qui vient avec la maturité. Les caractéristiques de leur relation s'appliquent cependant à toutes les amitiés mère-fille.

Ces relations se caractérisent par trois qualités principales.

Tout d'abord, la mère et la fille se perçoivent mutuellement de façon réaliste. Deuxièmement, elles sont très impliquées dans la vie l'une de l'autre. Troisièmement, elles ont chacune des frontières clairement définies, accordant beaucoup d'importance à leur indépendance et respectant celle de l'autre.

Ces femmes exercent donc un effort concerté pour ne pas être trop dépendantes l'une de l'autre. Elles ont trouvé un terrain commun qui ne met pas leur personnalité individuelle en danger. La force de leur relation réside *à la fois* dans l'amour qu'elles éprouvent l'une pour l'autre et dans leur sentiment d'individualité distincte.

Au cours des rencontres que j'ai effectuées, j'ai découvert que beaucoup de filles devenues mères bénéficient effectivement face à la leur d'un certain recul provoqué par l'ambivalence et les difficultés qu'elles éprouvent dans leur rôle de mère. Une femme m'a dit : «Quand je donne à manger à mes deux jeunes enfants, j'ai peur qu'elles s'étouffent avec leur nourriture, alors je la coupe en tout petits morceaux, comme le faisait ma mère quand j'étais enfant. Si moi, je me rends folle avec ce genre de choses, j'ose à peine imaginer comment c'était pour ma mère : elle, elle a eu *sept* enfants.»

Mais même ce genre d'intuition ne garantit pas l'éclosion de l'amitié entre une mère et sa fille. Bien qu'il soit vrai que la maternité apporte (ou soit censée apporter) une certaine prise de conscience de *ce que cela représente d'être mère*, elle n'apporte pas toujours une prise de conscience de *ce que cela représente d'être amies...*

Grâce à la conscience qu'elles avaient de la condition féminine qu'elles partagent avec leur mère, beaucoup des filles célibataires que j'ai rencontrées, même sans avoir d'enfants, étaient elles aussi en mesure de me décrire leur mère en termes empreints de compassion. Il suffit que la fille soit douée d'un minimum de sensibilité et qu'elle ait résolu son enfance pour qu'elle puisse s'identifier avec sa mère, tout simplement parce qu'elle est *humaine.*

Les mères et les filles qui sont amies

Au point où nous en sommes, nous connaissons maintenant toutes les raisons qui font qu'une mère et sa fille ont du mal à être amies. Mais qu'en est-il de celles qui n'éprouvent pas ces difficultés ? Pourquoi elles et pas les autres ?

Parmi les filles que j'ai rencontrées, celles qui vivent une amitié avec leur mère se divisent en deux catégories : celles qui ont *toujours* vécu avec leur mère une relation saine et profonde, et qui, adultes, ont redéfini cette relation; et celles qui ont décidé à une certaine époque de transformer en amitié une relation tout d'abord hostile.

Une relation nouvelle et améliorée. Dans cette catégorie, ce sont les mères qui ont donné le ton de la relation. Ces mères et ces filles ont toujours éprouvé de l'affection l'une pour l'autre, depuis la petite enfance de la fille. Leur amour mutuel n'a jamais été remis en question de part et d'autre, ni par la mère face à sa fille envahie par les hormones déchaînées de la puberté, ni par la fille lorsqu'elle se débattait pour modeler sa propre identité, pour être *différente* de sa mère, d'une façon ou de l'autre.

Pour ces femmes, l'adolescence de la fille constitue le passage du Rubicon : ces années folles mettent à rude épreuve même la plus calme des mères. Mais celles-ci ont réussi à traiter leur fille adolescente avec une sorte d'amour résigné, comme si elles étaient aux prises avec une tempête soudaine mais brève. Ces mères-là étaient capables de rester vigilantes face à leurs propres émotions quand elles se sentaient envahies par la colère ou l'anxiété à propos de leur fille.

C'est au cours de cette période que certaines relations mère-fille risquent de dérailler de façon permanente, lorsque la "méchanceté" attribuée à la fille finit par devenir réalité. *Toutes* les adolescentes ont besoin de se heurter à quelque chose, même si elles doivent le créer de toutes pièces, de façon à obtenir la permission de se séparer de leur mère. Certaines mères ont plus de mal à négocier cette séparation que d'autres. Prenant pour acquis que les conflits qui l'opposent à sa fille vont toujours durer, ce genre de mère s'enferme dans son attitude blessée, sa colère et ses défenses, même lorsque la fille dépasse son besoin de faire de sa mère une ennemie.

«Quand la mère et la fille traversent une période difficile, dit Judith Fox, une psychothérapeute qui fait autorité en matière d'adolescence, il est important que la mère examine ses émotions au lieu de réagir sans réfléchir. Si elle n'est pas satisfaite de sa réaction ou du résultat d'une dispute, c'est le moment de s'arrêter et d'essayer de comprendre vraiment ce qui se passe.»

De cette façon (cette façon *très difficile* mais très importante), la mère qui a toujours eu une bonne relation avec sa fille parvient à se corriger elle-même, à s'empêcher de perdre le contrôle, et à garder un certain recul face à la situation. Elles parviennent ainsi à faire la différence entre un "bouton" rattaché à une situation passée et les tentatives présentes que fait sa fille pour se séparer, aussi maladroites ou même douloureuses qu'elles soient. Ce faisant, elles finissent par traverser avec amour et sans trop de dégâts la séparation de leur fille. Elles savent qu'ainsi, *elles donnent à leur fille la possibilité de revenir plus tard, de son plein gré, vers une relation mère-fille redéfinie et renouvelée.*

Cela ne veut pas dire qu'il soit facile pour ces femmes de s'accrocher à la foi que, la "tempête" passée, la relation avec leur fille reprendra un cours plus tranquille.

Sophie, citée au début de ce chapitre, estime que la tendresse et l'amour inconditionnel qu'elle a reçus de sa mère lui ont rendu la tâche de se séparer plus difficile que pour les filles qui ont toujours détesté leur mère :

La seule manière dont j'ai pu me séparer d'elle a été de m'en arracher littéralement. Entre quatorze et vingt-et-un ans, je ne lui ai fait aucune confidence. Elle n'aimait pas savoir que je sortais tard avec des garçons, mais elle voulait quand même que je sois libre, ce qu'elle n'avait jamais été. Elle était avec moi d'une libéralité stupéfiante. Quand j'allais encore à l'école secondaire, le garçon avec qui je sortais (et que j'ai plus tard épousé) avait le droit de passer la nuit dans ma chambre. A l'époque, ça ne se faisait pas : je ne sais même pas si ça se fait tant que ça maintenant. Mais elle se disait que j'étais mieux à la maison que dehors jusqu'aux petites heures du matin, ou que d'être obligée de faire l'amour sur le siège arrière d'une voiture. Ses messages étaient souvent contradictoires : "Amuse-toi, fais ce que tu veux, mais j'ai peur que tu te fasses mal". Malgré tout, j'ai toujours su que je pouvais compter sur elle.

Une fois passées les années de l'adolescence, la mère et la fille qui s'aiment trouvent un terrain commun nouveau et enrichissant, basé sur ce qui a toujours été une relation affectueuse, bien que pas toujours facile.

Je connais une femme qui a supporté stoïquement l'adolescence de sa fille, qui prenait à l'époque beaucoup de drogue et qui avait une liaison tumultueuse avec un chanteur rock au chômage; quand la tornade s'est dissipée, elle a pu profiter avec sa fille d'une nouvelle intimité confirmant la confiance qu'elle a toujours eue en elle. Aujourd'hui, leur amitié continue à s'approfondir, car elles ne laissent pas les vieilles réactions héritées du passé corrompre le présent.

Récemment, la fille de cette femme, maintenant âgée de vingt-sept ans et mère d'un petit bonhomme de deux ans nommé Félix, lui a dit : «J'ai l'impression qu'il arrive parfois que tu ne sois pas d'accord avec la façon dont j'élève Félix», puis elle lui a cité un exemple. Après réflexion, mon amie a répondu : «Je te jure que je ne m'en suis même pas rendu compte. La prochaine fois que tu te poses ce genre de question, dis-le-moi tout de suite et nous en parlerons ensemble. Si je t'envoie ce genre de message, il faut que nous regardions ça ensemble, parce que je n'en ai pas l'intention. Et si je ne suis pas d'accord avec ce que tu fais, ne t'en fais pas, je te le dirai... même si j'ai tort !»

A propos de sa relation avec sa propre fille adulte, Judith Fox écrit ceci :

Je suis très proche d'elle et elle de moi, d'une façon que je crois saine. Entre nous, il y a beaucoup d'espace, une bonne écoute mutuelle et l'acceptation des positions différentes l'une de l'autre. Quand je suis "mère", je dis souvent quelque chose comme : "J'ai besoin de te dire ceci, j'ai besoin que tu l'entendes, mais tu n'es pas obligée d'en faire quoi que ce soit." Si elle me demande souvent mon avis, c'est parce que je n'insiste pas pour qu'elle le suive : elle le rentre simplement dans son "ordinateur" et elle en fait ce dont elle a besoin. Mais je fais la même chose avec son avis à elle : elle m'apprend beaucoup.

J'apprécie énormément sa compagnie. C'est une relation merveilleuse. Elle n'a plus besoin de se battre pour définir son territoire, maintenant. Elle sait qu'elle l'a.

L'amitié volte-face. Dans cette catégorie plus récente, l'amitié mère-fille a été initiée par la fille dans une volte-face menant de l'éloignement à l'intimité. Cela se produit souvent parce que la mère est encore envahie par ses émotions non résolues et par ses défenses, et qu'elle ne sait pas comment amener la relation avec sa fille sur un terrain adulte. En même temps, la fille a travaillé très fort de son côté (que ce soit par la thérapie ou par l'introspection) pour résoudre son ambivalence au sujet de sa mère, et a acquis des outils pour faire la paix avec elle.

Les filles qui font volte-face sont le plus souvent des Championnes, des Terreurs ou des Exilées. Leur désir de parvenir à renouer une amitié avec leur mère est souvent associé à une amertume et à une colère extrêmes, c'est-à-dire à des émotions *très intenses*. Elle souhaitent trouver avec leur mère une paix qui n'a jamais existé.

Dans ce cas, bien que la mère et la fille souhaitent toutes deux améliorer leur relation, c'est la fille qui doit en prendre la responsabilité. C'est elle qui doit briser ses défenses et celles de sa mère. D'une certaine façon, elle fait alors preuve d'une maturité plus grande que celle de sa mère.

Nous avons déjà rencontré Cristina, qui raconte dans le chapitre Quatre les démêlés qu'elle avait avec sa mère italienne à propos de la nourriture. Sa mère Critique, qui vivait selon les valeurs de son pays d'origine et dont le rôle de femme se définissait devant les fourneaux, était persuadée que sa réussite en tant que mère dépendait de la quantité de nourriture qu'elle parviendrait à faire absorber à sa fille. "Grosse fille" était synonyme de "bonne mère".

Championne toutes catégories, Cristina a passé de nombreuses années loin de sa mère, se nourrissant de sa colère pour aller toujours plus loin dans sa carrière. Munie d'un doctorat en biologie marine, elle a passé la moitié de sa vie sous la mer à observer des créatures dangereuses, obéissant ainsi à sa nature courageuse et à sa curiosité passionnée. Mais en dépassant le cap de la trentaine, elle s'est rendu compte que sa colère constituait un fardeau qui nuisait à son travail et à ses relations :

Comme je refusais complètement de voir ma mère, évidemment, je pensais tout le temps à elle. J'étais tellement en colère que j'en étais paralysée. Je savais que je ne parviendrais à rien tant qu'elle aurait autant d'importance dans ma vie. Je savais qu'il fallait que j'apprenne à l'accepter: je ne voulais pas que ma vie soit dominée par qui que ce soit. Alors j'ai suivi pendant plusieurs années une thérapie au cours de laquelle j'ai guéri énormément de choses. Au bout du compte, j'ai fini par voir qu'elle ne m'avait jamais voulu de mal : elle n'était que le résultat de son époque, elle faisait ce qu'on lui avait appris à faire. Une fois que j'en suis venue à cette conclusion, le résultat a été incroyable : j'ai arrêté de la fuir.

S'il y a un moment — et il y en a eu plusieurs — où leur relation a fait volte-face, c'est le jour où Cristina a décidé de se servir de la fixation de sa mère sur la nourriture, c'est-à-dire son principal sujet de colère envers sa mère, comme d'un chemin menant à la réconciliation. Cristina souhaitait perdre trois kilos. Elle demanda donc à sa mère, «experte en régimes, en nutrition et calories», de l'aider à atteindre son objectif au cours d'un séjour d'une semaine chez elle :

Je lui ai donné carte blanche pour décider de ce qui se passerait dans mon corps. Elle ne m'a donné à manger que ce dont elle pensait que j'avais besoin pour maigrir. Elle disait des choses comme : "Aujourd'hui, nous allons manger trois pommes et huit onces de riz." Bien sûr, ça a marché : j'ai perdu du poids. Elle se sentait nécessaire, et c'était vrai; et nous avons pu communiquer d'une façon qui lui faisait un plaisir fou et qui n'était pas menaçante pour moi.

Depuis ce jour, la mère de Cristina a bouclé la boucle. Elle lui a dit toutes les choses que sa fille avait toujours rêvé d'entendre, comme : «J'aurais aimé être une meilleure mère pour toi. Je t'ai littéralement affamée d'affection.» Cristina, elle aussi, a bouclé la boucle en se permettant de reconnaître toutes les qualités de sa mère :

Malgré son obsession pour la nourriture quand j'étais enfant, elle m'a donné beaucoup de permissions dans d'autres domaines de ma vie. Elle m'a encouragée à entreprendre des études universitaires. Elle m'a encouragée à avoir une profession. Elle m'a encouragée à être une pionnière. J'étais une enfant très décidée, et nous avons eu un énorme conflit de personnalité. Mais plus maintenant. De temps en temps, elle critique mon travail et nous nous disputons au téléphone. Je hurle : "Tu n'as pas le droit de parler de ça, tu ne sais même pas de quoi tu parles, tais-toi donc!" et je lui raccroche au nez. Puis je boude pendant trois jours. Après, je la rappelle et je lui dis : "Ecoute, nous sommes adultes toutes les deux. Tu as déclenché quelque chose d'enfantin chez moi, c'est tout." Et elle répond : "Je crois que je me sentais laissée de côté." Nous avons une relation formidable.

Pour Marianne, une Exilée, la volte-face a eu lieu lorsqu'elle avait quarante-cinq ans et que sa mère Victime en avait soixante-douze. Marianne avait passé cinq ans en thérapie à analyser pourquoi le fait de se retrouver en présence de sa mère (une obligation qui se répétait deux fois par an, le plus souvent à l'occasion d'un baptême ou d'un mariage) se soldait invariablement par une gastrite, et pourquoi elle explosait dès que sa mère lui disait quelque chose de vaguement critique ou culpabilisant. Les soupirs et les silences douloureux de sa mère rendaient Marianne folle. Mais sa thérapie finit par lui ouvrir une porte dans un de ces "déclics" après lesquels rien n'est plus jamais pareil.

Le père de Marianne était alcoolique : pas le genre d'alcoolique qui boit toute la journée pour finir par rouler sous la table, mais un alcoolique qui passait la soirée tranquillement assis à boire, jusqu'à ce que sa personnalité habituellement joviale change brutalement pour devenir celle d'une brute enragée. Dans sa famille, les soirées étaient un enfer; pendant que Marianne se réfugiait dans sa chambre, sa mère se cachait dans la sienne. Marianne se sentait complètement abandonnée.

Après avoir lu tout ce qui lui tombait sous la main au sujet des enfants de familles alcooliques, Marianne réalisa que le père de sa mère était lui aussi alcoolique, bien qu'elle l'ait toujours nié. Comme résultat de ses recherches, les morceaux du casse-tête commençaient à se mettre en place. Elle se rendit compte que sa mère avait vécu avec deux générations d'hommes avec lesquels il fallait marcher sur la pointe des pieds et se rendre invisible : elle n'avait plus rien à offrir à sa fille. Une fois que Marianne eut appris comment l'alcoolisme affecte tous les membres d'une famille touchée, elle fut en mesure de commencer, peu à peu, à réparer sa relation avec sa mère.

Le premier tournant se produisit alors que les deux femmes étaient en route pour l'enterrement de l'un de ses oncles, ce qui représentait un voyage de cinq heures (le père de Marianne était parti dans une autre voiture).

Je voulais en savoir plus long sur elle. Je lui ai fait admettre que son père était alcoolique. Elle m'a raconté en détail ce que cela avait été pour elle de passer son enfance dans la terreur et comment elle avait dû se renfermer pour survivre. Elle m'a dit qu'elle avait eu peur de moi aussi, parce que j'avais été une enfant agressive, comme mon père.

Elle m'a parlé de son mariage avec mon père et de sa vie dans une ville inconnue, sans amies, sans soutien, de choses dont j'étais trop jeune pour me souvenir. J'ai rassemblé tout mon courage et je lui ai demandé pourquoi elle ne l'avait jamais quitté. Elle m'a répondu : "Pour aller où ? Pour faire quoi ?"

Tout d'un coup, à force de parler de ces années-là, elle s'est mise dans une rage folle, pas contre moi, mais contre les blessures qu'elle avait subies. Je n'en suis pas revenue de la voir se mettre en colère comme ça, parce que tout ce que je connaissais d'elle quand j'étais enfant, c'est qu'elle n'avait aucune force, aucune émotion, rien : une chiffe molle, un mur vide. Je ne l'avais jamais vue sous cet angle. Cette discussion l'a tellement animée... elle a adoré ça. Et moi aussi.

Le deuxième moment décisif se produisit lorsque Marianne dût subir une hystérectomie. Elle avait répété avec sa thérapeute la façon dont elle allait annoncer la nouvelle à sa mère, une femme que la moindre crise réduisait à néant :

Quand je le lui ai dit, elle a été rationnelle, raisonnable et encourageante. Pas d'hystérie. Elle m'a dit qu'elle viendrait vivre avec moi et qu'elle s'occuperait de moi. Elle m'a parlé de sa ménopause à elle. Elle n'a pas réagi comme une "mère" : c'était plutôt une réaction d'amie. Elle a fait exactement ce que j'avais espéré qu'elle ferait.

Je me suis dit : "Est-ce que je parle bien à la même femme ? Ou est-ce que la femme que je croyais qu'elle était a disparu pour être remplacée par celle-là ?" Puis je me suis dit : un instant. Moi non plus, je ne suis plus la même personne. Je ne suis plus l'adolescente de quinze ans qui vivait dans une famille alcoolique et qui recherchait désespérément à se sentir acceptée. Nous avons changé toutes les deux.

Cristina et Marianne ont toutes les deux eu recours à une thérapie pour préparer le chemin de leur réconciliation avec leur mère. Thérèse, trente-et-un ans, Exilée elle aussi, y est arrivée en commençant par toucher les bas-fonds de la vie affective avant de remonter à la surface... *avec* sa mère.

Pour Thérèse, le moment décisif s'est produit lorsqu'elle étudiait à l'université et qu'elle s'est rendu compte qu'elle traitait ses amies comme sa mère Tortionnaire l'avait traitée elle-même. Quand ses co-locataires invitaient leurs amis à partager une pizza dans la cuisine, Thérèse se fâchait et leur disait de partir. Si elle avait un amoureux trop ardent, elle s'en débarassait en lui faisant une scène spectaculaire en public.

La mère de Thérèse, qui offrait au monde extérieur une façade d'élégance bourgeoise, traitait sa fille avec sadisme. Quand Thérèse était petite, elle la giflait quand elle ne faisait pas la révérence devant les invités. Plus tard, alors que Thérèse entrait dans l'adolescence, sa mère la forçait à quitter ses amis pour rentrer nettoyer le grenier. Ou elle la terrorisait parce qu'elle portait des vêtements "vulgaires" ou "de mauvais goût".

C'en était assez pour faire fuir la plupart des filles pour toujours. Mais quand elle eut vingt-cinq ans, Thérèse, fille unique de parents qui ont divorcé quand elle avait cinq ans, décida de découvrir qui elle était par rapport à sa mère :

Comme je n'étais plus une enfant, je me suis mise à en avoir assez de passer mon temps à me plaindre. Je me rendais compte que j'étais en train de devenir comme ma mère... et que je n'étais pas la seule fille sur terre à avoir une méchante mère ! Il fallait que je trouve une autre façon de vivre, et je ne pourrais pas le faire tant que je resterais en colère. J'ai décidé que je voulais vivre heureuse, et que si je pouvais être contente qu'elle existe — si j'arrivais à trouver une seule bonne raison pour qu'elle soit en vie et qu'elle soit ma mère — j'arriverais à apprendre à vivre dans un monde meilleur. Alors j'ai essayé de trouver ce qu'elle avait de bon et me concentrer là-dessus, et de limiter ce qu'il y avait de mauvais. C'était comme une thérapie de comportement. Si elle me donnait des choses positives, je restais avec elle. Si elle me donnait trop de choses négatives, je disais : "Bon, il faut que je m'en aille maintenant."

La réconciliation a été rendue possible par trois éléments différents : premièrement, c'est Thérèse qui a fait le premier pas. Dans sa peur de perdre la face, sa mère avait été incapable de le faire elle-même, et a donc apprécié et même admiré la démarche de sa fille. Deuxièmement, Thérèse, qui travaille comme agente de voyage, s'est interrogée pour trouver en quoi sa mère pouvait lui venir en aide concrètement. Par exemple, sa mère, qui est conseillère fiscale, a introduit un nouveau système de classement dans le bureau de Thérèse. «Elle a fait un excellent travail, s'exclame-t-elle. Je travaille tellement mieux depuis que je sais où trouver ce que je cherche!»

Le troisième élément, mais non le moindre, est que Thérèse réussit maintenant à exprimer ce qu'elle éprouve quand sa mère devient critique et blessante. Par exemple, un jour, elle lui a demandé pourquoi son amoureux ne lui avait pas offert un cadeau plus important pour son anniversaire. Thérèse lui a répondu : «Est-ce que tu sais comment je me sens quand tu me dis des choses comme ça ? Ça me donne l'impression que la seule façon dont il puisse m'aimer, c'est de dépenser des sommes folles pour moi. Ça me donne l'impression que j'ai échoué quelque part. Je n'ai pas envie de penser que j'ai raté ma vie parce que je ne vis pas selon tes rêves.»

Depuis le jour où elles sont reparties à zéro, Thérèse et sa mère ont appris à communiquer d'une nouvelle façon, plus honnête, mais sans confrontation; en conséquence, elles sont de plus en plus proches l'une de l'autre. Sa mère a parfois des rechutes, surtout dans la manière dont elle nie encore vigoureusement les perceptions de Thérèse sur sa propre enfance. «Ça ne s'est jamais passé comme cela», déclare-t-elle d'un ton péremptoire. Mais, explique Thérèse :

Chaque fois que je lui ai parlé du passé et de la façon dont j'essaie d'aller plus loin, elle a changé : elle fait un effort. Est-ce que je la comprends ? Je sais aujourd'hui qu'elle vivait dans une insécurité extrême quand j'étais enfant. Je comprends que si elle m'a fait toutes ces choses affreuses, ce n'était ni pour me faire mal, ni pour me détruire, mais que ça venait du besoin de se rassurer sur elle-même.

Si la mère de Thérèse a appris ce qu'il ne faut pas qu'elle dise, c'est parce que sa fille le lui a expliqué d'une façon qu'elle pouvait entendre sans se sentir accusée. Et depuis qu'elle a reculé un peu, Thérèse se sent libre d'aller *vers* sa mère et de lui montrer qu'elle l'aime et qu'elle l'apprécie.

Quand j'ai demandé à Thérèse ce que lui a coûté son enfance, voici ce qu'elle m'a répondu :

J'aime mieux penser à ce qu'elle m'a apporté. Je sais que le coût a été très élevé : je suis encore un peu paranoïaque à propos de ce que les gens vont penser de moi, par exemple. Et pourtant, j'ai fait face à quelque chose de très laid, qui avait l'air complètement sans espoir, et ça a marché. C'est une espèce de ténacité qui dit : "C'est possible de créer des relations meilleures, et ça vaut la peine." J'ai pris la ferme décision d'être maîtresse de mon destin. Et j'ai gagné une amie dans tout ça : ma mère.

Comme avec n'importe qui d'autre, l'amitié avec notre mère

nécessite une certaine affinité de l'âme qui ne se trouve pas à tous les coins de rue. Il ne faut donc pas s'attendre à ce qu'elle soit moins rare entre mère et fille, qui, pour des raisons tout-à-fait valables, n'ont pas toujours ce qu'il faut pour devenir amies intimes. Votre mère est peut-être trop différente de vous : une bonne personne, sans aucun doute, mais pas le genre de personne avec qui vous deviendriez amie.

Si vous éprouvez pour votre mère beaucoup d'affection; *si* vous êtes toutes les deux ouvertes au changement chez l'autre comme en vous-même, et *si* vous désirez du fond du cœur que vous et votre mère soyez amies, il ne fait aucun doute que vous arriverez à créer une relation profonde et durable.

Mais beaucoup de mères et de filles ne parviennent pas à ce genre de relation privilégiée, et n'en ressentent pas non plus le besoin. Cependant, elles parviennent souvent à atteindre un climat de trêve affectueuse, qui est peut-être le mieux auquel vous puissiez aspirer, et qui fait l'objet du chapitre suivant.

19

La trêve

«Ce qui a changé dans ma relation avec ma mère, c'est que je me rends compte qu'elle ne se levait pas tous les matins en cherchant de nouvelles façons de me faire souffrir. Je pense qu'elle m'aime, même si ce n'est pas comme j'aimerais l'être. J'arrive à rire de l'aspect ridicule de nos disputes : j'en suis au point où ça n'a plus d'importance. La question n'est plus de savoir si elle est une "affreuse mère" ou non. Maintenant, je peux discuter avec elle d'égale à égale, comme deux adultes. Ce n'est pas le genre de personne que je choisirais comme amie, mais nous arrivons à passer de bons moments ensemble.»

Anne, quarante ans

Récemment, Linda, son mari et sa mère veuve, Rolande, ont été invités à un barbecue chez les beaux-parents de Linda. Rolande a passé l'après-midi assise à l'écart du groupe, l'air morne, sans faire d'effort pour participer. De temps en temps, quelqu'un tentait de l'inclure dans la conversation en lui posant des questions sur sa famille ou sur elle-même. Mais Rolande se contentait de répondre par des monosyllabes et retombait dans son silence maussade.

Le "mur du silence" a toujours été la façon dont Rolande exprimait son déplaisir ou son malaise. D'habitude, cela marchait très bien, surtout avec ses enfants. Dès qu'elle se mettait à bouder, ils se précipitaient au garde-à-vous, surtout Linda, l'Ange de la famille, qui faisait tout ce qu'elle pouvait pour dérider sa mère. Mais en vieillissant, Linda se rendait compte de plus en plus clairement que le bonheur de sa mère semblait dépendre d'elle, et qu'il lui fallait pour cela renoncer à ses émotions comme à ses besoins personnels.

Parvenue à l'âge de trente-deux ans, Linda en avait assez de jouer le rôle de planche de salut pour sa mère et de se sentir constamment manipulée. C'est pourquoi, au cours de cette chaude après-midi tranquille de juillet, l'observant sans rien dire de l'autre côté du jardin, elle décida pour la première fois de ne rien faire pour la "sauver" :

D'habitude, j'aurais manipulé la situation pour tenter d'inclure ma mère dans le groupe. Mais cette fois-là, j'ai laissé les choses suivre leur cours. Je me suis dit que si elle se sentait mal à l'aise, c'était à elle de résoudre son problème toute seule. Et que si elle n'y arrivait pas, il allait falloir qu'elle survive toute seule. La situation n'avait rien de menaçant, bien qu'elle la perçoive peut-être ainsi. Mais moi, je ne voulais plus prendre soin d'elle. Ce qui est triste dans ma relation avec ma mère, c'est que c'est toujours moi qui ai été le "parent" ; je ne veux plus jouer ce rôle-là, c'est fini.

Voilà qui peut sembler comme une déclaration d'égoïsme de la part d'une fille ingrate envers sa "pauvre" mère. En fait, ce fut un pas décisif vers une relation plus saine et plus honnête entre elles deux. Pour Linda, laisser sa mère se débrouiller toute seule en société signifiait surtout s'extirper de leur vieux scénario mère Victime/Ange secourable. Pour communiquer avec elle d'égale à égale, il fallait tout d'abord que Linda se débarrasse de son rôle. Pour grandir, *il fallait qu'elle permette à sa mère de grandir elle aussi.*

Linda a donc imposé une trêve dans la relation mère-fille telle qu'elle avait été jusqu'alors. Elle a entrepris d'établir des limites saines entre sa mère et elle pour que leur relation puisse sortir de sa stagnation et évoluer vers quelque chose de plus égalitaire, de plus vrai et de plus affectueux.

Trêve, n.f. 1° Cessation provisoire des combats, pendant une guerre, par convention des belligérants; interruption des hostilités. 2° Arrêt de ce qui est pénible, dangereux (le Petit Robert).

C'est dans cette catégorie que se situe la relation que la plupart des femmes que j'ai rencontrées ont avec leur mère. Bien qu'une trêve ne constitue pas une véritable amitié, ce n'est pas non plus la guerre ouverte : c'est plutôt un vaste territoire quelque part entre les deux. La trêve ressemble à un "peut-être" : car il est beaucoup plus facile d'adorer notre mère aveuglément ou de la détester du fond du cœur que de tolérer son mélange de qualités et de défauts et notre propre ambivalence à son sujet. Mais bien que la trêve puisse laisser beaucoup de place à l'ambigüité et à la rancune, elle offre également un grand potentiel pour la résolution de la relation mère-fille.

Une trêve peut prendre trois formes différentes :

l'obligation vertueuse;
la période de transition;
la coexistence pacifique.

L'obligation vertueuse. Votre relation avec votre mère avance peut-être sur le pilote automatique, à mi-chemin entre ses exigences et votre sentiment de culpabilité. Vous faites votre devoir de fille : vous l'appelez une fois par semaine, vous mangez avec elle le jour de la fête des Mères, vous emmenez les enfants la voir une fois de temps en temps. Les sujets de conversation les plus passionnants que vous ayez eus avec elle depuis des années (et que vous n'écoutez que d'une oreille) sont la pluie et le beau temps, et son état de santé, dont elle ne semble jamais se lasser de parler.

Vous n'imaginez même pas de renoncer à votre relation, mais elle ne vous procure aucun plaisir réel, sauf peut-être le vague et fragile sentiment d'être une "bonne fille". En fait, ce genre de relation peut même être assez douloureuse pour vous, lorsque vous devez écouter ses nombreuses jérémiades et justifier la moindre de vos décisions.

Le problème, c'est que vous essayez toutes les deux d'exercer l'une sur l'autre un contrôle exagéré. Au nom de vos obligations filiales, vous la laissez prendre trop de place dans votre vie. Vous vous laissez trop facilement influencer par ses jugements sur votre travail, vos amies ou vos décisions : celle de l'emmener en vacances alors que vous préféreriez les passer en tête-à-tête avec votre mari ou votre partenaire, par exemple, ou de la laisser réprimander vos enfants.

Vous aussi, vous prenez trop de place dans sa vie : en la laissant vous appeler au travail quand son four à micro-ondes refuse de marcher, en payant ses comptes à sa place ou en l'accompagnant chaque fois qu'elle a rendez-vous chez le médecin, comme si elle n'était pas parfaitement capable de s'y rendre seule.

C'est ce que la D[re] Lucy Rose Fischer appelle "maternage mutuel". Prisonnières d'un filet d'obligations mutuelles, mère et fille ne s'approchent jamais de l'amitié réelle, mais se sentent toutes les deux redevables l'une de l'autre.

Comme une fracture mal réduite, votre relation a l'air de s'être calcifiée de travers. Cela s'applique certainement à Dorothée, une Championne de quarante-trois ans qui est passée maître dans l'art de calibrer précisément le degré de ses obligations envers sa mère. Je lui ai demandé si elle avait jamais tenté de résoudre sa relation avec sa mère Critique. Voici ce qu'elle m'a répondu :

C'est impossible : il n'y a aucun moyen de communiquer vraiment avec elle. Tout ce que je peux y faire, c'est prendre certaines responsabilités, comme de l'inviter à dîner une fois de temps en temps, puis de passer à travers. Je fais les gestes qu'il faut. Dès que je la vois, elle me tape sur les nerfs, alors je l'évite le plus possible. Est-ce que souhaite que ça se passe autrement ? Oh non. Au point où j'en suis, honnêtement, je n'y pense même plus : il est trop tard, et la vie est trop courte pour déterrer tout ça, maintenant. Je ne lui pardonnerai jamais toutes les fois où elle m'a profondément blessée, pendant toute ma vie. Mais je l'accepte comme elle est. Je fais le minimum nécessaire pour ne pas me sentir coupable, mais rien de plus.

La période de transition. C'est dans cette catégorie que se trouve Linda, l'Ange secourable de tout à l'heure, et peut-être vous aussi. Peut-être vous êtes-vous aperçue que vous et votre mère n'êtes pas vraiment amies, bien que vous lui donniez cette impression depuis des années en lui racontant tous vos secrets, en écoutant tous ses problèmes et en lui prodiguant conseil sur conseil. Mais maintenant, vous désirez mettre fin à cet excès de piété filiale que vous n'éprouvez pas réellement. Vous ne voulez pas vous couper complètement d'elle, mais vous vous rendez compte que vous avez négligé trop de vos besoins personnels dans le but de mériter son approbation et son affection. Vous déclarez maintenant une trêve qui vous permettra de décider comment redéfinir votre relation... et votre vie.

C'est le cas de Lucie, vingt-neuf ans, une Invisible qui a pris conscience du fait que toute l'estime de soi qu'elle ait jamais eue s'est invariablement retrouvée effacée par ses tentatives pour plaire à sa mère. Aujourd'hui, Lucie est aux prises avec un vide affectif qui est le résultat des carences de leur relation :

Avant, je me racontais que ça serait peut-être possible de vivre autre chose avec ma mère, mais maintenant je sais que non : je fais face au fait que ça n'a jamais été possible. Tout s'est déclenché récemment, quand je lui ai dit que je voulais que nous ayons une relation où je pourrais lui dire tout ce que je voulais sans qu'elle me critique. Il m'a fallu beaucoup de courage pour lui dire ça : je pleurais. Pendant une minute, j'ai bien cru qu'elle allait réagir et être émue... mais il ne s'est rien passé. Elle n'a rien dit. C'était le plus gros pétard mouillé de l'année. A ce moment-là, j'ai su qu'il allait falloir que j'accepte que notre relation n'irait jamais plus loin; mais j'ai tellement de regrets...

D'un autre côté, vous vous situez peut-être à l'autre extrême. Vous avez peut-être complètement cessé de voir votre mère pendant des années; vous avez mis entre elle et vous une certaine distance affective et vous avez fait votre part de psychothérapie. Aujourd'hui, vous vous sentez prête à passer de l'exil à quelque chose qui serait libre de la charge affective du passé. Vous n'éprouvez plus la haine perpétuelle et suicidaire qui vous reliait à votre mère et que vous croyez en la possibilité d'une relation, si ténue soit-elle.

Sophie, une Exilée de trente-deux ans, est récemment rentrée en contact avec sa mère Tortionnaire après un silence de quinze ans. Voici ce qu'elle dit de leur nouvelle relation :

Maintenant, je comprends pourquoi elle passait son temps à m'humilier : une femme qui n'aime pas sa fille exprime d'une certaine façon sa haine d'elle-même. L'un des plus grands paradoxes de ma vie a été de découvrir que ma mère, qui est extrême-

ment agressive, dominatrice et manipulatrice, la femme qui me terrorisait littéralement quand j'étais enfant, est en fait une personne qui souffre d'une insécurité affreuse. Je fais beaucoup d'efforts pour atteindre la femme terrorisée qui se cache derrière toute cette violence. Cela prend du temps et beaucoup de patience de ma part. Mais ça marche de temps en temps. Nous passons même parfois de bons moments ensemble.

Aujourd'hui, Sophie et sa mère sont toujours en voie de s'adapter l'une à l'autre sur un terrain neutre, d'apprendre à se faire mutuellement confiance et d'être l'une avec l'autre sans retomber dans leurs vieux schémas d'agression et de défense.

La coexistence pacifique. Des trois formes de trêve mère-fille, c'est cette catégorie qui se révèle la plus stable et la plus satisfaisante. Vous avez exorcisé vos démons intérieurs et vous vous êtes libérée des murailles défensives de votre personnalité factice. Vous rêvez d'une relation dans laquelle vous ne seriez ni servile, ni rebelle: une relation libre de tension et d'animosité constante.

La coexistence pacifique n'implique pas nécessairement la présence de l'amour entre votre mère et vous. Elle implique plutôt une relation à l'abri d'attentes irréalistes et non résolues. Mais ce genre de coexistence peut s'avérer très amicale, surtout lorsqu'il y a des petits-enfants dans le tableau, comme nous le verrons plus loin.

Dans ce cas, vous désirez améliorer votre relation et garder ce qu'elle a de bon, tout en évitant ses mauvais aspects. Vous appréciez ce que vous et votre mère avez en commun, et cela suffit pour établir un lien qui, s'il n'est pas vraiment intime, n'en demeure pas moins cordial. L'une des femmes que j'ai rencontrées est parvenue à établir ce genre de relation avec sa mère :

Ma mère et moi, nous sommes très différentes l'une de l'autre. Elle, elle est très théâtrale et a même tendance à être un peu hystérique; moi, je suis plutôt réservée et réfléchie. Une fois que je me suis débarrassée de la colère que j'éprouvais à propos de nos différences, j'ai pu voir ce qu'elle avait de positif. Au lieu de toujours faire le contraire de ce qu'elle faisait, comme je le faisais auparavant, j'ai changé d'attitude, parce que mes limites sont beaucoup plus solides maintenant. Je peux apprendre des choses d'elle au lieu de la rejeter en bloc, ce que j'ai fait pendant très, très longtemps.

Vous n'accepterez pas sans une certaine tristesse de ne jamais être l'amie intime de votre mère, de renoncer à ce que les prières secrètes de votre enfance soient jamais exaucées et d'accepter qu'elles appartiennent au passé. Mais en renonçant au rêve impossible de la métamorphose de votre mère, vous permettrez à la poussière soulevée par la tension de retomber un peu, ce qui vous donnera l'occasion de vous voir mutuellement comme vous êtes et de découvrir le potentiel d'amabilité que recèle votre relation.

Dans *Fierce Attachments*, la chronique de sa relation avec sa mère, Vivian Gornick écrit ce qui suit :

Notre réalité quotidienne est maintenant en état de changement continuel. Cette instabilité est une stupéfaction entrecoupée de douleur et d'espoir. Nous ne sommes plus nez à nez, elle et moi. Une certaine distance a été établie de façon permanente. J'entrevois les joies du détachement. Ce petit peu d'espace m'apporte l'enthousiasme intermittent, mais utile, qui me permet de croire que je commence et que je finis avec moi-même.

Claire, quarante-huit ans, est parvenue à établir ce genre de distance. Grâce à celle-ci, elle a récemment pu saisir au vol une opportunité de faire un peu plus la paix avec sa mère, Denise, qui a quatre-vingts ans. L'autre jour, Denise a appelé Claire au téléphone pour lui raconter d'une voix anxieuse un rêve qu'elle venait de faire au sujet de sa propre mère. Dans le rêve, Denise est une toute petite fille qui vient de faire une bêtise, et sa mère lui dit : «Chérie, est-ce que tu m'aimes ?» L'enfant répond alors : «Bien sûr, maman, mais toi, tu ne m'aimes pas, tu n'as même pas d'affection pour moi.»

Ce rêve l'avait terrorisée. Et tout d'un coup, je l'ai enfin comprise. C'est une vieille femme qui est toujours aux prises avec le sentiment de n'avoir pas été une bonne fille. Tout comme j'ai souffert pendant tant d'années pour me débarrasser des attentes insensées que j'avais à son sujet, elle aussi avait ses propres batailles à mener. Mais il y a une grosse différence entre elle et moi : c'est qu'elle, elle n'a rien résolu. La fin de sa vie n'est que le prolongement du manque et du vide affectif qu'elle a toujours connus. Elle ne saura jamais ce que c'est que d'être aimée, parce qu'elle n'a jamais réglé son enfance.

Se rencontrer à mi-chemin

Comment parvient-on à la coexistence pacifique ? Si votre mère est tellement insupportable, à quoi bon ? Ne vaudrait-il pas mieux de laisser les choses suivre leur cours ? *A quoi bon réveiller le passé ?* Parce que, comme nous l'avons vu, l'ambivalence de la relation mère-fille a tendance à se répercuter sur toutes nos autres relations. Une femme de trente-neuf ans m'a raconté ceci :

Je me souviens d'avoir vu un sketch où un personnage se faisait une salade au thon, et où il plaisantait à propos du "petit morceau qui reste coincé dans le fond de la boîte et qu'on ne peut jamais attraper". C'est exactement ce que je faisais avec ma mère: je passais mon temps à essayer d'atteindre quelque chose en elle que je n'arrivais jamais à saisir. Puis je me suis mise à faire la même chose avec d'autres gens, en particulier avec des hommes qui n'étaient pas disponibles affectivement. Mais j'ai beaucoup grandi : maintenant, je vois le verre à moitié plein, pas à moitié vide. Il restera toujours un petit morceau coincé dans le fond de la boîte, mais ça ne me fait plus souffrir, parce que j'apprécie ce que ma mère est capable de m'offrir au lieu d'être en colère à propos de ce qu'elle ne peut pas m'offrir.

Votre relation avec votre mère est peut-être loin d'être idéale, mais (à condition qu'elle ne soit pas une vilaine marâtre) cela ne veut pas dire que votre lien n'a aucune valeur ou qu'il ne peut pas être amélioré. «Quand une fille voit sa mère de façon entièrement négative, dit la Dre Jane Abramson, cela provient de ses propres besoins. Il arrive parfois que cette négativité même soit le début d'une plus grande intimité, car elle constitue une manière de préserver le contact. Comme on reste en relation, il est possible de construire quelque chose à partir de là. Au cours de mon étude, je n'ai pas rencontré une seule femme qui n'avait absolument pas reçu d'amour de sa mère. Il y a très peu de mères qui n'ont rien à donner.»

Pour parvenir à la coexistence pacifique et pour passer d'un rapport «mère-enfant» à une communication enrichissante entre adultes, la relation mère-fille doit souvent traverser une période de transition au cours de laquelle la mère comme la fille doivent «s'accrocher».

Comment la mère peut s'accrocher. Une mère peut faire beaucoup pour aider sa fille adulte à rester "enfant"... ou à grandir encore plus. Beaucoup de mères entretiennent le statu quo en ne permettant pas à leur fille de grandir. Elle comprennent peut-être la notion de trêve telle qu'elle s'applique à l'adolescence de leur fille, mais il est compréhensible qu'elles trouvent cela plus difficile lorsque leur fille vit une adolescence *à retardement*, ce qui arrive souvent aux enfants de la génération du Baby Boom.

C'est ce que Lucy Rose Fischer appelle la relation «mère responsable/fille dépendante», au cours de laquelle le statut adulte de la fille est encore en cours de gestation. Si la fille demande systématiquement les conseils de sa mère avant de prendre une décision quelle qu'elle soit, si elle fait à sa mère des demandes infantiles d'attention et d'énergie secourable, il arrive que la mère interprète ceci comme une permission de prendre le contrôle de la vie de sa fille. Cette adolescence à retardement peut donc se prolonger encore plus si la mère ne lâche pas prise et ne laisse pas sa fille prendre seule ses décisions; il faut parfois pour cela qu'elle insiste gentiment.

Lorsque la mère a eu du mal à laisser l'enfant tirer les leçons de ses erreurs quand elle était petite, il est grand temps de le faire maintenant. Mais si elle n'y arrive toujours pas, la fille devra s'apercevoir toute seule que sa maturité est sérieusement menacée par son état de dépendance prolongée à tort. Dépendance qui prend souvent la forme d'une obligation financière : la fille n'ose pas voler de ses propres ailes parce qu'elle "doit" littéralement beaucoup à sa mère. Dans ce cas, il faut que la fille prenne en main la responsabilité financière de sa vie. Cela signifie qu'elle devra se passer du prêt important que lui offrent ses parents pour l'achat d'un condo ou d'une nouvelle voiture : elle se passera de leur argent pour y gagner une identité distincte. Elle sera peut-être un peu à sec pendant quelque temps, mais elle y gagnera la richesse d'une indépendance qui lui permettra de trouver ses propres limites.

Ce genre d'indépendance est difficile à atteindre pour les Baby Boomers qui cherchent la sécurité dans la gratification immédiate de leurs désirs, gratification qu'elles payent souvent très cher. Car tant qu'elles demeurent affectivement et financièrement dépendantes de leurs parents, leur séparation et leur relation avec eux restent stagnantes.

Comment la fille peut s'accrocher. D'autres filles maintiennent un statu quo insatisfaisant en cherchant trop à protéger leur mère et en ne lui révélant presque rien de leur vie. Voici un exemple de ce mécanisme, offert par Harriet Goldhor Lerner :

Je demande à une patiente : "Quel genre de relation avez-vous avec votre mère ?

— Très bonne, parfaite.

— Vous la voyez souvent ?

— Une fois par an, à Noël.

— Comment réagit-elle au fait que vous suiviez une thérapie?

— Oh, je ne lui en ai pas parlé : elle se ferait trop de souci. Elle se sentirait coupable."

Le leitmotiv de ces filles est : «*Ne dis rien à maman, elle s'inquiéterait.*» C'est ainsi que les filles maintiennent souvent un malsain renversement des rôles dans leur relation avec leur mère. C'est ce que Lucy Rose Fischer appelle une relation «fille responsable/mère dépendante».

Le danger de ce genre de relation est que la mère est parfois beaucoup plus forte que ne le soupçonne la fille. En "sur-fonctionnant", la fille ne laisse pas à la mère la place de faire autre chose que de "sous-fonctionner". Comme madame Fischer l'a découvert au cours de son étude, ce genre de relation comporte une suprême ironie : la plupart de ces filles percevaient que leur mère avait plus de problèmes que ce que la mère, prise à part, rapportait avoir.

Une fille que j'ai interviewée m'a dit qu'elle a passé des

années à essayer d'être une sorte de thérapeute pour sa mère Victime, tentant de la sortir de sa coquille pour analyser ses sentiments et la "guérir". La fille a fini par entreprendre une thérapie au cours de laquelle elle s'est rendu compte qu'au lieu de l'aider, elle avait au contraire *contribué* aux manipulations, aux besoins et aux exigences exagérées de sa mère :

La dernière fois que j'ai joué à la "thérapeute" avec ma mère, j'étais en visite chez elle avec mes deux adolescentes. Je lui ai demandé : "Alors, tu es déprimée en ce moment, hein ?" Elle s'est mise à pleurer. Je lui ai dit : "Dis-moi pourquoi tu es triste comme ça." Elle a lancé un regard à mes filles et elle a dit : "C'est parce qu'elles ne viennent jamais me voir." Alors j'ai répondu : "Vraiment, maman, je regrette bien de t'avoir demandé ça."

Je ne supporte plus ce regard qu'elle a, un regard qui dit : "Aide-moi, aide-moi, comble mes besoins, oublie les tiens"... parce que c'est ce qu'elle faisait quand j'étais enfant. Maintenant, quand je vais la voir, je fais attention de bien me centrer. Je me dis: "Quand elle te regarde comme ça, tu n'y peux rien. C'est son problème, pas le tien. Pense à toi."

Votre mère est sans doute loin d'être aussi faible que vous l'imaginez ou qu'elle l'a déjà été. De toute façon, ce n'est pas votre rôle que de l'amener à coïncider avec votre perception de ce que doit être une "mère forte". Vous ne pourrez pas être vous-même avec elle tant que vous aurez la certitude que vous devez la protéger et ne jamais lui donner de mauvaises nouvelles à votre sujet. Ce genre de censure nuit à l'ouverture et à l'honnêteté.

Sortir du scénario

Pour sortir du scénario perturbateur de votre relation, il faut tout d'abord établir des limites avec votre mère, ce qui implique que vous devrez connaître ses limites tout autant que les vôtres, et apprendre à contrôler vos réactions à vous au lieu d'essayer de changer les siennes.

Etablir des limites. Vous devrez peut-être établir très fermement une limite claire entre votre mère et vous si vous voulez changer le statu quo. Ceci s'applique particulièrement aux filles de Tortionnaires, de Critiques et d'Absentes.

Voici un exemple. L'année dernière, Pauline, une Championne qui dirige une école secondaire en plus de s'occuper de ses trois jeunes enfants, a décidé de faire ses achats de Noël par correspondance :

J'ai offert le même cadeau à toutes les femmes de ma famille: des chemises de nuit. Ma mère était vexée que je n'aie pas pris le temps d'aller au magasin pour lui acheter quelque chose de différent. Mon père m'a écrit une lettre pour m'engueuler, puis elle m'a appelée à l'école et elle s'est mise à hurler : "Pourquoi ne m'as-tu pas accordé plus de temps et d'attention, à moi ?" J'ai réagi comme je l'avais toujours fait : je me suis mise sur la défensive et j'ai dit : "Ecoute, maman, chaque Noël, il faut que j'achète quarante cadeaux pour mon frère, ma sœur, tous leurs enfants, mes amies, les gens pour qui je travaille, ma gardienne d'enfants. Tu ne vois pas que la seule chose que je n'ai pas, c'est le temps de magasiner pour Noël ?"

Tout d'un coup, je me suis rendue compte que je parlais à une enfant, et que je me conduisais comme une enfant. Pourquoi est-ce que je me défendais ? Au nom de quoi est-ce que j'étais obligée de lui dire tout ça ? J'ai fini par conclure : "Ce comportement est inacceptable et je ne veux plus jamais avoir une conversation de ce genre avec toi", et j'ai raccroché. J'ai levé les yeux et j'ai vu mes employées de bureau (qui sont au courant de ma relation avec ma mère) qui se levaient pour m'applaudir : "Bravo, Pauline !"

Remarquez que Pauline n'a *pas* dit à sa mère Tortionnaire : «Va au diable et disparais de ma vie». Elle s'est mise à imposer des limites sur le comportement excessif de sa mère et à établir de nouvelles règles pour leur relation. Avec le temps, sa mère a fini par se rendre compte que si elle voulait avoir une relation avec Pauline, elle allait devoir réfréner ses attaques constantes contre sa fille.

Vous ne pourrez établir des limites que si vous êtes en mesure de rester fermement centrée dans vos besoins et vos perceptions à vous, sans combattre ni fuir. En même temps, vous devez être extrêmement réaliste au sujet de ce que vous pouvez ou non attendre de la part de votre mère… et de vous-même.

Etablir des limites signifie également rester à l'écart des triangles familiaux, comme l'a appris Estelle, une Ange, avec sa mère Critique. Leur relation s'est beaucoup améliorée depuis qu'elle s'est retirée du triangle qui existait entre elle, sa mère et sa sœur Sylvie.

Pendant des années, Estelle avait écouté sa mère se plaindre au sujet de Sylvie (une Terreur) et lui dire : «Il faut que tu parles à ta sœur» :

Je tombais tout le temps dans le panneau, et je me disputais tout le temps avec Sylvie : je n'aurais jamais dû me laisser enrôler comme médiatrice. Maintenant, je suis très franche avec ma mère. Je ne tolère pas qu'elle dise du mal de Sylvie; je lui dis que si elle a un problème à son sujet, c'est avec elle qu'elle doit en parler.

J'étais dévorée de colère contre ma mère, mais plus maintenant. Je ne me laisse plus coincer dans des problèmes qui n'ont rien à voir avec moi. Quand elle se met à crier, je lui dis tout simplement : "Nous parlerons de ça une fois où tu seras calme. Mais je ne veux pas en parler avec toi en ce moment."

Vous pouvez également imposer des limites sur les critiques culpabilisantes de votre mère à propos du temps que vous passez ou non avec elle. Le territoire le plus fréquent de ce genre de manipulation maternelle est la question de la fréquence de vos appels téléphoniques. De façon typique, votre mère veut que vous l'appeliez tous les jours, ou toutes les semaines, suivant un calendrier arbitraire qui vous fait sentir coincée, irritable et coupable.

Les conversations enflammées que vous avez avec elle à ce propos peuvent être éliminées pour de bon si vous lui parlez de cette question directement et que vous restez centrée en vous-même. Cela pourrait ressembler à ceci :

Votre mère : «Ton frère m'appelle tous les jours, mais toi, tu n'appelles que tous les deux jours.»

Vous : «Oui, c'est vrai.»

Votre mère risque d'être tellement surprise de votre "aveu"

qu'elle changera de sujet. Si vous répétez assez souvent votre réplique, elle finira par se décourager et par ne plus du tout vous en parler.

Supposons cependant qu'elle insiste en vous disant que vous êtes "égoïste" et en vous grondant comme si vous étiez une vilaine petite fille. Vous pouvez répliquer : «Si tu me parles de cette façon, je ne vais pas t'appeler pendant quelque temps. Je trouves que tu ne me parles pas correctement. Je n'aime pas le ton que tu emploies avec moi. Je ne permets pas à qui que ce soit de me parler sur ce ton.»

Il arrive parfois que le "problème téléphonique" ne soit pas une question de fréquence, mais de ton. Vous n'appelez pas votre mère pour suivre le calendrier, mais quand vous l'appelez, la conversation dégénère automatiquement en dispute. France, une Invisible de trente-cinq ans, a résolu ce problème en identifiant les limites de sa mère. France aime beaucoup parler au téléphone avec sa mère... pendant vingt minutes exactement :

Ma mère commence toujours par être très gentille au téléphone, mais il faut que je m'empêche de rêver et de me dire : "Comme c'est agréable, nous allons avoir une conversation normale", parce qu'au bout de vingt minutes, elle commence une dispute. Par exemple, elle fait soudainement apparaître la religion de mon mari sur le tapis. Alors, au bout d'une quinzaine de minutes, je commence à mettre fin à la conversation. Je me dis : "Surveille bien ta montre, parce que si tu laisses ça se continuer trop longtemps, ça va devenir laid." En gardant un œil sur ma montre, je me rends compte que je peux avoir des contacts agréables avec elle.

Comme me l'a dit la psychologue Judith Fox :

Il faut se situer dans un espace où on peut être adulte et respecter ses propres besoins. C'est très important : pour limiter quelqu'un d'autre, il faut connaître ses propres limites. Si vous voulez appeler votre mère tous les jours et que vous aimez vraiment bavarder avec elle, tant mieux. Mais si cela ne vous apporte aucun plaisir, faites ce que vous avez besoin de faire pour vous. Les besoins de votre mère ne regardent qu'elle. Vos réactions sont à vous. Il faut que vous ayez l'espace mental nécessaire pour pouvoir dire : "Ça, c'est elle, et ça, c'est moi." Là où règnent les obligations et la culpabilité, il ne peut pas y avoir de séparation saine.

Les mêmes conseils s'appliquent à la fréquence avec laquelle vous rendez visite à votre mère. Elle s'attend peut-être à ce que vous alliez dîner chez elle le dimanche soir... *tous* les dimanche soirs. Si vous arrivez à faire plus attention à vos besoins à vous et à lui rendre visite quand vous en avez vraiment envie, la relation avance au-delà des "il faudrait" et des "je devrais" pour aller vers les "je voudrais".

Mais ce n'est pas facile d'effectuer cette transition entre l'obligation et la spontanéité. Une fois que aurez établi des limites quant à l'horaire de vos contacts, vous devrez peut-être mettre des limites sur le comportement de votre mère pour y parvenir. Résister à l'impulsion de claquer la porte de la maison de votre mère (ou de la mettre à la porte de la vôtre) n'est pas à la portée de toutes.

Supposons que chaque fois que vous voyez votre mère, elle se croit autorisée à vous critiquer sans aucun tact. Voici comment l'une des femmes que j'ai rencontrées a mis fin à ce genre de traitement :

Quand ma fille a obtenu son diplôme universitaire, j'ai donné une grande fête en son honneur. Quand ma mère est arrivée, elle m'a regardée et elle a dit : "Mais qu'est-ce que tu as fait à tes cheveux ?" Puis elle est entrée dans le salon en disant : "Où as-tu trouvé cet horrible bouquet ?" J'ai répondu très calmement : "Si c'est pour que tu me parles sur ce ton, je ne veux pas de toi ici." Les deux bras lui en sont tombés. Mais elle n'a pas prononcé une autre critique de la journée. A une certaine époque, je ne l'aurais pas invitée du tout. Maintenant, je peux l'inclure dans ma vie, mais selon mes conditions, et sans avoir envie de l'assassiner.

Contrôler vos réactions. Pour régler les différences de façon pacifique, il ne suffit pas d'établir des limites. Beaucoup dépend en effet de votre capacité à ne pas réagir de manière exagérée et à rester centrée en vous-même.

Supposons un instant que votre mère est une Victime ou une

Mère poule, deux culpabilisatrices. L'appât avec lequel elle vous maintient dans le filet de la colère ou des supplications sont sa "faiblesse" et sa "fragilité". Voici comment une fille a cessé de se laisser manipuler par les souffrances de sa mère :

Quand ma mère veut me punir, elle fond en larmes en disant: "Je ne te comprendrai jamais." J'ai appris à lui parler sans hurler. Je suis capable de lui dire : "Ce n'est pas grave, tu n'es pas obligée de me comprendre : moi, je me comprends, et ça me suffit." Bien entendu, quand je lui dis ça, elle se met dans tous ses états et elle pleure deux fois plus. Quand elle fait ça, je lui dis : "Vas-y, pleure. Ça ira mieux. Je sais que tu es triste, mais moi je ne le suis pas, alors ça va." Je n'aurais jamais cru que j'arriverais à faire ça: m'arranger pour ne pas être engloutie dans ses émotions. Elle ne le fait plus autant maintenant, parce qu'elle sait que ça ne marche plus. Elle ne peut plus me faire sentir coupable.

Supposons maintenant que votre mère est une Critique ou une Tortionnaire et que vous passez votre temps à tenter de vous protéger contre ses efforts pour vous contrôler ou pour vous forcer à adopter son point de vue. En fait, vous vous battez constamment contre elle.

Réjeane, une Championne, a appris à désarmer sa mère hyper-Critique en l'approuvant tout simplement sur des sujets qui n'ont pas d'importance pour elle, ce qui empêche l'escalade des disputes. Réjeane n'a pas réussi à modifier son comportement d'un jour à l'autre : il lui a fallu des années avant d'avoir la force de débrancher ses "boutons".

Réjeane ne s'est jamais trahie. C'est plutôt qu'elle ne voit plus d'enjeu affectif dans le fait de réussir à faire sortir sa mère de ses attitudes rigides :

Quand nous sortons au restaurant et qu'elle dit : "C'est immangeable", je suis tout à fait de son avis. Peu importe ce qu'elle peut dire de complètement absurde, je réponds toujours : "Tu as parfaitement raison." Tout ce qui m'importe, c'est ce qui se passe dans ma tête à moi, et du moment que je sais que je ne suis pas folle, qu'est-ce que ça peut me faire qu'elle, elle soit folle ? Une fois que j'ai dit que je suis d'accord avec elle, nous passons de très bons moments ensemble.

Je la traite comme quelqu'un que je viendrais juste de rencontrer et qui serait très intéressante, parce que ma mère a mené une vie passionnante. Qui ne voudrait pas l'écouter raconter sa vie ? Je peux passer avec elle des moments aussi agréables qu'avec vous si nous ne parlons pas de sujets personnels. Certains sujets sont tabou : je ne lui permets pas de critiquer mon mari ou mes enfants, par exemple. Si elle essaie, je n'ai qu'à dire : "Je ne veux pas en parler. Je veux que tu me racontes ton voyage au Pérou." Je l'ai fait tellement souvent qu'elle n'essaie presque plus, maintenant.

Pour Réjeane, la première étape vers ce rapprochement a été de valider ce qu'elle ressentait envers sa mère. Au début de son mariage, le mari de Réjeane lui a dit : «Est-ce que tu te rends compte que ta mère est complètement dingue ?», ce qui lui a permis de se rendre compte que la personnalité agressive de sa mère n'était ni sa faute, ni le produit de son imagination. «C'est quand il m'a dit ça, raconte-t-elle, que j'ai arrêté de remettre mes perceptions en question.»

La deuxième étape a été de solidifier ses limites et de comprendre qu'elle ne devait pas passer trop de temps en tête-à-tête avec sa mère. Quand elle vient souper chez elle, Réjeane invite donc d'autres amis, dont la présence permet à sa mère d'être aussi fascinante qu'elle sait l'être, tout en l'empêchant de provoquer une dispute avec sa fille.

Pour Réjeane, la troisième étape, et la plus importante, a été d'arrêter de réagir à sa mère outre mesure et de se mettre plutôt à modifier son propre comportement. Le moment critique s'est produit un jour où elle lui rendait visite, il y a plusieurs années :

Je suis entrée dans son salon, et au bout de trois secondes nous étions déjà en train de nous disputer. Alors j'ai tourné les talons et je suis ressortie. Je suis allée au magasin au coin de la rue, j'ai acheté un bouquet de fleurs et je suis revenue en disant: "On recommence."

Je pense que la meilleure façon de se sortir d'un problème avec sa mère, c'est d'éliminer les sources de conflit, même si ça paraît artificiel au début. Ça ne sert à rien que je me dispute tout le temps avec elle, parce que rien au monde ne peut lui faire admettre qu'elle a tort. J'ai fait la paix avec elle, en ce sens que j'ai arrêté de la blâmer de tout ce qui m'est arrivé quand j'étais enfant; je ne suis plus une enfant. J'ai travaillé très fort pour faire de notre relation un rapport d'adulte à adulte et pour ne pas tomber dans des disputes idiotes. Et c'est arrivé. Nous nous entendons très, très bien.

Mauvaise Maman, gentille Grand-mère

Si vous avez des enfants, l'un des aspects les plus confondants de votre relation avec votre mère — et une bonne raison pour tenter de parvenir à une saine trêve avec elle — est qu'elle est complètement différente avec ses petits-enfants de ce qu'elle était avec vous. Ceci ne s'applique pas à toutes les mères : il en existe certaines qui sont tout aussi critiques, et même cruelles, avec leurs petits-enfants qu'avec leurs filles. Dans ce cas, comme nous le verrons dans le chapitre suivant, leurs filles s'arrangent tout simplement pour que leurs enfants ne soient pas exposés à ce genre de traitement.

Mais beaucoup de mères sont capables d'être avec leurs petits-enfants d'une gentillesse qu'elle n'ont jamais manifesté à leurs enfants. C'est là que vous pouvez toucher du doigt le fait que votre mère a changé... même si elle se ferait plutôt couper en petits morceaux que d'avouer : «J'ai été trop dure avec toi.» Bien qu'elle soit sans doute trop orgueilleuse pour le dire, elle éprouve peut-être un remords sincère à l'idée de n'avoir pas pu vous doner l'amour dont vous aviez besoin. Mais maintenant, voilà qu'elle a une chance de se racheter auprès de vos enfants.

Marie-Josée, une Invisible de trente-quatre ans, se jure souvent de ne plus jamais revoir sa mère Tortionnaire, mais elle oublie tout quand elle la voit jouer avec sa fille de cinq ans, Julie:

Julie est la seule personne que ma mère ait jamais aimée inconditionnellement. Elles ont une relation merveilleuse. Ma mère arrive enfin à voir à quel point son comportement peut être terrifiant pour une enfant. Une fois, Julie a fait tomber un verre de lait et ma mère s'est mise à hurler comme elle le faisait quand j'étais enfant. Julie a fondu en larmes. Ma mère est tombée à genoux en disant : "Oh, Julie, je te demande pardon, je ne voulais pas te faire peur, je t'en prie, pardonne-moi." Quand j'étais enfant, ma mère n'a jamais pu voir ma terreur à moi, mais elle arrive à la voir chez Julie, qu'elle adore et dont elle veut être adorée aussi.

Les efforts de votre mère pour faire pour vos enfants ce qu'elle n'a pas pu faire pour vous risquent, à juste titre, de vous faire éprouver de la confusion ou même de la jalousie. Mais comme vous n'êtes plus une enfant, vous pourrez sans doute accepter que votre mère n'est plus la même personne que quand vous étiez petite. Le fait de voir comment elle aime vos enfants vous aidera peut-être même à commencer à la comprendre, car vous pourrez tirer des leçons du contraste entre son comportement actuel et celui du passé. Une fille m'a dit :

Ma mère est sans aucun doute en train d'essayer de réparer ce qu'elle n'a pas pu faire quand j'étais jeune. Elle m'a dit : "Je m'en veux beaucoup de m'être tellement mise en colère. Mais j'étais si malheureuse avec ton père." Cela lui tient à cœur de venir garder les enfants quand nous avons besoin de vacances, mon mari et moi. La dernière fois qu'elle a fait ça, elle a dit : "C'est important que vous puissiez partir tout seuls de temps en temps." J'ai dit : "Mais comment est-ce que tu faisais avec nous? Papa ne t'a jamais permis de partir ne serait-ce qu'un après-midi; tu ne sortais jamais seule." Elle a répondu : "Tu commences à comprendre. C'était très, très dur."

En comprenant votre mère, vous faites à vos enfants le cadeau de son amour, qui, en plus de représenter pour eux une source d'estime de soi, les familiarisera avec la vieillesse. Les enfants qui ne reçoivent pas l'amour d'un grand-parent ont souvent peur des vieilles gens, et, plus tard, de vieillir eux-mêmes.

En évitant de faire des comparaisons, vous pourrez retirer les bénéfices marginaux de l'amour que votre mère est en mesure d'éprouver pour vos enfants. Certaines filles n'en profitent pas :

elles utilisent leurs enfants comme du butin, menaçant de les retirer à leur mère si elle ne "s'améliore pas". Mais cela n'est que de l'exploitation des enfants, comme vous avez été exploitée vous-même étant enfant. Une fille qui a résolu sa relation avec sa mère ne traite pas ses enfants comme les otages de sa vendetta maternelle et ne les implique pas dans un triangle hostile. Si vous êtes tentée de vous servir de vos enfants de cette façon, et si votre mère est sincèrement gentille avec eux, cela constitue un signe très clair qu'il vous reste beaucoup de travail à faire avec vos émotions.

Il arrive cependant que certaines grand-mères ne soient pas tout le temps affectueuses : leurs réactions habituelle de colère refont surface dès que votre enfant déclenche sans le savoir une émotion ou un souvenir enfouis. D'autres grand-mères tentent de s'allier leurs petits-enfants par une tactique de division pour régner telle qu'elles en utilisaient quand vous étiez enfant. Il y aura sans doute des périodes où il vous faudra limiter le comportement de votre mère avec vos enfants, tout comme vous avez limité son comportement avec vous.

Votre mère n'arrive peut-être à être une «bonne grand-mère» que pendant de courtes périodes à la fois. Certaines grand-mères, par exemple, ne réussissent pas très bien quand leurs petits-enfants séjournent chez elles plusieurs jours de suite. En connaissant les limites de votre mère, vous pourrez permettre à votre enfant de profiter de sa grand-mère, mais jamais pendant très longtemps et toujours en votre présence.

Il se peut également que votre mère ne puisse être une bonne grand-mère que quand elle est seule avec vous et vos enfants, mais qu'elle soit colérique et maussade dès que votre père, avec qui elle se dispute tout le temps, est dans les environs. L'une des filles que j'ai rencontrées a résolu la question en déclarant fermement que ses parents ne pouvaient lui rendre visite que séparément. «Quand ma mère vient me voir seule, m'a-t-elle raconté, c'est très agréable : nous sortons avec les enfants et nous nous amusons beaucoup. Il est dommage que je ne puisse pas inviter mes parents ensemble chez moi, mais c'est la vie. C'est tout ce que j'ai trouvé pour que mes enfants puissent avoir une bonne relation avec eux.»

Il est en votre pouvoir d'empêcher le cercle vicieux du blâme mère-fille de se transmettre à vos enfants, non seulement en ce qui concerne votre relation avec eux, mais également en ce qui concerne la façon dont ils percevront votre mère. Ils n'ont pas besoin de la voir comme vous; elle n'est sans doute même pas la même personne pour eux que pour vous. En l'acceptant telle qu'elle est et en la laissant jouer un rôle sain — rôle que *vous* choisirez — auprès de vos enfants, vous avez une chance de faire disparaître le type de triangle qui empoisonne votre famille depuis des générations.

Bien qu'une trêve avec votre mère ne corresponde pas tout-à-fait à vos rêves d'enfant, elle peut cependant répondre de façon réaliste à vos besoins d'adulte, car elle fait appel au meilleur de votre mère et de vous-même. Vous n'aurez plus besoin de vous laisser empoisonner par vos réactions exagérées, de maintenir constamment vos défenses, de fuir les situations difficiles ni de rester esclave de sentiments d'obligation injustifiés. En parvenant à maintenir le juste niveau de détachement dans le cadre d'une relation parfois cordiale, parfois difficile avec votre mère, vous serez parvenue à une paix bien à vous et à la satisfaction d'être en termes agréables avec votre famille.

20
Le divorce

«Toutes les mères et les filles ont parfois des frictions, et je crois qu'il faut chercher à maintenir l'unité des familles. Mais il y a des limites. Si votre mère constitue un poison pour vous et que vous courez un risque de mort psychologique en sa présence, c'est signe qu'il vaut mieux ne pas avoir de relation avec elle. Autrement, vous seriez constamment en danger affectif. Ma mère est un poison pour moi. Je la vois comme une infirme qui ne peut pas se contrôler et j'éprouve de la pitié pour elle, mais pas beaucoup. J'ai dû rompre avec elle de façon permanente pour sauver ma peau.»

Lise, quarante-huit ans

Agée de trente-neuf ans, Odile n'a pas vu sa mère depuis sept ans. Bien qu'elles vivent à Montréal toutes les deux, elles s'arrangent pour que leurs chemins ne se croisent jamais. Cela est dû en partie au fait que sa mère refuse de la voir. «Si elle sait que j'aime un certain restaurant, elle n'y met jamais les pieds», dit Odile. Mais cette situation date en majeure partie de l'instant où elle a constaté que tous ses efforts vers la réconciliation ne recevaient que du venin.

On ne peut pourtant pas dire qu'elle n'ait pas *tout tenté* pour résoudre sa relation avec sa mère. Elle a passé plusieurs années en thérapie. Elle connaît sur le bout des doigts l'histoire de sa famille: les sentiments d'insécurité et de rejet qu'éprouvait sa mère face à sa propre mère, ses rêves avortés, ses prières inexaucées. Odile a demandé à son père et à sa tante d'intercéder en sa faveur, mais cela n'a servi à rien. Elle a écrit à sa mère des lettres pour lui demander des rendez-vous, lettres qui sont demeurées sans réponse.

Quand Odile était enfant, sa mère n'a jamais levé la main sur elle, mais elle ne l'a jamais non plus prise dans ses bras. Incapable d'exprimer la moindre affection physique ou même verbale, elle ne connaissait que les critiques et la cruauté. Une fois, lorsque Odile était âgée de quatorze ans, sa mère lui a dit : «Je ne t'ai jamais aimée.» Il a fallu à Odile quinze ans de plus pour la *croire*:

Quand on a une mère qui a toujours été aussi destructrice, on continue de fonctionner en tant qu'enfant jusqu'au jour où on voit la vérité en face et où on se rend compte qu'elle n'arrêtera jamais d'être cruelle. A quoi bon continuer à lutter pour obtenir d'elle quelque chose qu'elle ne me donnera jamais ? J'ai fini par arriver à la conclusion qu'il vaut mieux que je ne la voie plus jamais. Elle n'est pas bonne pour ma santé mentale, point à la ligne.

J'en suis arrivée au point où je peux vivre ma vie sans elle. Mais j'aurai toujours un vide, quelque chose qui manquera en dedans. C'est comme quand on a une blessure qu'aucune opération ne peut guérir : la seule solution, c'est d'apprendre à vivre avec la blessure. J'ai appris à vivre avec.

Denise, qui est âgée de trente-six ans, n'a pas vu sa mère depuis cinq ans. Comme Odile, elle a fait tout ce qu'elle pouvait pour trouver un terrain d'entente où elle aurait pu avoir avec sa mère une relation cordiale, ou tout au moins polie. Mais Denise luttait contre un gros handicap : sa mère est alcoolique. Denise lui rendait parfois visite ou lui téléphonait tôt le matin, profitant de sa sobriété temporaire pour tenter de découvrir en elle *quelque chose* qu'elle aurait pu admirer, au moins un souvenir de tendresse sur lequel elle aurait pu construire l'ébauche d'une relation. Mais ces moments de sobriété étaient trop rares. La plupart du temps, Denise ne voyait sa mère qu'au milieu de la nuit, quand elle sonnait à sa porte sans s'être annoncée, trop saoûle pour tenir debout.

Denise a fini par se résigner, bien que cela ait été très difficile. Rien n'allait jamais la faire changer. La seule façon de parvenir à guérir des blessures de son enfance, c'était de renoncer à tout contact avec elle. Avec l'aide d'une thérapeute, Denise s'est attaquée à l'horreur de ses premières années pour trouver dans son avenir une oasis de paix :

J'ai dû littéralement fermer ma porte à ma mère et cesser de la prendre en charge. Elle refusait de faire quoi que ce soit pour s'en sortir. J'ai fini par me rendre compte que mes efforts ne servaient à rien, du moins en ce qui la concernait. Il n'y avait que pour moi que je pouvais faire quelque chose.

Je voudrais bien arriver à lui pardonner et à l'accepter. Mais je n'arrive pas à lui pardonner ses actes. Je ne crois pas que l'alcoolisme soit une maladie contre laquelle on ne peut rien. Elle a choisi de ne pas fonctionner comme une mère pour ses enfants, de nous négliger et de ne nous donner aucun amour, aucune protection, parfois même rien à manger. Si j'avais une relation avec elle, je serais plus folle qu'elle. Ma survie et ma santé mentale dépendent de la distance que je maintiens entre elle et moi. Etre avec elle, c'est ma mort. Il faut que j'apprenne à prendre soin de moi.

Pour ces deux femmes, le divorce avec leur mère est survenu comme un acte de survie, pas comme une punition. Pour elles et les femmes comme elles, il y a des situations (heureusement très rares) où il est tout simplement impossible de rentrer à la maison.

Divorcer de sa mère, c'est faire l'impensable, c'est enfreindre le tabou de la Mauvaise mère. Pour beaucoup de gens, ce n'est rien de plus qu'une réaction d'adolescente, un geste d'un égoïsme et de défi de la pire espèce. Dans le contexte nord-américain de l'amour pour la mère à tout prix, ce chemin peu fréquenté mène à coup sûr à la réprobation sociale. Tourner le dos à votre mère, c'est tourner le dos à tout ce qui est censé caractériser la famille: amour, loyauté, pardon.

C'est pour cette raison que les femmes qui divorcent de leur mère ne le font qu'en dernier recours. Parmi celles que j'ai rencontrées et qui avaient divorcé ainsi, il ne s'en est pas trouvé une qui n'aurait pas tout donné avec joie pour éviter d'en arriver à la conclusion déchirante qu'elle n'avait pas d'autre choix.

La plupart des gens ne se rendent pas compte qu'une fille ne pose un geste aussi hérétique qu'après avoir tenté pendant des années de tout faire pour qu'il ne soit pas nécessaire. On ne décide pas à la légère de ne plus jamais voir sa mère, comme l'illustrent clairement toutes les gesticulations et les personnalités factices qu'adoptent les enfants pour éviter de le faire (voir la Troisième partie).

Divorcer de sa mère, c'est de tout temps un choix impopulaire, et, pour la plupart des gens, inimaginable. Cependant, il existe des situations où divorcer de votre mère n'est pas seulement la seule solution, mais aussi la solution la plus saine.

Etre une adulte à part entière signifie accepter les qualités et les défauts de votre mère, tout comme les vôtres. Cela nécessite de venir à bout de la Mauvaise mère dans votre tête, dans vos souvenirs et dans vos mécanismes de défense auto-destructeurs de façon à pouvoir vivre votre vie selon vos espoirs.

Et dans cette vie — cette vie d'adulte à part entière — il n'y a parfois pas de place pour votre mère.

Au-delà des systèmes familiaux. Comme nous l'avons vu, l'approche des systèmes familiaux, utilisée pour résoudre la relation mère-fille, prend pour acquis qu'en établissant l'historique de votre famille et en comprenant les ramifications des relations entre les membres des différentes générations, vous trouverez les raisons du comportement de votre mère. Selon cette théorie, en comprenant le contexte qui l'a formée et les courants familiaux qui l'ont portée, vous gagnerez une plus grande compréhension et même plus de sympathie pour la personne qu'elle est devenue. Cette compréhension, poursuit la théorie, vous permet de rétablir et de redéfinir la relation avec votre mère.

Comme le dit le Dr Michael Kerr,

Les gens s'éloignent les uns des autres quand ils se sentent négligés ou en colère. On dit à quelqu'un : "Tu ne me donnes pas le soutien dont j'ai besoin. Pourquoi ne le fais-tu pas ?" A l'instant où une personne prononce les mots : "Pourquoi ne fais-tu pas...?", elle ne fait que perpétuer un problème qui dure depuis le début de sa vie. Il faudrait qu'elle puisse s'en libérer pour se rendre compte qu'elle a autant de mal à accepter l'autre que l'autre a de mal à l'accepter, elle.

Supposons cependant que vous finissiez par accepter votre mère comme elle est et que vous n'exerciez sur elle *aucune* pression pour qu'elle change, pas plus que vous n'entreteniez d'attente exagérée à son sujet. Vous avez sacrifié sur l'autel de la thérapie, vous avez pris conscience de votre colère et vous l'avez dûment exprimée, vous avez fini par faire la paix avec vos émotions, vos décisions et votre histoire de famlile comme avec celles de votre mère.

Vous avez poursuivi l'approche des systèmes familiaux jusqu'à son terminus : vous *comprenez* la pauvreté qui a frappé l'enfance de votre mère, l'acoolisme de son père, ses difficultés conjugales, l'absence du féminisme dans sa vie. Vous avez peut-être même pitié d'elle, surtout de son incapacité à triompher de ses démons intérieurs au lieu de les mobiliser et de les lancer à vos trousses. De plus, vous admettez que vous avez eu un rôle à jouer dans les difficultés qu'il y a entre vous.

Mais aujourd'hui, votre maturité durement acquise et la circonspection qui l'accompagne vous permettent sans doute de percevoir votre mère d'une façon que l'approche des systèmes familiaux ne prend *pas* pour acquis : vous pouvez finir par conclure que votre mère fait partie des personnes les plus cruelles ou les plus fermées que vous ayez jamais rencontrées et que vous n'avez pas plus de raisons d'entretenir de relation avec elle qu'avec n'importe qui qui vous traiterait comme elle le fait.

Car que reste-t-il après que vous ayez fait tout ce travail pour résoudre vos émotions, pour établir des limites et pour rester centrée, si votre mère persiste à vous attaquer, à vous humilier, à vous blesser ? Pourquoi continuer à voir une femme qui ne peut pas supporter que vous soyez heureuse et qui s'avère incapable de vous manifester la moindre preuve d'amour ou même d'affection? Vous vous dites peut-être, et à juste raison, qu'il ne vous reste plus qu'à vous bâtir une vie loin d'elle... qu'à renoncer à elle et à toute relation avec elle.

«Oui, mais c'est ta mère», ne manquera pas de dire quelqu'un. Or, cela n'est pas toujours une raison suffisante pour avoir une relation avec quelqu'un. Si vous vous êtes vraiment libérée de votre passé et de votre besoin de la blâmer, *alors vous êtes également libre de ne plus lui tendre l'autre joue.*

Procédez avec prudence. Le danger, bien entendu, c'est que certaines filles risquent d'interpréter la "permission" de divorcer comme un prétexte pour éviter de faire face à leurs problèmes affectifs et aux conflits qui finissent par affecter toutes leurs autres relations. Les filles maltraitées affectivement ont souvent l'habitude de fuir dès qu'une relation devient inconfortable, c'est-à-dire dès qu'elle devient trop intense ou trop intime. Elles ont du mal à croire à l'amour, car pour elles, l'amour n'est qu'un concept abstrait, un idéal désincarné. Propulsées par leur colère, elles parcourent sans fin la même orbite étourdissante. La fuite fait partie intégrante de toutes leurs relations, car elles la perçoivent comme une solution.

Considérons le dilemme d'une mère de soixante-dix ans mourant d'envie de réparer sa relation avec sa fille qui refuse de la voir. Ce n'est pas en éliminant complètement sa mère de sa vie que la fille a réglé ses nombreux problèmes. Elle n'a pas fait le travail intérieur qui lui éviterait une série de relations destructrices qui ne sont que l'écho de la "solution" qu'elle a trouvée pour résoudre ses problèmes avec sa mère. Elle refuse d'entreprendre une thérapie. Elle rend sa mère responsable de tous ses problèmes... sa mère et le monde entier. Et bien que sa mère lui ait demandé ce qu'elle pouvait faire pour contribuer à sauver leur relation, la fille continue à "punir" sa mère en refusant tout contact avec elle. Voici ce que dit la mère :

Ma fille a peut-être d'excellentes raisons de refuser de me voir. Mais elle refuse de m'en parler. Je ne minimise pas la validité de ce qu'elle éprouve ou de sa colère envers moi, mais je n'en reçois que les effets. Elle ne veut pas m'aider à comprendre ce que j'ai fait pour que je puisse changer. Je donnerais dix ans de ma vie pour que cela se produise, et il ne me reste pas beaucoup de temps. Si j'obtenais seulement de pouvoir communiquer avec elle, je m'estimerais satisfaite. Je ne lui demande pas l'affection ni son amitié. S'il me reste quelque chose à apprendre, j'aimerais savoir ce que c'est. Je me sens flouée... mais je suis sûre qu'elle aussi, elle se sent flouée.

Si vous divorcez de votre mère sans résoudre les émotions que vous éprouvez à son sujet, vos problèmes vous suivront partout où vous irez. L'enfant qui évite le petit dur dans la cour d'école s'en débarrasse peut-être sur le coup, mais il va falloir qu'elle apprenne à vivre avec tous les "durs" de la vie et à tenir ferme affectivement. S'il existe des cas tragiques où vous n'aurez pas d'autre solution que de mettre fin à votre relation avec votre "dure" de mère, cela ne vous dispensera pas de faire face aux problèmes qui vous ont poussée à la fuir.

Le divorce en soi n'est pas une solution. Résoudre votre relation avec votre mère ne signifie nullement qu'il faille tenter d'éviter les conséquences affectives de cette relation ni la responsabilité de vos actes. Cela ne signifie pas non plus qu'il faille fermer la porte à triple tour pour empêcher tout rapprochement futur; par exemple, si votre mère parvenait à obtenir de l'aide et à cesser de boire, cela lui permettrait enfin de tenter de réparer sa relation avec vous. Toute considération de divorce doit tenir compte de ces provisions essentielles.

Ce n'est pas non plus le "divorce" absolu (la mort de votre mère) qui mettra fin à vos problèmes avec elle. Les filles qui ont regardé en face leur enfance et leur mère, éprouvent souvent un énorme soulagement à l'idée de ne plus jamais être obligées de supporter ses visites cauchemardesques en essayant à tout moment d'éviter la dispute. Peu importe le degré de résolution à laquelle est parvenue la fille, personne n'aime avoir une mère méchante ou humiliante. La mort de la mère peut donc être ressentie comme un répit bien mérité, et le deuil peut se révéler plus facile que prévu, car la fille a déjà fait "son deuil" de la relation qu'elle n'a jamais eue avec sa mère.

Dans ce cas, la fille risque de verser des larmes de regret à propos de ce qui n'a jamais existé et qui n'existera jamais, plutôt que de pleurer sur ce qu'elle n'a jamais réussi à provoquer entre elle et sa mère. La mort n'est alors que le point final absolu d'une relation qui est déjà "morte" depuis longtemps.

Mais pour les filles qui n'ont pas résolu leur conflit avec leur mère, sa mort risque d'avoir des conséquences psychologiques graves. «Quand une fille est profondément ambivalente au sujet de sa mère et qu'elle n'a pas résolu son ambivalence du vivant de sa mère, m'a dit Lilly Singer, qui fait autorité en matière de deuil, elle risque d'éprouver beaucoup de difficultés après la mort de la mère parce que toute possibilité de réparer la relation et d'y faire face est disparue à tout jamais.»

Que disent les thérapeutes du «divorce» ?

Pratiquement tous les thérapeutes estiment qu'il est nécessaire pour atteindre la guérison de dépasser le blâme et la colère envers la mère. La plupart estiment également que dans certaines relations, il arrive que des *circonstances* rares et extrêmes ne changent jamais. Il peut s'agir d'une mère souffrant d'une dépendance chronique à l'alcool ou à une drogue quelconque, de psychose ou de narcissisme extrême et de brutalité envers vous.

Aucune des thérapeutes avec qui j'ai discuté n'a jamais suggéré que pour réparer une relation difficile, il faille supporter d'être traitée de façon sadique : leur but dans la vie est d'aider leurs patientes à se débarrasser des réactions extrêmes qui les emprisonnent dans des cercles vicieux de colère, de supplications et de souffrance.

Mais la communauté des thérapeutes est divisée quant au sujet du divorce d'avec la mère. Il y a les thérapeutes qui estiment que la résolution ne peut avoir lieu *que* dans le contexte de la relation mère-fille, bien que cela puisse nécessiter un éloignement temporaire (une séparation à l'essai), alors que d'autres croient que, dans certains cas, le divorce est justifié, et même nécessaire du point de vue thérapeutique.

La séparation à l'essai. «Il y a des moments où l'on doit prendre des "vacances" de sa mère et ne pas la voir, dit Harriet Goldhor Lerner, parce que la relation est trop intense et que le contact ne donne rien. Je ne conseille jamais à personne de renouer le contact avant d'avoir atteint une perspective beaucoup plus objective sur leur mère et sur les causes des difficultés. Il faut d'abord effectuer un certain travail préliminaire.»

Nathalie, vingt-sept ans, est en plein dans une séparation de ce genre. Encore déchirée entre son fantasme d'une mère "parfaite" et la réalité des difficultés entre elle et sa mère Critique, elle a entrepris une thérapie pour tenter de décider comment résoudre ces conflits. Je lui ai demandé si elle arrivait à s'imaginer un moment où elle parviendrait à accepter sa mère telle qu'elle est :

J'ai beaucoup trop de colère et d'ambivalence : je me sens coupée en deux. Je crois que c'est parce qu'une certaine partie de moi se sent obligée de l'aimer : c'est l'enfant en moi qui veut toujours la voir comme une mère parfaite. Mais je ne crois pas que je j'arriverai à changer ce que j'éprouve envers elle si elle ne change pas. Chaque fois que je vais la voir, j'en ai pour une semaine à m'en remettre. J'en sors en petits morceaux. Chaque fois, je me sens comme une toute petite fille; je n'ai pas besoin de ça.

Mais je me sens tellement coupable ! Je me dis : mon Dieu, je n'ai qu'une mère, alors pourquoi est-ce que je ne prends pas mon parti ? J'aimerais bien pouvoir dire à ma mère des choses merveilleuses, mais je ne les pense pas. Si ça ne dépendait que de moi, ma mère et moi serions voisines. J'adorerais avoir une bonne relation avec elle. Mais c'est impossible quand les deux personnes ne s'y mettent pas ensemble.

Je n'ai pas encore pris de décision pour savoir si je vais couper définitivement avec elle ou non, mais j'y travaille. Quand je prendrai ma décision, ça viendra du cœur. J'ai l'impression qu'il va falloir que je renaisse sans l'aide de personne d'autre que moi. On vient au monde seule, on le quitte seule aussi. Tant que mon bonheur dépendra de ma mère ou de n'importe qui, je risque de passer ma vie à attendre.

Paulette, quarante-deux ans, a pris des “vacances” sur les conseils de sa thérapeute, qui lui a fait promettre de n'avoir aucun contact pendant six mois avec sa mère, une femme très hostile et d'un narcissisme extrême :

Pendant ces six mois, je me suis rendu compte que j'ai des droits, moi aussi, que je ne dois rien à ma mère. Je me suis aperçue que même si elle m'aime du mieux qu'elle peut, elle est gravement handicapée. J'ai aussi appris que je pouvais établir le contact avec ma mère selon mes termes à moi au lieu des siens.

C'était une grande victoire pour moi. Quand ma thérapeute m'a donné la permission de prendre une distance, j'ai éprouvé un grand soulagement. Je me suis aperçue que je pouvais changer et prendre ma vie en main sans attendre que ce soit elle qui change. C'est ça qui est le plus difficile à accepter, mais j'ai fini par réussir. Maintenant, il m'arrive de voir ma mère de temps en temps, mais je n'y suis plus obligée. Quand je la vois, c'est sans aucune attente et sans colère. Comprenez-moi bien : j'éprouverai toujours une certaine tristesse. Mais je ne me laisse plus détruire.

Ginette, quarante ans, a eu besoin d'une séparation à l'essai d'une durée beaucoup plus longue (douze ans) avant d'être assez guérie pour pouvoir renouer avec sa mère sur une base saine. Il y a deux ans, elle a suivi un cours de croissance personnelle qui visait à amener les gens à prendre en main les difficultés de leur vie, à se débarrasser de la pensée magique et du besoin de vengeance et à communiquer leurs besoins. Grâce à ce cours, Ginette est passée du divorce à la trêve avec sa mère :

Je savais que j'allais devoir faire l'éducation de ma mère à propos de ce que j'attendais d'elle. Quand je l'ai appelée, elle était contente d'avoir de mes nouvelles, mais elle ne disait pas les paroles que j'attendais : "Comment vas-tu ?" Au bout d'une demi-heure, j'ai dit : "Ecoute, je ne veux pas t'interrompre, mais je me demandais si ça t'intéressait de savoir comment je me porte." Elle a répondu : "Bien sûr que ça m'intéresse." "Alors, lui ai-je dit, est-ce que tu crois que tu pourrais me le demander ?" Je lui ai dit que j'avais envie de renouer avec elle et je lui ai demandé si c'était ce qu'elle souhaitait, elle aussi. Je suis allée très, très lentement.

De temps en temps, je réalise à quel point tout cela dépend de moi et ça me met en colère. Mais je trouvais important de me prouver que je n'avais pas besoin de lui attibuer autant de pouvoir. En l'éliminant de ma vie, je ne l'avais pas fait disparaître. En ne lui faisant pas face, je ne faisais qu'aggraver une blessure qui refusait de cicatriser. Je voulais me retirer enfin l'épine que j'avais dans le pied. Je me suis programmée consciemment pour lâcher prise sur ma colère et pour arrêter de remâcher tout ce qu'il y avait de négatif entre nous.

La séparation permanente. D'autres thérapeutes vont plus loin que la "séparation à l'essai" et admettent que dans certains cas, il faut être masochiste pour renouer avec sa mère. Selon cette tendance, il existe de très rares circonstances où il est trop dangereux pour la santé mentale de la fille de rentrer dans la dynamique de la relation mère-fille.

Mais la suggestion de divorcer de sa mère ne doit jamais émaner de votre thérapeute. L'idée doit venir de la patiente elle-même. Quand celle-ci en exprime le besoin, la thérapeute lui demande en général comment elle se sent quand elle considère cette possibilité ainsi que les conséquences d'une décision de ce genre, et l'aide à prendre une décision éclairée plutôt que de réagir ou de se venger de façon immature.

Dans certains cas extrêmes, la thérapeute peut cependant recommander le divorce, mais seulement si la vie ou la santé physique de sa patiente est en danger ou si sa santé mentale en dépend.

Selon Marianne Goodman,

Je pense que vous vous devez de tenter de restaurer la relation. Mais si vous avez tout essayé, si vous savez que vous avez tout essayé, alors vous savez aussi que vous ne pouvez pas contrôler ses réactions; vous ne pouvez contrôler que les vôtres. Si le contrôle que vous avez sur vos réactions ne change rien à la situation, il faut alors laisser les choses suivre leur cours.

J'ai dit récemment à une de mes patientes : "Il faut que vous vous débarrassiez de votre mère et que vous renonciez à elle : vous ne pourrez jamais faire la paix avec elle. Elle est trop psychotique et dangereuse." C'était le genre de situation où l'on regrette d'avoir cette personne-là pour mère. On regrette qu'elle ne puisse être autrement. On a fait tout ce qu'on pouvait, mais il ne reste plus qu'à lui faire ses adieux, à créer un lien sain avec soi-même et à aller de l'avant. Ce n'est qu'à partir de ce moment-là que l'on peut commencer à rencontrer des gens qui ne sont pas comme elle.

Pour Josette, quarante-six ans, la résolution de la rage qu'elle éprouvait envers sa mère a commencé quand sa thérapeute lui a dit: «La façon dont votre mère vous traite est pire que tout ce que j'ai jamais entendu. Il s'agit d'une femme extrêmement destructrice et dangereuse.»

Personne ne m'avait jamais dit ça de ma vie. Mes yeux se sont ouverts et j'ai vu à quel point ma relation avec ma mère était néfaste pour moi. Je me suis soudainement rendu compte qu'il m'était possible de me libérer d'un piège vicieux fait de tortures et d'humiliations. Ma mère est une femme qui m'a envoyée en pension quand j'avais cinq ans parce qu'elle ne voulait pas de moi. C'est une femme qui, quand j'allais à l'école secondaire, m'a agrippée par les cheveux et m'a cogné la tête à plusieurs reprises sur une tête de lit. Il fallait que je regarde ma colère en face et que je m'en débarrasse. En thérapie, je me suis aperçue qu'il me suffisait de ne pas me soumettre à ce genre de traitement. Alors c'est ce que j'ai fait. J'ai cessé de voir ma mère. Mais je me suis également construit un "moi" pour ne pas me sentir abandonnée et pour ne pas répéter au cours de ma vie les erreurs qu'elle a commises au cours de la sienne.

Une autre femme, Thérèse, trente-deux ans, m'a raconté qu'elle aussi avait cessé de voir sa mère et que sa thérapeute l'avait aidée à prendre cette décision. Aujourd'hui mariée, heureuse et mère de deux jeunes enfants, Thérèse poursuit :

Il y a des gens qui ont une mère affreuse, mais qui a tout de même quelques qualités qui la rachètent. Mais ma mère n'a aucune qualité. J'ai mis longtemps à m'en rendre compte. L'idée de divorce m'est venue pour la première fois quand j'ai vu comment elle traitait mes enfants. Elle est incapable de se contrôler. Elle passait son temps à leur hurler après; je ne pouvait tout simplement pas les laisser seuls avec elle. Quand j'ai vu à quel point elle était méchante avec eux, j'ai vu à quel point elle est méchante avec moi. Comment se fait-il qu'il ait fallu que j'aie quelqu'un d'autre à protéger pour que je me mette à me protéger, moi ? J'ai le genre de mère avec qui il vaut mieux ne pas rester seule. Elle est malade. Elle est détraquée. Je ne peux rien y faire. Elle n'y peut rien non plus, mais moi, je peux faire quelque chose pour moi. Il a fallu que je répare ma vie. Je n'ai pas appris à être heureuse, c'est quelque chose qu'il a fallu que j'apprenne toute seule. C'est la vie. Maintenant, je crois que je commence enfin à savoir être heureuse.

Guérir en dehors de la relation mère-fille

Bien que le divorce puisse impliquer que vous coupiez tout contact avec votre mère, il ne signifie pas que vous deviez vous couper de toute relation avec d'autres êtres humains. Pour guérir complètement, vous devrez apprendre à former des relations saines; si ce n'est pas avec votre mère, alors avec les gens que vous aimez et qui vous sont chers. Cela n'est pas facile à faire. Résoudre la relation mère-fille toute seule peut ressembler à la traversée du désert. Sans aucune expérience d'amour maternel, même la plus brève, ni aucune possibilité d'établir une trêve avec elle, le bonheur et même la santé mentale peuvent avoir l'air de châteaux en Espagne. Mais c'est possible. Voici le témoignage d'une survivante d'inceste :

Officiellement, la thérapie se termine quand on fait le tour du blâme, de la culpabilité et de l'auto-destruction pour parvenir à se distancier de ses émotions et à rétablir le contact avec ses parents. Ça, c'est le modèle d'une thérapie idéale. J'aimerais beaucoup vivre ça, mais dans mon cas, c'est impossible. Mes parents sont trop psychotiques.

Ma thérapie à moi s'est terminée quand j'ai renoncé à mes fantômes et que je me suis dit : "Tu n'as pas de parents". Ensuite, j'ai compris quelque chose de plus : c'est que je n'avais pas besoin d'eux. Ce dont j'ai besoin, c'est d'affection, et je l'ai trouvé chez des adultes comme moi qui me donnent ce dont tout le monde a besoin : être aimée, être acceptée, être importante.

Les femmes qui divorcent de leur mère doivent apprendre à avoir au moins une relation saine avec une personne. Il est possible de travailler dans le cadre de ce genre de relation les mêmes questions que dans le cadre de la relation mère-fille : comment exprimer vos émotions, établir des limites, rester centrée en vous-même, laisser l'autre personne être ce qu'elle est sans risquer de perdre votre identité, avoir des limites qui vous permettent de ne pas tout le temps réagir de façon excessive. Il s'agit toujours de vous définir *dans le cadre d'une relation,* mais ce n'est pas avec votre mère.

On peut fort bien guérir de son enfance autrement que dans le cadre de la relation mère-fille. Quoique certaines femmes n'aient pas la possibilité d'y parvenir avec leur mère, *cela ne signifie pas qu'elles ne puissent pas guérir.*

Les filles adultes qui subissent toujours de la part de leur mère un traitement cruel, ou dont la mère est trop victimisée par la maladie ou la toxicomanie pour se laisser toucher, et qui souhaitent profondément guérir de leur enfance, peuvent malgré tout apprendre à briser le cercle vicieux de la culpabilité et du malheur transmis d'une génération à l'autre. Beaucoup des femmes que j'ai rencontrées et qui ont atteint une certaine autonomie par rapport à leur mère n'y sont parvenues qu'en "s'accrochant", que ce soit à une thérapeute, jusqu'à ce qu'elles soient débarrassées de leurs poisons, ou à la bouée de sauvetage de la conviction qu'elles devaient résoudre leurs émotions pour éviter de projeter sur toutes leurs relations les besoins frustrés de leur passé.

Beaucoup de femmes guérissent grâce aux épreuves et aux joies qui leur viennent de leurs relations avec leurs amies, leurs partenaires et leur famille élargie. Mais la guérison ne se fait pas d'un seul coup; ces filles se retrouvent souvent dans un état de stagnation affective durant lequel elles se demandent si elles vont résoudre leurs problèmes *un jour.* Puis, soudainement, ou du moins c'est l'impression qu'elles en ont, une relation importante avec une personne qu'elles aiment et qu'elles admirent déclenche une nouvelle période de croissance ou leur donne de nouvelles intuitions sur elles-mêmes.

On ne résoud pas une angoisse aussi profonde dans le cadre d'une seule relation. La vie est faite de collaboration : on grandit en apprenant de toutes sortes de sources différentes. C'est pourquoi, lorsque vous recevez de la part d'une amie, d'un partenaire ou de quelqu'un qui vous aime et qui tient à vous une nouvelle vision de vous-même, il vous est toujours possible d'appliquer cette prise de conscience à la relation mère-fille et de la percevoir d'un nouvel œil.

Les femmes qui guérissent ainsi en solitaires sont douées d'un courage et d'une force spirituelle énormes. Elles acceptent et comprennent leur mère. Elles ont conscience du fait que leur mère a fait tout ce qu'elle a pu et elles reconnaissent et apprécient même parfois leur héritage familial. Elles ont cessé de rejeter leur fardeau affectif sur leurs relations avec leurs amies, leurs partenaires et leurs enfants. Elles sont devenues responsables de leur propre bonheur.

Mais elles ne voient pas leur mère.

Ce n'est pas parce que votre chemin vers la croissance et la guérison vous éloigne de la relation mère-fille que vous avez échoué en termes de santé mentale et spirituelle.

Que faire du Tabou de la mauvaise mère ?

Faire face à vos conflits affectifs avec votre mère et décider de divorcer peut représenter la fin d'un ensemble de problèmes... et le début d'un autre. Comme toute personne qui se retrouve en butte aux préjugés sociaux, la fille qui choisit de divorcer de sa mère rencontre inévitablement des gens qui ne la comprendront pas et qui auront tendance à souffrir de quatre grandes catégories de préjugés :

- la rancune;
- la culpabilité;
- l'ignorance;
- les obligations familiales.

La rancune. Il y a des personnes qui ont tellement été blessées dans leur enfance qu'elles ne s'en remettent jamais. Elles passent toute leur vie à répéter le passé dans chacune de leurs relations. Lorsque vous leur racontez votre enfance, elles ne veulent entendre que les "histoires d'horreur" et s'en régalent avec un appétit malsain, savourant le moindre détail.

Comme elles sont toujours emplies de colère, ces personnes peuvent vous être aussi néfastes que votre mère elle-même. Elles risquent de vous en vouloir de vous en être aussi bien sorties et de ne pas partager leur malaise. Vous risquez particulièrement de subir leur rancune si vous n'éprouvez aucune haine envers votre mère. Dans leur amertume, elles peuvent vous dire quelque chose comme : «Non, mais tu ne penses pas vraiment qu'elle n'était qu'une victime, tout de même? En fait, c'était une *écœurante*, hein?» Et si vous n'êtes pas d'accord, attention : elles se mettent en colère.

Si vous sentez que vous devez vous défendre en justifiant votre décision et que vous vous sentez agressée par ce genre de personne, c'est sans doute que vous n'avez pas digéré toutes vos émotions. Ce type d'attitude défensive est signe que vous n'êtes pas bien centrée et trahit un manque de limites personnelles solides. Lorsqu'on est vraiment entière, on n'a pas besoin de s'engager dans ce genre de discussion. Vous pourriez répondre tout simplement : «Tu as ton opinion, et moi j'ai la mienne.» Ou mieux encore : «J'aimerais mieux que nous ne parlions pas de ça.»

La culpabilité. Ce sont ces gens-là qui prêchent le Tabou de la mauvaise mère. Comme ils n'arrivent pas à croire à ce que vous éprouvez, ils tentent de vous convertir par la culpabilité et les réprimandes, pour vous pousser à "être gentille" avec la femme qui vous a causé tant d'angoisse et de malaise. En niant leurs propres émotions non résolues et leurs conflits avec leur mère, ces gens ne peuvent que dénigrer la solution que vous avez trouvée à vos problèmes.

L'ignorance. D'autres encore, qui n'ont pas vécu le même genre d'expérience que vous mais qui ne sont pourtant dénués ni de sensibilité ni de gentillesse, s'avèrent tout simplement incapables de comprendre que l'on puisse en arriver à divorcer de sa mère. Beaucoup de filles ont du mal à faire comprendre à leurs partenaires amoureux, à leurs amies ou à leurs enfants leur décision de divorcer de leur mère.

Heureusement, il y a des gens qui ont vraiment été aimés de leurs parents, qui sont tout à fait à l'aise dans leur peau d'adultes, qui vous acceptent telle que vous êtes et qui respectent vos décisions. Bien que n'ayant pas vécu les mêmes expériences que vous, ces gens *ne cherchent pas à les nier*. C'est au sujet de ce genre de personne qu'Alice Miller écrit : «Les gens qui ont effectivement eu le privilège de grandir dans un environnement empathique [...]

ont plus souvent tendance à être ouverts aux souffrances des autres, ou du moins à ne pas nier leur existence.»

Les obligations familiales. *Alors qu'il devrait l'être*, le divorce n'est pas toujours limité à la seule personne de votre mère. Car les familles sont des unités sociales. Vous avez déjà assez de mal à vous séparer, surtout si vous venez d'une famille gravement dysfonctionnelle. Demander aux membres de votre famille d'avoir la même clarté que vous revient à demander un miracle.

En conséquence, vous allez sans doute avoir à régler vos émotions non seulement envers votre mère, mais envers la famille tout entière. A moins d'être préparée à défendre fermement ce que vous sentez ainsi que vos droits et votre besoin de vous en sortir seule, vous risquez d'être sérieusement ébranlée par la forte pression que vous feront subir les membres de votre famille pour tenter de vous faire revenir sur votre décision. Mais n'oubliez jamais que vous devez d'abord faire ce qui est bon pour vous. Accepter votre mère telle qu'elle est et résoudre votre relation avec elle vous demandera peut-être d'accepter également les membres de votre famille.

Comme me l'a dit une femme, «Ce n'est même pas la peine que j'essaie de leur expliquer un concept qui leur échappe complètement. J'espère qu'avec le temps, ils vont finir par comprendre pourquoi j'ai dû cesser de voir ma mère. A ce moment-là, je serai ouverte à la communication. Mais je ne compte pas là-dessus. Ça me rend très triste, mais pas autant que la situation qui m'a poussée au départ à prendre cette décision. On ne peut pas dire que j'aie fait ça de façon hostile ou brutale : ça m'a pris des années.»

Dans le contexte familial, le Tabou de la mauvaise mère est plus souvent invoqué dans le cas des filles "divorcées" que des garçons. Les fils qui se retirent de la famille sont plus facilement exempts de censure, dans une sorte de réaction automatique d'excuse («Que veux-tu, les hommes sont comme ça») ou du moins de tolérance impuissante. De plus, comme nous l'avons vu dans le chapitre Un, la relation mère-fils est complètement différente de la relation mère-fille. C'est pourquoi beaucoup de frères ont du mal à digérer que leur sœur pose envers leur mère un geste aussi radical que le divorce.

Suzanne, trente-quatre ans, a récemment fait une douloureuse déclaration d'indépendance tant filiale que fraternelle à son jeune frère, qui l'accusait d'être "égoïste" parce qu'elle refuse de recevoir sa mère chez elle :

Je lui ai dit : "Ecoute, si tu veux la voir, je respecte ça : c'est ton besoin à toi. La différence entre toi et moi, c'est que moi je n'ai pas envie de la voir." Il ne me comprend pas, parce que nous venons d'un milieu ethnique tricoté serré. Dans notre famille, les femmes aimeraient mieux mourir que de ne plus voir leur mère. Alors je suis devenue une espèce de paria.

S'il est difficile de faire comprendre à votre frère votre attitude avec votre mère, attendez-vous à éprouver encore plus de difficultés avec une sœur. Elle aura plus de mal à sympathiser avec votre décision ou à l'accepter parce qu'elle est plus proche de vous par le sexe en plus d'appartenir à la même génération.

La seule personne qui sache mieux vous faire culpabiliser que votre mère est souvent votre sœur. Le plus souvent, cela cache la colère très réelle qu'elle éprouve à l'idée d'avoir à rester seule pour porter la relation mère-fille sur ses épaules. Il arrive parfois qu'elle n'ait même pas l'idée de se demander ce qui serait bon pour elle parce qu'elle est encore prise dans une relation symbiotique avec sa mère et qu'elle ne s'en est pas encore séparée.

Johanne, une de mes connaissances qui a divorcé de sa mère, a récemment entendu son Ange de sœur l'accuser ainsi : «Comment peux-tu me faire une chose pareille ? Comment peux-tu être aussi égoïste ?» Johanne lui a répondu : «Personne ne t'oblige à lui obéir au doigt et à l'œil. Si tu veux le faire, fais-le. Mais ne me demande pas de faire comme toi.» Puis, au sujet de sa relation avec sa sœur, Johanne poursuit :

C'est seulement cette année, et après une longue thérapie, que j'ai fini par admettre que je n'obtiendrai jamais ce que je veux de ma famille. Je ne l'aurai jamais. Jamais. J'ai tellement travaillé sur moi-même que la plus grande partie de la douleur que j'éprouvais à ce sujet s'est dissipée. Je suis à un âge où c'est ce qui doit se passer. J'ai cinquante ans : le reste de ma vie, c'est à moi que je le dois. Ni à ma mère, ni à ma sœur.

Le résultat de votre décision risque donc de ressembler à un refus global : en divorçant de votre mère, vous risquez de perdre du même coup une sœur, un frère, un oncle ou une tante. Un ou plusieurs des membres de votre famille risquent de divorcer *de vous*.

C'est ce qui est arrivé à Micheline, trente-cinq ans, quand elle a cessé de voir sa mère veuve. Jacinthe, trente-deux ans, la sœur de Micheline, s'est alors retrouvée "promue" dans la hiérarchie familiale et dans l'affection de sa mère : elle allait enfin pouvoir être la fille préférée, l'assistante loyale de sa mère. Pour protéger sa position privilégiée, elle s'est crue obligée de rejeter Micheline.

La distance entre les deux sœurs s'est prolongée pendant dix ans, jusqu'à la mort de leur mère. Micheline apprit alors que Jacinthe avait poussé leur mère à modifier son testament de façon à être la seule héritière de ses biens, y compris de sa maison. Ce qui chagrinait le plus Micheline n'était pas de perdre l'argent ou la maison, car elle s'y était déjà résignée depuis longtemps. C'était plutôt la découverte de la haine profonde que lui vouait sa sœur et de ce qu'elle avait été prête à faire pour la punir d'avoir décidé de divorcer de leur mère.

C'est alors que Micheline découvrit qu'elle avait un cancer, ce qui l'a poussée à transformer sa vie en profondeur :

Je suis littéralement devenue quelqu'un d'autre, quelqu'un de mieux. Je voulais avoir une relation avec ma sœur; tout d'un coup, nos vieilles disputes n'avaient plus aucune importance. Je voulais savoir qui elle était sous la surface, savoir ce qui la faisait aimer et haïr.

Après sa guérison, Micheline téléphona à sa sœur et prit rendez-vous avec elle. Au cours de cette rencontre, qui fut la première d'une longue série, elle découvrit que la seule relation qui ait eu la moindre importance dans la vie de sa sœur était celle qu'elle avait eue avec sa mère. La maison de leur mère était une métaphore pour ce lien et pour le besoin qu'elle avait de se percevoir comme l'enfant chérie. «C'est là qu'était son cœur, dit Micheline, et elle avait l'impression que j'allais tenter de le lui arracher.»

Leur rencontre la plus douloureuse et la plus décisive fut celle où Micheline fit part à sa sa sœur de ses émotions, sans rien omettre :

J'ai dit à Jacinthe que l'une des causes de ma maladie a été la distance qu'il y avait entre elle et moi et la haine que nous avions l'une pour l'autre. Je lui ai dit qu'elle ne m'avait jamais permis d'essayer de l'aider ni de la comprendre, qu'elle n'avait fait que me rejeter. Je lui ai dit que je comprenais que Maman était incapable de m'aimer, ce que ça m'avait fait et à quel point ma vie avait été difficile parce qu'il avait fallu que j'accepte ça. Elle a fondu en larmes. Elle était bouleversée. Puis, lentement, très tranquillement, nous avons repris le contact. Maintenant, nous sommes très proches.

Ce genre de réconciliation entre sœurs n'est pas toujours possible, tout comme elle n'est pas toujours possible avec votre mère. Mais, comme avec elle, il est important de lancer un pont par-dessus ce qui vous sépare pour contrecarrer les conséquences de ses manquements, et, qui sait, trouver une amie au sein de votre famille.

En dernier recours : intégrer l'impensable

Les filles qui se retrouvent incapables de renouer avec leur mère et qui doivent renoncer à leurs rêves d'avoir un jour une vie de famille conventionnelle doivent parvenir à trouver en elles-mêmes et dans leur vécu quelque chose qui soit digne d'amour si elles veulent finir par faire partie d'une "famille", que ce soit avec un mari et des enfants ou avec des amies très proches. Elles doivent se trouver une raison de vivre et de construire des relations basées sur l'amour mutuel.

Beaucoup de ces femmes, guidées seulement par un vague espoir, ont réussi à explorer des territoires affectifs inconnus. Elles se sont réinventées avec peu ou pas de soutien de la part de leur famile d'origine. Elles ont brisé la coquille de leur moi factice pour mettre au monde leur Moi authentique. Mais elles n'ont pas entièrement tourné le dos au passé : c'est plutôt là qu'elles puisent leur force.

Nancy, trente-six ans :

Je trouve cela très, très injuste de ne pas avoir une mère qui m'aime. Quand je rencontre des amies avec leur mère et que je vois comment elles s'aiment mutuellement, cela me rappelle ce que je n'ai pas. Mais quand on arrive à vivre avec cette réalité, on peut résister à tout. Je suis tellement heureuse de recevoir l'amour de mon mari, de mes enfants, de mes amies. Je considère que la grande victoire de ma vie, c'est d'avoir une vie saine aujourd'hui malgré mon enfance.

Diane, quarante ans :

Je pense que j'avais un genre de leçon cosmique à tirer du fait d'avoir une mère incapable de s'empêcher de m'humilier et de me brutaliser. C'est étrange, mais j'ai survécu. Dans toute ma vie, rien n'a jamais été aussi horrible que mon enfance.

Ce que mon expérience m'a appris, sans vouloir idéaliser quoi que ce soit, c'est que même les pires situations peuvent avoir des conséquences positives. C'est quand même un cadeau. J'ai appris que j'avais une force phénoménale. Mais ne me demandez pas de dire merci à ma mère pour toute ma force, parce que vous risquez d'attendre longtemps. Sauf que, contrairement à ma mère, je ne suis pas seule. Quand je pense à toutes les joies que j'ai maintenant (mes amies, les gens avec qui je travaille et qui m'admirent, les gens que j'aime), je trouve cela très précieux d'être capable d'aimer et de recevoir amour et confiance. Ma mère n'a jamais connu la paix : elle ne connaissait que la guerre. Je connais bien la guerre. C'est pourquoi j'apprécie tellement la douceur de la paix.

Madeleine, quarante-six ans :

Dans la vie, il n'y a pas de réponses toutes faites. La chose la plus difficile à accepter est de devoir se changer soi-même au lieu d'essayer de changer sa mère. Tout ce qu'on peut faire, c'est continuer de travailler sur soi-même, essayer d'être aussi positive que possible et se faire une vie à soi sans se mettre trop de bâtons dans les roues.

C'est le mieux qu'on puisse faire... et ça me suffit.

Le mot de la fin : quelques conseils pour divorcer de votre mère

Ne le faites pas pour la punir. Certaines femmes rejettent leur mère dans un mouvement de colère et en se disant : «Ça lui apprendra !», ce qui ressemble fort à une révolte adolescente tardive. Comme nous l'avons vu, ce genre de divorce n'est en fait qu'une déclaration de guerre qui ne vous attirera que de longs combats sanglants. De plus, cela risque de nuire à toutes vos autres relations.

Restez centrée sur vos besoins et vos émotions à vous. Si vous voyez votre mère à l'occasion, vous aurez besoin de rester centrée sur vous-même, d'imposer des limites à son comportement et d'être très claire sur vos croyances et vos valeurs à vous.

Essayez une séparation temporaire. Comme nous l'avons vu, il arrive que des "vacances" puissent vous aider à calmer votre colère et votre anxiété assez longtemps pour démêler vos réactions quand elles sont trop chargées d'émotions. Certaines filles se rendent compte qu'elles tiennent trop à leur mère pour ne pas tenter de renouer et de redéfinir leur relation avec elle. Sans lui faire de reproches ni poser d'ultimatum, expliquez à votre mère ce que vous allez faire : cela suffit parfois à lui donner le choc nécessaire pour qu'elle commence au moins à se demander pourquoi vous avez besoin de vous éloigner d'elle. Si elle est au courant des conséquences de son comportement destructeur, elle fera peut-être un effort pour se corriger.

Soyez fermement convaincue que vous n'avez absolument aucune autre possibilité. Si vous êtes convaincue que votre mère ne parviendra jamais à faire un effort pour se comporter d'une façon qui ne soit pas une tentative délibérée de vous blesser, il est sans doute nécessaire que vous cessiez de la voir. Cela ne sert à rien de vous épuiser à rester dans une relation qui ne donne aucun signe de devoir s'améliorer un jour.

Si vous en venez à la conclusion que vous devez cesser de la voir, sachez que votre mère fait plutôt pitié et que *ce n'est pas de votre faute* si elle n'arrive pas à vous manifester d'amour. Vous méritez d'être aimée indépendamment du fait qu'elle vous aime ou non. Faites le deuil de votre relation avec elle et vous parviendrez à cultiver votre talent pour aimer, pour devenir l'amie de vos enfants quand ils grandiront et pour tirer de votre tragique histoire un avenir sain et positif.

Cinquième partie

Boucler la boucle

Epilogue

Cinq générations, un album de famille

«Quand ma fille Jenny avait seize ans, j'ai fait un rêve dans lequel je me trouvais sur la rive d'une rivière, un ruban d'argent qui séparait en deux une vaste vallée boisée. Les épais branchages d'un bois de sapins jettent une ombre épaisse sur les sous-bois qui se trouvent derrière moi. Au loin, la rivière est couverte de paillettes d'or comme si le soleil était caché dedans.

De l'autre côté, Jenny marche sur un sentier, accompagnée de gens que je ne connais pas. Je l'appelle, mais elle ne m'entend pas. Elle bavarde agréablement avec ses compagnons, son charmant visage illuminé d'un sourire radieux. Je reste là à la regarder, trempée de sueur, terrifiée pour elle parce qu'elle est trop loin et que je ne peux pas la protéger.

Je n'arrive pas à faire coïncider les deux images, les deux émotions : sur la rive où je suis, et qui est maintenant plongée dans l'ombre, je suis glacée de peur. Sur sa rive, Jenny est sereine, baignée de la lumière dorée de la fin du jour, réchauffée par la lumière d'un ciel à couper le souffle, comme si le soleil était maintenant en elle. Je suis ébahie par le contraste. Comment se fait-il que j'aie si froid et si peur quand elle est si heureuse et qu'elle a chaud ? Est-ce parce que je n'accepte pas qu'elle soit heureuse sans moi ?

Non, ce n'est pas pour cela. J'ai peur pour moi-même parce que je suis abandonnée de la personne la plus importante au monde; c'est la même émotion que celle que j'éprouvais, enfant, quand ma mère m'"abandonnait". Jenny est partie et elle a emporté le soleil avec elle. Et moi, je suis seule dans le noir.»

«Félicitations, c'est une fille !» s'exclama le docteur lors de la naissance de Jenny, il y a maintenant vingt ans. J'ai failli m'évanouir de joie : j'étais tellement soulagée de ne pas avoir à faire face à mon ambivalence à propos des hommes, si heureuse d'avoir une enfant du même sexe que moi.

Avec ma fille — *ma fille* : ces mots sonnaient de façon étrange et merveilleuse dans ma bouche, comme des noms de fruits exotiques — j'allais pouvoir repartir à zéro. J'allais pouvoir commencer une nouvelle vie; j'allais vivre une sorte de renaissance spirituelle. J'allais avoir une vraie famille.

Avec Jenny, j'allais pouvoir guérir toutes les blessures de mon enfance.

Quand je me rappelle mes origines, certains souvenirs se dressent devant moi et jettent une ombre menaçante sur tout le reste. On aurait dit que l'on ne remarquait mon existence que lorsque je commettais une erreur, ce qui, aurait-on dit, était une maladie chronique chez moi. Les punitions et les réprimandes fusaient sans que je parvienne à comprendre ce qui provoquait la colère de ma mère. Le pire était d'être punie par son silence. «Tu devrais le savoir», répondait-elle quand je lui demandais ce qui se passait.

J'ai appris très jeune à demander pardon même quand je n'avais rien fait de mal, à me proclamer coupable pour adoucir le mécontentement de ma mère et l'empêcher d'exploser. Selon les règles tacites du jeu que nous jouions, je ne pouvais participer qu'en faisant constamment mon acte de contrition. Notre relation fut donc dominée par la peur pendant toute mon enfance et la majeure partie de ma vie adulte.

Mais j'avais fait le vœu qu'avec Jenny, tout serait différent. J'allais être pour elle tout ce que ma mère n'avait pas été pour moi. Là où je m'étais sentie humiliée et ridiculisée, elle allait se sentir aimée. Là où j'avais été négligée, elle allait être chérie. Là où j'avais vécu dans la terreur, elle allait vivre dans la sécurité.

Je ne me rendais aucun compte, parce que je ne le savais pas encore, qu'à l'instant de sa naissance, Jenny n'héritait pas seulement de ma joie mais de toute ma tortueuse histoire ainsi que de l'héritage malsain et de la symphonie inachevée de mon enfance.

Jenny a commencé sa vie avec le fardeau des attentes les plus énormes qu'une mère puisse avoir à propos de sa fille : *tu vas tout arranger*. Et c'est ce qu'elle a fait, de mille et une façons, parce qu'elle m'a permis de regarder le monde avec ses yeux neufs. Quand elle était bébé, moi, une enfant des villes, élevée dans le béton, je l'emmenais dans de longues promenades dans les bois près de ma maison de banlieue pour lui montrer les oiseaux, les papillons, les vers, les insectes. Les créatures qui me faisaient auparavant grimper sur un tabouret en criant «Tue-la ! Tue-la !» devenaient à présent des cadeaux à lui offrir au cours de l'exploration que nous faisions du monde. Les orages qui me faisaient me cacher sous mes couvertures en gémissant devenaient des fables au sujet de nuages qui tapaient des mains. La vie était pleine de miracles que je n'avais jamais remarqués auparavant. Mais où avais-je vécu pendant les trente années précédentes ?

Tout d'un coup, j'avais le pouvoir de dompter les cieux, d'apprivoiser les animaux, de rendre le monde inoffensif et invitant, tout cela parce que j'avais quelqu'un à protéger. La seule chose contre laquelle je n'ai pas pu la protéger fut l'amour étouffant que je lui portais.

Si la naissance de Jenny avait introduit dans ma vie la beauté et la pureté de l'enfance, cela ne pouvait représenter qu'une parenthèse bénie dans le chaos de ma vie, puisque cela dépendait de l'adoration absolue qu'elle me vouait. J'allais être la première mère depuis le début des temps à avoir avec ma fille une relation d'amour parfait. Nous allions être des innocentes *ensemble*. et notre relation serait si spéciale, si stable que rien ne l'ébranlerait jamais.

Quand elle avait onze ans, je lui ai expliqué que la seule différence entre les adultes et les enfants, c'est que les adultes ont une enveloppe plus grande que celle des enfants. Mais au plus profond de nous-mêmes, nous nous sentons tous comme de petits enfants. «C'est le secret le mieux gardé des adultes», lui dis-je en riant.

Mon secret, aurais-je dû dire. Pendant la majeure partie de ma vie, je me suis sentie extrêmement vulnérable... mais il suffisait de ne pas le laisser paraître. Je croyais que le fait d'avoir un enfant allait éclipser ma propre enfance, une théorie qui allait bientôt mordre la poussière devant l'expérience de la maternité.

Lorsqu'elle atteignit l'adolescence, qui explosa comme un bouchon de champagne, je commençai à me retrouver face à face avec les conséquences de mon amour anxieux et de ma surveillance constante. J'avais cru ériger un mur solide entre Jenny et mon enfance, mais je nous avais enfermées toutes les deux. En vivant sa vie pour elle, je l'empêchais de la vivre elle-même.

Au fur et à mesure qu'elle grandissait, notre relation ressemblait de plus en plus à un duo où j'aurais chanté les deux partitions. L'une des deux voix chantait les maximes conventionnelles des parents : mange tes épinards, dis-moi ce qui ne va pas, va dans ta chambre. L'autre voix était un contrechant de doute et de confusion : j'aurais dû dire ceci, je n'aurais pas dû dire cela; je n'ai pas choisi le bon moment, elle ne le pense pas vraiment, ce n'est qu'une petite égoïste, elle est fatiguée, qui la blâmerait, j'ai peur de ma propre fille, *mais qu'est-ce que j'ai ?*

Quand je lui parlais, je pesais chacun de mes mots comme sur une balance de bijoutière. Mais je désirais ardemment que vienne un temps où tout serait facile entre nous, où chaque parole ne serait pas aussi lourde de conséquences, où le ton de nos conversations ne me donnerait plus l'impression que je venais de gâcher sa journée ou de remporter une victoire personnelle.

Jusqu'à son adolescence, Jenny était pétrifiée à l'idée de faire quoi que ce soit sans moi: aller aux toilettes dans un restaurant, faire une course, parler à une vendeuse. Si elle ne savait rien faire seule, c'est parce que je faisais tout à sa place. J'éprouvais même ses émotions à sa place : je lui disais quoi faire et comment réagir. Elle n'avait pas d'identité. Elle n'avait aucune idée de la façon d'interagir avec ses pairs. J'avais mis tous mes œufs affectifs dans le panier de mon unique enfant : elle seule était responsable de mon bonheur. Elle n'avait personne avec qui partager le poids de mon amour et de ma tristesse.

Je sais tout cela parce qu'elle me l'a dit... à peu près au moment où elle est devenue anorexique. Aujourd'hui complètement rétablie, elle m'a récemment avoué à propos de cette époque: «Mon corps était la seule chose sur laquelle j'avais un contrôle total.»

L'adolescence de Jenny a fait exploser notre relation. Alors que toutes ses hormones la poussaient à s'éloigner de moi, elle devait lutter pour trouver l'espace nécessaire pour respirer et être elle-même loin de ma version personnelle de ses expériences et de ma tendance perpétuelle à revoir, corriger, maquiller et manipuler les réalités douloureuses de la vie.

A quinze ans, elle a pris la fuite dans un comportement destructeur, devenant indifférente à sa propre santé, aux conséquences de ses éclats de colère imprévisibles, aux émotions de tout le monde sauf aux siennes. La révolte adolescente de Jenny a été si intense que je me sentais prise entre deux tornades : d'un côté, les émotions exacerbées que j'éprouvais envers ma mère, de l'autre, mon adolescente volatile et complètement désorientée.

Devant les terribles conséquences de ma surprotection de Jenny et la souffrance que son comportement me faisait subir, je me suis réfugiée dans la thérapie. L'adolescence de Jenny m'a forcée à finir de grandir, à *faire attention* au fait que je n'arrivais pas à la percevoir comme une personne à part entière et à me rendre compte que j'étais encore aux prises avec une relation non résolue avec ma mère.

Avec l'aide de ma thérapeute, j'ai fini par apprendre à établir des limites et à les définir clairement, bref, à me séparer *moi-même* de Jenny. C'est alors qu'elle m'a demandé de la laisser assumer une plus grande part de sa vie, surtout ce qui avait trait à ses notes et à ses études; j'ai accepté. J'ai même fait plus que cela : je lui ai laissé l'entière responsabilité de sa chambre et de sa lessive, et je lui ai alloué un petit budget pour s'acheter des vêtements. Si elle manquait d'argent, elle devrait se trouver du travail.

Je me suis retirée derrière un mur protecteur qui empêchait ses pointes de m'atteindre, mais je n'ai pas démissionné. J'ai continué à lui exprimer mon amour, tout en refusant de me laisser intimider par ses scènes. Ses réussites comme ses échecs (sauf pour les cas d'urgence qui nécessitent absolument l'intervention d'un parent) étaient sa seule responsabilité. Lorsque vint le temps de décider si elle allait s'inscrire à l'université, et à laquelle elle s'inscrirait, je n'ai rien dit du tout (bien que je doive admettre qu'il a fallu que je me retienne des deux mains pour ne pas intervenir).

Pendant longtemps, elle n'a pas du tout aimé que ses tactiques ne fonctionnent plus, que sa mère ne supporte plus ses crises et qu'elle se mette à refuser d'exécuter ses ordres. En fait, à cette époque-là, elle n'aimait persone, ni elle, ni moi.

Sans l'abandonner, je l'ai laissée aller. Cette révolution dans mon comportement s'est révélée être ce que j'aurais pu faire de mieux pour elle comme pour moi. Quand j'ai cessé de faire de Jenny le centre de ma vie, elle a pu devenir le centre de la sienne. Cela a été un immense soulagement pour nous deux.

Mais rien de tout cela ne serait arrivé si je n'avais pas en même temps lutté sur un second front en affrontant les démons de ma relation avec ma mère. L'époque où j'ai entrepris de redéfinir et de sauver ma relation avec ma fille est également celle durant laquelle j'ai commencé à accepter ma mère.

A sa naissance, comment Jenny aurait-elle pu se douter qu'elle était un nouveau personnage dans une pièce qui durait depuis plusieurs générations? Comment l'aurais-je su moi-même? Ce n'est que quand Jenny a commencé à se rebeller que j'ai pu prendre ma vie en main et me mettre à déchiffrer le scénario. J'ai entrepris des recherches sur l'histoire de ma famille pour boucher les vides de mon vécu erratique et pour essayer de comprendre comment j'en étais arrivée là : après avoir raté mon enfance, j'étais en train d'échouer dans mon rôle de mère.

C'est alors que, les rares fois où je la voyais, j'ai entrepris d'interroger ma mère sur sa vie et celle de ses parents. Je voulais en savoir plus long sur elle. Je voulais découvrir ce qui avait fait d'elle la femme qu'elle était et les raisons qui l'avaient poussée à faire les choix qu'elle avait faits, de façon à la comprendre mieux, ainsi que notre relation.

Alors que certaines des réponses de ma mère réveillaient en moi des échos à demi oubliés, comme des bribes de berceuses, d'autres m'ont révélé des pans entiers d'histoire inconnue. Je connaissais déjà le reste d'après ce qu'on m'avait raconté quand j'étais enfant. Puis vint le temps où toutes mes recherches et mes souvenirs personnels s'assemblèrent comme les morceaux d'un casse-tête pour me révéler l'image entière de mes origines.

La naissance de ma grand-mère maternelle coïncida avec la mort de sa mère, un événement qui devait se répercuter sur les trois générations à venir. Grand-mère reçut une éducation correcte mais sans amour de la part de son père, un homme froid, rigide et sévère, et de ses sœurs restées vieilles filles. Les circonstances de sa naissance furent à l'origine d'une aversion entre elle et son frère aîné qui dura toute leur vie : elle avait "tué" leur mère. Son père dut également être très affecté par la mort de sa femme, ce qui se répercuta sur sa relation avec ma grand-mère. Il ne lui manifesta jamais aucune affection, aucune autre émotion que le mépris.

Comme elle jouait du piano avec beaucoup de talent et qu'elle avait une voix riche et mélodieuse, on lui offrit une bourse pour étudier au Conservatoire de musique de Londres, mais son père lui interdit de s'y inscrire. Elle n'oublia jamais cette occasion manquée, bien qu'elle ait fini par utiliser son talent pour trouver du travail comme organiste dans un cinéma muet.

Ma grand-mère épousa un homme qui ressemblait beaucoup à son père par sa froideur : alors qu'elle rêvait de passion, il n'en voyait pas l'importance, m'a-t-elle déjà raconté. On le respectait beaucoup pour son caractère et son intégrité, mais il était très réservé. Il adorait et gâtait ma mère, qui fut sa seule enfant et la seule douceur de sa vie.

Mes grand-parents divorcèrent quand ma mère était encore une enfant. Elle apprit la nouvelle sans ménagements en entendant ma grand-mère en parler dans un taxi. Mon grand-père venait de revenir d'un voyage en Europe. Ma mère se souvient encore du cadeau qu'il lui avait rapporté de voyage : «De si jolis gants, soupire-t-elle. Ils étaient en daim, avec des petites roses brodées dessus.» Le divorce de ses parents provoqua un scandale dans leur milieu bourgeois et bien-pensant. Plusieurs de ses compagnes de classes reçurent l'interdiction de jouer avec elle.

Ma grand-mère ne se remaria jamais et vécut seule jusqu'à la fin de ses jours. Sur son lit de mort, elle demanda qu'on l'incinère et que l'on enterre ses cendres dans la tombe de sa mère pour être unie avec elle dans la mort sinon dans la vie. Au cimetière, les fossoyeurs ouvrirent par erreur la tombe de son père. Ma mère est devenue hystérique : «Ma mère *détestait* son père !» s'est-elle mise à crier.

Dans tout cela, ce qui me semblait le moins clair était justement ce que je ne pouvais pas demander à ma mère : comment ma grand-mère avait-elle bien pu produire une fille qui lui ressemblait si peu ? La chère grand-mère de mes souvenirs, celle qui m'a patiemment appris à coudre, qui m'accompagnait sans jamais se lasser quand je prenais des cours de chant, qui était toujours là pour écouter mes problèmes, qui passait la moitié de la nuit debout avec moi à manger de la crème glacée au chocolat en regardant de vieux films à la télévision, était-elle la même avec sa fille qu'avec moi ?

La réponse est non. A l'époque où ma grand-mère était une jeune épouse et une jeune mère, les blessures de son enfance étaient encore fraîches. Parmi ces blessures se trouvait le fait qu'elle n'était pas belle : "élégante", comme le disait son entourage, mais pas jolie. En fait, elle ressemblait de façon frappante à son père détesté. Ces deux faits, joints à l'élément central de sa vie (la mort de sa mère à sa naissance) furent les ingrédients principaux du drame dans lequel naquit ma mère.

Je ne peux qu'imaginer la jalousie qu'a dû éprouver ma grand-mère envers sa fille. Ma mère, une très belle femme, était déjà d'une beauté ravissante dans son enfance et les conversations s'arrêtaient quand elle entrait dans une pièce. «Elle faisait tourner toutes les têtes», m'a déjà dit mon père. Grand-mère doit avoir perçu son enfant, sa si *jolie* petite fille, comme une dangereuse rivale auprès de son mari. Voilà que cela lui arrivait *encore une fois* : tout comme son père, son mari lui refusait à son tour son affection. En réaction, elle fut avec ma mère d'une sévérité extrême, tout comme son père l'avait été avec elle; il arriva un jour que ma mère dut quitter l'école en pleine classe parce qu'elle avait oublié de faire son lit.

Plus tard, ma grand-mère a essayé de compenser les erreurs qu'elle avait commises avec sa fille en lui donnant tout le soutien possible lorsqu'elle traversa des crises conjugales, en étant gentille et compréhensive avec elle et en la défendant doucement contre ses propres enfants. Mais je ne pense pas que leur relation se soit jamais complètement remise de l'enfance difficile de ma mère.

Dans les années Vingt, ma mère entra avec tout ce fardeau sur les épaules dans son premier mariage, une union malheureuse qui produisit une fille et qui se solda par un divorce. Elle se remaria ensuite avec mon père, un homme qui, tout comme elle, avait été un merveilleux enfant unique et gâté. En partie parce que ni l'un ni l'autre n'avait de frères ou de sœurs avec qui ils auraient pu apprendre à partager la vedette, ils n'étaient absolument pas faits l'un pour l'autre.

De plus, mon père était un dilettante qui dilapidait l'héritage de ses ancêtres puritains. Comme il avait hérité d'une fortune suffisante pour vivre toute sa vie sans souci financier, il n'eut jamais de carrière à proprement parler. Il publia plutôt à compte d'auteur des recueils de poèmes et des essais littéraires d'une complexité hermétique. Fidèle à son narcissisme, il fut envers ma mère d'une infidélité chronique.

Au terme d'une série de procès amers au sujet de la garde de mon jeune frère et de moi-même, qui dura quatre ans, ils finirent par divorcer quand j'avais dix ans. Ma mère, épuisée, sortait victorieuse de la bataille. (Après le divorce et jusqu'à la mort de mon père, survenue en 1973, je ne l'ai vu que rarement.)

A la lumière de tous ces renseignements et de ma propre expérience, j'ai ensuite observé la façon dont mes émotions non résolues envers ma mère et la peur persistante que j'avais d'elle mettaient en danger ma relation avec ma fille. Bien sûr, je connaissais déjà la majeure partie de cette histoire qui s'étendait sur cinq générations, si l'on tient compte de la mère de ma grand-mère, morte tragiquement en accouchant. Mais ce n'est que lorsque j'ai atteint la quarantaine que j'ai pu me distancier suffisamment de mon enfance et m'en servir pour considérer ma mère comme un être humain, avec ses qualités et ses défauts, et non comme quelqu'un qui était sur la Terre pour me faire souffrir.

Mais les faits à eux seuls ne suffisaient pas à donner un sens à notre relation; il me restait à reconstruire un dossier affectif que même elle ignorait consciemment et qu'elle ne pouvait donc pas me fournir. C'était le dernier morceau du casse-tête de notre malheureuse relation. Quand j'ai découvert de morceau-là, la compréhension que j'avais de ma mère a fait un bond en avant.

J'avais découvert que j'étais la rivale de ma mère auprès de mon père. Comme ma mère, j'ai été une très belle petite fille. Et comme ma mère avec son père *à elle*, j'étais (du moins quand j'étais petite) la prunelle des yeux de mon père. Tout comme ma mère avait "volé" son père à sa mère, j'avais sans le savoir "volé" mon père à ma mère : l'héritage affectif de l'enfance se répercutait de façon inévitable sur la mienne.

Ce n'est qu'aujourd'hui que je réalise la menace énorme que faisait peser sur ma mère mon existence. En étant aussi mignonne, je n'aurais pas pu choisir une pire façon d'essayer de me faire aimer d'elle, puisque cela me rendait encore plus adorable aux yeux de mon père. Les efforts que je faisais pour lui plaire la repoussaient loin de moi tout comme sa mère s'était éloignée d'elle. Je ne crois pas qu'elle se soit jamais rendu compte de la façon dont son histoire se répétait avec moi.

Ce n'est qu'une fois adulte que j'ai pu commencer à comprendre ce que mon enfance m'avait coûté. Lorsque j'ai entrepris ma première thérapie, à l'âge de vingt-trois ans, je me suis rendu compte que pendant la majeure partie de ma vie, j'avais fonctionné sur le pilote automatique pour fuir le plus loin possible de mon enfance, nourrie par mon besoin de la punir. Ma fuite m'a souvent fait tomber dans le piège d'une relation malsaine et a fini par m'amener à faire des choix névrotiques avec ma fille, dont le pire était de me l'attacher avec des liens d'acier.

Lorsque Jenny a atteint l'adolescence, j'ai vu le sort qui nous guettait : nous risquions de devenir des étrangères l'une pour l'autre, comme ma mère et moi, à moins que je n'entreprenne une seconde thérapie pour replonger dans les eaux troubles de mon enfance et les clarifier pour de bon.

J'ai donc examiné les événements de mon histoire et les émotions qui y étaient reliées; je les ai ressenties, goûtées, pleurées. Et au bout de quatre ans de travail, j'ai fini par émerger de l'autre côté. Ce n'est que quand je me suis approchée de l'émancipation de ma fille et de ma quarantaine que j'ai été en mesure d'assembler tous les morceaux de l'histoire de ma famille et de comprendre mon rôle dans toute cette histoire.

Une fois Jenny sortie de la tempête de sa révolte et les rafales de l'adolescence (la sienne et la mienne) un peu calmées, nous avons pu nous rencontrer sur une mer plus tranquille. Elle avait vingt ans quand je lui ai raconté mon histoire et celle de ma famille.

Je lui ai dit que si j'avais épousé son père, bien que nous ne soyons pas faits l'un pour l'autre, c'était parce qu'avec lui, je me sentais à l'abri, je n'avais pas besoin d'être vulnérable, d'être impliquée dans une relation intime ni de faire des choix. En le laissant me traiter comme une enfant, j'obtenais un refuge contre le monde extérieur... jusqu'à ce que l'enfant en moi se rebelle. Nous avons divorcé quand Jenny avait sept ans.

Je lui ai dit que malgré les apparences, la façon dont ma mère m'avait élevée n'était qu'une variante de celle dont j'avais élevé Jenny, car dans les deux cas, l'identité de l'enfant s'était retrouvée en danger. En veillant sur elle à toute heure du jour et de la nuit, en lui pavant constamment la route, en enlevant tous les obstacles de son chemin, en lui fabriquant une vie parfaite qui nécessitait de ma part une vigilance constante, j'avais tenté de me rendre indispensable, mais à son détriment.

Je lui ai dit qu'il avait fallu que j'atteigne la quarantaine avant de pouvoir tenir tête à ma mère. Auparavant, j'avais bien trop peur d'elle (et de tout) : je tremblais dès que j'entendais sa voix me saluer au téléphone ou même dès que je voyais son écriture sur une enveloppe.

Je lui ai dit qu'une fois que je m'étais mise en colère, je n'avais plus pu m'arrêter. Je ne voulais pas renoncer à ma colère. Elle me stimulait, m'animait, me rendait forte. Moi qui avais toujours été d'une politesse exquise avec la vendeuse la plus revêche dans les magasins, j'espérais presque qu'il y en ait une qui dise un mot de travers. J'étais enfin capable de me défendre.

Je lui ai dit qu'au cours de toute mon enfance affreuse, dans tous les mécanismes de défense que j'avais utilisés en tant qu'adulte, j'avais vécu ma vie à reculons, incapable de percevoir ma mère telle qu'elle était, c'est-à-dire une femme comme les autres qui est la somme de son passé, de ses défauts, de ses qualités... et sans doute de ses regrets.

J'ai dit à Jenny que grâce à ma thérapie, j'étais enfin parvenue à me libérer de la colère qui m'avait fourni une identité pendant si longtemps. Je n'avais plus besoin de l'approbation de ma mère — ni de celle de Jenny — pour me sentir vivre. La vie que je m'étais construite en suivant une thérapie, en ayant une carrière stimulante et des amitiés enrichissantes, en me remariant avec un homme que j'aimais et en laissant à ma fille assez d'espace pour qu'elle puisse grandir et se séparer de moi, tout cela formait mon identité. Moi qui n'avais jamais eu de limites claires, que ce soit en tant qu'enfant, amie, épouse ou mère, j'en avais enfin.

J'ai terminé en lui disant que ça fait mal d'apprendre à grandir, mais pas autant que de passer sa vie comme une enfant terrifiée et sans attaches.

Quand je me suis tue, elle m'a dit : «Merci. Tu viens de m'expliquer ma vie.»

Quand je regarde ma fille telle qu'elle est aujourd'hui et que je vois la façon dont elle s'est sortie des erreurs que j'ai commises avec elle et dont elle fait face courageusement à sa propre ambivalence, qui diffère tellement de la mienne, je me rends compte qu'il est possible d'éviter de transmettre à nos enfants l'héritage sinistre de notre histoire.

Les différences entre ma fille et moi me réjouissent autant que nos ressemblances. Alors que j'ai souffert de handicaps du cœur qui me feront toujours souffrir, comme une vieille blessure qui se réveille les jours de pluie, elle a ses blessures à elle, mais elles ne la paralysent plus. Alors que je me suis déjà demandé si je parviendrais un jour à être heureuse, elle regarde l'avenir avec confiance.

Alors que je n'avais personne sur qui compter (sauf, de temps en temps, ma grand-mère), elle a la personne que je suis devenue, plus un beau-père qui l'aime et toute une famille de tantes, d'oncles, de cousins, de cousines et d'amies.

La principale différence entre elle et moi, c'est qu'elle a un vrai Moi et qu'elle n'aura pas besoin de passer la moitié de sa vie à tenter de l'exhumer.

Jenny n'a pas besoin de faire d'efforts pour être quelque chose ou quelqu'un qu'elle n'est pas. Elle a un esprit pétillant, la curiosité de l'artiste qu'elle est et une tolérance pleine d'humour pour l'ambiguïté. Aujourd'hui, elle est lancée sur sa propre orbite différente de la mienne.

Ce qu'il y a de mieux dans notre relation, c'est que nous pouvons parler de tout, que ce soit une peine ou une joie. Quand elle avait quize ans, j'étais convaincue que nous ne serions jamais amies. Maintenant qu'elle a vingt ans, je suis convaincue que nous serons toujours amies. Pas les meilleures amies. Mais des amies qui s'aiment profondément.

Nous éprouvons beaucoup d'affection l'une pour l'autre. Nous respectons mutuellement notre vie privée. Nous avons appris à laisser l'autre être ce qu'elle est, avec tous nos défauts, toutes nos qualités, toutes nos peurs, toutes nos joies, tout ce qui nous fait rire aux larmes ensemble. Nous ne sommes plus attachées comme des sœurs siamoises : quand elle se blesse, ce n'est plus moi qui saigne. Quand je suis de mauvaise humeur, elle n'enfile plus son armure.

Nous avons l'une pour l'autre de l'amour, de l'admiration et du respect. Je ne peux pas penser à un plus beau cadeau pour une mère et sa fille.

Et ma mère ?

Alors que je mettais la dernière main au manuscrit de ce livre, une de mes connaissances m'a demandé ce que je faisais. Comme je le lui expliquais, mais sans parler de mon enfance, elle m'a demandé : «Vous devez détester votre mère, non?»

Il fut un temps où ce genre de question aurait déclenché chez moi une réaction de colère et de défense pour me protéger contre le tabou de la mauvaise mère. Mais ce jour-là, j'ai pris le temps de réfléchir à sa question et j'ai répondu : «Non, je ne la déteste pas. Plus maintenant. Ce que j'éprouve, par contre, c'est une certaine tristesse.»

Je mentirais si je ne vous disais pas le reste. Cette question m'a hantée pendant des jours. Je l'ai mâchée et remâchée, puis je l'ai poussée plus loin. Est-ce que j'étais capable de faire honneur à ma mère aussi facilement que je l'avais déjà condamnée ?

Voici les réponses que j'ai trouvées :

En vérité, elle m'a donné ceci : un grand amour de la littérature, de la musique et des arts; une bonne éducation; une appréciation pour les hommes et les femmes de caractère et de courage; un frère et deux demi-sœurs avec qui j'ai enfin le sentiment de former une famille biologique, après des dizaines d'années passées à nous méfier les unes des autres.

En vérité, le plus beau cadeau qu'elle m'a fait fut sa mère, qui m'a donné les plus beaux moments de mon enfance : une foi en ma propre valeur; des becs, des caresses et ses genoux pour y grimper chaque fois que j'avais un chagrin; de la musique où noyer ma tristesse; sa chaleur et un amour merveilleux, inconditionnel et gratuit qui m'a finalement permis de trouver le courage nécessaire pour m'embarquer dans mon long voyage vers la guérison du cœur. Les souvenirs les plus heureux de mon enfance.

En toute sincérité, ma mère est généreuse et loyale en amitié; elle est douée d'une intelligence brillante; et on peut entièrement compter sur elle.

En toute sincérité, ma mère m'a aimée du mieux qu'elle a pu. Si je n'ai pas "demandé" à l'avoir pour mère, elle n'a pas non plus "demandé" à m'avoir pour fille. Je crois qu'elle a fait tout ce qu'elle pouvait.

En toute sincérité, j'éprouverai sans doute toujours une certaine souffrance à l'idée de la façon dont elle m'a traitée quand j'étais enfant. Mais elle n'est pas du tout responsable des erreurs que j'ai commises depuis. C'est elle qui est responsable de la majeure partie de mon enfance. C'est moi qui suis responsable de toute ma vie adulte.

Mais il y a un facteur *X* dans toutes ces réponses qui, je crois, n'a rien à voir avec l'héritage familial. J'ai toujours eu dans le cœur une étincelle de foi en la vie — entrenue sans aucun doute par ma grand-mère — qui m'a permis de croire que l'avenir me réservait un meilleur sort que mon enfance. C'était le plus vague des rêves, le plus improbable des théorèmes. Mais elle m'a guidée, même si je la perdais de vue de temps en temps.

La différence entre ma mère et moi, c'est qu'elle était prisonnière de ses démons intérieurs alors que j'ai eu la chance de pouvoir les affronter et les vaincre. Je m'attriste à la pensée des forces néfastes et des vents mauvais qui la tourmentaient. Mais plus que tout, je suis triste de ne pas avoir pu vivre avec elle ce que je vis aujourd'hui avec ma fille. C'est le seul regret de ma vie.

Je souhaite à ma mère tout le bien du monde et lui suis reconnaissante pour tous les avantages qu'elle m'a donnés. Je crois que je la comprends, et elle a des qualités que j'admire. Elle a fait ce qu'elle pouvait : si elle avait pu faire autrement, je sais qu'elle l'aurait fait. Et c'est tout.

Les mères d'aujourd'hui font partie d'une génération de transition. Nous sommes souvent maladroites avec nos enfants, surtout avec nos filles, car nous avons peu de modèles pour nous apprendre à nous comporter avec *elles* comme nous souhaitons que nos mères — même les mieux intentionnées du monde — aient pu se comporter avec *nous*. C'est à pas hésitants que nous nous adaptons à l'évolution de la famille et du rôle de mère. Si nous sommes parfois désorientées, c'est parce que, en devenant mère, nous avions pour tout bagage ce que nous a appris notre enfance.

Mais nous avons la possibilité d'en apprendre plus long. Contrairement à nos mères, nous avons la chance de vivre dans un contexte social qui favorise la franchise et qui n'insiste pas pour que l'on garde pour soi tout ce que l'on ressent. Il y a toujours un peu partout des familles qui gardent jalousement de terribles secrets enfouis dans l'ombre. Mais celles d'entre nous qui ont le courage d'affronter leurs peurs et leurs erreurs, le courage de changer, trouvent toujours quelqu'un, quelque part, que ce soit un livre, un groupe de soutien ou une thérapeute, pour leur offrir l'aide que nos mères ont rarement reçue pour accomplir la tâche la plus complexe, la plus difficile et la plus importante du monde: celle d'élever une enfant.

Mais il reste une vérité absolue qui transcende toutes les généralités sur l'évolution sociale, le fossé des générations, les exigences de l'histoire ou l'absolution psychologique de la "culpabilité" des mères : c'est que l'avenir d'une enfant repose sur la façon dont sa mère ou son père la traite dans le secret de la famille. Il n'y a aucune circonstance atténuante, aucune excuse pour les crimes contre l'âme humaine que certains parents infligent à leurs enfants.

Il y a des choses dans la vie qui ne sont pas relatives, peu importe l'héritage psychologique que l'on a reçu ou l'enfant que le hasard nous a donnée. Lorsqu'il s'agit d'être parent, que ce soit mère ou père, nous avons tout à la fois le pouvoir et la responsabilité de dépasser les blessures de notre enfance, nos défenses et notre moi factice.

Certaines des filles que j'ai rencontrées portent les blessures permanentes d'une enfance trop cruelle. Ces filles handicapées n'ont pas eu les moyens de se sortir du bourbier de leur enfance; leurs enfants hériteront de leur souffrance non résolue.

Mais beaucoup d'autres filles sont déterminées à ne pas transmettre à leurs enfants l'héritage des mauvais traitements que leur ont infligés leurs parents. Ces filles, qui ne tiennent pas leurs enfants otages de leur propre enfance, croient qu'elles ont le pouvoir de faire des choix : Elles choisissent de ne pas humilier leurs enfants. Elles choisissent de ne pas les rabaisser. Elles choisissent de ne pas briser l'enthousiasme et l'optimisme inné de leurs enfants, de ne pas les punir pour leur valeur et leurs capacités intrinsèques.

Ces filles courageuses, ne pouvant pas réécrire leur propre passé, réinventent l'histoire de leurs enfants. Elles ne pensent plus à blâmer leur mère. Elles sont en train de briser le cycle de la souffrance qui sépare les mères et leurs filles. Les vraies héroïnes de ce livre, ce sont elles. Elles sont les modèles de la prochaine génération.

Table des matières